Sur les S   ...s
de la Sagesse

Un voyage initiatique à travers le grand Tout
Ou le témoignage qu'un modeste pèlerin des mondes
a à cœur de partager

A. E. VASSEUR

ISBN 979-10-699-2579-3

Auteur autoédité

Imprimé à la demande par www.lulu.com

Table des matières

Lumière ! Ô Lumière !

L'humanité, sur la Terre, aspire à la Lumière !

Salut à toi, ô mon ami(e), très cher et si précieux co-être humain, âme fraternelle,

Sois le (la) bienvenu(e), promeneu.r.se, dans les jardins du monde,

Toi qui, comme moi, modeste pèlerin des univers, dans l'Immensité, chemines,

Toi que l'irrépressible aspiration vers l'Indicible Eternité, sans relâche, anime,

Toi qui, inlassablement, cherches, observes et examines,

Toi qui contemples et t'émerveilles, qui ressens, éprouves et penses plus loin,

Toi qui te bats, infatigablement, comme moi, et qui survis, pries et cries, et vis,

Viens, suis-moi pour un petit bout de chemin ensemble, écoute ma voix, laisse-moi te partager mon expérience, témoigner de la vision du monde qui est la mienne, en toute simplicité, en toute liberté,

Examinons ensemble toutes ces merveilleuses fleurs qui poussent en abondance dans les jardins de la Vie,

Et qui bordent les sentiers de la Sagesse.

Aventurons-nous sur la Voie sacrée qui mène vers les Hauteurs Spirituelles !

Libre es-tu de t'ouvrir ou de te fermer, d'accepter ou de refuser, de partager ou de rejeter, en ton âme et conscience, en n'écoutant que la seule voix, profonde et intime, de ton intuition la plus sacrée.

Mais, quelle qu'en soit l'issue, réjouis-toi de cette promenade dans le champ des univers, délaisse la lassitude, la pesante et grise poussière du monde, lève bien haut ta lampe à huile afin d'y voir clair, ouvre grand ton cœur, le calice de ton âme, afin d'y collecter et d'y conserver précieusement toutes les belles fleurs, tous les merveilleux joyaux que tu auras choisi de cueillir et de garder avec toi.

Vas-y, sers-toi sans gêne, tout y est offert en abondance !

Et que la joie de vivre se renouvelle perpétuellement dans ton cœur, ô mon ami(e) !

Mais qui est donc l'auteur ?

Eh oui, c'est bien la première ou bien une des premières questions que tu dois être en train de te poser. Et cela est normal, il n'y a pas de souci si tu la rumines en toi, sans oser la formuler, par gêne, mais aussi parce que, quelque part en toi, une petite voix sage te dit sûrement :

"Mais quelle importance ? De l'or reste de l'or, qu'il soit dans la main d'un prince ou bien dans celle d'un gueux. Qu'importe le messager, pourvu qu'on ait le message. L'œuvre n'est-elle pas plus importante que son auteur, qui, au final, n'est qu'un être humain bien imparfait ? Peu importe le flacon, pourvu qu'on ait l'ivresse. Autrement dit, le contenu n'est-il pas plus essentiel que le flacon, le vase, l'indigent réceptacle, qui ne fait que recueillir momentanément ce qu'il reçoit de plus haut et de plus grand ?"

Et tu auras raison d'écouter cette voix de sagesse qui parle en toi. Elle te guide sûrement et fermement sur le bon chemin.

L'important, c'est donc bien ce que j'apporte, et non qui je suis.

Oh, je pourrais certainement en dire un peu plus sur moi-même, mais cela ne te donnerait guère d'indice sur la nature et la provenance de ce que j'apporte, car les apparences extérieures sont sans consistance, de même que ceux qui ne peuvent faire autrement que de s'appuyer sur elles. Et de ceux-là, il y en a plein. Ne t'en offusque pas, n'en sois pas chagriné(e), ils n'ont pas encore développé suffisamment en eux le trésor qui leur permettrait de percer l'écorce du fruit pour se relier sûrement à son noyau, pour voir l'essentiel derrière les oripeaux.

Oui, je pourrais donner quelques indices sur ma personne, sur mon histoire, sur mon parcours, ma personnalité, mais il ne s'agit là que du véhicule que j'ai emprunté, "loué", pour une période limitée, afin d'entreprendre mon propre périple, afin de venir jusqu'à toi pour te rencontrer et te parler. Car je suis là pour toi, et toi aussi tu es là pour moi, nous procédons de la même humanité et nous sommes irrémédiablement faits pour nous entraider les uns les autres.

Alors au diable les apparences extérieures, qui sont les seules que l'on voit quotidiennement, au diable la persona, ce masque à l'abri duquel nous relationnons, il s'agit ici de ce qu'il y a de plus précieux en nous, de notre intérieur, et c'est cela que je veux te livrer, cher ami, chère amie, cher co-être humain, âme fraternelle, loin des masques et des déguisements dont la société nous affligent, avec lesquels nous nous jouons tous ce triste carnaval, ce mardi-gras des inanités qui finira en un bien triste mercredi des cendres.

Cependant, c'est très modestement que je veux me présenter à toi, ô mon ami(e) ! Tel que je suis, et rien d'autre. Avec mes qualités et mes défauts, mes beautés et mes laideurs, mes forces et mes faiblesses, mes zones d'ombre et de lumière, mes aspirations et mes attachements. Car je ne suis que ce que je suis et rien de plus. Cela me semble important, je veux qu'entre nous circule une relation sincère, de confiance, fondée sur l'honnêteté et la compassion.

Maintenant, de ce que je suis intérieurement, oserais-je en parler ouvertement ? Sur cela, je me suis toujours tu. De cela, jamais, quasiment, je n'ai parlé, à personne, car je pensais, et je pense encore - peut-être à tort -, que personne ne pourrait le porter, le comprendre. - Sûrement comme toi tu le penses peut-être aussi des autres, mon ami(e) ! -

Oui, je viens de loin, de très loin, mon âme est plus vieille que le monde et pourtant elle n'a que peu cheminé parmi vous, je pense, mais à chaque fois de façon tellement intense que les stigmates en sont restés profondément gravés en moi et que j'en vis encore les conséquences, que j'en garde encore des séquelles. J'ai beaucoup reçu et, désormais, il me faut beaucoup donner. Sans cela, je risque d'exploser. C'est comme un barrage qui aurait retenu pendant de longues années toutes les eaux pures, claires et limpides, en provenance des plus hautes cimes, sans jamais les lâcher. Imagine la pression ! Et maintenant, il faut que cela sorte. J'essaierai d'en maîtriser le flot, le débit, mais il se peut que cela soit parfois un peu plus impétueux. Il faudra me pardonner, mon ami(e), je ne peux témoigner avec sincérité que de ce dont je suis intimement convaincu intérieurement. Si quelque chose te gêne, pardonne-moi d'avance, mon intention n'est pas de te mettre mal à l'aise, encore moins de te blesser, cela ne m'offusquera pas non plus, il te faudra faire toi-même le tri, prendre ce qui te parle, ce qui fait écho en toi, et laisser le reste de côté, peut-être seulement momentanément, quitte à y revenir plus tard éventuellement. Mais comment pourrais-tu profiter de mon précieux si je ne te le donne pas à entendre, à voir, librement et entièrement ?

A la question "Qui parle ?", il sera donc répondu, pour celui qui la pose avec insistance, depuis son intérieur : un autre pèlerin des mondes, qui a cheminé depuis leur origine jusqu'à maintenant, qui a traversé le temps, qui a parcouru des dénivelés très importants, des plus hautes cimes jusqu'aux plus profonds abîmes, une âme qui a traversé la nuit noire, la plus terrible qui soit, celle, toute intérieure, du doute, de la désespérance et du néant, un cœur qui a été forgé dans le feu d'une intense souffrance, une vie modelée par les expériences vécues, un chercheur qui a quêté en ce monde après avoir pourtant trouvé dans l'autre, quelqu'un qui peut t'apporter un éclairage non pas absolument sur tout, mais juste une vue d'ensemble sur le grand Tout, répondant ainsi à des questions essentielles, un être humain qui a tout simplement à cœur de partager cela avec toi, ami(e), très cher et très précieux co-être humain, âme fraternelle, toi qui t'avances et cherches à t'élever sur les multiples et polymorphes sentiers de la Sagesse, en portant ton humanité à sa plus haute floraison, porté par le souffle brûlant et passionné d'une authentique spiritualité.

Pour finir, je glisserais tout de même ici un petit avertissement : garde-toi de négliger ce que j'apporte, ce n'est pas négligeable, il y a des choses sérieuses, cruciales, incontournables ; mais garde-toi encore plus de me mettre sur un quelconque piédestal et de prendre tout ce que je dis pour parole d'évangile, comme vérité absolue, cette erreur, tout comme l'autre, causerait ta perte. Nous cheminons sur le fil du rasoir, la voie du milieu, un faux pas et c'est la chute, dans l'excès et dans l'erreur. La moindre déviation dès le départ, et ce qui est vrai peut dégénérer en erreur, ce qui est bien en mal, comme ce fut le cas de toutes les religions, mais nous y reviendrons. Je précise d'ailleurs en outre ici que je n'adhère strictement à aucun dogme limité, ni à aucun système de croyance ou de pensée exclusif, partiel et donc partial, que je ne fais partie d'aucune religion à proprement parler, d'aucun mouvement ni d'aucune secte - même si mon chemin m'a parfois temporairement mené à travers certaines expériences occasionnelles et passagères -, encore moins ai-je l'ambition de lancer un quelconque mouvement, de monter une secte quelconque, de nous affliger d'un énième "je-ne-sais-quoi", oscillant de façon floue entre religion, mouvement, école ou secte. Je n'ai certainement pas l'intention de m'embarrasser avec quoi que ce soit de ce genre, ni de t'asservir avec quoi que ce soit qui y ressemble, restons donc libres ! Libres ! ! !

Pour le moment, ce que je te propose, c'est un pacte de confiance réciproque, de façon que nous puissions cheminer ensemble, et c'est seulement alors que tu verras par toi-même ce que cela t'apporte.

Pourquoi cet ouvrage ?

Parce que, comme je te le disais précédemment, tout s'est trop accumulé en moi. Trop de silence, trop de retenue, trop de pudeur, trop de méfiance et de défiance à l'égard des "autres", comme nous les désignons tous. - Mais, d'ailleurs, qui sont ces autres, si ce n'est d'autres nous-mêmes ?... -

Les eaux limpides ont ruisselé depuis les hauteurs, depuis les plus hautes cimes, elles se sont accumulées, trop longtemps endiguées, et, désormais, elles menacent de tout faire péter (Si tu me permets à l'occasion quelque familiarité de langage ; nous sommes entre nous, n'est-ce pas ?... Et je tiens à cette amicale proximité dans le ton.), le barrage menace donc finalement de céder, il faut lâcher les eaux ! Belle expression, belle image, qu'on mettra de suite en parallèle avec l'accouchement, l'enfantement. La gestation est finie, elle aura duré une quarantaine d'années, il faut désormais mettre au monde, rendre visible, donner à voir, et à entendre, crier la vie.

Cet ouvrage est donc issu de ce trop-plein qui déborde !

Il y repose tout ce que je voudrais te confier, à toi, mon ami(e), cher co-être humain, âme fraternelle, sans qui je me sentirais si seul. Tu es l'Autre. Cet Autre qui n'existe peut-être pas dans l'incarnation de son absolue perfection d'altérité, si ce n'est dans mon imaginaire, et qui, pourtant, réside en tout un chacun, en tout être humain. Mais "Je" n'est-il pas aussi un Autre, car "Je" n'est pas simple, et "Je" s'éloigne parfois de lui-même. Et qu'est-ce que l'Autre, si ce n'est un autre Moi ?

Car tout ce que je te confie là, ce que je veux déverser en toi, et j'ai besoin de toi pour que cela sorte, c'est aussi pour moi que je le dis, que je l'écris. Tout cela, conserve-le précieusement, quand ce sera à mon tour de cheminer dans le doute et l'incertitude, dans l'ignorance et l'aveuglement, dans la souffrance et la détresse. Rien n'est durable ! La sagesse que tu trouveras dans mes paroles aujourd'hui, aura vite été remplacée demain par la bêtise, dès que les choses changeront et que les déboires de l'existence terrestre seront passés par là. J'aurais alors cette fois-ci besoin de ton secours, besoin de ta sagesse, quand cette part de sagesse en moi se sera tue, qu'elle sera voilée, muette, qu'elle semblera m'avoir abandonné. Car le soleil ne brille pas toujours, il se voile parfois aussi et, souvent, c'est la nuit noire. Là, j'aurais besoin de toi pour m'épauler, pour me dire ce que je sais au fond de moi, mais que j'aurais extérieurement oublié. Car il en est ainsi aussi de tout ce que je m'en vais te dire : tu le sais déjà, tu l'as juste oublié, momentanément.

Et puis, c'est aussi tout simplement à moi que je m'adresse, au risque de passer pour schizophrène. Ainsi, lorsque j'aurais tout oublié, que tout se sera voilé en moi, je pourrais me relire et être ainsi mon propre meilleur ami et conseiller.

Ainsi avons-nous besoin les uns des autres. Ainsi puis-je être aussi pour moi-même et pour toi, pour nous deux, ce secourable prochain.

Partir à l'aventure !

L'aventure ! Le voyage ! Quel puissant souffle de liberté se dégage de ces mots, de cette perspective !

Partir à la recherche, entreprendre une quête, faire un voyage initiatique !

C'est ce que je te propose, si tu le veux bien, mon ami(e). Partons ensemble sur les routes, sur les chemins de la Vie, sur les nombreux sentiers de la Sagesse. Nous traverserons des vallées, nous jetterons un œil averti jusqu'aux plus profonds abîmes, mais nous contemplerons aussi les plus hautes cimes, en d'inaccessibles hauteurs.

C'est à cette randonnée que je te convie, que je t'invite !

Mais, si nous nous sommes ainsi rencontrés, si nos chemins se sont croisés, c'est bien que toi-même, déjà, tu t'étais mis(e) en route.

Dans ce parcours à travers lequel je veux te guider, j'essaierai de ne pas aller trop vite, de rester pédagogue, progressif dans mes explications, modéré dans le témoignage de ma conviction, mais il pourra m'arriver de faire des bonds, d'aller parfois un peu plus vite. Je m'efforcerai d'être doux et tendre, car c'est uniquement avec tendresse et douceur que s'exprime la Voix de la Conscience et de la Sagesse, mais il pourra m'arriver parfois aussi de me montrer passionné, de tempêter, d'être plus dur et plus incisif, parce que cela soulève en moi indignation et colère. Il faudra me pardonner, là encore.

Alors, viens, suis-moi !

Avertissement

Parfois, il est de ces chemins de randonnée qui commencent d'emblée par un panneau d'avertissement sur les dangers qu'on pourrait éventuellement y rencontrer. Ainsi également souhaiterais-je glisser ici tout de suite un avertissement qui me semble de la plus haute importance, même si je l'ai déjà évoqué précédemment.

Je voudrais, mon ami(e), qu'il soit parfaitement clair que ma seule et unique véritable intention en écrivant cet ouvrage et en te l'adressant est seulement et uniquement de transmettre et de partager ma vision du monde. En aucun cas je ne désire influencer qui que ce soit, en aucune façon je ne souhaite prendre le moindre pouvoir sur un quelconque être humain, d'aucune manière je ne veux exercer le moindre ascendant sur un quelconque individu. Je n'ai pas du tout l'intention d'impulser un mouvement quelconque, de fonder une quelconque nouvelle religion, secte, ordre, ou je ne sais quoi qui y ressemble. Beurk ! Je souhaite rester libre de tout ça, je ne veux également que ta liberté et ton indépendance, ta responsabilité et ton autonomie. Je ne peux d'ailleurs livrer complètement librement ma vision des choses, de la Vie et du Monde, que si tu es toi-même entièrement libre de l'accueillir ou de la rejeter, d'y adhérer ou de t'inscrire en faux, en exerçant ton propre jugement, ton esprit critique, conformément à ton intuition la plus profonde, la voix de ta conscience spirituelle.

Je voulais faire figurer cet avertissement ici, de façon explicite, dénuée de toute ambigüité, à cause de la défiance et de la méfiance qui règnent partout dans ce domaine aujourd'hui à l'égard de tout ce qu'on pourrait suspecter d'être une secte. En effet, il y a tellement eu de battage médiatique autour de la question des sectes, que, malheureusement, à l'heure actuelle, dès qu'il s'agit de spiritualité, de développement personnel, d'ésotérisme, on a automatiquement peur que, derrière, ne se cachent une secte ou un gourou, ainsi que des gens ayant de mauvaises intentions, des intentions de manipulation, d'escroquerie, d'extorsion. Ainsi, seules la société établie ainsi que les religions officielles ont pignon sur rue quant aux éléments qui permettent de penser le monde. Or, là, selon moi (et il ne s'agit pas seulement d'une opinion personnelle, les faits parlent d'eux-mêmes), là, donc, en premier lieu, existent conditionnement et manipulation, asservissement spirituel et matériel. Une pensée, c'est-à-dire une capacité de penser, véritablement libre et indépendante est rare de nos jours ; elle en est d'autant plus précieuse.

Certes, il y a effectivement des sectes qui usent et abusent des gens de la pire façon qui soit. Et il faut les combattre. Cependant, d'ailleurs, ce n'est pas en se tenant à l'écart des questions spirituelles qu'on peut le mieux s'en prémunir, au contraire : c'est en connaissant au mieux tout ce vaste domaine qu'on peut le mieux juger des choses, jauger les gens et ce qu'ils apportent, discerner leurs véritables intentions, démêler le vrai du faux. Car il y a des gens qui cherchent effectivement à manipuler avec des choses vraies, en utilisant les puissants ressorts présents en tout être humain, et, inversement, il y a des gens qui sont dans le vrai et qui commettent aussi des erreurs, ce qui peut jeter le discrédit sur leurs intentions véritables, qui sont bonnes à la base. N'importe quel enfant normal sait cela, parce que c'est illustré dans beaucoup d'histoires fantastiques et de contes.

Mais il faut, au milieu de tout cela, également tenir compte du fait qu'en tout être humain sommeille un instinct profondément grégaire, d'animal de meute, levier de tous les comportements et dérives sectaires au sein des groupes humains quels qu'ils soient, qu'il s'agisse maintenant de la famille, des amis, de la vie professionnelle, etc., sans même parler des partis politiques ou des religions.

Or, moi, individu, je ne m'adresse qu'à toi, individu. Mon intention est uniquement de t'offrir mon précieux pour que tu puisses y avoir accès et y puiser ce qui te semble à toi-même également précieux. Chose qui ne peut avoir lieu que si je me sens libre de m'exprimer librement, ce qui n'est à son tour possible que si tu es toi-même parfaitement libre d'accueillir tout cela librement, en faisant le tri avec ton intuition, ta conscience, ton jugement critique.

Il me semblait donc nécessaire, mon ami(e), de glisser ici cet avertissement, avant d'entamer notre marche en avant. Poursuivons sur cette voie !

De la nature de notre relation et de la forme de ce dialogue

J'en ai déjà parlé, mais j'y reviens.

Je m'adresse à toi, cher co-être humain, âme fraternelle. Toi qui est l'Autre que je recherche idéalement, avec lequel j'aspire à avoir une relation d'humanité parfaitement harmonieuse, sans déborder toutefois le cadre sain de notre individualité propre et de notre liberté d'être nous-mêmes uniquement et de cheminer somme toute où nous voulons, quand et comme nous le désirons.

Mais cet Autre, qui est aussi Moi, c'est aussi la part ignorante en moi à laquelle je m'adresse, à laquelle la part de sagesse en moi s'adresse. Ainsi l'Autre est-il le miroir de nous-même. N'as-tu pas déjà clairement ressenti cela en toi : que les autres te renvoient toujours à toi-même ou à quelque chose de toi-même ? Que l'enfer, c'est les autres, mais que c'est en même temps le paradis, car il n'y a rien de plus beau que de trouver un(e) ami(e), que de rencontrer véritablement quelqu'un de cœur à cœur, que d'échanger et de partager avec lui/elle, quelqu'un qui cautionne notre univers intérieur et le rend ainsi plus réel. Mais cet Autre idéal, cet(te) Ami(e) parfait(e), qui accueille tout, qui accepte tout, sans nous retirer jamais son amitié, son affection, sa bienveillance, existe-t-il vraiment, ailleurs qu'en nous-mêmes ?

C'est cependant cette expérience que je te propose de partager avec moi.

Raison pour laquelle j'ai choisi cette forme de dialogue, qui se retrouve chez les philosophes grecs. Ce n'était pas intentionnel au départ, mais cela s'est imposé à moi et ce n'est finalement pas plus mal. C'est bien ainsi. Car c'est à Toi que je m'adresse, Toi, co-être humain, compagnon de route sur les chemins de la Vie, les sentiers de la Sagesse, âme fraternelle, femme ou homme, féminin ou masculin, yin ou yang, blanc, noir, rouge, orange, jaune, vert ou bleu, de gauche, de droite ou du milieu, apolitique, athée, croyant(e), jui.ve.f, chrétien(ne), musulman(e), bouddhiste, taoïste, hétérosexuel(le), homosexuel(le), transsexuel(le), etc., peu importe ! Ce n'est pas à cet extérieur que je m'adresse, à cette façade, ce masque étiquetable, cette persona que nous portons tous, qui est ceci ou cela, a fait telles études, formations, ou pas, exerce tel métier ou tel autre, fait partie de tel peuple, pays, telle famille, a été éduqué et a grandi dans tel cadre, dans tel entourage, avec telle ou telle éducation, telle ou telle instruction, dans telle ou telle religion, sensibilité politique, avec tel ou tel niveau de vie ou compte en banque, etc. Bref ! Ce n'est pas à tout ce qui est conditionné en toi et qui passe, que je m'adresse, mais à cette part qui ne passe pas, qui est durable, pérenne, parce qu'elle est éternelle et universelle.

Et si je privilégie la forme de la relation amicale, c'est parce que, comme avec un ami, je ne chercherai pas à te convaincre de quoi que ce soit en argumentant laborieusement et péniblement (ce qui serait profondément rasoir, il faut le dire), seulement à témoigner, à m'ouvrir librement, à te faire part de mes opinions, de ce que je pense sincèrement être vrai, et à dire humblement, mais dans un élan entier, franc et spontané, ma vivante conviction.

C'est pourquoi je te donnerai tout, sans rien retenir. Tout ce que je peux te donner, tout ce que je porte en moi, en te dévoilant tout, sans retenue. Et il faudra que tu sois suffisamment ami(e) avec moi pour m'accueillir et m'accepter tel que je suis, pour accueillir et recueillir mon témoignage, la conviction dont je veux témoigner, tels qu'ils jaillissent de moi, sans jugement, avec bienveillance, sans me retirer ton amitié, même si tu ne partages pas toutes mes vues. Ne sont-ce pas là les plus belles relations d'amitié ? Celles où l'on peut être soi-même, entièrement et pleinement, sans retenue, où l'on peut s'exprimer sans crainte, sans auto-censure, même si l'Autre, l'Ami, ne partage pas nos vues. Ne sont-ce pas là les échanges les plus féconds ? Où l'on peut croître au contact de l'autre, du différent, du complémentaire, et compléter ainsi notre vision subjective, partielle et partiale, pour tenter d'approcher la vue d'ensemble objective.

Il faudra donc que tu me pardonnes. Je tiens à te le dire tout de suite, au risque de me répéter et de radoter. Je ne peux faire autrement que de témoigner avec conviction de ce que je crois savoir comme étant vrai, comme découlant de la Vérité, fruit non seulement de mes réflexions, de mes intuitions, de mes contemplations et inspirations, mais aussi de la recherche et de l'étude, et surtout de mon expérience vécue. Je tiens donc tout de suite à te présenter mes excuses si quelque chose te heurte, te blesse, t'oppresse ou t'afflige. Ce n'est pas mon intention. Pardonne-moi donc d'avance la passion avec laquelle je parlerai parfois de certains sujets et l'emportement avec lequel je fustigerai certaines choses. Il m'arrivera d'être poétique, lyrique, enthousiaste, il m'arrivera aussi d'être familier, de faire preuve d'humour et d'être quelque fois un peu grinçant, et critique, aussi, oh ça oui !

Evidemment, tu n'auras pas le pouvoir de répondre, de rétorquer, de discuter avec moi, et je le regrette bien. Combien de fois ma pensée n'a-t-elle pas été modelée par mes échanges avec les autres, fécondée par des vues étrangères, me permettant, à travers tout ce qui était exprimé, d'entrevoir quelque chose de plus, plus loin, un paysage qui se dessine plus précisément, plus proche de la grande Réalité insaisissable !

Mais, tout cela, tu pourras le conserver avec toi, y réagir, le noter, et construire ta propre pensée, ta propre vision du monde, la féconder de la mienne, comme la mienne s'en est trouvée fécondée par tant d'autres.

Voilà, chère amie, cher ami, ce que je te propose ! Qui que tu sois, quoi que tu sois, quelle que soit ta couleur de peau, tes origines, ta famille, ta paye à la fin du mois, ton sexe, ton orientation sexuelle, ta religion, tes croyances, tes opinions politiques, nous ne sommes ici-bas que des êtres humains qui cheminons sur les sentiers de l'existence, des âmes fraternelles issues de la même humanité !

Es-tu prêt(e) pour un tel périple ?

Pourquoi part-on en voyage ? Si ce n'est pour se dépayser, pour changer d'air, pour élargir sa perspective d'autres horizons.

Pourquoi entreprend-on une quête ? Si ce n'est parce que l'on cherche. Quoi exactement ? Le sait-on jamais ?... La Vérité ! Ouh là, un bien grand mot ! La Sagesse ! Ah oui, ça, pour sûr, une grande dame ! Mais qui dit "Sagesse", dit "philosophie", c'est-à-dire "amour de la Sagesse". Et c'est bien ce que tu trouveras ici : un véritable amour de la Sagesse. Si c'est cela qui t'anime, tu le retrouveras ici aussi. Mais je ne me qualifierais pas de "philosophe", je suis bien trop modeste pour ça - au risque de passer pour ne pas l'être en le disant -, car je ne suis pas philosophe de formation, je n'ai pas toutes ces connaissances intellectuelles qu'ils ont, et, au risque d'être provocateur et quelque peu piquant (ça y est, ça commence, pardonne-moi !), je laisserai la masturbation intellectuelle aux "philosophistes". Comme la masturbation, cette forme de penser est stérile, autocentrée et ne fait plaisir qu'à soi-même, et elle ne porte pas secours !

Moi, je pense surtout que nous quittons le confort de notre nid douillet pour aller voir ailleurs, si l'herbe est plus verte, chercher midi à quatorze heures, pour quitter la souffrance, et trouver le bonheur, le regard obstinément rivé sur le doigt, ne voyant pas la Lune qu'il pointe dans le ciel.

La souffrance ! Le bonheur ! Deux puissants ressorts qui nous poussent à bouger notre popotin et à nous mouvoir.

Pouvons-nous faire autrement que d'être en perpétuel mouvement ? Non ! Certes pas, nous sommes des êtres d'évolution, de développement, de progression, de mouvement, de changement, dans un monde qui est tel, et nous pousse irrémédiablement à la même chose.

La souffrance ! Aïe ! Si tu cherches ici un antidote à la souffrance, tu es mal barré(e)… ;) Si tu savais les affres par lesquelles je suis encore passé récemment, tu rirais de ma prétention à écrire quelque chose de la Sagesse (comme certains de mes proches sont sans doute en train de le faire… ;)). Mais je me bats, et j'avance. Et c'est bien pour cela aussi que nous nous mouvons : pour échapper à la souffrance et trouver d'autres voies, vers le bonheur, l'absence de trouble, la paix et la sérénité si nous sommes modestes, la joie et la félicité si nous sommes plus ambitieux, et nous pouvons nous le permettre.

La souffrance ! Nous y reviendrons, chère amie, cher ami. Mais qu'il soit dit ici tout de suite que toute souffrance ne trouve pas d'explication simple à nos yeux ni de réponse à nos interrogations, ni de solution ou de guérison immédiates. Il est des souffrances qui sont sans issue, auxquelles nous sommes livrés sans aucune échappatoire possible, apparemment sans aucune issue, ni aucun moyen d'y faire face honorablement, mais que nous devons simplement subir et traverser. Cela est, ami(e) ! C'est une réalité contre laquelle il serait vain de lutter et il serait plus encore illusoire, mensonger et dangereux que de vouloir prétendre pouvoir éloigner ce calice amer par la seule force de nos bras. Mais nous y reviendrons en temps voulu. Je vais m'efforcer de dessiner un chemin, une progression qui soit pédagogique, logique et progressive, même si cela n'est pas facile, un parcours de randonnée qui soit cohérent.

Le bonheur ! Ah, le bonheur ! Nous y aspirons tous. Mais de quoi est-il fait ? Comment peut-il être atteint ? Par quoi est-il

conditionné ? Peut-on seulement l'atteindre en ce bas monde ?...
Nous verrons que cela n'est pas si simple. Et j'espère apporter
quelque élément de réponse.

Mais tout cela ne sera sans doute qu'une vaine tentative de nous
rendre intelligible ce grand mystère qu'est la Vie ! De donner du
sens à ce qui n'en a pas forcément. Ou bien plutôt un sens qui va
bien au-delà de ce que nous sommes capables de comprendre, qui
dépasse de très loin tous les paramètres que nous sommes aptes
à considérer. Pourtant, nous ne pouvons faire autrement, ami(e),
nous n'avons pas d'autre choix que de continuer à marcher, à
avancer, inlassablement, même si, bien souvent, nous ne
comprenons pas pourquoi, même si nous cheminons parfois dans
le brouillard, le doute, l'incertitude, quitte à ramper dans la
souffrance et la douleur, la ténèbre et la nuit, au milieu des ronces,
des épines, des arrêtes tranchantes de rocs acérés, au milieu de la
poussière de ce monde. Nous sommes faits et programmés pour
ça, nous portons au plus profond de nous cette irrépressible
aspiration.

Voilà, en gros, ce qui nous meut ! Nous meut et nous émeut, nous
fait nous mouvoir hors de la place que nous occupons, hors de
nous-même, pour, finalement, mieux nous retrouver nous-même,
mais plus profondément.

Et, au final, au risque déjà de te décevoir encore, lorsque nous
aurons fini notre périple (et j'en ris à la mine déconfite que je
t'imagine), nous nous retrouverons… ici, là ! Au même endroit
exactement que là d'où nous sommes partis. Ô ironie du sort, pied
de nez du destin ! Oui, nous partons pour un grand périple, qui
nous ramènera inexorablement au point de départ : à nous-
mêmes ! A cet Autre-Soi intérieur auquel nous tentons vainement
d'échapper par tous les moyens en nous portant constamment

vers l'extérieur et vers les Autres-Mois. Mais nous en serons transformés, je l'espère, et nous serons aptes à vivre ce présent ici-bas d'une autre manière. Je nous le souhaite de tout cœur.

Mais, pour partir en voyage, que faut-il donc ? Car il nous faut nous préparer et nous équiper !

Eh oui ! Un guide ! Il nous faut un guide. Et je me propose d'être pour toi ce guide ; je te propose d'être, pour cette randonnée, ce périple, ton guide. Mais à quelques conditions, nuances et avertissements près.

Le guide ! Ah, le guide ! Aïe, le "Guide" ! Le conducteur, le leader, le gourou, le chef, la star, l'adulé, l'admiré, le suivi, l'adoré, le fanatisé ! Et de ce seul petit mot nous voyons sortir, comme d'une boîte de Pandore, les pires horreurs que le genre humain ait pu connaître. Je n'ai pas besoin d'en parler, tu les connais. Il te suffit de faire le rapprochement avec le fait qu'en allemand, "guide" se dise "Führer", ainsi qu'avec les nombreuses dérives politiques, religieuses et sectaires. J'attirerais seulement plus particulièrement ton attention sur une chose, essentielle, me semble-t-il, et qui nous préservera tous d'un danger dont certains s'emparent trop facilement pour en faire, avec leurs pancartes militantes, une sorte d'épouvantail ou de terrible croque-mitaine justifiant le fait qu'ils courent partout de manière affolée en criant au loup, et qui mettent ainsi malheureusement parfois tout le monde dans le même panier, versant l'enfant avec l'eau du bain.

C'est bien sûr la question des sectes que j'aborde. J'y reviendrai cependant peut-être plus tard en détail, mais je tiens juste ici à donner un avertissement : garde-toi de toute forme d'asservissement ! Qu'il soit matériel, terrestre, financier, politique, émotionnel, affectif, psychologique, intellectuel, religieux, spirituel, etc. Et nous voyons ici qu'il y a bien plus de "sectes" que celles auxquelles nous pensons d'emblée, celles qui sont caractérisées et stigmatisées officiellement comme tel par notre société, cette grande et belle, merveilleuse mère nourricière qu'est la société moderne et mondiale de consommation, absolument pas du tout sectaire ni manipulatrice... Mais je décortiquerai plus à fond ce phénomène un peu plus loin, lorsque nous en serons arrivés au chapitre sur les religions.

Qu'il soit dit cependant ici, quitte à me répéter plus loin : Nous entrons désormais dans une nouvelle ère d'évolution de l'humanité, à mon humble avis. Si l'être humain veut survivre, désormais, il n'a pas le choix, il doit changer, évoluer, tout simplement par nécessité, afin d'éviter la destruction, l'autodestruction. L'être humain doit désormais être suffisamment avancé pour ne plus avoir besoin des tuteurs qui lui ont permis jusque-là de tenir droit, qui ont permis le "vivre-ensemble" en posant des règles pour la vie en commun. Ces règles extérieures doivent désormais être supplantées par les règles intérieures. (Et pardonne ici le féru d'astrologie que je suis, quelque peu versé dans cet art, comme tu le verras plus tard, mais cela me fait penser à la problématique de l'axe Cancer-Capricorne, au fait que la carapace extérieure du Cancer se retrouve peu à peu remplacée par la droite colonne vertébrale intérieure que Saturne, maître du Capricorne, construit en nous…) Grâce au développement de sa conscience spirituelle, ce qui revient, pour moi, au développement de son humanité, ou de son "humanitude", l'être humain doit parvenir maintenant à la pleine conscience de son activité dans le monde, de sa responsabilité ; l'empathie naturelle qui se développe dans une conscience suffisamment évoluée doit le guider dans ces délicates questions de moralité, de "bien" et de "mal" ; et il doit discerner clairement les conséquences de ses décisions, choix, et non seulement de ses actes, mais aussi de sa parole, de ses pensées, et même, plus loin, de sa façon de penser, de parler et d'agir. Voilà qui doit remplacer les garde-fous extérieurs ! Conscience, autonomie, responsabilité, empathie, compassion !

Mais revenons-en à la question du guide. C'est un sujet délicat. Déjà pour la raison évoquée plus haut : la perte d'indépendance et le sectarisme. Mais aussi à cause de l'air du temps qui est à l'individualisme forcené (et j'en sais quelque chose !...), la croyance erronée en une stricte égalité de valeur entre tous et la capacité de parvenir à tout par soi-même. C'est une grave erreur qui sévit aujourd'hui partout, provoquant un nivellement par le bas, un lent et silencieux étouffement dans la médiocrité au sein de laquelle se retrouve noyé dans l'indifférence ce qui a effectivement une valeur supérieure.

Tordons le cou dès maintenant à cette erreur ! - Et pardonne-moi, mon ami(e), si tu trouves cela dur. Je te l'ai dit, je ne peux faire autrement que de témoigner avec conviction de ce qui est pour moi vérité. Je le partage librement, humblement, mais franchement et honnêtement. Et pour que cela porte ses fruits, il faut de la liberté : la liberté pour moi de m'exprimer pleinement et sans retenue, de même que la liberté pour toi d'être d'accord ou pas, d'accueillir ou de rejeter ; on ne peut progresser sans être tout à fait franc et honnête. A toi de voir ensuite si cela te parle, si tu es en accord ou pas, d'exercer ton esprit critique, ton intuition, ton jugement, et de faire un choix : comprendre, au sens de "prendre avec", ou pas ! -

Tous les êtres humains ne sont pas égaux ! Au sens strict, cela est faux. Chaque individu est, fort heureusement, totalement différent d'un autre, nous ne sommes pas des clones, ni des robots, des machines, mais des êtres vivants, et, comme les fleurs des champs, nous avons des formes, des couleurs, des parfums différents, c'est cela qui égaye les parterres du monde et nous permet tous ensemble de parvenir à une certaine complémentarité, complétude.

Tous les êtres humains ne sont pas même strictement égaux en droit non plus, comme le clament pourtant certaines personnes trop promptes à oublier leurs devoirs. En effet, celui qui n'accomplit pas ses devoirs d'être humain, celui qui transgresse les règles du "vivre-ensemble", basées sur le respect de la vie, de l'autre, est déchu de ses droits par la société des êtres humains, il les perd, peut se retrouver ainsi par exemple en prison, privé du droit d'aller et venir librement, de faire ce qu'il veut.

Ainsi, toutes les opinions non plus ne se valent pas, sinon elles ne valent plus rien. Il y a objectivement du vrai et du faux. Le fait que le soleil soit au centre du système solaire et que ce soit la terre (ronde, et non pas plate ! ;)) qui tourne autour de lui est un fait objectif irréfutable, totalement indépendant de nos perceptions, représentations et croyances en la matière. Cela était déjà, à l'époque où les êtres humains, y compris les représentants et dépositaires officiels de l'autorité, du savoir et de la science, croyaient que la terre était plate et au centre de l'univers. (Il serait d'ailleurs sage et pertinent d'étendre ce raisonnement à tout ce qui existe aujourd'hui…)

Et certains individus sont plus avancés que d'autres. Je sais, cela sonne bizarrement à une époque où on semble vouloir gommer les différences entre les individus, sous prétexte d'égalitarisme, cela engendre un relativisme qui noie tout dans une espèce de "gloubi-boulga" dont rien n'émerge réellement comme vrai ou faux, juste ou non-juste, ayant plus ou moins de valeur. Rejetons immédiatement cette erreur et clamons haut et fort ce qui est vrai, car réel objectivement, factuellement : il y a des êtres humains plus évolués que d'autres, ayant davantage développé leur humanité, leur "humanitude", que d'autres, et il y a aussi des êtres humains qui en savent plus que les autres et qui sont plus avancés en matière de savoir spirituel, de connaissance de la Création et de son activité, en matière de sagesse et d'humanité. Reconnaître ce fait objectif et le dire n'enlève cependant absolument rien au droit légitime de tout chacun de vivre et d'évoluer en ce monde, car c'est le droit le plus sacré de chaque être vivant, quel qu'il soit.

Et c'est d'eux, de ces plus avancés, que nous devons apprendre, chacun à son degré d'évolution, pas à pas, progressivement, et, surtout, prudemment, en respectant à chaque instant sa libre indépendance, sa capacité d'assimilation, sans provoquer de bond, sans emprise d'aucune sorte, étape par étape, chaque marche se dégageant de la précédente, naturellement et spontanément, ce qui n'est possible que lorsqu'il y a respect et liberté, mais jamais sous la contrainte.

Il ne viendrait à personne aujourd'hui l'idée d'entreprendre l'apprentissage d'un instrument de musique comme le violon, par exemple, sans prendre des cours auprès de quelqu'un de plus savant et expérimenté, que l'on peut considérer comme un guide, c'est-à-dire un enseignant, un instructeur, un "maître", au sens de celui qui a atteint un certain degré de maîtrise dans un domaine. C'est là qu'il te faut trouver un guide ! Comme pour faire une randonnée de haute montagne, si c'est un milieu que tu ne connais pas.

Maintenant, à juste titre, tu peux me dire qu'il est parfois difficile de faire la distinction entre les vrais guides et les faux guides, entre ceux qui savent et ceux qui donnent seulement, avec une grande assurance, l'impression de savoir, alors qu'ils ne savent rien, n'en savent pas autant qu'ils le prétendent, ou encore ont d'autres vues, d'autres intentions que celles énoncées clairement (et de ceux-là, il y en a malheureusement plein !). Eh bien, chère amie, cher ami, au risque de te laisser complétement désemparé(e) face à cette question, je te dirais : débrouille-toi ! Là, c'est dans l'expérience vécue que tu apprendras toi-même, de toi-même et par toi-même, sur toi-même, certes à tes dépends, mais d'une manière tellement solide que ce sera un bien acquis qu'on ne pourra jamais te retirer. Il te faut donc chercher, examiner, éprouver, au sens de ressentir intérieurement mais aussi de passer à l'épreuve de l'expérience, il te faut pour cela développer ta conscience, ton intuition, ton jugement, ton esprit critique, ta raison, ta culture. Il te faudra constamment faire de même avec tout ce que je pourrais te confier, tout ce dont je pourrais témoigner, il te faudra poser des balises, envoyer des sondes, aller explorer ailleurs, faire du lien constamment entre la théorie et la pratique, entre ce que tu pourrais lire ailleurs et expérimenter, vivre pleinement. Tu deviendras ainsi un véritable "scientifique de l'esprit", une chercheuse de vérité - à défaut de "Vérité"... -. Et il vaut mieux, clairement, t'abstenir de quelque chose de juste dans l'absolu, parce que cela ne te parle pas, ne te correspond pas pour le moment, n'est pas juste et bon pour toi relativement à ton degré d'évolution, par rapport à la marche de la Création sur laquelle tu te tiens, plutôt que d'adhérer à quelque chose ou de faire quelque chose sans réelle conviction intérieure, stupidement, sans vie et sans âme ; cela n'aurait aucun sens et ne t'apporterait aucun profit.

Mais, au cœur de tout ce travail et de ce cheminement spirituel, tu croiseras sur ton chemin des êtres humains plus avancés dans un domaine ou dans un autre, dont tu pourras apprendre. Ne sois pas trop exigeant cependant. Il se peut que quelqu'un soit très avancé dans un domaine, mais en retard dans un autre. Il se peut que quelqu'un ait une grande sagesse spirituelle, mais des lacunes sur le plan psycho-affectif. - Et je sais de quoi je parle… ;) - De même que certains artistes géniaux avaient parfois une vie houleuse, pour ne pas dire "dissolue" (avec des guillemets et toutes les précautions qui s'imposent en matière de jugement), de même également que Krishnamurti, par exemple, jouait au départ à la perfection le rôle d' "Instructeur des Mondes" qui lui avait été faussement dévolu, pour rejoindre ensuite secrètement sa maîtresse… Tel est l'être humain ! Et je ne fais pas exception à la règle. Moi aussi, j'ai mes propres points d'achoppement, mes faiblesses et mes difficultés. Il ne faut donc pas verser l'enfant avec l'eau du bain, dès que l'on perçoit la moindre imperfection. D'ailleurs, il vaudrait mieux, d'ores et déjà, faire le deuil de toute quête de perfection. En ce monde, cela n'est pas.

Tout cela pour te dire, enfin, qu'il te faudra bien un guide pour entreprendre cette périlleuse aventure qu'est le fait de se lancer dans la vie, les yeux grands ouverts, pour voir et comprendre. - N'oublie jamais non plus, comme c'est parfaitement illustré dans les histoires fantastiques, que les "gentils" peuvent aussi avoir des défauts, commettre des erreurs, se tromper, de même que les "méchants" peuvent également dire des choses vraies, voire même mentir en utilisant la vérité, manipuler en se servant de nobles intentions, ces jolis ressorts en nous. -

Je me propose donc avec plaisir pour être ton guide sur le chemin que je connais. C'est là seulement que je peux me montrer un guide, plus sachant et expérimenté. Sur un autre, il te faudra choisir quelqu'un d'autre.

L'énorme avantage aujourd'hui, c'est que nous pouvons nous choisir un guide, être des guides les uns pour les autres dans nos domaines d'expertise respectifs, dans la plus pure impersonnalité, en sauvegardant toute la précieuse indépendance qui est vitalement nécessaire à l'élaboration en soi d'un nouveau savoir (et à laquelle je tiens aussi viscéralement), par le biais de l'écrit, de nos œuvres, de nos livres. Voilà donc ce que je te propose, en toute liberté réciproque, une guidance dans le cadre uniquement du voyage, de la randonnée que je connais, à travers les jardins de la Sagesse, à travers les paysages de ce monde.

L'équipement

Avant de partir en randonnée, il nous faut nous équiper.

Notre équipement à nous sera simple. Alors, chère amie, cher ami, je te propose de te munir simplement d'un bâton de marche et d'une lanterne, une petite lampe à huile.

Le bâton sur lequel tu t'appuieras à chaque pas sera ta raison, ton intellect, c'est-à-dire ton intelligence, autrement dit ta capacité à comprendre, à "prendre-avec", avec toi, ou bien à lier, relier, créer du lien, ta capacité à entendre, à t'y entendre, à saisir le sens que revêtent la vie et le monde, les choses de la vie et du monde, ou encore ta capacité à scruter, examiner. Mais nous savons tous deux que ce précieux outil dont nous a doté Mère-Nature est limité. En effet, notre si grande et si fière raison n'est que le fruit de l'activité de notre cerveau, produit de la matière, limité intrinsèquement par sa nature même, par son fonctionnement, neurologique, biologique, physiologique, chimique, par ses conditionnements, par le fait que les seules informations qu'il peut recevoir lui viennent de nos cinq sens, qui ne révèlent eux-mêmes que la peau du fruit, les apparences extérieures, bien souvent trompeuses. Je ne nie pas ici que cet outil soit un merveilleux outil, absolument fascinant, qui nous emmène aux confins de la matière, car, comme le dit Hubert Reeves, contrairement aux autres espèces vivantes qui n'ont développé que les capacités qui leur permettent de survivre, l'être humain, lui, a développé la capacité de se rendre intelligible et compréhensible l'Univers, car il y a quelque chose, plutôt que rien, et ce quelque chose est ordonné, cohérent, intelligible, compréhensible, et l'être humain a été capable d'en rendre compte et même de prévoir ce qu'il n'avait pas encore observé et de le vérifier ensuite par l'expérience. Aussi fascinante que soit la conquête de la raison des Lumières, la conquête de l'intelligence humaine, elle n'en reste cependant pas moins limitée à la matière, puisqu'elle n'en est elle-même qu'un produit. Il nous faut donc quelque chose d'autre, sinon, nous sommes cantonnés à ce qui relève du domaine du visible, de l'observable, mesurable et quantifiable, et tout le reste doit nous échapper, alors que, pour l'être véritablement "humain", il constitue l'essentiel.

Or, si tu es là, chère amie, cher ami, c'est que tu sais qu'il y a "autre chose"…, que l'être humain n'est pas seulement un assemblage d'organes fonctionnels, de cellules au parcours et au développement si miraculeux, de molécules et d'atomes. Et, effectivement, selon moi, et selon beaucoup d'autres, il y a "autre chose". Et, pour saisir cet "autre chose", il nous faut utiliser l'outil de perception approprié. M'attaquerais-je à l'eau avec pelles, pioches et foreuses ? Essaierais-je en vain d'observer les microbes, bactéries et virus à l'œuvre avec une simple loupe ? Ou bien tenterais-je d'observer la vie sur d'autres corps cosmiques à l'aide d'une simple longue vue ? De même, pour saisir ce qui est en dehors de la matière, il faut que j'utilise ce qui est en dehors de la matière, en moi. Evidemment, cela ne peut pas être observé sous microscope, disséqué, mesuré, quantifié, mais cela n'en existe pas moins, n'en demeure pas moins, alors que tout le reste passe… Malheureusement aussi, cela ne peut faire l'objet d'aucun consensus collectif, vérité objective et indubitable, mais ne relève que de l'expérience et de la croissance comme de la croyance personnelles.

Cette chose si mystérieuse et pourtant si naturelle, intime et sacrée, c'est ta conscience, ta conscience spirituelle, affranchie de l'emprise de la matière, reconnaissant son affinité, s'exprimant par l'intermédiaire de ton intuition, ton ressenti ou ta voix intérieurs. "L'essentiel est invisible pour les yeux, on ne voit bien qu'avec le cœur." Cependant, si tu veux entendre ta voix intérieure, cette voix de la conscience, tu dois faire silence en toi, apaiser tout ce brouhaha du monde, ce flot continue d'agitation et de bruit, cette cacophonie des sens, ce tumulte des désirs, des pulsions, des émotions, ce brouillard de pensées et de cogitations, tout ce qui s'agite vainement, à l'extérieur de toi comme en toi-même, et qui ne fait que passer et disparaître, dispersé au loin par le Souffle de la Vie…

Raison pour laquelle je te recommande de prendre ta lanterne, ta lampe à l'huile, et tant pis si nous avons l'air ridicules à vouloir nous éclairer en plein jour. Nous ne nous laisserons pas surprendre par la nuit, nous serons prêts à scruter l'obscurité, et notre raison sera animée intérieurement par la flamme de notre intuition, de notre aspiration.

Et, à l'instar du bâton qui touche terre et ne peut remplir sa fonction de soutenir et d'aider à avancer, par la loi d'action-réaction, que s'il est au contact du sol, de même notre raison aussi devra-t-elle toucher terre et s'appuyer sur le terrain concret de l'existence terrestre. Car, comme le disait Hermann Hesse, de la même façon que l'être humain n'est pas fait pour penser, mais pour agir, de même n'est-il pas fait pour l'eau mais pour la terre, car, à trop penser, il peut certes pousser la chose très loin, mais il peut aussi finir par s'y noyer. Nous veillerons donc, en restant attachés à la terre, au sol, à la réalité concrète de ce qu'on vit tous au quotidien, à ce que notre raison ne se perde pas dans les éthers, dans d'invérifiables et inutiles élucubrations. La flamme de notre intuition viendra la guider de l'intérieur, afin que tout prenne sens, soit sensible, intelligible, d'une manière ou d'une autre, pour nous, que cela fasse sens pour l'existence normale de l'être humain de la terre. Nous nous garderons donc bien de trop faire les "philosophes", même si nous sommes animés intérieurement par la recherche et l'amour de la Sagesse, nous nous garderons bien de faire les "intellectuels" et de tomber dans la chausse-trape de la masturbation intellectuelle, fruit de la vanité, qui ne fait très égoïstement plaisir qu'à celui qui la pratique et qui est complétement stérile, en cela qu'elle ne touche pas l'Autre ni le Réel. De cela, nous devrons nous préserver. Et comme tu ne pourras me rappeler à l'ordre, ami(e), il me faudra être vigilant moi-même. Mais, rassure-toi, la Vie se chargera aussi parfois - comme elle le fait encore avec moi - de nous ramener à la réalité tangible, et de mettre à l'épreuve de l'expérience vécue au quotidien, dans la dure réalité de la matière dense, tout ce beau bavardage très esthétique et si idéaliste. C'est pour cela que je t'avertissais dès le début de ce périple, que tu sembles être d'accord pour entreprendre avec moi, du fait qu'au final, lorsque nous aurons fini notre voyage, nous nous retrouverons tout simplement à notre point de départ, là où nous sommes présentement. Pas de fuite possible, il n'y a que ce qui est. C'est là le terrain sur lequel nous devons nous ériger, même si cela demande des efforts et de la peine. Et, ça, celui qui a le plus grand savoir, la plus grande force, la plus grande sagesse, le plus grand pouvoir, n'y échappe pas, nul ne peut échapper à la croix de l'incarnation, de la matière et de ses contraintes, chaque âme est nue et impuissante face à ce passage initiatique, qui ressemble (comme le disait souvent ma mère) à un trou de souris par lequel nous devons pourtant passer. Et il est certainement plus facile d'introduire un fil dans le chas d'une aiguille les yeux bandés que de surmonter ce Nadir, que de laisser en soi une fente suffisamment large, même un faible interstice suffit, pour donner libre cours à la Lumière en soi.

Tout cela n'est dit qu'en guise de préambule à cette marche qui nous emmène et nous emporte plus loin, comme notre instinct d'aventure. Nous y reviendrons plus en détail par la suite, quand nous nous y intéresserons plus particulièrement. En attendant, équipe-toi, jeune apprenti(e), chercheur(se) de vérité, amoureux(se) de la Sagesse, combattant(e) de la Lumière, saisis-toi fermement du bâton de ta raison et lève haut ta lampe à huile, à l'instar des vierges sages, afin d'éclairer en plein jour, plus que le jour lui-même !

En route !

L'astronome et la fourmi

Continuons simplement à marcher, à progresser, à partir de l'endroit où nous sommes, car c'est aussi ainsi qu'il faut procéder dans la vie : partir de là où l'on est, tout simplement. Nous croyons tous - moi y compris - bien trop souvent que nous ne sommes pas là où nous devrions être (et cela est lié à la blessure originelle dont je parlerai ultérieurement), que nous sommes "à côté de nos pompes", que nous ne sommes pas à la bonne place, mais cela est faux. Nous ne devons jamais perdre de vue le fait que notre capacité de perception et de compréhension est étroitement limitée, et qu'elle est impuissante à embrasser tout ce qui nous dépasse, dont nous ne savons rien, mais qui n'en existe pas moins. Être là, ici, maintenant, tout simplement, et se dire que nous sommes exactement là où nous devons être, à faire exactement ce que nous avons à faire, est une première étape salutaire. - Et il est important de fixer cela par écrit pour moi-même avant tout, mais pour toi aussi, afin de le garder toujours à l'esprit ; nous avons continuellement besoin de petits rappels à l'ordre ou corrections de trajectoire, nous sommes ainsi faits, si nous nous lâchons trop la bride, d'une certaine manière, nous dérivons avec le monde dans l'augmentation de son entropie, c'est-à-dire de son désordre, de sa perte d'information, et donc de sa perte de forme, de sa déliquescence... -

Continuons donc simplement à marcher à partir de là où nous étions lorsque nous nous sommes rencontrés, che(è)r(e) ami(e), et avançons plus loin devant nous. Il nous faut faire le deuil de tout but à atteindre, car... le but est le chemin ! Et, au final, comme je te le disais, nous reviendrons exactement à l'endroit d'où nous sommes partis.

Nous voyons s'ouvrir devant nous deux voies (et cela te rappellera sans doute quelque chose...) : l'une large et ample, un chemin de terre bien entretenu, facilement praticable, qui continue horizontalement, et semble ensuite descendre dans la vallée ; l'autre plus étroite, un petit sentier plus discret, escarpé, il monte tout de suite de façon presque abrupte, il est encombré de cailloux et d'herbes folles - mais un sentier difficilement praticable ne l'est-il pas trivialement parce qu'il est peu emprunté et mal entretenu ?... Eh bien, c'est cet étroit petit sentier que nous allons emprunter. Il monte rapidement, entre les pins qui bruissent langoureusement dans la brise. Et voici que nous tombons sur un point de vue : en bas, la vallée, le soleil déclinant se couche derrière les montagnes au loin, embrasant le ciel d'un flamboiement glorieux, et lentement, une à une, les lumières de la ville, là-bas, s'allument. Devant nous, au pied d'un arbre, un gros monticule qui grouille : une fourmilière. Nous nous penchons pour les observer plus attentivement : elles circulent en tous sens, au premier abord, de façon désordonnée et anarchique, mais, lorsque nous y regardons patiemment de plus près, nous constatons qu'il y a une certaine logique. Chacune d'entre elles œuvre à sa place, s'affaire à sa tâche particulière, au service de l'ensemble, du groupe, de la fourmilière, pour la subsistance. - Titille-les un peu, gentiment, avec une petite branche, par exemple, et passe ta main au-dessus d'elles. Porte-la progressivement à tes narines et tu pourras sentir une odeur quelque peu désagréable, celle de l'acide formique, ou acide méthanoïque, le plus simple des acides carboxyliques, le suivant dans la liste étant l'acide éthanoïque ou acétique, celui qui se trouve dans le vinaigre. Tu reconnaîtras aisément l'odeur caractéristique. C'est ma petite sœur qui m'a montré cela. -

Et lorsque nous levons les yeux de la fourmilière, nous en contemplons une autre, en bas : celle de l'humanité. Vue de haut, l'humanité n'est-elle pas aussi une fourmilière grouillante, qui s'agite vainement. Pourquoi ? Pour quoi faire ? Dans quel but ? Quel sens a tout cela ? Sens, au sens de signification, mais aussi de direction. En matière de direction, le seul sens qui existe et que nous connaissions, la seule rare vérité absolue parfaitement irréfutable, est celui de la mort. Eh oui, toute vie en ce monde, dès sa naissance, est orientée vers la mort. Mais quel sens (signification) peut donc revêtir tout cela ? Travailler, gagner laborieusement sa vie, de l'argent, le droit de vivre, ou seulement de survivre bien péniblement, manger, boire, uriner, déféquer, avec un peu de chance, avoir quelque activité sexuelle satisfaisante, faire des enfants, perpétuer l'espèce, le mode de vie, la société, le conditionnement, consommer, acheter, acheter une voiture, une télé écran plat, un ordinateur, une console de jeux vidéo, partir en vacances pour oublier le boulot, y revenir pour y retrouver tout en l'état, comme si absolument rien n'avait changé, se distraire, aller au spectacle, au théâtre, au cinéma, regarder des films ou des séries en streaming, voir des amis, boire des coups, faire la fête, s'amuser, souffrir, se sentir seul, pleurer, traverser des deuils, désespérer, puis continuer, et tout ça pour quoi ? Pour enfin mourir ! A l'échelle de l'univers, de l'immense cosmos, après tout, nos vies n'ont pas plus de valeur que celles de ces centaines de moucherons qui viennent s'écraser sur le pare-brise de notre voiture lorsque nous faisons beaucoup de route. - Pardonne-moi, mon ami(e), si cette brutale entrée en matière de sujets si sérieux semble de prime abord bien déprimante, ce n'est certainement pas pour déprimer que tu as ouvert ce livre, aussi tout cela est-il dit à dessein, c'est un passage obligé vers un bonheur plus grand, vers une joie plus durable. - Quel sens a donc tout cela ? Nous n'y pensons pas, pas suffisamment, aucun de nous, même si l'on s'engage sur une voie dite "spirituelle", même si l'on y pense sérieusement parfois, nous n'y pensons pas tous les matins en nous levant, à l'instar de Gandhi, par exemple, en nous disant que ce jour pourrait être le dernier, en nous préparant à mourir chaque jour. En considérant cependant la chose avec joie, comme un fait acquis, un élément de vérité, de réalité, parfaitement intégré, mais appréhendé avec joie, avec la joie immense, ô combien plus immense, de l'enfant qui ne vit pleinement que l'instant présent. Tout cela doit nous donner à penser, à "philosopher", dans le bon sens du terme, pas en une vaine et sèche rumination intellectuelle, mais en un profond ressenti qui touche notre conscience la plus profonde. Le point d'achoppement serait de se rendre triste et taciturne avec toutes ces considérations morbides. Cela n'est pas voulu, cela n'en est pas le sens. La vie est un courant d'eaux vives qui flue, que rien ne peut retenir, plus nous crispons nos doigts dessus pour le retenir dans nos mains, moins nous parvenons à en profiter pour nous abreuver. Il faut accepter de ne rien pouvoir retenir, de ne pas nous crisper - et moi, le premier, je rencontre déjà là une difficulté énorme, parfois quasiment insurmontable, car au plus profond de moi gronde aussi la violente révolte du "non" -. Mais je reste persuadé que c'est là l'ultime secret pour beaucoup de chose : lâcher, lâcher-prise, capituler, abandonner, s'offrir. A partir du moment où l'être humain s'est sédentarisé, il a oublié qu'il n'était au fond qu'un nomade en ce monde, un être de mouvement, et non pas un être de thésaurisation dans la matière. (Tel est à mon avis le sens profond et métaphorique de la préférence de Dieu pour l'offrande d'Abel, pasteur de troupeau, au détriment de celle de Caïn, cultivateur de la Terre !...) C'est quand l'être humain oublie qu'il ne fait que flotter sur les eaux de la vie et du monde, qu'il cesse de nager et se met à couler. En gros, il est devenu une moule, obstinément accrochée à son rocher.

Bref ! Regarde encore plus loin, au-delà des montagnes, le ciel immense et le soleil couchant. Sois sans inquiétude, laisse la brise qui fait doucement frémir les pins emporter toutes ces pensées que tu viens juste d'émettre, et respire un grand coup, inspire, expire, sois simplement là, et oublie tout. Continuons notre chemin.

Nous poursuivons sur le sentier que nous avons emprunté, un des nombreux et multiples chemins qui s'offrent à nous, mais symbolique tout de même d'une certaine démarche, c'est pour cette raison que je l'ai choisi, car il s'élève sans tarder, au-dessus de la poussière du monde.

Le ciel s'obscurcit peu à peu et voici qu'apparaissent les premières étoiles dans le ciel. - "Oh, que c'est beau !", laisse échapper notre âme dans un soupir de détente. - Nous passons de l'autre côté d'un relief et sommes de moins en moins gênés par la pollution lumineuse. Peu à peu, c'est toute la Voie lactée qui s'étire au-dessus de nos têtes, la galaxie à laquelle appartient notre système solaire, notre étoile, le Soleil, et ses huit planètes (pour l'heure), avec également ses planètes naines (dont Pluton et Cérès), ainsi que ses nombreux autres corps, comme la ceinture d'astéroïdes entre Mars et Jupiter, ou bien la ceinture de Kuiper et le nuage d'Oort, au-delà de l'orbite de Neptune. Et des galaxies comme celles-ci, il y en a je ne sais combien d'autres… Immensité, infini ! Ouvre ta conscience à cette perspective, ouvre ton cœur à ce souffle libérateur ! Ce souffle d'éternité traverse aussi la ville qui s'anime et s'illumine dans la nuit, ainsi que la fourmilière qui grouille et s'affaire.

Devant nous se dessine une silhouette, penchée sur un instrument qui est vraisemblablement une lunette astronomique. Dirigeons-nous vers cette personne et entreprenons d'échanger avec elle.

Il s'agit effectivement d'un astronome, plongé dans l'observation. Avec son instrument qui est comme enchanté, il nous montre différentes choses de toute beauté. Et il nous parle : "Ce qui est fascinant, c'est qu'il y ait quelque chose, plutôt que rien. Et c'est même quasiment miraculeux qu'il y ait de la vie sur Terre, une vie bactérienne, végétale, animale et humaine, car il fallait que soient remplies de nombreuses conditions toutes aussi improbables les unes que les autres pour que la vie apparaisse sur Terre. - Argument d'ailleurs fort bien utilisé dans leur argumentaire orienté par certaines sectes, par certains mouvements religieux… Mais, quelles que soient les intentions en arrière-plan de cet argument, il n'en reste pas moins véridique. - Il y a sûrement de la vie ailleurs dans l'univers, vu son immensité, il n'y a pas de raison qu'il n'y en ait que sur Terre, mais nous n'en savons encore rien avec certitude. Ce qui est fantastique aussi, voyez-vous, c'est qu'au milieu de tout ça, il y a l'homme, l'être humain. Oui, les religions ont voulu en faire le centre de l'univers, alors que la science pragmatique l'a ensuite détrôné de ce piédestal semble-t-il usurpé, pour le remettre à sa juste place, c'est-à-dire là où il n'est rien de plus que tout ça, rien de plus que n'importe quel arbre, rien de plus que le plus insignifiant des insectes. Je pense, pour ma part, qu'il y a un peu de tout cela ; nous sommes à la fois tellement insignifiants et en même temps tellement rares et précieux dans l'univers. Et il n'en demeure pas moins une chose extraordinaire, miraculeuse, comme le dit si bien le célèbre astrophysicien Hubert Reeves : c'est que, si l'on en croit la théorie de l'évolution de Darwin, d'une certaine façon, chaque espèce a développé les compétences, moyens, le potentiel, lui permettant de survivre, de subsister, ou, plutôt, seules ont pu se perpétuer les espèces qui avaient développé les moyens de leur survie. Pourtant, l'être humain, au milieu de tout ça, issu de ce grand processus d' "évolution", a développé des compétences qui sont totalement absurdes si on ne les considère que sous ce point de vue. D'une part, des capacités totalement futiles dans le meilleur des cas, nuisibles dans le pire des cas, qui ne mènent à rien de bien édifiant pour l'humanité. D'autre part, il a développé deux autres choses, essentiellement, totalement inutiles du point vue de l'évolution et de la survie, mais qui n'en demeurent pas moins fascinantes : l'art et la science. Avec la science, notamment, les mathématiques et la physique, par exemple, il s'est rendu le monde, l'univers tout entier, intelligible et compréhensible. Il a pu même bien souvent, encore récemment, prévoir des choses qu'il n'avait pas encore rencontrées, mais qui se sont vérifiées par la suite. C'est cela le miracle, le divin miracle ! Que l'être humain soit capable de comprendre ce qui le dépasse de très très loin et qui est totalement inutile pour lui en tant qu' "animal" au sens étymologique du terme, c'est-à-dire en tant qu' "être vivant", être de survie. Rendre compte de la matière, avec ses atomes, ses électrons, protons, neutrons, bosons, neutrinos, quarks, etc., de la mécanique céleste, du ballet des astres, de la course des galaxies, de la naissance de notre univers matériel. Tout cela, bien considéré, avec le même recul avec lequel nous souriions précédemment avec condescendance du grouillement des fourmis, tout cela, donc, est époustouflant.

Il y a cependant toujours des limites auxquelles se heurte la science. Il y en a toujours eu, à vrai dire, et il y en aura sûrement toujours, c'est ainsi qu'elle progresse. C'est pour cela qu'il faut bien se garder d'émettre un jugement trop catégorique sur des choses qui sont susceptibles de nous dépasser, en l'état actuel de nos connaissances, en ne se fondant que sur ce que nous savons au moment où nous en parlons, en mettant de côté l'idée qu'il y a encore plein de choses qu'on ne sait pas encore. Il faut se garder de toute façon de penser trop rigide et trop étriquée, l'histoire des sciences doit nous le rappeler à tout moment ; jamais, par exemple, nous ne devons oublier l'époque relativement peu lointaine où les dépositaires et représentants officiels du savoir, de la science, de la connaissance, et de la pensée dominante seule jugée vraie, pensaient que la Terre était plate, au centre de l'univers, et que c'était le Soleil ainsi que les autres planètes qui tournaient autour d'elle.

La mécanique quantique a en cela ouvert des portes sur des possibles vertigineux qui doivent enfin faire voler en éclat la pensée "cartésienne" issue de la mécanique classique, qui ne perçoit autour d'elle qu'un monde en trois dimensions se développant de façon linéaire, continue.

Et il y a un point particulier sur lequel bute encore la science actuellement : nous savons en effet d'une part calculer la masse d'une galaxie à partir du rayonnement qui parvient jusqu'à nous (car toute matière rayonne des ondes électromagnétiques porteuses d'informations sur sa nature), mais aussi, d'autre part, la calculer indirectement par l'effet de lentille gravitationnelle, c'est-à-dire en mesurant la déviation de la lumière provenant d'autres galaxies plus lointaines lorsqu'elle passe à proximité de cette galaxie. Car la lumière elle-même, tantôt onde électromagnétique, c'est-à-dire particularité modifiant la nature de l'espace-temps qu'elle traverse et agissant sur les particules chargées, tantôt particule, ou se comportant comme telle, appelée "photon", c'est-à-dire un "paquet" d'énergie, eh bien, la lumière, qu'on perçoit à tort comme immatérielle et donc comme non influençable par la matière, la lumière elle-même, donc, subit les effets de la gravitation. De ce fait, nous savons aujourd'hui que la matière que nous connaissons, que la science connaît et étudie, mais dont elle ne sait pas encore tout, cette matière, en fait, ne constitue qu'une petite partie de ce qui existe, de la masse de ces galaxies, de la masse de l'univers. D'où les fameux concepts de "matière noire" et d'"énergie noire", qui représenteraient quelque chose comme 95% (selon les sources…) de ce qui existe dans l'univers ! Autrement dit, encore une fois… "l'essentiel est invisible pour les yeux" ! C'est un fait scientifique désormais avéré que les quelques 95% de l'univers ne sont pas de la matière que nous connaissons et nous sont par conséquent, pour le moment, inaccessibles, et totalement inconnus, alors que nous savons que c'est là, sûrement tout près de nous, tout autour de nous. Pour compliquer encore la chose, nous ne sommes pas en mesure encore d'expliquer pourquoi toutes les galaxies ne s'agglomèrent pas en une sorte de gloubi-boulga informe, mais restent distantes et par conséquent distinctes les unes des autres, suivant une structure discrète, comme des perles le long de filaments, formant parfois aussi des amas, et s'éloignant aussi les unes des autres. C'est là qu'intervient le concept d'"énergie noire", une énergie organisatrice de notre univers, mais dont la nature et l'origine nous sont encore totalement inconnues.

Enfin, voilà à grands traits ce que je pouvais partager avec vous, promeneurs !"

Sur ce, nous remercions chaleureusement notre interlocuteur et nous poursuivons notre chemin, tout à notre réflexion.

La science cherche donc à nous rendre plus compréhensible l'univers dans lequel nous vivons, la matière que nous connaissons, ainsi que les lois qui les régissent. Lois dont nous nous apercevons d'ailleurs qu'elles ne sont pas existantes en elles-mêmes in abstracto, précédant la matière qui devrait s'y plier, mais qu'elles ne sont en fait que des manifestations des propriétés de la matière, nous apparaissant comme telles, du fait de leur caractère immuable, qui ne réside pourtant que dans l'immuabilité des propriétés de la matière. Mais si l'on postule l'existence de quelque chose d'autre, quelque chose qui, par définition, par essence, ne serait pas de la matière, mais serait immatériel, selon nos concepts (considération par rapport à laquelle nous avons désormais une piste scientifique), eh bien, ce serait quelque chose sur lequel, par essence même, la science ne pourrait se prononcer. On ne peut donc, à mon humble avis, passer outre ce que la science a reconnu et compris, mais nous ne pouvons décemment pas non plus nous y arrêter, nous en contenter, et stationner encore longtemps, sans oser franchir le pas, devant cette limite au-delà de laquelle la science est impuissante, faute de pouvoir palper, observer, mesurer, quantifier, disséquer, analyser, classer, etc. Pour moi - mais c'est là, mon ami(e), uniquement ma conviction personnelle, je ne peux témoigner d'autre chose -, pour moi, donc, il y a bien plus que ce que la science peut reconnaître, pour le moment, en l'état actuel de ses balbutiements au regard de sa période de développement, et il y a bien plus que la matière que nous pouvons percevoir. N'est-ce pas là tout le champ de ce fameux "Au-Delà", tellement adulé ou fustigé, accablé de tout et son contraire, de toutes les imaginations et désirs, fantasmes et illusions, possibles et impossibles ? Un labyrinthe inextricable, qui semble sans fin, impossible à aborder sainement, un domaine aussi inhospitalier et dangereux que pourrait l'être l'océan pour nous, êtres de chair, faits pour la terre ferme, à moins de devenir soi-même poisson pour y nager en toute aisance... Il nous faudra donc tisser et tendre un fil d'Ariane, sûr et solide, afin de ne pas nous y perdre, dans ce mystérieux labyrinthe. Je te rappelle que, pour cela, nous devrions disposer de tout l'équipement nécessaire en nous-même, n'oublie pas non plus la lanterne et le bâton, l'intuition et la raison, la conscience et l'intelligence.

- Cette irrépressible aspiration à se dépasser lui-même, ce souffle d'éternité qui agite sans cesse l'être humain, et toutes les œuvres qui en émanent, tout cela ne relève-t-il pas de cet "Au-Delà" de la matière et de la pensée intellectuelle concrète ? -

Je te propose donc de poursuivre notre chemin et, pour les heures prochaines, celles qui traversent la nuit, nous allons méditer en silence sur tout ce que nous venons de considérer et laisser émerger de ce silence encore d'autres pensées animées d'intuition, d'autres considérations issues de notre élan vers la Sagesse. Il faut toujours laisser un temps, un espace de silence, pour laisser les idées faire leur chemin en nous, comme des graines que l'on plante en terre et qui finissent par germer...

Che(è)r(e) ami(e), je t'ai dit que nous emprunterions immédiatement le petit sentier qui monte, parfois de façon ardue, et que je m'efforcerais malgré tout de te guider de façon pédagogique et progressive, mais il nous faut faire ici un bon. Je sens que le temps presse, car le monde poursuit sa course inexorable...

Profite donc de la nuit et du silence, réfugie-toi au cœur de la nuit pour te plonger dans le silence, n'aie pas peur du vide, mais sautes-y à pieds joints, jettes-y-toi corps et âme, tu y découvriras d'inestimables et inépuisables richesses !

Recueille-toi dans le silence et tu permettras ainsi à ta conscience de fleurir, de s'épanouir et de grandir. Comme la fleur a besoin d'eau, la conscience a besoin de silence. Pour atteindre parfois, même fugitivement seulement, cet état de ressenti profond de ce qu'il y a de plus intérieur, personnel et intime en nous, ce qui fait la préciosité de notre être profond et véritable. De là, toutes les portes s'ouvriront peu à peu à toi, dans un perpétuel émerveillement, pas à pas, et sans fin. Tu percevras alors sans peine le grand Invisible et l'immensité du Souffle de Vie qui l'anime et anime le Tout ! Rien n'est mort, tout est vivant, tout est vie, le vide n'existe pas, encore moins le néant, même le vide physique de l'espace intersidéral n'est pas vide, mais niveau d'énergie zéro, bouillonnement incessant de création et d'annihilation de particules et d'antiparticules, portant potentiellement en lui le début de quelque chose, quantum d'espace-temps conservant en soi la mémoire de l'univers tout entier. Nous sommes tous intriqués dans ce grand champ d'énergie. Tous les enseignements spirituels, toutes les traditions, sagesses, religions le disent, les sages, méditants avancés et éveillés spirituellement en font l'expérience quotidienne et en témoignent depuis toujours, à travers les âges, jusqu'à aujourd'hui.

Personne ne peut t'apprendre cela, c'est une terre vierge, inexplorée, oubliée, un vaste royaume en toi et tout autour de toi, que toi seul(e) peut découvrir et explorer. Et apprendre à connaître cela, c'est comme apprendre à connaître une personne, il faut d'abord l'apprivoiser, comme le renard dans le Petit Prince de Saint-Exupéry, il faut la fréquenter régulièrement, lui rendre visite, passer du temps avec elle, et on la connaît alors toujours plus, mais sans jamais la connaître totalement, sans jamais pouvoir en revendiquer la connaissance absolue, le savoir et la possession personnelle, exactement comme pour la Vérité Vivante, qui est Réalité du Vivant ou Vie Réelle.

Tout, alors, va s'animer, en toi et autour de toi, et tu ressentiras bientôt, tout autour de toi, dans le grand Invisible, une présence, des présences, peut-être même la Présence…

Tout vient de là ! Ce qui nous est visible n'est qu'une conséquence logique, naturelle, irrépressible de ce qui est invisible, parcouru par le même irrésistible courant de vie, ce souffle sans fin. La matière visible n'est que la condensation, de degré en degré, étape après étape, de proche en proche, de ce qui préexiste déjà, en principe, concept, idée, sous une autre forme, dans une autre substance, sur d'autres plans. De même, chaque événement visible n'est que la conséquence de tout un tas de processus invisibles. L'intention, l'imagination, la conception, la planification, l'organisation, tout cela a précédé la construction de n'importe quel bâtiment.

Tu sentiras alors clairement, quand tu seras parvenu à ce stade de ton évolution, que tu es toi-même le foyer de toute une vie invisible, que tu es toi-même l'origine et le point de départ de multiples choses qui prennent formes dans d'autres substances, sur d'autres plans, et mènent ensuite leur vie propre, se frayant leur propre chemin, agissant toujours conformément à leur nature, mais toujours reliées à toi, le point d'origine. Tout cela est vie, tout cela est donc aussi énergie. Or, rien ne se perd, rien ne se crée, tout se transforme. C'est une loi universelle parfaitement immuable que celle de la conservation de l'énergie. Et il en va ainsi sur le plan physique qui nous est accessible physiquement, dans la matière visible que la science connaît, au moins partiellement, et étudie, mais il en va de même également dans tout le grand Invisible, avec tous ces enfants que tu mets au monde et qui mènent leur propre vie, abeilles butinant tout au long d'un cercle étendu dans l'univers et te ramenant, du fait de la loi d'attraction des affinités ou des genres semblables, le fruit de leur collecte. La loi du karma, autrement désignée comme la loi d'action en retour, ou le simple processus logique de cause à effet, te deviendra alors clairement compréhensible, si tu n'es pas déjà familiarisé(e) avec elle.

Mais, l'essentiel pour toi, c'est de ressentir, de percevoir et de reconnaître, de comprendre et d'intégrer la notion fondamentale selon laquelle tout vit et agit dans ce sens : du haut vers le bas (si tant est que l'on puisse parler ainsi), de l'invisible vers le visible, du spirituel vers le matériel. Tout, alors, deviendra plus clair à tes yeux, de nombreuses questions y trouveront leur réponse, de nombreux problèmes pourront y être résolus, dans cette seule vue d'ensemble vraie.

Tout cela, nous y reviendrons plus en détail par la suite, pas à pas, mais il me fallait m'assurer du fait que tu avais la possibilité de l'expérimenter et de le comprendre, avant de poursuivre plus loin, car, comme je te l'ai déjà dit, et comme je le répète ici encore, j'ai tellement à cœur de t'offrir mon plus précieux en moi, de te partager le meilleur de moi-même et de ce que j'ai pu avec le temps faire en sorte de porter en moi, que je me hâte avec toi vers les hauteurs, afin de partager avec toi la grande vue d'ensemble époustouflante qui m'envahit souvent, qui m'habite à chaque instant et me porte comme une mer/mère pleine de bienveillance et de sollicitude, même au cœur du pire effroi, de la nuit sombre et de l'horreur, de la souffrance, du doute et du désespoir, que nous ne manquerons pas de connaître encore et encore, car l'existence en ce monde est ainsi faite. Mais une fois qu'est réalisée fermement et durablement en toi cette prise de conscience de l'Immensité du Souffle de Vie, toutes ces vicissitudes ne sont plus que de petites vagues au milieu desquelles tu flottes fermement, te frayant sûrement un chemin, même au cœur du tumulte et des eaux déchaînées.

Achevons donc tranquillement ce temps de méditation, dans le silence de la nuit, recueillons-nous et préparons-nous à grimper vers le sommet !

Raison et intuition

Avant de poursuivre, mon ami(e), il nous faut éclaircir quelques concepts, quitte à y revenir plus tard, plus loin, plus en détail, afin que nous puissions tout simplement nous mettre d'accord sur certains termes, afin que nous nous comprenions, et afin que tu puisses également mesurer d'ores et déjà ce qu'exigera de toi ce chemin que nous empruntons avec l'ambition modeste d'accéder à une quelconque sagesse. Il y a en effet aussi une condition sine qua non à remplir si l'on veut pouvoir percevoir ; sans cela, la porte demeurera irrémédiablement fermée.

J'y reviendrai donc, mais sache ici que j'appelle "esprit" ce noyau spirituel vivant qui siège en chacun de nous, il s'agit du seul véritablement vivant incarné en nous, ce qu'il y a de plus profond et de plus personnel, de plus intime et de plus précieux en nous. "Esprit" n'a donc ici rien à voir avec les expressions : "Esprit, es-tu là ?", "esprit frappeur", "avoir beaucoup d'esprit", "traits d'esprit", "esprit critique", "avoir un bon esprit", "état d'esprit", etc. Mais il s'agit là au contraire du seul qui perçoit réellement, à travers le corps, les sens, l'intellect, et c'est cela seul qui ressent véritablement et qui vit en nous, qui est et qui demeure. Rien d'autre. Le reste n'est qu'une batterie d'instruments impermanente et temporairement empruntée, à l'instar de l'équipement du plongeur, qui n'a qu'une utilité limitée dans le temps, la durée de la plongée, et qui n'a aussi qu'une capacité limitée, dans un environnement pour lequel il est spécifiquement conçu. Seulement, cet équipement, adapté à l'environnement aquatique liquide, est indispensable au plongeur afin d'y séjourner et d'y interagir. Il en va exactement de même avec l'être humain, ou, devrais-je dire, l'esprit humain incarné sur Terre, dans l'œuvre de la matérialité-grossière, sur le plan physique terrestre : son véritable élément, c'est le spirituel ; le matériel n'est qu'un environnement étranger, pour lequel il est parfaitement équipé, dans lequel il doit évoluer, mais qui ne constitue en rien sa patrie d'origine. C'est bien ainsi que nous devons être *dans* le monde, sans être *du* monde !...

C'est donc l'esprit seul, ce noyau spirituel vivant, qui est le siège véritable de l'authentique conscience de soi. Et c'est cette conscience seule qui perçoit la réalité au travers du filtre de ses enveloppes et de ses instruments limités.

De l'autre côté, sur le plan physique terrestre, l'être humain est pourvu d'un corps physique, constitué lui-même d'un cerveau et d'un système nerveux, d'un squelette et de muscles, d'organes, de systèmes digestif, circulatoire, respiratoire, etc. - Je laisse pour le moment de côté certains aspects, comme son système énergétique ainsi que ses corps subtils, sujet important sur lequel je reviendrai plus tard. - Ainsi équipé, l'esprit humain incarné, donc l'être humain, peut séjourner sur Terre et y agir. De son équipement, font partie plusieurs choses, qu'il nous faut distinguer, afin de couper court dès maintenant à toute possibilité de confusion qui rendrait le discernement impossible. Sans cela, trop de confusions s'installeraient dans les représentations, comme c'est malheureusement le cas un peu partout.

- Pardonne-moi au passage, mon ami(e), si je fais en cela des bonds. Comme je te le disais précédemment, cela sera parfois nécessaire, et ce que je dis ne peut t'apporter aucune valeur en soi si tu ne le relies pas à d'autres enseignements, traditions, textes, lectures, connaissances, mais surtout si tu ne le relis pas à la lumière de l'expérience vécue multiplement et indéfiniment réitérée. -

Ce corps physique terrestre, qui est un véritable chef-d'œuvre de la Nature et de l'évolution, dispose d'un outil puissant et merveilleux, indispensable, et pourtant redoutable, qui peut causer ta perte, tout en même temps qu'il peut, tel une machette bien aiguisée, t'aider à te frayer un chemin sûr à travers la jungle du monde. Il s'agit du cerveau, dont l'activité bouillonnante et mille fois foisonnante, proprement miraculeuse, produit cette raison dont nous sommes si fiers, l'intellect ou l'intelligence, qui nous rend le monde intelligible, compréhensible, c'est-à-dire qui nous permet d'y entendre quelque chose, un sens quelconque, une raison. Eh bien, cet outil merveilleux, qui est le plus beau et le plus subtil des fleurons de la matérialité-grossière, n'en reste pas moins limité par sa nature, l'intelligence n'est qu'un produit du cerveau, fruit de son activité, cerveau qui appartient lui-même à la matière et demeure limité à tout ce qui assujettit cette matière, dont nous avons précédemment évoqué les limites. De la réalité, cet outil ne perçoit rien directement, si ce n'est ce que lui transmettent nos cinq sens, par l'intermédiaire de notre corps, et donc uniquement les apparences extérieures, considérées depuis l'expérience sensible subjective. On sait par ailleurs aujourd'hui à quel point le fonctionnement du cerveau, tout aussi merveilleux qu'il soit, est également soumis à toutes sortes de contraintes et de limitations, ou de conditionnements, qu'ils proviennent du bagage génétique, du vécu de la mère enceinte, de l'éducation, de différentes expériences vécues ou de bien d'autres facteurs. De même, la vie du corps peut influer puissamment sur lui, de façon rétroactive.

Le corps, quant à lui, est parcouru par ce que je désignerais comme des "pulsions-programmes" ou "pulsions-programmées", c'est ce qu'on peut aussi désigner comme les "instincts", dont la base est la loi de survie dans la matière la plus dense. Ce sont les programmes qui sont déjà installés à la livraison, y compris dans notre cerveau, et sur lesquels nous n'avons pas la main. Ils gèrent la survie et la perpétuation de l'espèce. De tout cela émanent des désirs, des envies, qui sollicitent le cerveau, et sur lesquels l'intellect, l'intelligence, autrement dit l'activité cérébrale, agit à son tour par le concours des pensées. De ce bouillonnement "animal" émergent les émotions, les sentiments, qui, encore stimulés par le cerveau, engendrent l'imagination. Détaché du corps, le cerveau produit la pensée abstraite, le penser, les pensées, nombreuses, incessantes, tout comme le reste est également insatiable d'activité et de nourriture, tellement prenant, accaparant, nous nous y identifions même trop souvent, pour ne pas dire constamment, alors que tout cela ne fait que passer, est impermanent et non durable. En cela, la voie tracée par le bouddhisme nous apporte un précieux éclairage.

Or, depuis la Renaissance, l'émergence de l'humanisme, le siècle des Lumières, c'est le triomphe de la raison pure, qui a été mise sur un piédestal. C'est grâce à elle que la science a pu faire des progrès phénoménaux, une fois affranchie de l'obscurantisme religieux médiéval. On est cependant passé à un excès qui n'a mené à rien de bon, comme on peut aisément le constater aujourd'hui et j'y reviendrai également plus loin. Car la science, qui n'est finalement que le fruit de l'activité de la raison pure, de l'intelligence, et donc du cerveau, s'est ainsi elle-même limitée, par voie de conséquence logique, à la matière. Cela réside dans sa nature, il ne peut en être autrement. Cependant, là où ont tort la science, la raison, les êtres humains qui se rangent derrière elles et qui ne sont capables de faire fonctionner (et encore, dans une mesure tout à fait limitée) que leur raison, leur intelligence, leur intellect, donc leur cerveau, c'est qu'ils nient tout ce qui pourrait exister en dehors de ce qu'ils connaissent, c'est-à-dire en dehors de la seule réalité tangible qu'ils perçoivent, la matérialité-grossière du plan physique terrestre, alors que, là encore, par essence et par nature même - ce que tout un chacun exempt de mauvaise foi comprendra aisément -, si autre chose existe, ils ne peuvent y accéder, ils ne peuvent rien en savoir, et donc certainement pas en juger. L'immense vitalité qui constitue la vie intérieure de chaque être humain, de chaque génie, de chaque artiste, est un monde en soi qui dépasse le physiquement palpable et le strictement intellectuellement compréhensible.

Tout cela pour dire que si tu veux accéder avec moi au sommet, et saisir ce que je veux te faire découvrir et partager avec toi, il te faut développer la partie qui peut sans problème, et avec aisance, s'affranchir de toute emprise terrestre, et percevoir les réalités qui dépassent la simple réalité physique terrestre.

La conscience spirituelle seule est ce souffle de vie suffisamment puissant pour nous porter dans notre effort tout au long de notre périple labyrinthique au sein de la matérialité.

La quête de la Vérité

Quête de vérité, quête de sagesse, recherche de la Vérité, de la Sagesse, c'est bien cela qui t'anime, sinon, tu n'aurais pas ouvert ce livre et nous ne nous serions pas rencontrés, sinon, tu ne m'accompagnerais pas ainsi sur le chemin que je te propose de parcourir avec moi. Avec raison et intuition, penchons-nous quelques instants sérieusement sur tout cela, sur tout ce que cela implique ou charrie, et c'est bien mon intention d'utiliser ce terme à dessein pour dresser devant toi l'image intuitive d'une partie de ce tableau.

Interrogeons donc ce qui remue en nous, êtres humains, ce qui nous anime et nous pousse vers les hauteurs.

Vérité ! Sagesse ! Philosophie ! Spiritualité ! Religion ! Quel embrouillamini tout cela ne constitue-t-il pas !

La Vérité ! Un absolu bien effrayant et bien dangereux, qui fouaille pourtant l'âme humaine depuis la nuit des temps. C'est bien l'inextinguible soif de vérité qui anime l'être humain, qu'il ponde des systèmes de pensée ou de croyance qui cherchent à rendre compte du Réel, qu'il fasse de la science ou de la philosophie, qu'il s'adonne à la création artistique, qu'il s'intéresse à la spiritualité en général ou qu'il adhère à une religion. Il s'agit toujours d'une représentation du monde, d'une voie d'accès à un certain aspect de la Réalité, d'une conception des choses de la vie, émanant de l'irrépressible volonté de comprendre, mais portant aussi la marque de la limitation dans la partialité et la subjectivité. Essayons donc de replacer tout cela au bon endroit, dans le bon ordre.

La Vérité ! La vérité ! ? Des vérités ?... Chacun a-t-il sa vérité ?... Est-ce que toutes les opinions se valent ?... Qu'est-ce que la croyance encore aujourd'hui face à la science ?... Personnellement, je pense que la science est importante, vitale, essentielle, on ne peut tout simplement pas s'asseoir dessus de façon négligente, voire méprisante, bien au contraire, la science cherche à rendre compte d'une partie du Réel, on se doit, par honnêteté intellectuelle, d'intégrer à ses représentations tout ce qu'elle a reconnu du Réel. Qu'elle soit limitée, c'est certain et normal, comme nous l'avons évoqué précédemment, puisqu'elle se limite à son terrain d'origine, qui est aussi son champ d'action, à savoir : la matière dense visible. Mais ce serait aussi une grave erreur que de considérer que tout le Réel est circonscrit par la science, que de faire preuve de condescendance vis-à-vis de tout ce qui échappe à son domaine d'expertise. La science ne rend pas compte de tout ce qui est purement "humain", de l'art, par exemple. De même qu'elle ne rend pas compte de l'irrésistible aspiration à l'Infini, vers l'Eternité, qui agite sans cesse l'être humain, et dont émergent par la suite, non seulement les plus belles œuvres d'art, mais aussi des enseignements spirituels, qui constituèrent la base des différentes religions. La croyance pure, par contre, c'est la porte ouverte au grand Invisible, à ce qui n'appartient plus à la matière dense visible et tangible, ce qui échappe donc au domaine d'expertise de la science, par nature, invérifiable, il ne peut donc y avoir, comme en science (et encore, ce n'est pas forcément évident, comme le montre l'histoire des sciences) de consensus indubitable sur des aspects qu'on pourrait considérer comme des faits objectifs. Pourtant, est-ce que toutes les croyances se valent ? L'être humain pense-t-il pouvoir plier la Réalité à ses désirs ? Est-ce que, par exemple, seules survivraient les âmes de ces êtres humains qui croient que la vie continue après la mort, alors que les autres mourraient effectivement pour de bon ? Cela ne paraît pas très logique, c'est le moins qu'on puisse dire. Cependant, comme j'ai coutume de dire (et je me répéterai sûrement encore par la suite), la question n'est pas de croire ou de ne pas croire, mais de savoir, car la Réalité est ce qu'elle est. Mais comment savoir dans un domaine où on ne peut rien prouver scientifiquement et donc objectivement, indubitablement ? Eh bien, là, effectivement, c'est une affaire personnelle, c'est l'affaire, et la liberté sacrée, de chacun, de chaque individu, de chaque être humain, et chaque être doit être respecté dans son degré d'évolution, sur le barreau sur lequel il se trouve, sur l'échelle de l'évolution humaine et spirituelle, évidemment, tant qu'il ne nuit pas aux autres. C'est en cela qu'il est tout à fait normal, inévitable et sain qu'il existe tant de représentations diverses et variées de la Réalité. Ainsi, il n'y a pas des vérités, ce n'est pas : "à chacun sa vérité", il n'y a bien évidemment qu'une seule et unique Vérité, une seule et unique grande et vaste, vivante, foisonnante et protéiforme Réalité, seulement, cette Vérité ou Réalité Vivante ou Vie Réelle qui constitue l'Unique est vécue de milliers, de millions de façons différentes, par chaque individu, par chaque créature, non seulement par chaque être humain, mais aussi par chaque être vivant au sens plus large. La Vérité est en effet un Absolu dont on peut indéfiniment se rapprocher sans jamais l'atteindre, telle une asymptote mathématique. Et personne, sur Terre, ne peut revendiquer la Vérité absolue pour lui seul. C'est au contraire la synthèse seule de toutes les représentations qui peut nous conduire, avec un peu de chance, peut-être, peu à peu, sur le chemin de la Vérité, exactement de la même façon que c'est en prenant différents clichés d'un même objet sous différents angles qu'on peut en reconstituer une image 3D. La parabole des aveugles et de l'éléphant issue du jaïnisme illustre parfaitement ce propos. Ou encore cette expression de Gandhi qui dit, en substance, de mémoire, que toutes les vérités sont les feuilles issues d'un même arbre. Elles poussent toutes en effet sur l'Arbre de la Vie. On peut même aller plus loin en convoquant d'une part la façon non-duale de considérer les choses en Orient ainsi que, d'autre part, la mécanique quantique (les deux étant d'ailleurs liées) : les choses elles-mêmes ont différents aspects, elles peuvent être multiples dans leurs particularités, elles peuvent être plusieurs choses à la fois, mais nous n'en percevons qu'un seul aspect, une infime partie de leur réalité, autour de laquelle nous tournons, sans pouvoir la pénétrer. Voilà, mon ami(e), qui éclaircira les choses quant à ma position sur la question !

La Sagesse ! Pour moi, la Sagesse, c'est une façon d'être connecté au Vivant, en route sur les chemins de la Vie, porteur de tout et sans rien, capable à chaque instant de se relier au Vivant et de le percevoir d'une façon plus pure, plus proche de la Réalité, de sa vérité. La Sagesse, on ne peut non plus jamais la posséder, elle s'acquière en chemin, sur ce même chemin de la recherche de la Vérité, elle se rencontre perpétuellement et nous accompagne.

Quant à la philosophie, étymologiquement, c'est l'amour de la Sagesse, ce qui implique la recherche de la Sagesse, comme s'il s'agissait d'une personne que l'on cherche à fréquenter régulièrement... Il y a bien des choses intéressantes en philosophie, mais, mon ami(e), je te l'avoue honnêtement en espérant ne pas te choquer ni te décevoir, je trouve que certaines élucubrations humaines qu'on qualifie de philosophie ressemblent davantage à de la masturbation intellectuelle. Il n'y a là nulle sagesse si chaque être humain ne peut en comprendre le langage ni le contenu, si cela ne peut lui être accessible simplement et utile au quotidien, très concrètement et pragmatiquement.

Il y a enfin la question des religions. Sujet délicat. Il me faut donc être prudent. Loin de moi l'idée de manquer de respect aux êtres humains qui sont de sincères croyants et de dignes pratiquants de leur religion. Cependant, pour moi, quand on étudie l'histoire des religions, on s'aperçoit très vite que, même si, à la base, il y a effectivement un enseignement spirituel de valeur humaniste et universel, issu de la Sagesse, porteur de vérité, et de qualité, ce sont des êtres humains bien imparfaits et médiocres qui s'en sont ensuite emparé, qui ont déformé les choses en fonction de leur capacité de compréhension limitée, voire selon leurs désirs et leurs intérêts, et qui ont plus tard élaboré une sorte de "pack" sans option censé conduire au Salut et à la Vérité. Il est évident que des gens qui s'écharpent au cours de l'histoire pour savoir s'il faut croire à ceci ou cela ou faire ceci ou cela et qui en viennent finalement à un consensus auxquels tous les croyants et pratiquants sans exception devraient adhérer sans réserve, et sans réflexion personnelle, sans esprit critique, il est évident, donc, que ces gens n'en savent à vrai dire absolument rien, et qu'il n'y a dans tout ça ni sagesse ni vérité, mais seulement les erreurs et errements des êtres humains, encore et toujours. C'est pourquoi, pour moi, il faut impérativement reconquérir la liberté fondamentale de l'esprit, tel que le Créateur l'a conçue, et s'affranchir de tout dogme, de l'oppression contraignante de toutes ces croyances toutes faites ainsi que de tous ces salamalecs, rites et rituels en tous genres (même s'ils revêtent parfois une certaine valeur, mais souvent complétement oubliée ou passée à la trappe), et remonter aux enseignements de nature spirituelle, humaniste et universelle, qui sont à l'origine de ces religions. On y trouve alors des choses troublantes, similaires ou complémentaires, comme les pièces d'un vaste puzzle dont la Vie nous aurait fait cadeau, attendant patiemment qu'on le reconstitue, mais, j'insiste encore une fois, partout les grains de vérité semblent humains, humanistes, universels, valables pour toute l'humanité. C'est aussi la raison pour laquelle je me montrerai parfois dur vis-à-vis de certaines religions ou vis-à-vis de certains aspects de ces religions, parce que, pour moi, cela est facteur d'aliénation de notre humanité, de l'humanité en chacun de nous, source de conflits, de répression, violence, agression et destruction. Bref ! Tout le contraire de la Sagesse qui n'est qu'une expression et manifestation de la Vie.

Nous arrivons enfin au sommet, alors que l'aube se lève et que le soleil levant embrase peu à peu le ciel et la chaîne des montagnes au loin. Se déploie devant nous une immensité à couper le souffle.

Et il me faut alors te parler de ce "Trop-Immense" que je perçois et qui s'agite en moi aussi continuellement, dont je ressens l'inextinguible brûlure spirituelle et passionnelle en moi, et aborder le si fatidique et problématique sujet de "Dieu"…

Dieu ! Qu'est-ce que les êtres humains n'ont-ils pas fait de ce mot, de cette notion ? Point de départ et ultime aboutissement de tant d'aspirations, d'idéaux, de beauté et de bonté, mais aussi d'erreurs, d'errements, de violences et d'horreurs, qui ont profondément blessé, irrémédiablement meurtri l'humanité et qui la font encore sérieusement frémir et souffrir.

"Dieu créa à l'homme à son image.", n'est-il pas écrit dans le chapitre de la Genèse de l'Ancien Testament de la Bible. Eh bien…, comme le disait Voltaire, l'être humain le lui a bien rendu ! ! C'est le moins qu'on puisse dire ! Car, si l'on cherche à creuser cette notion et que l'on fouille au cœur de tout ce qui a été pensé, dit et écrit sur le sujet jusqu'à aujourd'hui, on s'aperçoit finalement qu'il ne s'agit là que des élucubrations des êtres humains eux-mêmes, que du fruit de leurs vaines spéculations sur "Quelque Chose" qui leur est finalement, par essence même, complètement inaccessible, déjà spirituellement, a fortiori intellectuellement, c'est-à-dire avec le seul concours du petit cerveau terrestre limité qui peine déjà à aborder la grande Œuvre de la Matérialité dans son ensemble. Mais enfin, sérieusement, qu'est-ce qu'une créature pourrait penser du Créateur ? Qu'est-ce que le moucheron est capable de concevoir de l'immensité parfaitement ordonnée et intelligible de l'Univers ?

Par quoi donc commencer pour aborder cette notion et te donner à comprendre la conviction qui est la mienne, même si tu ne la partages pas ?... - Cette merveilleuse "vie-imbriquée" que je contemple aussi intérieurement, je ne sais parfois comment en parler, comment la décrire, par quel bout prendre les choses, je te l'avoue sincèrement, je tâtonne, mais j'avance pas à pas, laissant surgir une chose de la précédente, me fiant à mon intuition. -

Commençons simplement par retracer à grands traits un panorama général de l'évolution de l'être humain en matière de croyance au Divin. - Je ne saurais trop te recommander que de te plonger toi-même dans l'étude des religions, de leur histoire et de leur évolution. Je peux d'ailleurs en cela, si tu le permets, te conseiller un ouvrage très pertinent et intéressant, entre autres, de Frédéric Lenoir : "Petit traité d'histoire des religions". Mais je te laisse le soin de découvrir aussi tout ça par toi-même, car c'est bien là le plus important. -

Reprenons donc ensemble le cheminement intérieur de l'être humain incarné sur Terre et la lente percée de sa conscience spirituelle vers le haut.

La première étape de cette lente et longue évolution est constituée par l'idée de puissances supérieures animant la Nature, tout d'abord de façon brutale et incompréhensible, donc des puissances conçues comme des forces brutes, et pas forcément comme des "intelligences". (D'où la figuration sous des formes animales et le totémisme qui en découle…)

L'être humain nomade découvre peu à peu le monde invisible qui l'entoure ; il ne conçoit pas la mort comme une fin en soi ; il croit aux esprits des ancêtres qui habitent l'Au-delà, se rendent parfois perceptibles et peuvent même interagir, positivement ou négativement, avec le monde des vivants sur Terre ; il croit aux "démons", sans en connaître ni l'origine ni la nature, qui sont source de bien des malheurs, comme la sécheresse, la maladie, la famine, etc. ; il croit aussi, bien sûr, aux esprits (ou entités) de la Nature, il trouve chez eux une affinité, parce qu'il les envisage comme semblables à lui-même, du fait qu'ils lui ressemblent ou qu'il leur attribue une forme humaine, selon le point de vue depuis lequel on considère les choses. Bref ! C'est de tout cela à la fois que sont constitués animisme et chamanisme, qui représentent les premiers degrés sur l'échelle de l'évolution des croyances, tout d'abord en prise directe avec la Nature. Partant de là, il s'imagine donc que ce qui a forme humaine est en tout point semblable à lui, extérieurement et intérieurement, y compris dans sa nature intrinsèque, et se trouve, comme lui, animé de diverses passions et peut, comme lui, agir de façon arbitraire.

C'est ainsi que, plus loin, durant cette période où il se sédentarise progressivement, envisageant une hiérarchie d'intelligences plus élevées agissant en qualité de guides au-delà de toutes ces entités qu'il perçoit comme habitant et animant la Nature, il conçoit ces dernières comme des dieux et des déesses, à forme humaine, médiateurs de différentes vertus, mais semblables à lui-même, animés des mêmes passions, présentant les mêmes défauts et imperfections et pouvant agir arbitrairement, étant cependant immortels et éternels, disposant seulement de pouvoirs bien supérieurs aux siens. C'est de là que provient la croyance dans le fait qu'il peut éventuellement s'attirer la faveur des dieux en leur offrant des cadeaux, en leur faisant des offrandes, des sacrifices, qu'il s'agisse de fleurs, céréales, fruits, bâtonnets d'encens, de sacrifices animaux, voire même humains, car, dans ces systèmes de pensée, le sang est siège de vie et de pouvoir, et une vie seule peut peser dans la balance des doléances et des bénédictions attendues en retour.

Or, dans tous les systèmes de croyance (et ce n'est pas propre aux religions monothéistes, notamment judéo-chrétiennes), il y a toujours eu la notion de "tabou", d'interdit, de "péché", c'est-à-dire d'action rigoureusement interdite, entraînant des conséquences néfastes, voire mortelles, puisque allant à l'encontre de la volonté des dieux ; il faut donc se racheter, se faire pardonner, se concilier la faveur des dieux en leur donnant quelque chose en échange. Cependant, le lien de cause à conséquence n'est pas encore conceptualisé, les lois ne procèdent pas d'une logique absolue, mais de l'arbitraire volonté des dieux et surtout des nécessités de la cohésion sociale du groupe humain.

Comme nous le verrons plus loin, tout cela aura un impact déterminant sur la façon dont l'être humain a conçu le Divin et son rapport à lui, tout au long de l'histoire, source d'erreurs et d'aberrations antinaturelles et malsaines dans les dogmes religieux.

Plus tard, son développement spirituel progressant encore, se dégageant du groupe, de l'instinct purement grégaire (appartenant aux nécessités de survie des populations nomades), devenant complètement sédentaire, ayant fondé de grandes cités-états, recherchant progressivement une voie du salut personnelle et de développement purement individuel, il s'affranchit de la tutelle des dieux et perçoit une Unité directrice au-delà de la diversité et de la multiplicité, une sorte d'Entité Créatrice, faite à la fois d'Energie et de Conscience, personnelle et impersonnelle, dont tout ce qui est vivant procède. C'est une véritable révolution que représente l'émergence de cette notion fondamentale - et belle, et vraie, selon moi -, que l'on retrouve un peu partout au cours de l'histoire et à travers le monde, qu'il s'agisse du culte exclusif d'une Divinité unique sous les traits extérieurs du dieu solaire Aton en Egypte sous le règne d'Akhenaton, que ce soit la réforme du mazdéisme opérée par le Zoroastre avec le culte du Dieu suprême Ahura Mazda (religion à laquelle le judaïsme, puis le christianisme, emprunteront d'ailleurs nombre de notions, comme celles d'une potentielle vie après la mort, du salut, des anges et du "paradis", mot d'origine iranienne signifiant grosso modo "jardin"), qu'il s'agisse encore du Dieu Unique, Yahweh, au-delà des autres dieux "païens", les Elohim, des panthéons polythéistes, au sein du peuple juif, que ce soit la notion du Brahman (à ne pas confondre avec le dieu Brahma ni avec les prêtres brahmanes), autrement dit l'Unicité au-delà de la multiplicité, dans le védisme, le brahmanisme, l'hindouisme, ou encore le Grand Esprit au-delà de tous les esprits chez les Amérindiens, et ainsi de suite... Pourtant, ces conceptions n'ayant pas acquis la même maturité en tous leurs aspects, il continuera bien trop souvent de concevoir le Dieu unique, cette Force unique dont procède le Tout, à la manière des dieux, comme un superlatif de l'être humain lui-même, comme "Quelqu'Un" à forme humaine, capable d'agir aussi arbitrairement et de se laisser amadouer et fléchir dans ses décrets par des demandes, prières, rites, rituels, offrandes, sacrifices. Puisque, comme je le disais précédemment, il n'a pas encore suffisamment progressé pour concevoir les lois agissantes à l'œuvre dans l'Univers comme parfaitement logiques, cohérentes et indépendantes, et pour envisager ainsi les événements comme de simples rapports de cause à conséquence, totalement auto-actifs, neutres et dénués de toute forme d'intention personnelle arbitraire, d'où qu'elle émane, conception d'ensemble qui devrait naturellement faire naître davantage de conscience, de responsabilité et d'autonomie.

En cela, certains systèmes de pensée et de croyance, certaines philosophies et religions, grecques, orientales et asiatiques, présentent une différence notable dans le fait que ce qui est envisagé, comme Entité ou Etat d'Être Suprême, plutôt que la notion de "Quelqu'Un" de personnel, c'est justement la notion de "Quelque Chose" de plus vastement impersonnel. Or, qu'en est-il ? Eh bien, dans ce monde-ci, terrestre, cartésien, en vertu de la mécanique classique, quelque chose est ce que cela est, et pas autre chose, rien d'autre. En revanche, au-delà des limites terrestres, comme en témoigne la mécanique quantique, quelque chose peut être à la fois ceci et cela, une combinaison linéaire des deux, ou même de nombreux autres états en même temps. Dire détermine et limite, alors que ressentir laisse place à la Réalité vivante, protéiforme, multiple, changeante, mouvante, foisonnante. Comment alors vouloir et pouvoir fixer tout cela avec des mots et ainsi des notions rigides, fermées, étriquées ? Notre langage en cela (et notre façon de penser avec) a peut-être gagné en précision, mais il a perdu en vie et en richesse par rapport aux écritures hiéroglyphiques, de nature purement et vastement symbolique.

Bref ! Je te laisse là avec ces réflexions, je te laisse le soin de chercher, fouiller, trouver, étudier, apprendre et comprendre par toi-même. Et j'en reviens tout simplement à ce que je crois, moi, car il s'agit bien de cela, mon ami(e) : de te livrer très humblement ma vision du monde, de te confier librement le témoignage de ma conviction personnelle, sans chercher à démontrer ni à convaincre, car c'est là uniquement l'apanage de l'intellect limité, sans chercher à t'imposer quoi que ce soit, sans chercher non plus à exercer ainsi sur toi un quelconque pouvoir, car tu dois rester libre, par-dessus tout. - Je pourrais y revenir, mais, soit dit en passant, il ne s'agit pas pour moi d'argumenter ni de démontrer, car, selon moi, la Vérité ne se démontre pas, on ne peut en convaincre personne, Elle Est, tout simplement ! Seul ce qui se démontre intellectuellement est théorie élaborée par l'intellect, cherchant vainement à approcher en tâtonnant la vaste Réalité et à convaincre l'autre de sa conception personnelle des choses, mais pas la Réalité Vivante Elle-même, qui relève de l'évidence et se vit d'expérience, dont la reconnaissance progressive, même limitée et partielle, ne repose que sur l'expérience personnelle et individuelle. - Ou bien peux-tu prouver, démontrer mathématiquement, scientifiquement, le fait que j'existe ? !... - -

Voici donc ce que, moi, je crois :

Lorsque ma conscience s'éveille dans le silence, dans l'inépuisable vitalité de la Nature, je sens la Vie, foisonnante, partout, en tout, je perçois des présences, des intelligences, et, au-delà, une Unité, à la fois transcendante et immanente, qui embrasse et embrase tout. Je lève mon regard spirituel et mon cœur s'emballe, défaille : au-delà des nuages et du ciel, au-delà des étoiles et de la lune, au-delà de la lumière même du soleil, j'entrevois des mondes qui s'étirent, illimités, dans l'immensité, animés par un printemps sans fin, source d'une puissante et douloureuse nostalgie, embrasés par l'incroyable pulsation d'une infinie vitalité, et, loin, au-delà encore, un éclat aveuglant, une splendeur éclatante, l'éclat d'une Lumière Sans-Nom, Indicible, Qui porte Seule, en Elle, la Vie, et Qui est même la Vie, la Vie Elle-même, à l'état pur. C'est-à-dire, non pas "Quelqu'Un", mais "Quelque Chose", Quelque Chose de tellement vivant que Cela procède de Soi-même, trouve en Soi-même Sa propre Origine et est Soi-même Sa propre Source d'énergie, inépuisable, irrépressible, éternelle, Se renouvelant Elle-même éternellement. L'Un, l'Unique, l'Origine et la Source de tout ce qui est et qui vit, la Force, ou plutôt, l'Origine de la Force incroyablement bienveillante et bienfaisante qui traverse et qui régit toute l'immensité de ce qui existe et qui l'anime, sous la pression de Laquelle tout est mis en mouvement et poussé au développement, à l'évolution, perpétuellement, sans fin. Et c'est à cette indicible Lumière seule que s'adresse inlassablement toute l'aspiration de mon être. Je ne peux rien dire d'autre, car c'est là ma plus intime, profonde et précieuse conviction que j'ose ainsi te livrer. Cette expérience relève pour moi de l'évidente réalité sensible quotidiennement vécue, et non pas de vaines spéculations intellectuelles.

Comme je l'ai déjà dit en partie, et comme j'ai coutume de le dire parfois aussi par pure provocation, au risque de froisser mes interlocuteurs, mais pour signifier clairement ce que je pense (et satisfaire aussi un brin mon espièglerie naturelle ! ;)), il ne s'agit pas pour moi de croire ou de ne pas croire, car la Réalité n'en demeure pas moins uniquement ce qu'Elle est, mais il s'agit de savoir, et moi, ça, je le sais ! Je ne peux faire autrement que de l'exprimer ainsi, tu me pardonneras, je l'espère, ce qui pourrait être faussement interprété comme une assertion gratuite, une affirmation subjective invérifiable ou comme de la présomption à vouloir-mieux-savoir.

Maintenant, beaucoup d'êtres humains se posent de nombreuses questions quant à l'existence de Dieu, et sous quelle forme, et sur ce que cela peut impliquer, etc. Comment peut-on en effet croire en un Dieu, Créateur de l'Univers et de tout ce qui est, et donc, par voie de conséquence logique, des lois physiques de la Nature, et croire en même temps à des miracles, des faits incroyables et admirables, prétendument "surnaturels", qui défient ces mêmes lois naturelles édictées par Dieu ? De même, disent certains, soit Dieu est méchant, soit Dieu est impuissant. En effet, s'Il est bon et tout-puissant, pourquoi laisse-t-Il faire toutes ces atrocités sur Terre ? S'Il est tout-puissant, c'est qu'Il est méchant, puisqu'Il laisse faire. S'Il est bon, c'est qu'Il est impuissant à changer les choses. Ce sont des considérations sérieuses, qui sont source d'une véritable souffrance, spirituellement, chez nombre d'êtres humains, qui tentent de négocier avec cet Absolu qu'est la notion de "Dieu". Cependant, tout en étant profondément respectueux vis-à-vis de telles idées, et tout en étant également sincèrement compatissant envers les êtres humains qui souffrent de ne pas comprendre, cela ne m'empêche pas pourtant de sourire, car ceci laisse entrevoir une idée de Dieu bien limitée, puérile et mesquine, à mon sens. Nous ne sommes pas loin de cette plaie qu'est l'anthropomorphisme dont je t'ai parlé plus haut et qui consiste, pour l'être humain, à concevoir toute forme de vie par comparaison à lui-même, en se référant à lui-même, en lui prêtant des traits humains, des passions humaines, des défauts humains, des façons bien humaines de concevoir les choses ou d'agir. Non, nous ne sommes à vrai dire pas très loin de l'image d'Epinal du vieux barbu sur son nuage qui tripatouille de la glaise...

Le chemin que je te propose de parcourir avec moi, mon ami(e), déploiera peu à peu devant toi l'immensité d'un paysage, d'un tableau, qui te permettra peut-être de trouver là quelque réponse, quelque solution, quelque possibilité de compréhension.

Disons simplement pour le moment, pour répondre provisoirement à ces questions, qu'il n'y a là pour moi aucune contradiction, aucun motif de doute, bien au contraire : tout est là support à réflexion, approfondissement, vers une compréhension plus vraie, meilleure, plus durable, et plus mature, surtout, car l'être humain d'aujourd'hui n'est certes plus spirituellement le petit enfant qu'il était jadis. En cela, d'une manière qui paraîtra certes bien surprenante à certains, c'est la science qui nous apporte un élément de réponse non négligeable. En effet, comme je le disais déjà, nous ne pouvons passer outre ce que la science a reconnu, et ce que la science dit, c'est que, si Dieu existe, Il ne joue pas aux dés ! ! Nous trouvons partout le caractère immuable et parfaitement logique des lois physiques naturelles qui ont présidé à la naissance de l'Univers et qui l'anime tout entier. Même s'il y a aussi du hasard, de l'indétermination, des probabilités, un aspect chaotique, cela n'est qu'apparent et permet au contraire l'incroyable vitalité d'une créativité illimitée, se déployant et s'épanouissant dans le cadre pourtant parfaitement rigide et immuable de lois ou de propriétés nettement déterminées, qui ne se modifient pas au hasard n'importe comment en cours de route. Si Dieu est le Créateur de cette Œuvre magnifique, de ces lois qui la régissent, ne doit-on pas trouver en Lui-même, de façon encore plus pure et plus puissante, ce caractère de perfection qui réside dans la logique la plus absolue, la plus immuable cohérence en matière de cause à conséquence ? Dieu n'est-Il pas Lui-même, sous l'expression "La Vie", la Perfection Absolue du Naturel, de ce caractère immuable fait de logique naturelle et de cohérence implacable ? Mais alors, face, en quelque sorte, à ce Dieu impersonnel de la science, qu'en est-il du Dieu personnel des religions, qui se manifeste à l'être humain, plus ou moins directement, et intervient dans sa destinée ? Eh bien, chère amie, cher ami, je te dirais alors que, pour moi, comme déjà évoqué plus haut, les deux sont vrais, les deux sont des aspects complémentaires d'une même Réalité insaisissable en Elle-même : d'une part, une Essence-Energie impersonnelle qui est la Vie (c'est-à-dire que tout ce que nous appelons en fait ici-bas la "vie" n'est qu'un mouvement, une manifestation, se développant comme conséquence de l'incroyable vitalité qui réside dans la Vie Elle-même à l'état pur, dans l'Être Absolu), mais qui est aussi, d'autre part, Conscience personnelle, Intelligence et Volonté.

Dieu est donc, pour moi, la Source même, l'Origine de cette Vitalité extrême, absolue, incandescente, qu'on désigne par le mot "VIE", et qui est telle qu'Elle ne peut, premièrement, qu'être en cohérence totale et absolue avec Elle-même, Essence Primordiale de tout ce "Naturel" au cœur duquel nous évoluons, et qu'Elle ne peut, deuxièmement, empêcher, en tant qu'ineffable Lumière Originelle, l'émission d'irradiations, l'effet de son rayonnement, dont tout ce qui existe procède naturellement, est logiquement issu, et cet Indicible est le point de départ même des lois qui traversent le grand Tout, tels des cordons nerveux innervant la Création tout entière, l'Univers tout entier. Dans ce cadre-là, loin, très loin, existe un monde, qui découle d'une chaîne ou suite logique d'événements, de cause à conséquence, régi par les mêmes lois, dans lequel se trouve, entre autres, une créature "être humain", dotée d'un "libre-arbitre", c'est-à-dire d'une "libre volonté", lui permettant de faire ses propres choix, de prendre ses propres décisions, et de vivre sa propre vie, mais ne lui permettant aucunement d'accéder à une quelconque "Toute-Puissance" originelle fantasmée qui ne repose nullement en lui-même et ne lui permettant pas non plus d'échapper ne serait-ce qu'un seul instant à l'assujettissement aux lois physiques naturelles de l'Univers, telles que la science les a partiellement seulement reconnues, et qui ne font que provenir à leur tour de l'Origine, l'Un, avec bien plus d'éclat, de clarté, de simplicité et de naturel à mesure que l'on s'en rapproche, du bas vers le haut, en remontant le cours logique des événements.

Ainsi donc, pour moi, Dieu est bon, car la Vie est bonne et ne fait que donner la vie, créer la vie, engendrer sans cesse, sous des formes créatives infiniment variées, offrir et entretenir une possibilité d'existence à toute forme de vie, quelle qu'elle soit, même si cela se manifeste dans la matière la plus dense par une lutte incessante pour la survie, évitant ainsi aux êtres vivants de se laisser corrompre par la paresse et le mortel engourdissement. De même, Dieu est Tout-Puissant, si on laisse enfin tomber la conception enfantine et puérile, mesquine et limitée, d'une Toute-Puissance capable d'arbitraire, dénuée de toute logique et d'une parfaite et absolue cohérence avec Elle-même, sous tout rapport, depuis le commencement et jusqu'à la fin des temps. Comme la science, la physique et les mathématiques notamment, le démontrent journellement, la nature des lois de la Création, de l'Univers, de la Nature, de la physique - peu importe comment on les désigne, elles n'en restent pas moins les mêmes - sont logiques, parfaitement logiques, immuablement et irrévocablement logiques. Combien plus logique encore la Source même de ces lois ne doit-Elle pas être ?

La Nature est l'Œuvre de Dieu, elle nous donne à connaître l'Artiste Créateur Qui en est à l'origine.

Enfin, voilà ma conviction personnelle sur le sujet, dont je peux témoigner auprès de toi, mon ami(e), je ne saurais trop quoi dire d'autre sur cette question sans manquer d'honnêteté et de sincérité, et j'espère que tu y trouveras quelque écho, quelque résonance, par rapport à ce que tu ressens en toi, perçois ou conçois, qu'au moins tu pourras t'en nourrir pour fertiliser ta pensée. Cette image d'ensemble s'étoffera peu à peu avec le temps, au gré de notre parcours, en fonction des autres sujets que nous aborderons, des autres points de vue que nous contemplerons. Poursuivons donc tranquillement notre chemin.

Le mystère de la Création

Restons encore un moment sur les hauteurs, et profitons du paysage, de la vue imprenable sur cette ligne d'horizon, au loin, où la terre vient retrouver et épouser le ciel. Admirons comment la lumière du soleil, vivifiante, descend sur tout ce qui existe et qui vit sur cette Terre, le baigne d'une bienfaisante chaleur et le stimule, le pousse au développement et à l'évolution. C'est l'occasion de s'attarder un instant en cet endroit stratégique et d'évoquer le mystère des origines, notamment celui de la Création, création du monde, de l'univers, comme celle de l'être humain, car c'est une question qui tourmente chaque chercheur sérieux en quête de vérité, qui s'intéresse à la spiritualité, s'interroge sur ces grandes questions métaphysiques, philosophiques et religieuses, notamment celles du commencement, des origines, et cherche inlassablement des réponses. Malheureusement, c'est aussi un sujet sur lequel il est dit un peu tout et son contraire, un peu tout et n'importe quoi, parfois avec une mauvaise foi qui ne cherche en fait qu'à dissimuler maladroitement une réelle souffrance quant à cette question existentielle, à moins qu'il ne s'agisse plus trivialement que de billevesées provenant uniquement de la présomption à vouloir-mieux-savoir, mais fondées sur rien de véritablement sérieux. Même si cela t'oblige à faire un bond dans mes vues afin de m'y rejoindre, mon ami(e), je n'ai pas d'autre choix que de t'en parler librement et de t'exposer simplement ma conception personnelle en ces choses premières, afin de dérouler par la suite progressivement devant tes yeux le panorama d'une vue d'ensemble logique, du haut vers le bas, te permettant ainsi seulement de comprendre les rapports entre les différents éléments ou processus qui doivent attirer toute notre attention. Je poursuis donc sur la même voie et dans la même optique, en espérant que tu puisses me suivre, que ce chemin ne soit pas trop ardu pour toi.

A l'origine, donc, seule était la Vie. Et la Vie est Quelque Chose en Soi, Qui existe en Soi, depuis toujours et pour toujours, trouvant en Soi Sa propre Origine, puisant en Soi Sa propre énergie, Se renouvelant Elle-même éternellement. - Il m'est difficile de trouver les mots pour te dire ce que je ressens. Comme je le disais déjà précédemment, on a coutume de parler de la vie comme de l'existence terrestre, avec, par exemple, les expressions "c'est la vie" ou "donner la vie" et ainsi de suite, ou bien encore on désigne ainsi le fait d'exister, d'être au monde, ce qui implique de devenir, d'évoluer, d'être en mouvement, de changer, bref, dans tous les cas, tout ce qu'on appelle "la vie", tout ce qu'on considère comme "vivant", ne fait, pour moi, qu'emprunter son caractère de vitalité à Quelque Chose d'autre, existant déjà en Soi auparavant, de manière tout à fait indépendante, au-delà de tout, à la fois transcendant et immanent, et Qui est LA VIE, de la vie à l'état pur, concentré, tout le reste n'étant en fait qu'une manifestation de l'être ou de l'existence de la Vie Elle-même, autrement dit un mouvement, non propre, c'est-à-dire par soi-même, mais impulsé de l'extérieur. -

Et la Vie est la Lumière. Eternelle et sans forme. Non pas la lumière physique d'un astre quelconque, mais la Lumière Originelle, la Lumière des Mondes. Or, la Lumière ne peut endiguer Son irrépressible rayonnement, la Lumière ne peut empêcher l'émission d'irradiations. Et dans ces irradiations se trouve le matériau de base de tout ce qui est "créé", de tout ce qui existe ; elles constituent l'origine ultime de tout ce qui a pu un jour ultérieurement prendre forme, quoi que ce soit, où que ce soit, sur quelque plan que ce soit. Et cela descend et prend forme, de proche en proche, de plan en plan, de degré de refroidissement en degré de refroidissement, avec l'éloignement progressif de l'Origine. Or, dans l'éternité, Seul est Dieu, la Lumière Originelle et la Vie, l'Un, l'Origine, l'Eternité Elle-même, l'Eternel-Immuable, entouré par l'immense manteau de Son irrépressible irradiation, constituant ainsi ce que je nommerais la "sphère divine", le domaine éternel du Divin. - Qu'il soit d'ailleurs ici tout de suite précisé, afin d'éviter toute confusion, que je n'emploie un terme géométrique comme le mot "sphère", qui fige les choses dans l'espace, que parce que le langage humain intellectuel terrestre ne m'offre par d'autre possibilité. Cependant, ce que cela est véritablement, ce que cela représente, nous n'en saurons à vrai dire jamais rien, car cela échappe déjà totalement à notre capacité intuitive, aux possibilités de saisir de notre conscience ; encore plus a fortiori notre intelligence terrestre, fruit de l'activité de notre cerveau, doit-elle demeurer interdite devant ce qui la dépasse de très très loin, elle qui ne connaît que l'espace à trois dimensions qui l'entoure et qui peine déjà à comprendre certaines propriétés fascinantes de la matière. Cela doit donc juste être donné à titre d'image indicative afin d'orienter la possibilité d'un ressentir intérieur. Quelque chose d'autre, cela ne peut pas être donné avec de simples mots terrestres. -

Ainsi, aux confins de cet immense champ d'irradiations que j'imagine sphérique (si je me base sur mes connaissances scientifiques, que je suppose une source ponctuelle, un espace "isotrope", c'est-à-dire présentant les mêmes propriétés quelle que soit la direction, et ainsi une propagation rectiligne à partir de ce point, identique dans toutes les directions - raisons pour lesquelles je privilégie malgré tout à dessein l'expression de "sphère"), aux confins de cette "sphère divine", donc, tout simplement formée par les irradiations de la Lumière Originelle, et qui semble pourtant immense, infinie et sans limite (parce que notre conception de l'espace est quelque peu étriquée), après que diverses choses ont déjà pris forme au fur et à mesure du refroidissement allant de pair avec l'éloignement, se dégageant du rayonnement primordial, en ces ultimes limites, en d'indicibles lointains, planent les derniers restes, comme de petits nuages, faits de germes ou étincelles de vie inconscient(e)s, aspirant seulement inlassablement à la possibilité de prendre conscience et forme, de se développer et d'évoluer, de s'épanouir dans l'éclat de la Lumière, ce qui leur est impossible sous cette si forte pression des irradiations qui existe dans la proximité de l'Origine (si tant est que l'on puisse parler de proximité pour ce degré d'éloignement). - Pour te donner une image intuitive, mon ami(e), as-tu déjà essayé de respirer en passant sous les trombes assourdissantes d'une chute d'eau ?... - Et c'est donc à cette incessante prière montant vers Elle, écumante, que la Vie répondit en offrant un champ d'évolution à ces possibles, en créant une autre étendue, en dehors de la stricte limite de Ses irradiations propres. Telle fut la raison première de la Création !

Cependant, pour que cela puisse avoir lieu, pour qu'un plus grand éloignement et donc refroidissement puissent se produire, il fallait aménager pour cela un espace, un espace-temps, étirer une étendue, créer un champ, vide de lumière, dans lequel la lumière pourrait se déverser et la création, puis l'évolution, advenir.

- Arrivé à ce stade de mon exposé, je souhaite juste placer ici une petite référence à une théorie qui m'a interpellé au cours de mes recherches et de mes études, même si je n'y adhère pas totalement, il s'agit de celle du Tsimtsoum (ou "retrait") de l'éminent kabbaliste du 16ème siècle Isaac Louria, tout simplement parce que je la trouve singulière et intéressante pour penser cet impensable. Pour que la lumière soit, il fallait qu'elle ne fut pas, quelque part. Ainsi, d'après cette théorie, Dieu, "Or En Sof", la Lumière de l'Infini, se retira, au moins en partie, d'un petit espace, petit par rapport à l'immensité, l'étendue infinie et illimitée, qu'Il emplissait en toute éternité. Autrement dit encore, on pourrait considérer que la Lumière créa un vide pour mieux l'emplir de l'Œuvre de Sa Création. Peu importe ce qu'il en est, d'ailleurs, en fait, car, encore une fois, nous n'en saurons à vrai dire jamais rien, il ne s'agit là que de vaines tentatives d'approcher la Réalité et de la comprendre. -

Dans tous les cas, il y avait, selon moi, au-delà de la limite des irradiations naturelles de la Lumière de la Vie, un "Tout-vide-de-lumière", dans lequel la Lumière put déverser ensuite Ses irradiations. C'est ainsi qu'advint le véritable commencement.

- Mais, là encore, certains pourraient me dire : "Mais, s'il y avait une limite à cette sphère divine, à cette sphère d'irradiations de la Lumière Originelle, que pouvait-il donc bien y avoir au-delà ? S'il y avait une limite, c'est qu'il y avait encore quelque chose d'autre, de l'autre côté, même ne serait-ce qu'un espace vide ?" Eh bien, chère/cher camarade, je te dirais, premièrement, que ta question est bien légitime et logique, que d'autres se la posent également quand on leur parle de l'Univers, qu'ils imaginent, suite au "Big-Bang", en expansion dans un espace vide infini et qu'ils ne comprennent pas qu'on leur dise que l'Univers est cependant malgré tout fini, même s'il est illimité, et je te dirais ensuite, deuxièmement, que là où réside l'erreur, la faille, dans le raisonnement logique en apparence, c'est justement de supposer que là où il n'y a rien, il y a un espace vide ! Oui, en effet, cela est erroné ! De l'espace vide, c'est déjà quelque chose en soi, et, d'ailleurs, pas vraiment totalement vide en soi-même, comme la science s'en rend de plus en plus compte, puisque tout serait pris dans une sorte de matrice gravitationnelle s'étant déployée au préalable. Ce n'est pas pour rien qu'il est dit dans le livre de la Genèse (selon les traductions de plus ou moins bonne qualité) que Dieu créa déjà l'étendue, car l'étendue, l'espace, est déjà quelque chose en soi, qui n'existait pas auparavant (ce qui doit complètement bouleverser notre intellectuelle et terrestrement limitée capacité de comprendre), autrement dit de l'espace-temps, la toile de fond sur laquelle peuvent ensuite se dessiner d'infinies possibilités de vie et d'existence. Si j'ai fait référence à cette théorie du Tsimtsoum d'Isaac Louria, c'est tout simplement pour attirer ton attention sur le fait que l'Acte Créateur comporte déjà en soi au préalable la création d'un espace qui n'existait même pas auparavant et dans lequel, seulement ensuite, la Création put se déployer et tout prendre forme. Je poursuis donc le développement de l'image qui jaillit de mon for intérieur. -

Ainsi pouvons-nous seulement maintenant dire, à juste titre, comme cela est écrit dans l'Evangile de Jean :

Au commencement était la Parole, le Verbe. Et le Verbe, le Logos, était en Dieu. Et Dieu Lui-même était la Parole. Autrement dit, la Parole, le Verbe, est Dieu, provient non seulement de Dieu, mais est véritablement une Partie de Lui-même. C'est là un mystère divin qui échappera à tout jamais à nos capacités d'entendement, qu'elles soient intellectuelles ou spirituelles, même parvenus au plus haut degré d'évolution et d'épanouissement de notre conscience spirituelle humaine.

En effet, non seulement Dieu dit "Que la lumière soit ! ", prononça la parole "Que la lumière soit !", mais en même temps cette parole devint action et pris forme instantanément. - Pour le Divin, intention, volonté, pensée, parole, action sont une seule et même chose qui se manifeste immédiatement. - Seulement, pour que la lumière fut dans ce "Tout-vide-de-lumière", il ne pouvait pas s'agir d'une simple extension arbitraire du rayonnement naturel de la Lumière Originelle, il fallait en effet que soit placée, à l'extrême point terminal des irradiations divines naturelles, une Partie de la Lumière Elle-même, afin qu'Elle puisse de là rayonner dans le néant, le Tout-vide, l'étendue de l'espace-temps ainsi aménagée, pour y porter Ses irradiations, qu'elles puissent, à partir de là, se refroidir encore, de degré en degré, de plan en plan, de cercle en cercle, de sphère en sphère, afin de fournir les champs nécessaires à l'éveil, à la prise de forme, au développement et à l'épanouissement de tous ces germes de vie qui végétaient aux confins de l'Eternité, en attente d'existence.

"L'Esprit de Dieu planait au-dessus des eaux.", est-il aussi écrit dans la Bible (là encore, selon la traduction à laquelle on se réfère). Ainsi l'Esprit Créateur, qui est la Volonté Créatrice de Dieu manifestée, ce "Logos" grec qui est l'Intelligence de l'Univers, autrement dit le caractère intelligible de ses lois, le Souffle de la Vie, donc, a-t-Il porté l'éclat de la Lumière dans le néant et répandu Ses irradiations dans les nouveaux champs d'évolution ainsi créés et offerts à tous ces germes de vie qui aspiraient à l'éveil et à l'épanouissement.

Mais la création qui prit forme en premier lieu ne fut pas matérielle ! En effet, sur ces premiers degrés de refroidissement, et donc de formation, dont la proximité avec la Source implique forcément une plus grande similitude avec la Perfection originelle, il ne pouvait s'agir directement de notre Univers matériel, encore moins de la Terre elle-même. Les récits spirituels doivent être spirituellement reçus, accueillis, compris et interprétés, s'ils doivent conserver quelque sens, quelque valeur essentielle. Sous l'apparence imagée de fables, de mythes, ils étaient parfaitement adaptés et accessibles à une façon plus enfantine et candide de concevoir les choses, avant que les progrès de la science, de la connaissance et de la pensée humaines ne permettent des conceptions plus élaborées, plus sérieuses et cependant plus naturelles, scientifiquement naturelles. Ainsi les premiers mondes ayant pris forme sur ces premiers degrés ne pouvaient être que de genre purement "spirituel", faits d'une substance plus lumineuse, plus fluide et vivace, plus légère, subtile, éthérée et mobile, avant que, progressivement, le tout ne se condense peu à peu, se densifiant, se compactant, s'alourdissant, se dégageant du haut vers le bas sous l'effet de la loi de pesanteur, exercée en fait à partir d'en-haut, depuis la Source, selon son degré d'éloignement, jusqu'à donner finalement forme à la grande Œuvre de la Matérialité plus dense, se mouvant telle une couronne terminale, en tant qu'ultime, dernier et plus dense des cercles de la Création. Voilà qui doit dérouler devant tes yeux un riche panorama d'ensemble, allant du haut vers le bas, et te donnant à comprendre que tous les rapports, pour la juste compréhension, doivent toujours être envisagés du haut vers le bas, depuis l'Origine jusqu'à ce qui s'est ensuite formé, de la Source vers la dernière, ultime et plus grossière manifestation, toujours du spirituel vers le matériel. Mais, tout cela, nous le verrons en détail, progressivement, pas à pas, au cas par cas, selon que cela se présente à nous dans notre progression sur ce chemin que nous empruntons ensemble, mon ami(e).

Pour l'heure, redescendons dans la vallée.

L'origine et la nature de l'être humain

A nos pieds jaillit une source d'eau fraîche. Claire, pure, immaculée, désaltérante, elle descend dans la vallée, le long de la montagne. Son cours grossit peu à peu et se charge progressivement d'impuretés. Plus loin, tout en bas, cela devient un torrent, une rivière, puis un fleuve, qui s'en va se jeter dans la mer, retrouver l'océan primordial. Essaye de dévier le cours d'un fleuve avec tes mains, tu succomberas à la tâche. En revanche, si tu détournes le cours de ce filet d'eau là où il jaillit du sol dans les hauteurs, tu n'auras aucun mal à le faire dévier de plusieurs vallées en bas, même si ce n'est à l'origine que de quelques centimètres. De même, jettes-y un colorant rouge, par exemple, suffisamment concentré, et cela teintera l'eau qui coule en aval.

Voilà une image qui devrait te parler ! Te parler de l'origine et de la nature de l'être humain. C'est une image fondamentale que nous devons garder à l'esprit lorsque nous considérons l'être humain et la façon dont il doit se positionner et œuvrer dans la Création afin de trouver le bonheur. C'est aussi une image qui renvoie, même indirectement, à l'art de la méditation, au développement de la conscience, ainsi qu'à la véritable nature du libre-arbitre et, par voie de conséquence, à la capacité d'action de l'être humain dans le monde. Mais ne nous précipitons pas, chaque chose en son temps, abordons d'abord le mystère des origines de l'être humain, c'est le terrain solide et sûr sur lequel, seul, il est possible de construire, d'édifier la véritable compréhension, pour les justement et sagement penser et agir. A cette occasion, nous parlerons aussi de cette blessure originelle qui réside en chaque être humain et qui cause finalement tant de malheurs en ce monde.

Mais commençons tout d'abord par nous intéresser à l'être humain lui-même, à son origine et à sa nature. Si nous n'éclaircissons pas déjà les choses sur ce point, tout ce que l'on pourra dire ensuite ne servira à rien, ce ne sera que du vent, du blabla insipide et creux, totalement inutile et inefficient dans l'aide à apporter. Si nous ne connaissons pas précisément la nature du sol, du terrain, comment pouvons-nous envisager d'y construire un quelconque édifice véritablement solide, qui défie le temps et ne s'effondre pas à cause de la faiblesse de ses fondations ? Or, c'est bien aussi à ce sujet que beaucoup d'erreurs sont colportées, à mon humble avis, et répandues partout, dans tous les milieux, que ce soit dans le vaste domaine de la spiritualité en générale, celui des religions, de la philosophie, ou, pire encore, dans la jungle du "New Age", de l'ésotérisme, de l'occultisme, de la kabbale, etc. Alors, mon ami(e), je vais être dur, et tu me le pardonneras, je l'espère, mais vient un temps où une bonne gifle s'avère parfois nécessaire et salutaire pour réveiller et ramener à la raison le malade enfiévré qui délire. De même, tordons tout de suite le cou à une erreur qui a cours dans beaucoup de milieux : certains pensent en effet que l'être humain est d'origine ou d'essence divine, qu'il porte du Divin en lui-même, ou qu'il peut finir par le devenir un jour, et ils y croient dur comme fer, ils y tiennent mordicus. Cependant, cela est (encore selon ma conviction profonde) totalement faux ! Ce n'est qu'un doux rêve puéril qui révèle le manque de maturité de l'être humain dans son évolution, dans l'épanouissement de sa conscience et de ses connaissances, une belle fable à laquelle croit encore l'enfant dont le cœur s'enflamme et dont les yeux brillent du fait de la fascination qu'exercent sur lui ces contes qui stimulent son imagination et lui permettent de croire, pendant un temps seulement, à l'incroyable, mais il ne s'agit que de beaux mythes seulement qui relèvent aussi de sa douce folie des grandeurs, de l'inextricable présomption qui est si profondément enracinée en lui, qu'elle lui ferait presque obstinément croire qu'il est quasiment le centre et l'origine de l'Univers, si ce n'est Dieu Lui-même. Eh bien... ami(e), cher co-être humain, âme fraternelle, regarde tes semblables, contemple l'humanité en ce monde ! Y trouves-tu, toi, vraiment, honnêtement, une quelconque trace de divin ? !... Peux-tu réellement croire que c'est du divin qui siège dans le cœur de ces individus qui ont commis des atrocités, de multiples horreurs à travers l'histoire, telles que les croisades, l'Inquisition, les guerres de religion, l'antisémitisme, le nazisme, la Shoah, l'extermination des Juifs, ainsi que divers autres génocides, les conflits au Moyen-Orient, le terrorisme, etc., et sans oublier toutes les violences individuelles comme les agressions verbales ou physiques, le vol, le viol ou le meurtre, et ainsi de suite… ? ! !... Certes, non ! Ainsi donc l'être humain n'est-il pas divin, n'est-il pas d'origine ou d'essence divine, ne porte-il absolument rien de divin en lui, pas une once ni même le moindre petit atome en soi, et ne pourra-t-il non plus jamais le devenir, car jamais rien d'autre ne peut se développer en soi que ce qui repose dans l'essence d'origine. Même si son origine ultime remonte, certes, comme tout cependant, jusqu'au moindre insecte, à la Lumière Originelle Qui est la Vie, il ne s'agit en aucun cas de sa nature propre, intrinsèque, de son essence véritable, de sa substance première. L'être humain n'est qu'une des innombrables créatures qui peuplent les univers et qui sont issues des irradiations de la Lumière Originelle Qui porte Seule en Elle la Vie. Il n'est pas la Vie Elle-même, LA VIE, Qui trouve en Soi Sa propre Origine, Qui puise en Soi Sa propre Energie, Se renouvelant Elle-même éternellement, il n'est pas la Vie Créatrice par Elle-même, du seul fait des irradiations de Sa Lumière, il n'est qu'une des innombrables étincelles de vie qui ont pris forme en d'incommensurables lointains et qui sont toutes à tout point de vue entièrement dépendantes de la Vie Elle-même. Cette théorie d'une quelconque forme de filiation, d'origine ou de nature divines que nous content certaines religions, certains mouvements ou certaines sectes, n'est qu'une fable pour l'enfant de la Terre, une grossière erreur, un fantasme, une illusion, un mensonge, destinés à séduire, à jouer sur la présomption et la vanité, afin de mieux attirer à soi et manipuler les gens. Si l'être humain persiste à vouloir se saisir de quelque chose de trop haut, d'une essence bien trop différente de la sienne, qui ne lui offre aucun soutien véritable, c'est tout simplement la chute qui l'attend. Il ne pourra se relever et entreprendre enfin véritablement son évolution, en tant qu'être humain, son développement spirituel et l'épanouissement de son authentique humanité, que lorsqu'il sera auparavant redescendu de son petit piédestal qu'il s'est fabriqué à lui-même, ici-bas, sur ce petit caillou cosmique qu'est la Terre. Voilà qui, tout bien considéré, doit remettre toutes choses à leur place ! A partir de ce point-là seulement pouvons-nous entreprendre notre ascension.

Maintenant, si l'on se penche sur l'origine et la nature véritable de l'être humain, nous nous apercevons qu'il est encore moins que ce qu'il pensait être au départ. Une tension malsaine existe, qui pervertit tout, entre ce à quoi il aspire ou prétend être dans ses idéaux les plus élevés, même avec la meilleure des intentions, et ce qu'il est réellement : une créature imparfaite en constante évolution. C'est le même gouffre qui existe entre la théorie et la pratique, entre la représentation intellectuelle des choses et la véritable réalité. Tant que cette erreur n'aura pas été débusquée et reconnue comme telle, rien de solide humainement ne pourra véritablement être construit. De plus, comme nous le verrons plus loin, tout cela est source de jugement, de rigidité, de défiance, d'hypocrisie, de séparation et de souffrance parmi les êtres humains.

Remontons le cours des événements, au moment de la Création véritable, c'est-à-dire de l'Acte Créateur qui a consisté, pour la Lumière, à porter Ses irradiations dans le néant, le "Tout-vide-de-lumière". Les différents germes de vie qui étaient alors en attente d'une possibilité d'existence prirent forme peu à peu, progressivement, plan par plan, degré de refroidissement après degré de refroidissement, cercle sur cercle, sphère après sphère, par condensation, avec l'éloignement progressif de cette Source secondaire de la Lumière placée à la pointe supérieure de la Création. Or, certains germes spirituels prirent forme immédiatement ; c'est comme s'ils naquirent immédiatement adultes. D'autres naquirent tout d'abord sous forme d'enfants, nécessitant une évolution, un développement, cheminant par un lent processus d'évolution et de croissance de leur conscience pour qu'elle parvienne véritablement à l'état adulte. L'état adulte, ici, est à considérer comme le degré de maturité le plus élevé dans la conscience de son entourage, de son environnement, ainsi que de soi-même, avec, corollairement, le pouvoir d'action et de coopération le plus élevé et promoteur dans les limites du propre champ d'activité. Les premiers cités plus haut, nous pourrions les nommer des "Créés" ou des "Accomplis" : ils prirent forme immédiatement au stade d'une conscience adulte. Les seconds, nous pouvons les désigner comme des "Evolués" ou des "Développés" : il leur faut passer par un lent processus d'évolution ou de développement, de croissance et de maturation (exactement comme ici sur Terre) pour atteindre l'état de conscience adulte. - Cette distinction n'est pas juste une finasserie intellectuelle, mais elle est à vrai dire de la plus haute importance en ce qui concerne la nature intrinsèque de l'être humain et, comme nous le verrons plus loin, cela impacte directement des questions aussi problématiques, voire polémiques, que celles de la moralité, des genres et de la sexualité, qui posent tant de problèmes et provoquent tant d'animosité dans la société actuelle, parce que certains êtres humains veulent obstinément et convulsivement coller à une image idéale, au mépris de la réalité désespérante de leur imperfection, de leur nature fondamentalement imparfaite et changeante. -

Les êtres humains de la Terre, quant à eux, ne proviennent pourtant d'aucune des deux catégories citées plus haut. Ils ne pouvaient pas, quant à eux, prendre forme sur ces plans bienheureux qu'on pourrait désigner comme les jardins du Paradis, purement-spirituels, plus proches de la perfection originelle, animés par un mouvement propre sans fin, et tellement plus lumineux. Non, les êtres humains qui peuplent les champs de la Matérialité, en tant que grains de semence d'esprit, proviennent du dernier précipité constitué par des germes spirituels qui, non seulement, ne possédaient pas la force nécessaire pour prendre forme sous la pression des irradiations de la Lumière déjà cependant plusieurs fois refroidies, mais avaient encore en plus besoin de stimulations extérieures pour cela, de la parfois bien douloureuse friction avec et dans la matière, pour être en cela suffisamment stimulés dans le processus de prise de forme allant de pair avec la prise de conscience, autrement dit l'épanouissement d'une authentique humanité ou "humanitude". De ce point de vue, ils pourraient être caractérisés de "Post-Evolués" ou "Post-Développés".

Telles sont l'origine et la nature des pèlerins de l'Univers que sont les êtres humains !

Et, dans le cadre de cette grande image globale de l'événement, nous allons nous pencher sur différents points intermédiaires, cependant cruciaux, qui sont porteurs de vérités tellement déterminantes pour l'être humain, qu'il nous faut nous y attarder plus en détail, avec davantage de précision. Je vais tenter de le faire correctement, mon ami(e), de te donner à comprendre clairement ma vision des choses, que tu puisses aisément la saisir et réaliser ce que, moi, j'y perçois, en mettant également cela en relation avec ce qui relève très banalement et trivialement de la vie quotidienne ici sur Terre, et de notre triste condition humaine. Viens, suis-moi !

La séparation originelle

A la limite inférieure du grand domaine du Spirituel, qui avait pris forme en premier lors de l'Acte Créateur, lorsque la Lumière porta Ses irradiations dans le Tout-vide, végétaient encore des étincelles de vie, exactement comme ce fut le cas auparavant aux confins de la sphère divine. Ces étincelles de vie, lumineuses, flottant comme des nuages étincelants de cristaux de glace ou de neige, c'étaient les germes spirituels des êtres humains peuplant l'Univers, les petits pèlerins des mondes. De ce brouillard spirituel montait une incessante prière, le désir, la profonde aspiration, qu'éprouve toute étincelle de vie, aussi inconsciente fût-elle, de s'éveiller à la conscience et à l'existence, de prendre forme, de se développer et de s'épanouir. Pour cela, il fallut créer un nouveau plan d'évolution, un vaste champ pour le devenir. - Je reviendrai en détail sur cet événement un peu plus loin seulement, je n'éclaire ici que le processus qui nous intéresse, suivant en cela uniquement le fil conducteur que j'ai tracé et que je te propose aussi de suivre avec moi. -

Ainsi fut fait. Le grand domaine des matérialités, l'Univers, en tant que grand champ d'expérimentation et d'évolution pour les germes d'esprit humains, se déploya à la limite inférieure de la grande Création, constituant le plus dense de tous les cercles de la Création, qui gravitent autour du Point-Origine à des degrés d'éloignement différents.

A partir de là, chaque germe d'esprit, végétant à l'état inconscient à la limite inférieure du domaine spirituel, et aspirant au déploiement de sa conscience, peut, lorsqu'il le désire, s'acheminer sur ce lent processus d'évolution. Rien ne l'y oblige, il n'y est pas contraint, c'est seulement lorsque le désir, l'aspiration à cela en lui, devient suffisamment fort(e), que s'enclenche le processus. Ne pouvant se développer vers le haut, là où la pression des irradiations de la Lumière est trop forte pour lui permettre de développer sa conscience, il lui faut se diriger vers le bas et descendre. C'est le mécanisme qui est désigné dans certains écrits, notamment kabbalistiques, comme l' "involution" du germe individué. Exactement comme une pomme doit un jour se détacher de l'arbre pour remplir sa fonction dans la Nature, ensemencer la Terre et ouvrir la possibilité à la croissance d'un nouvel arbre, qui, à son tour, sera susceptible de donner du fruit. De même, l'oiseau quitte son nid, l'enfant quitte ses parents pour mener sa propre vie, ainsi aussi le fils prodigue quitte son père pour faire ses propres expériences. Son but est de revenir là un jour en étant cette fois-ci parfaitement conscient de lui-même, sous une forme accomplie, fort du bagage d'expériences accumulé, capable d'exercer son vouloir de façon constructive et promotrice et d'agir en ces plans. Encore une fois, le développement de la forme humaine du germe d'esprit, informe au départ, va de pair avec la croissance de sa conscience, il s'agit de son développement spirituel véritable, de l'épanouissement de son authentique humanité.

Et c'est là qu'intervient la première blessure, la blessure originelle, la plus douloureuse qui soit, cette blessure fondamentale qui est en soi si intense, car si profonde, dans l'intimité même de notre essence d'origine, qu'elle nous cause bien des soucis ici sur Terre, nous poussant inlassablement aux aspirations les plus élevées comme aux passions les plus aliénantes. Il s'agit de la blessure fondamentale de la séparation originelle, la séparation d'avec l'origine spirituelle, que tout être humain porte au plus profond de lui. Réfléchis, mon ami(e), essaye de te représenter les choses, et de les ressentir. Cette étincelle de vie qu'est le germe d'esprit humain est pris dans un vaste champ d'énergie, une énergie immense, illimitée, vastement englobante, qui l'entoure de toute part, pleine de tendresse et de douceur, l'embrasse et le porte, le nourrit, bien qu'inconsciemment, il s'y trouve douillettement blotti. Et il doit quitter cet état de bien-être, cette sensation d'unité, d'unicité, d'appartenance et de fusion avec le grand Tout, pour mener son périple d'évolution dans un environnement lourd, dense, pénible et laborieux à mouvoir et à mettre en forme, et parfois même hostile. Là, il peut se sentir séparé, seul, abandonné. C'est là tout le drame de l'existence terrestre.

Par effet de gravitation, son désir de développement le pousse cependant continuellement vers le bas, selon des lois, mécanismes ou actions réciproques parfaitement logiques et auto-actifs. Il n'aura de cesse de retrouver cette complétude qui lui manque, de rechercher inlassablement à nouveau cette sensation de fusion avec le grand Tout, avec cet immense champ d'énergie qui emplit tout et qui relie tous les êtres. C'est cette aspiration incessante, inlassable, douloureuse et parfois torturante qui ne lui laissera pas de paix tant qu'il n'aura pas accompli son but et terminer son périple, en réintégrant consciemment le secret de son origine.

C'est là l'objet (et le secret) de l'image qui est développée dans le chapitre de la Genèse, dans la Bible. Dans le jardin d'Eden, le jardin des origines, c'est-à-dire le Paradis originel, autrement dit encore les plans purement spirituels de la Création, Dieu avait planté, d'une part, l'Arbre de Vie (qui conduit vers le haut, chemin d'évolution) et, d'autre part, l'Arbre de la connaissance du bien et du mal (qui conduit vers le bas, chemin d'involution). Après avoir créé le couple originel de l'humanité, Adam et Eve, autrement dit les prototypes de l'homme-masculin-yang (polarité positive-active-émettrice) et de la femme-féminin-yin (polarité négative-passive-réceptrice), Il leur dit de ne pas goutter du fruit de l'Arbre de la connaissance du bien et du mal, sinon ils mourront. Or, qu'est-ce que la connaissance du bien et du mal si ce n'est la capacité à faire la différence entre les deux, à voir où nous conduisent nos choix, à faire la part des choses en exerçant consciemment notre libre-arbitre ? Qu'est-ce donc si ce n'est le fait d'être conscient de soi, de son entourage et de soi-même, de la façon dont on s'y trouve placé et dont on peut y agir, et des conséquences qu'engendre chacun de nos choix et de nos actes ? Ce désir étant inhérent à l'esprit humain, il ne peut empêcher tôt ou tard son accomplissement. La femme étant en cela plus finement intuitive, spirituellement plus mobile, précède l'homme sur le chemin, dans ce processus d'évolution, et, la première, se saisit du fruit de l'arbre de la conscience et pousse en cela l'homme, spirituellement plus lourdaud et vulnérable, à la suivre. Dès lors, Dieu les chasse du jardin d'Eden, c'est l'expulsion du Paradis. Autrement dit, c'est là qu'a lieu la séparation auto-active, parfaitement naturelle et spontanée en soi, du germe d'esprit humain d'avec le Royaume spirituel qui représente à la fois son origine (à l'état inconscient) et son but (à l'état conscient). Partant de là, il descend plus bas, et se retrouve alors dans un environnement étranger, plus dense. Il prend peu à peu conscience de lui-même et se rend compte qu'il est nu, car dépourvu de vêtements, c'est-à-dire d'enveloppes du même genre que l'environnement dans lequel il se trouve. Il doit donc se couvrir et adopte un corps de ce nouvel entourage étranger plus dense. C'est ainsi qu'il naît finalement dans la matière, dans les champs les plus denses de la Matérialité, qu'il est ainsi pris dans le Samsara, le grand cycle des existences, des réincarnations, car il mourra, mais renaîtra aussi, sans cesse, pour parfaire son évolution. Et là, eh bien, malheureusement pour lui, oui, il enfantera dans la douleur et gagnera son pain à la sueur de son front. Autrement dit encore, l'être humain, d'une part, enfantera en premier lieu l'enfant candide et confiant qu'il doit devenir lui-même, tout en étant parfaitement conscient de lui-même, pour pénétrer dans le "Royaume de Dieu", le "Paradis", constitué par les plans spirituels, au sommet de la Création, et, d'autre part, devra gagner son pain, le gain de l'expérience vécue à travers les mondes, à la sueur de son front, c'est-à-dire au prix de nombreux et laborieux efforts, vers l'extérieur, mais également vers l'intérieur, sur lui-même, en travaillant à lui-même. Et cela, oui, ne se fait pas sans douleur ni sans souffrance. La souffrance n'est cependant pas indispensable, mais sa possibilité - je dirais même sa très forte probabilité ! - fait partie du lot.

Ce qui était alors considéré comme un mythe incompréhensible, une fable tout juste bonne pour les "bonnes femmes", les enfants et les grenouilles de bénitier (en espérant ne pas te froisser, excuse-moi si je caricature), et qui était interprétée bien stupidement au pied de la lettre par certains "fondamentalistes", s'éclaire soudain et devient la base d'une nouvelle compréhension imagée du processus d'évolution de l'être humain. Malheureusement, on en a fait pendant des siècles une morbide histoire de "péché originel", sans aucune compréhension véritable, et on a tourmenté les êtres humains avec la chose la plus naturelle qui soit, et qui, cependant, s'avère aussi aujourd'hui encore une des plus problématiques : la sexualité ! Qui est pourtant voulue de Dieu puisqu'elle a été instituée dans la Nature par la Volonté du Créateur Lui-même ; c'est même un précieux cadeau, un hymne de gratitude envers la Vie, mais nous y reviendrons là aussi plus tard.

C'est donc là que se situe la blessure originelle de l'être humain, dans la séparation pourtant volontaire et nécessaire d'avec son origine spirituelle. Et cette brûlante aspiration anime chaque être humain un tant soit peu éveillé, c'est elle qui le pousse sans cesse en avant, à l'évolution, au développement, à l'expérimentation, c'est elle aussi qui le pousse parfois à assouvir son inextinguible soif de fusion dans des voies de garage, notamment par des conduites addictives, quand ce n'est pas par la fuite dans une sorte d'assèchement intellectuel ou bien par la voie plus noble de l'amour "amoureux", pour une autre personne. A un stade plus avancé s'ouvre la voie de l'Amour Universel, la compassion vis-à-vis de tous les êtres, ainsi que l'expérience "mystique" (au sens où certains l'utilisent) de la fusion énergétique avec le grand Tout. Mais, chaque chose en son temps...

La toute première incarnation de l'être humain dans la matière

Il est singulier de constater que certains processus en petit, proches de nous, autour de nous, qui nous sont accessibles, sont souvent à l'image de processus plus vastes, qui nous dépassent largement, et dont la vue d'ensemble ne nous serait pas accessible si ce n'est par la contemplation depuis un point de vue plus élevé. Il en va de même de l'incarnation de chaque âme dans un corps humain qui présentent des similitudes avec la première incarnation des germes d'esprit dans la matière. Une question également problématique pour certains croyants ou plus généralement pour certains chercheurs de vérité qui essayent de concilier leur vision d'une nature spirituelle en l'être humain et la justesse scientifique indéniable des théories de l'évolution dont Darwin est à l'origine. Eh bien, rassure-toi, mon ami(e), il n'y a là absolument aucune contradiction, les choses sont en fait d'une simplicité désarmante et j'espère que ce caractère d'évidence que je vais m'efforcer de faire ressortir de mes descriptions te frappera aussi et t'apportera quelque éclaircissement.

Le moment était donc venu dans le grand cycle de la matière, que tous les genres de matérialité parcourent, selon un orbe immense, sur le cercle le plus inférieur et le plus dense de toute l'immense Création, formant ainsi l'Univers, le grand Univers, le plus vaste, auquel tout ce que nous pouvons voir, tout ce à quoi nous avons accès, fait partie intégrante, mais n'en est qu'une petite partie.

Ce moment crucial, cet instant clé, correspond à peu près à la moitié du cycle de développement de la matière. De même, pour l'être humain, l'incarnation de l'âme a-t-elle lieu, conformément à la loi d'attraction des affinités, à peu près à mi-parcours de la gestation, dans le ventre de la mère enceinte, ce qui correspond à la moitié du temps de développement et de maturation du petit corps en formation.

La Nature avait accompli son œuvre la plus achevée, un véritable chef d'œuvre, en formant toute la matérialité, en donnant naissance à l'Univers, avec ses nombreuses galaxies, ses étoiles, ses systèmes solaires, ses planètes, notamment la Terre. Sur celle-ci, toutes les conditions étaient réunies pour l'apparition de la vie physique. Une activité bouillonnante finit par donner également naissance aux règnes minéraux, végétaux, puis animaux, sous des formes multiplement variées et foisonnantes. La Nature elle-même est un artiste à la créativité illimitée. Dans le cadre de cette évolution apparurent des animaux plus hautement évolués et développés que les autres, arrivés à un tel stade qu'ils étaient capables d'une intelligence remarquable et inimaginable chez ce que l'on considère généralement comme de "simples" "animaux". Ces "primates", qu'on désigne comme les plus proches parents de l'humanité dans son évolution, constituent ce fameux chaînon manquant qui a longtemps fait l'objet des recherches les plus assidues de la part de la communauté scientifique, puisque, une fois sa mission accomplie, son rôle rempli, cette espèce, qui avait ainsi atteint son apogée, disparut purement et simplement, du fait de son hyper-maturité.

Ainsi le terrain fut-il préparé ! Nous avions, d'une part, d'un côté, dans le grand Invisible, l'âme humaine, c'est-à-dire le germe d'esprit humain recouvert de ses différentes enveloppes finement matérielles, suffisamment mature pour l'incarnation dans la matière la plus grossière et la plus dense, et, d'autre part, de l'autre côté, dans la matière, l'animal le plus hautement développé que l'évolution avait pu produire, ce fameux "primate" ou "être humain primitif". Or, lorsqu'eut lieu un acte de procréation chez le couple le plus avancé de cette espèce, ce ne fut pas, comme jusqu'ici, une âme animale de même nature (nous parlerons ultérieurement aussi de l'origine de l'âme animale) qui s'incarna dans le petit corps en gestation dans le ventre de la mère, mais, à la place, une âme humaine, en instance d'incarnation, portant en elle le germe d'esprit individué ayant déjà parcouru tout le chemin depuis son origine jusqu'à la matérialité la plus dense. Le lien de parenté entre les êtres humains et ces "primates" n'existe donc que sur le plan grossièrement matériel ; ils n'ont de commun, au départ, que leur corps physique terrestre ; mais le corps physique terrestre seul ne fait pas l'être humain lui-même, il faut considérer ce qui l'habite, ce qui y est incarné, en l'occurrence, le germe d'esprit humain, plutôt qu'une âme animale. Les êtres humains qui s'incarnèrent ainsi, en grandissant, éprouvèrent bien vite l'existence d'un fossé avec leurs parents, une nature trop profondément différente pour avoir quelque affinité, et ainsi quelque communauté, avec eux. Ils prirent le large et menèrent leur propre vie, suivirent leur propre développement.

Ce fut ainsi que se déroula l'arrivée de l'esprit humain dans la matière, dans le chef d'œuvre que la Nature avait préalablement formé pour faire des champs de la matière un domaine d'expérimentation, de développement et d'évolution, pas seulement pour les germes d'esprit humains, mais aussi pour d'innombrables autres créatures. Ainsi aussi n'y a-t-il absolument aucune contradiction entre la conviction en une nature profondément spirituelle de l'être humain, d'une part, et l'exactitude des théories de l'évolution, d'autre part, qui nous disent aussi que l'être humain est bien également une sorte d' "animal civilisé". Ce n'est autre que le germe d'esprit, même inconscient, en lui, qui, du fait de sa très forte aspiration intérieure, poussa toute chose à l'évolution, au développement et à l'épanouissement, y compris l'intelligence et le langage, la culture et la civilisation. Mais cela explique aussi - et il ne faut pas perdre cela de vue, sous peine d'encourir les pires conséquences qui soient - que l'être humain ait aussi en lui une nature purement "animale" qui le régit, tant que l'esprit en lui n'est pas devenu suffisamment fort, par le développement de sa conscience, pour prendre les rênes de l'être humain incarné dans ce corps physique terrestre et de sa destinée en ce monde. L'esprit humain est donc en effet incarné dans un organisme de survie développé par la Nature, il n'a pas la main sur les programmes qui y sont installés à la livraison, cela fait partie du "package". Mais il peut "spiritualiser" et ainsi élever tout cela. Qu'il ne l'ait pas fait à l'échelle de l'humanité tout entière, il n'y a qu'à voir la société actuelle, le monde, la façon dont la plupart des êtres humains se comportent : davantage comme des animaux, voire même des chacals - oserais-je dire -, plutôt que comme des êtres véritablement "humains". Il n'y a d'exception, malheureusement, qu'à l'échelle de certains individus. C'est pourquoi il est si crucial de développer sa conscience, car, lorsqu'on est conscient de soi, on est conscient de ces mouvements qui s'agitent en nous et qui viennent de nos instincts purement animaux, de ces programmes de survie, on est alors capable de prendre du recul, de ne pas s'y soumettre, de ne pas se laisser entièrement absorber, dominer par tout cela, mais d'exercer une certaine maîtrise de soi, un certain contrôle, une certaine élévation, et de générer autre chose. Même si, il est vrai, cela n'est pas facile, je peux bien évidemment te le confirmer et te le certifier moi-même, car j'en fais régulièrement l'expérience, déjà en moi-même, mais aussi sur moi-même, quotidiennement.

Bref ! Comme tu pourras le constater autour de toi, il y a du boulot pout toute l'humanité !

La chute dans le péché originel

C'est seulement ensuite qu'eut lieu la véritable chute dans le "péché originel". Car chute il y eut effectivement.

Loin de toute vision étriquée, moralisatrice et moralisante, je donnerais au terme "péché", plutôt que celui d'action taboue, interdite, mortelle, le sens de "séparation", car c'est là seulement, pour moi, que réside la plus douloureuse blessure. Double séparation, car nous avons déjà parlé de la blessure de la séparation originelle, qui, elle, fait partie du processus naturel d'évolution du germe d'esprit humain. Parlons maintenant de cette seconde blessure, qui eut lieu dans la matière, blessure combien plus atroce, comme nous allons le voir, qu'on a désignée jusqu'ici comme le "péché originel", sans jamais vraiment savoir de quoi il s'agissait, car, comme je l'ai déjà dit, cela n'a rien à voir avec la sexualité qui demeure une exigence ainsi qu'un merveilleux cadeau de la Nature, même si cela y touche également.

Il est des images spirituelles porteuses de vérité et de sagesse, qui peuvent ouvrir la voie à la compréhension de choses bien différentes, d'événements ou de processus distincts et pourtant complémentaires dans la plus grande vue d'ensemble. C'est là aussi qu'on peut voir la difficulté de les interpréter correctement, si on n'a pas les clés intuitives pour cela. Il en va de même de l'image développée dans le récit de la Genèse, selon l'Ancien Testament de la Bible. Je m'y suis déjà référé précédemment pour expliquer le parcours normal, naturel, conforme aux lois de la Création, du germe d'esprit humain, et je vais m'y référer à nouveau pour expliquer cette fois-ci en quoi consiste le véritable "péché originel", la séparation définitive, la déviation ou fausse-route du départ, qui a ensuite tout faussé et perverti, dans l'évolution de l'être humain comme dans ce qui devait se développer dans la matière. Reprenons donc ensemble cette image.

De l'expression "Arbre de la connaissance du bien et du mal", je retire cette fois-ci la partie "du bien et du mal", ne reste donc que "arbre de la connaissance" ; et j'inclus maintenant le serpent, symbole de tentation, non seulement de sexualité, mais plus loin de force sexuelle, autrement dit d'énergie vitale. Regardons maintenant ce que cela donne et retraçons les premiers pas des germes d'esprit humains, nouvellement incarnés dans la matière. Même si c'est au départ assez simpliste, c'est relativement éclairant.

La femme prit donc conscience de ses charmes et du pouvoir de séduction qu'elle pouvait exercer sur l'homme. Ce dernier, quant à lui, séduit surtout par l'idée de satisfaire ses instincts sexuels mal maîtrisés, et de se faire ainsi égoïstement plaisir, chercha alors à accumuler des trésors, des richesses matériels, pour se rendre lui-même désirable aux yeux de la femme. Et il y a là plusieurs choses fondamentales à décortiquer. C'est là en effet que débuta l'enfoncement progressif dans la matière. Premièrement, les êtres humains commencèrent ainsi effectivement à détourner le courant d'énergie vitale naturelle de la force sexuelle, en érigeant un culte à la sexualité, aux rapports sexuels, à la reproduction, à la maternité et surtout au plaisir, renforçant ainsi à tel point, au cours des siècles, l'instinct sexuel naturel et sain au départ, qu'il devint finalement une force totalement aveugle, incontrôlée, immaîtrisée, qui exerce en fait son joug implacable sur chaque être humain, le rendant esclave de ses propres pulsions, de ses propres instincts, l'obligeant à essayer aujourd'hui encore de composer vainement et maladroitement avec quelque chose qui est devenu démesuré, hors norme, sortant de l'ordinaire, du naturel, et ainsi aussi parfois malsain et sordide, pour son plus grand malheur. Ça, c'est une première chose, mais ce n'est pas l'essentiel.

Deuxièmement, surtout, et c'est là le point le plus important, c'est ainsi que l'être humain se focalisa entièrement sur le terrestre, sur la matière, sur l'existence dans la matière, sur la recherche exclusive des biens matériels. On en voit aujourd'hui aussi les conséquences dans la société de consommation, avec un monde de plus en plus déséquilibré, et saccagé, où peu d'êtres humains détiennent la plus grande part de la richesse matérielle, alors que la plus grande part des êtres humains vit dans la misère, tandis que la nature, la planète dépérissent lentement, mais sûrement. C'est donc là que commença aussi, de façon logiquement corollaire et conjointe, la culture unilatérale de l'intellect, du mental, c'est-à-dire de cet outil donné au départ pour la compréhension, l'intelligence et l'action dans la matière. Cela provient tout simplement de la tentation du savoir, mais un savoir purement intellectuel seulement, donc terrestre et limité, partiel et partial ; il s'agit du penchant à tout-vouloir-connaître-par-soi-même qui sommeille en tout être humain, d'où la prétention à vouloir-mieux-savoir et la présomption quant à sa propre valeur dans l'Univers. Du fait d'une activité toujours plus importante, la partie du cerveau qui engendre la raison, le mental, l'intellect, la capacité de compréhension des choses purement terrestres, les pensées, autrement dit le cerveau antérieur, se développa de façon unilatérale et devint hypertrophiée, au détriment de cette autre partie, plus délicate, qu'est le cervelet, qui doit former le pont, par le système nerveux, pour l'intuition provenant de l'esprit, la voix intérieure, la pure voix de la conscience, qui exerce ses délicates impressions sur le plexus solaire. Par conséquent, du fait de cette configuration déséquilibrée toujours accentuée, l'être humain s'est rendu la perception et la compréhension de tout ce qui relève du terrestrement invisible et du purement spirituel, y compris en lui-même, très difficiles, voire parfois impossibles. C'est ce qui rend aussi impossible le véritable développement d'une conscience de soi épanouie et claire, ce qui représente pourtant le but primordial de l'être humain sur Terre. Ce défaut de conscience, qui implique également, de façon corollaire, une carence en matière de compassion, d'empathie, non seulement vis-à-vis de tout autre être humain, mais également vis-à-vis de tous les êtres vivants en général, y compris les animaux, c'est donc ce défaut de conscience qui entraîne aussi une insuffisance criante dans le développement de l'authentique humanité. Car l'humanité véritable ne provient que du développement et de l'épanouissement conscients du germe d'esprit incarné dans la matière.

Or, à vouloir régner dans la matière, pour s'y adonner librement à tous ces petits plaisirs terrestres - et jouir ainsi sans limite du fruit de l'arbre de la connaissance... -, seul endroit finalement où il pouvait exercer son libre-arbitre sans aucune limite, en apparence, l'être humain s'est finalement enfoui lui-même dans la matière, tel une taupe, ne connaissant et ne reconnaissant que la matière, que les biens terrestres, les richesses matérielles, la force et la puissance terrestres. Perdant également ainsi du coup, non seulement la clé du bonheur véritable, mais également la clé du Paradis, c'est-à-dire du retour conscient vers son origine spirituelle, dont il provient à l'état inconscient. Il s'est ainsi intérieurement séparé de lui-même, de sa nature véritable et profonde, en même temps que de sa véritable origine spirituelle.

Et l'on peut voir aujourd'hui tout ce que cela a donné !

C'est là que se situe véritablement le "péché originel", aussi désigné comme le "péché héréditaire", car, du fait de son hyperactivité, le cerveau générant l'intelligence, la raison pure, le mental, autrement dit la capacité de compréhension dans la matière, se développa de plus en plus ; et se transmit ainsi, de génération en génération, un cerveau hyperdéveloppé portant en soi le germe de la séparation d'avec tout ce qui est purement spirituel, dans la possibilité d'un déploiement illimité et ainsi d'un asservissement totale à la matière, au purement terrestre.

Telle est la source de tous les maux !

La Sagesse de Dieu est folie pour les hommes, ce qui est en haut doit être replacé en bas, autrement dit l'intellect, le mental, ne doit plus être considéré comme celui qui dirige et exerce unilatéralement le pouvoir, avec sa vision étriquée des choses, purement terrestre, mais il doit redevenir ce qu'il est à la base, un outil pour l'existence terrestre, un instrument pour l'intuition, la voix intérieure, la voix de la conscience, l'expression de l'authentique humanité et du véritable développement spirituel. Un gouvernail qui oriente le vaisseau, le véhicule de l'être humain incarné dans la matière, sur les flots de l'existence terrestre, les eaux de la vie, pendant que le souffle de l'esprit seul gonfle ses voiles, l'anime et le fait avancer. Sans cela, tout doit être défaillant, surtout si cela implique du purement "humain", mis à part peut-être le domaine purement technique.

Je te laisse le soin de méditer là-dessus et de multiplier par toi-même à foison les réflexions, les déductions, les liens, dans toutes les directions, avec tout ce qui existe et s'agite autour de toi et en toi. Nous reviendrons par la suite, au cours de notre périple, sur certains points plus précisément, lorsque cela se présentera, au cas par cas.

Les créatures "Esprit" et "Entité"

Pardonne-moi, mon ami(e), si je fais en cela des bonds, en abordant certaines notions de but en blanc, mais je n'ai pas d'autre choix si je veux avoir le temps de te parler de tout ce que je souhaite partager avec toi. Je suppose aussi que, du fait que tu aies ce livre entre les mains, c'est que tu as toi-même fait tes propres recherches de ton côté, sillonnant ainsi les mers de la spiritualité et de la sagesse, de la quête de vérité et de la recherche du développement de la conscience, en t'abreuvant à d'autres sources de sagesse et de vérité, spirituelles, philosophiques, religieuses, en collectant les joyaux des plus beaux textes sacrés, en fouillant divers écrits spirituels ou de développement personnel, et que tu as toi-même ainsi le niveau de culture suffisant pour réceptionner ce que je t'offre, pour faire le lien avec d'autres choses, le mettre en relation avec d'autres éléments, et saisir ainsi toute la valeur de ces rapports abordés du haut vers le bas.

Il me faut donc, avant de poursuivre, développer davantage la vue d'ensemble de la Création que je n'ai fait jusqu'ici qu'esquisser à grands traits. Et, pour cela, commençons tout d'abord par nous pencher sur les différentes sortes de créatures qui peuplent les mondes. - Et, si tu as du mal à admettre telle ou telle chose, n'oublie pas que tu es libre de la laisser en chemin ; pose-la simplement au bord du sentier, quitte à y revenir plus tard éventuellement. -

Pour comprendre, il faut au préalable bien saisir que, dans la Création, tout existe d'abord à l'origine en principe (Le premier mot de la Bible, "Bereschit", est traduit par le grec "en arché", qui signifie à la fois "au commencement", mais aussi "en principe"…), c'est-à-dire sous forme de concept-idée-énergie, d'énergie informationnelle, d'énergie informée, dans tous les sens du terme, puis seulement ensuite, sous une forme concrète et personnelle, quel que soit le plan, une sorte de personnification de ce principe-énergie impersonnel qui préexiste. C'est ainsi aussi que tout, dans la forme extérieure, est liée à l'activité énergétique intérieure, à la nature des irradiations.

Ainsi n'avons-nous dans la Création tout entière que deux types fondamentaux de créatures. Je me servirai des mots "esprit" et "entité" pour désigner ces deux genres de créatures, correspondant à deux genres d'activité différents dans la Création. Pourquoi deux ? Eh bien, tu l'auras sûrement déjà toi-même deviné, parce que… du Un est issu le Deux, le Deux est déjà contenu dans le Un, il n'y a que deux polarités, Yang-active-positive-émettrice-"transposatrice" et Yin-passive-négative-réceptrice-dispensatrice, l'une étant exactement d'égale importance par rapport à l'autre, les deux étant parfaitement et totalement complémentaires, reformant ainsi l'Unité Primordiale. C'est là l'objet de la première scission dans les genres d'irradiation, mais, cela, je ne pourrai l'aborder que lorsque je t'aurais donné à connaître un panorama plus complet de bien des choses. Et cette scission première existe déjà à l'origine en Dieu Lui-même, dans la Lumière Originelle, Qui est la Vie, l'Un.

Ainsi la créature "esprit", à l'image de l'Esprit de Dieu, Qui est la Volonté de Dieu, possède-t-elle un libre-arbitre, dispose-t-elle d'une libre volonté, a-t-elle la capacité d'exercer un vouloir propre. "Dieu créa l'être humain à Son image et lui insuffla Son Souffle." Or, en hébreu, le mot "Ruah" signifie aussi bien "souffle" (au sens de "souffle de vie animateur") qu' "esprit". Autrement dit, Dieu créa l'être humain à Son image et lui insuffla Son Esprit. D'une certaine manière, l'être humain est ainsi porteur de l'Esprit de Dieu : à Son image, il peut exercer une volonté propre. C'est ainsi aussi que, pour moi, tout être humain, quel qu'il soit, est déjà "baptisé" par Dieu Lui-même, du fait de sa création et de son existence en tant qu'être humain, il est déjà porteur de l'Esprit, dans une certaine mesure, de cet esprit qui constitue l'origine commune de notre humanité, même si ce n'est là qu'une expression imagée d'un processus plus complexe. Mais revenons à nos moutons.

La créature "esprit" dispose en fait, dans sa volonté propre, d'une capacité d'attraction, et corollairement de la capacité de choisir ce qui doit être attiré. L'esprit peut se régler sur une radiation déterminée, une fréquence, une couleur, il attirera ainsi, du fait de la loi d'attraction des affinités, tout ce qui présente cette même particularité. Une fois que l'on a compris que tout ce qui prend forme extérieurement, y compris dans la matérialité grossière la plus dense, n'est qu'une manifestation de l'activité des irradiations et des énergies dans la Création, on a saisi l'essence même de tout processus. Et c'est donc de cette seule propriété de l'esprit que procède le libre-arbitre de l'être humain sur Terre ainsi que, même, la loi d'action en retour, ou de réciprocité des effets, qui donne ce que d'aucuns appellent le "karma". Autrement dit encore, on récolte ce que l'on sème. Du blé, si on a semé du blé ; du chardon, si on a semé du chardon. Mais nous y reviendrons un petit peu plus loin.

A l'opposé, en revanche, la créature "entité" ne dispose pas d'une telle capacité, elle ne possède pas de libre-arbitre, c'est-à-dire de la capacité de choisir dans quel type de radiation, de fréquence énergétique, de couleur, elle va vibrer, rayonner et agir. Elle n'en a d'ailleurs absolument pas besoin, car, dans le cadre de l'activité des irradiations, elle est celle qui reçoit, conformément au genre dans lequel elle a pris forme au départ, et elle transmet de façon adaptée, mais fondamentalement inchangée, ce qu'elle a reçu. Alors que l'esprit, lui, peut combiner différents types de rayonnement, autrement dit, de façon imagée, mélanger les couleurs… et peindre ce qu'il veut sur la toile vierge, au départ, de son existence, à partir des couleurs fondamentales que lui offre la Nature, c'est-à-dire l'ensemble des entités qui œuvrent dans la Création.

Or, s'il n'y a que deux types fondamentaux de créatures (liés à l'activité énergétique radiante), sur l'axe horizontal, qui se divisent en outre eux-mêmes également en féminin et masculin, sur chaque plan de la Création, cependant, il y en a une multitude, sur l'axe vertical, du haut vers le bas.

Effectivement, parmi les entités (au risque d'anticiper un peu trop rapidement sur la suite), il y a celles qui agissent horizontalement et donnent forme au cadre, aux paysages, avec les règnes minéraux, végétaux, animaux, sur quelque plan que ce soit, autrement dit qui donnent forme à ce qu'on appelle la "Nature", qui représente en fait le fondamental, la base, le terrain, le soutien et le cadre ; mais il y a aussi des entités qui agissent verticalement, du haut vers le bas, et de bas en haut, avec, d'une part, par exemple, les "Anges" qui sont des messagers et peuvent facilement passer d'un plan à un autre, parce qu'ils sont conçus, formés, préparés pour ça, et, d'autre part, des entités médiatrices de différents courants de rayonnement, genres d'irradiations, du haut vers le bas, cela correspond à la fois à des vertus, mais aussi à des couleurs, des qualités de vibration des énergies. Et tout cela descend et cascade depuis les hauteurs, du haut vers le bas, en tintant, sonnant, trébuchant et grondant, prenant forme à chaque plan, jusqu'ici sur Terre, dans la matérialité grossière la plus dense.

J'espère que ces images te parlent et que tu parviens à me suivre, notamment dans le vocabulaire que je pose ici.

De cela seul découlent énormément de choses parmi celles que nous allons voir.

Archétypes Spirituels, Nature et Univers : une vue d'ensemble de la Création

Avant d'aller plus loin encore, et de ne m'intéresser ensuite qu'à ce qui concerne l'être humain terrestre lui-même, à ces connaissances qui peuvent lui servir directement de soutien dans son cheminement à travers la matière, sur les sentiers de la Sagesse et de la Conscience, je vais détailler un peu plus la vue d'ensemble de la Création, avec ses différents degrés.

C'est donc tout d'abord en premier lieu le Royaume Purement-Spirituel qui prit forme au début, lorsque la lumière fut dans le Tout-vide. Il s'agit en fait de ce que les êtres humains désignent comme le "Paradis", les jardins des hauteurs lumineuses, dont ils proviennent à l'état inconscient et vers lesquels ils doivent revenir à l'état conscient-de-soi-même.

Or, ce domaine purement-spirituel se divise lui-même en fait en deux genres de substance distincts et différents, qui doivent encore tous deux être caractérisés, qualifiés de "spirituels", parce qu'ils sont tous deux issus des irradiations directes et immédiates de l'Esprit Créateur, le Grand Esprit, autrement dit plutôt parce qu'ils se sont formés les premiers dans la proximité des irradiations de l'Esprit Universel, le Divin Logos, mais aussi parce que ces plans comportent, parmi les germes qui ont pris conscience et forme, des créatures "esprits". On pourrait désigner le premier domaine comme le "Spirituel-Premier" ou "Spirituel-Originel" ou encore "Spirituel-Primordial" ; le deuxième domaine comme le "Spirituel-Second" ou "Spirituel" tout court. Peu importe ! La différence fondamentale réside dans le fait que les esprits issus du Spirituel-Originel ont une puissance de vouloir et d'attraction bien plus importante que les esprits issus du Spirituel tout court, de même qu'ils peuvent supporter une pression des irradiations de la Lumière plus importante que les seconds. Les germes d'esprit humains qui peuplent les champs de la Matérialité font partie du dernier précipité qui appartient encore au grand genre "Spirituel" tout court.

Par ailleurs, dans ces deux domaines, prennent immédiatement conscience et forme, à l'état adulte, sur les premiers degrés, ceux qu'on peut désigner comme les "Créés" ou les "Accomplis", dont j'ai déjà parlé précédemment ; tandis que, sur les degrés suivants, prennent forme d'enfants ceux dont la conscience doit passer par une évolution préalable afin de devenir adulte, ce sont les "Evolués" ou "Développés". Cette distinction a lieu aussi bien dans le Spirituel-Originel que dans le Spirituel tout court.

Maintenant, si j'entre ainsi dans le détail, c'est pour te donner à comprendre un fait de la plus haute importance pour l'évolution du germe d'esprit humain. Les "Originels-Créés", tout au sommet de la Création, constituent en fait les Archétypes Spirituels fondamentaux, c'est-à-dire les personnifications idéales, chacun dans son genre, de ce que les êtres humains peuvent développer et atteindre de meilleur et de plus élevé dans l'épanouissement de leur humanité. Ils agissent sur tous les esprits, à travers la Création entière, tels des électro-aimants, déclenchant en chaque créature "esprit" une très forte aspiration à développer ces mêmes vertus qu'elle porte déjà potentiellement en elle à l'état de germe, de potentialité, de programme sous-jacent, dans la base spirituelle commune. Ils sont les véritables Guides Spirituels de l'humanité, dans la plus pure impersonnalité, par leurs irradiations seules. C'est aussi ce même mécanisme qui explique que chaque être humain cherche toujours constamment quelqu'un à admirer, à suivre, sur lequel prendre exemple, quelqu'un qui soit, pour lui, une expression plus parfaite et accomplie du genre de vibration qu'il porte en lui-même et qu'il veut développer. La semence idéale de ces Archétypes Spirituels sommeille en chaque être humain, dans sa nature spirituelle, en germe, attendant le possible développement et l'épanouissement. Cela rejoint un peu la théorie de Platon selon laquelle tout être humain porte déjà en lui, avant son incarnation, les connaissances, les idées, dont le travail qu'il peut faire ensuite ne fait que l'aider à mieux s'en ressouvenir.

A la limite inférieure du grand Royaume Purement-Spirituel, végétaient donc les germes d'esprit humains inconscients, insuffisamment résistants et robustes en eux-mêmes pour prendre conscience en ces plans et pour prendre forme sans stimulations extérieures. C'est pour eux, pour leur offrir un domaine où ils pourraient prendre conscience et forme et se renforcer ainsi dans l'expérience vécue, que naquit, fut formé le vaste domaine des matérialités qui pend tout au bord du plus inférieur des cercles de la Création.

Mais avant de revenir à l'origine et à la formation de la matière, nous devons parler d'un cercle intermédiaire qui se trouve après le Royaume Purement-Spirituel et avant les champs de la Matérialité. A travers toute la Création, sur chaque plan, comme je l'ai déjà évoqué précédemment, il y a des entités dont c'est le rôle, la tâche, la mission, la fonction, de former partout ce que l'on désigne comme "la Nature", autrement dit le cadre de l'existence et de l'évolution, avec ses paysages, ses règnes minéraux, végétaux et animaux. - Ainsi ce que nous pouvons contempler ici sur Terre n'est-il en réalité qu'une pâle et grossière reproduction de ce qui préexiste plus haut sous une forme plus pure et plus accomplie. - Or, des entités de ce type, il en fallait également pour former la matière, qui est inerte, sans chaleur et vie propre en soi, et qui a besoin d'être réchauffée, embrasée, animée, mise en mouvement, pour être ensuite liée, formée, façonnée. C'est ainsi que se constitua un domaine particulier dans ce cercle dont on pourrait parler comme le Royaume des dieux et des déesses de l'Olympe, du Walhalla, le domaine d'origine de toutes les entités de la Nature, les êtres élémentaires, ainsi aussi que des âmes animales (dont le noyau animateur, l'âme, l' "anima", se forme à partir de centrales qu'on peut très justement désigner comme des "âmes-groupes", contrairement à l'esprit humain qui, même s'il n'existe au départ que sous forme de germe inconscient, n'en demeure pas moins un individu, une unité, un être individué et individuel, possédant un "Moi" propre). Si je peux me permettre un rapprochement avec le domaine scientifique - même si je n'en sais à vrai dire rien -, je ferais le lien entre cet ensemble d'entités de la Nature animatrices de la matière et cette fameuse "énergie noire" dont on suppose qu'elle existe, mais sans savoir exactement ce qu'elle est, tout en sachant qu'elle expliquerait en partie le comportement des galaxies et de notre univers.

Le germe d'esprit humain, lorsqu'il entame sa descente vers la matière, plonge en premier dans ce vaste domaine dont il revêt quelques enveloppes de même genre. Cette "Nature" essentielle sommeille donc aussi en lui. C'est elle qui l'anime, le maintient en mouvement, tant que le germe d'esprit est encore à l'état inconscient.

Quant à la matière, elle n'existait pas au départ. Il fallut la créer. Les grains de semence originelle de la matière proviennent en fait du vouloir des Originels-Créés et de leur rayonnement vers le bas, de leurs irradiations. C'est pour cela aussi qu'ils sont si déterminants, non seulement spirituellement pour le développement de l'être humain, mais aussi pour la formation de toutes ces particules que nous découvrons encore et encore, qui constituent la matière la plus dense que nous apprenons peu à peu à connaître, et qui ont des propriétés, comportements, symétries, pour le moins surprenants.

Ainsi donc, pour dérouler devant tes yeux un panorama d'ensemble de l'événement, lorsque le moment fut venu, la semence originelle de toute matérialité s'était accumulée sur le bord inférieur du plus bas des cercles de la Création. Une espèce de soupe créatrice, énergétique, universelle, le fameux "Tohu-Bohu" ou chaos primordial. Les cercles de la Création se mirent en branle, cela tinta, sonna, gronda et goutta, de plan en plan ; s'accumulèrent ainsi, sur ce cercle transitoire du Spirituel au Matériel, l'ensemble des entités qui devaient œuvrer cette fois-ci dans la Matérialité pour lui donner forme. Des courants se déployèrent, depuis le Spirituel comme depuis ce cercle des entités de la Nature, portant tous ces germes en devenir, et pénétrèrent dans toute la Matérialité, la réchauffant, la mettant en mouvement et lui donnant forme. Ainsi naquirent les différents genres de la Matérialité, à partir de la semence originelle des Originels-Créés, et ainsi aussi se forma l'Univers, se mit en mouvement le grand cycle de semence, croissance, floraison, fructification, hyper-maturité, puis décomposition, s'acheminant ainsi vers de nouvelles formations, et ainsi de suite, perpétuellement. C'est le grand cycle du devenir qui existe pour toute matière, qui est inexorable, dans le naître, mourir et renaître à nouveau, et que tu peux observer en petit tout autour de toi, auquel nos corps sont eux-mêmes soumis et qui englobe également toutes les matérialités dans leur ensemble.

La Matérialité elle-même se divise en deux genres fondamentaux : la Matérialité-Fine de l'Au-delà (pour simplifier) et la Matérialité-Grossière de l'En-deçà (je mets des majuscules pour bien faire ressortir les concepts-clés). Ainsi chaque corps cosmique physiquement visible, lui-même constitué de Matérialité-Grossière, entraîne avec lui une part bien plus importante de Matérialité-Fine. La notion de "matière noire", d'un autre genre que la matière que l'on connaît, imperceptible directement, mais détectable indirectement du fait de son effet gravitationnel, cette notion, donc, participe sans doute de la réalité de l'existence de cette Matérialité-Fine. Il y a même encore plus de nuances en tout cela, mais nous le verrons progressivement dans la suite.

Ce tableau d'ensemble brossé à grands traits forme le cadre dans lequel se déroulent les processus auxquels nous allons nous intéresser, raison pour laquelle il était indispensable de le faire figurer ici.

Lorsque le germe d'esprit humain, encore inconscient de lui-même, pénètre dans la matière, tout d'abord dans la Matérialité-Fine, il est assailli par les ondes de force provenant des expériences vécues dans la matière la plus dense, dans la Matérialité-Grossière, ici, sur Terre. Même si ce ne sont que de faibles échos lointains, ils en portent cependant la saveur. Peu à peu s'éveille en lui le désir de goûter à tel ou tel courant ; progressivement, il s'enfonce ainsi, s'acheminant vers son incarnation. De goûter, il va vouloir jouir concrètement dans la matière. C'est ainsi qu'il se rapproche de l'endroit où la vie intérieure des êtres humains correspond à ce qui l'attire.

Au départ, donc, la toile de son existence est totalement vierge. Mais elle se colore peu à peu, du fait des radiations que son vouloir émet et des couleurs qu'il attire ainsi à lui, dont son chemin à travers les mondes se teinte peu à peu. Avec tout ce qu'il met au monde en guise de manifestations extérieures de son vouloir intérieur, qu'il s'agisse d'intuitions ou ressentis, de pensées, de paroles, de sentiments, d'émotions, d'actions, il produit à chaque fois les fils du destin que l'infatigable métier à tisser de l'Univers va utiliser pour lui fabriquer le vêtement qu'il devra porter. C'est ainsi que l'être humain est maître de son propre destin. Il y a bien des choses extérieures qui le contraignent en apparence, mais il n'est rien à quoi il n'ait pas lui-même donner une raison, un motif, un point d'accroche, aussi infime et ténu soit-il.

Mais, afin de brosser un rapide panorama un peu plus détaillé du sujet, éclaircissons d'abord la notion de "libre-arbitre", car elle pose problème à beaucoup.

En effet, comment pourrait-il y avoir de libre-arbitre quand il y a un "donné" de départ sur lequel on n'a pas la main et qu'on n'a pas choisi, en apparence ; quand il y a un bagage génétique hérité de la famille, des ascendants et des parents, sans parler des problématiques transgénérationnelles ; quand il y a éducation, instruction et conditionnement ; quand il y a influence sur l'humeur, le tempérament et la façon de penser et de réagir, du fait des réactions physico-chimiques dans le cerveau selon l'irradiation du sang, la composition du microbiote, ce que l'on mange, boit, ingère, absorbe, même à notre insu ; quand il y a les instincts naturels ; quand il y a cadre, relations, règles et codes sociaux ; quand il y a influences astrales, karma et prédestination, Volonté Divine et Providence, etc. ?... En fait, le souci, c'est que beaucoup d'êtres humains ne savent en réalité absolument pas où se situe le véritable "libre-arbitre", dans quoi il repose ni en quoi il consiste ; et cela provient également de la chute dans le péché originel ou héréditaire, de la soumission et restriction à l'intellect, au mental seul, et ainsi de l'enfouissement irrémédiable dans la matière la plus dense. Mais toi, mon ami(e), écoute et tu comprendras tout.

Le libre-arbitre de l'être humain ne repose pas dans son cerveau, dans son intellect, son mental, son vouloir intellectuel, ce dernier étant uniquement le produit du cerveau terrestre antérieur, étant donc soumis à tout ce qui subjugue inexorablement la matière la plus dense. Le véritable et authentique libre-arbitre de l'être humain, c'est-à-dire sa libre volonté, repose uniquement dans son for intérieur, dans son vouloir spirituel, dans son esprit, même encore inconscient au début de son périple. Mais tu comprendras peut-être mieux, mon ami(e), si je parle plutôt de "volonté intérieure". Cette expression parle d'elle-même et on peut plus facilement se représenter ce que cela est d'après ce qu'elle dégage. Le libre-arbitre, c'est la volonté intérieure, qui réside dans l'esprit humain, dans son noyau spirituel le plus intime, et qui concerne la vie véritable en lui, et non tout l'extérieur. Le libre-arbitre n'est pas le vouloir intellectuel, cette contrainte parfois violente et bornée exercée par le mental, qui n'est en fait que la volonté liée, asservie à la matière ; le libre-arbitre ne repose pas dans le penser, ni dans les pensées, ni dans le vouloir cogitatif ou vouloir des pensées, qui est encore trop dépendant de certains facteurs purement terrestres, extérieurs, et qui ne saurait en aucun cas être libre. - J'ai entendu une fois une bêtise qu'on m'a rapportée comme dite par une sorte de prétendu "chaman" des temps modernes, comme il y en a beaucoup, tellement, trop, d'ailleurs, malheureusement, dans le milieu dit "New Age", c'est-à-dire dans le milieu ésotérique, occulte, tout simplement parmi les gens qui croient qu'il n'y a pas que la matière brute et qui cherchent des explications et des réponses ailleurs que dans les dogmes rigides et tout faits des religions. Ce monsieur disait donc que nous avions davantage de libre-arbitre à l'heure actuelle. Or, cela est totalement faux, même si, en apparence, nous avons accès à tellement plus de choses, d'informations et de possibilités, puisque c'est même le contraire, d'où la douloureuse tension malsaine que beaucoup ressentent inconsciemment entre ces potentialités apparentes et la véritable capacité à vouloir librement. En réalité, la majeure partie des êtres humains est aujourd'hui tellement empêtrée dans les multiples fils du destin qu'elle a produits, qu'elle y est piégée, comme un animal dans un filet, et qu'elle est incapable désormais d'exercer le moindre libre-arbitre, entièrement soumise qu'elle est, comme toute créature, à tout ce qu'elle a produit dans l'Univers, conformément aux lois de la Création. -

Mais revenons au processus fondamental de base, qui est extrêmement simple. L'être humain émet, depuis son for intérieur le plus intime, sa volonté libre dans l'Univers. Cette volonté intérieure peut se manifester de différentes manières : elle peut ne rester que sous forme d'intuitions, de ressentis, émanant de sa vie intérieure, parfois à peine conscients au départ pour l'être humain lui-même ; il peut s'agir aussi, lorsque cela monte au cerveau (depuis le plexus solaire, via le système nerveux et le cervelet) et donc émerge à la conscience diurne, de pensées, de paroles, de sentiments, d'émotions, d'actions. - Nous verrons un peu plus loin pourquoi je fais une distinction entre tous ces termes, et à quoi cela correspond, sur quel plan exactement cela s'active. - Finalement, peu importe la nature, le genre, la forme, le plan, ce qui émane de l'être humain porte en lui de la vie, de l'énergie. Or, dans la Création tout entière, c'est une loi inexorable que celle de la conservation de l'énergie : rien ne se perd, rien ne se crée, tout se transforme ! Donc tout ce qui émane de lui, portant en soi de la vie et de l'énergie, prenant une forme correspondante sur le plan correspondant, selon ce que cela est, le quitte et part pour un immense périple à travers l'Univers, agissant conformément à son espèce, tout en demeurant toujours relié à lui comme par un cordon ombilical. Cette forme accomplit son parcours dans les différents genres de la Matérialité, conformément aux lois de la Création. Elle sera tout d'abord attirée par ce qui est en affinité avec elle (ou bien elle attirera à elle d'autres formes de même genre), conformément à la loi d'attraction des affinités. Peu importe ! Ainsi se créent des centrales de force, d'énergie, dans les plans correspondants, par affinité de nature et de genre, ainsi que de densité, selon la loi de la pesanteur, selon que cela est plus ou moins pur et lumineux, ou trouble et sombre. C'est ce qu'on appelle, dans le jargon ésotérique, des "égrégores". Et de ces centrales refluent les mêmes énergies, avec encore plus de puissance, du fait de l'accumulation, vers tous ceux qui y sont liés, volontairement au départ, même si c'est inconsciemment. Avec la modification énergétique des irradiations, causée par la fusion, engendrée elle-même par l'attraction entre les genres semblables, se produit une condensation, une cristallisation, et donc une densification, ce qui explique que cela puisse au final influencer un plan plus lourd, s'y manifester, dans une sorte de précipité plus dense, soit au travers d'événements extérieurs, soit, en dernier lieu, sur le corps lui-même. Le processus est tout à fait simple et trivial en soi ; pour donner une image, il en va un peu de même que d'une abeille qui quitterait sa ruche pour butiner à travers champs et reviendrait ensuite à son point de départ, forte du pollen accumulé.

Or, une fois que cela s'est accumulé, donc, cela revient justement à son point de départ pour s'y décharger, conformément à la loi d'action en retour ou de réciprocité des effets. Tout n'est que cycles ou cercles, la fin venant toujours rejoindre le et se souder au commencement. C'est de cela qu'il s'agit lorsque l'on parle de "karma". C'est aussi en conformité absolue avec l'image d'ensemble de ce grand processus que le Christ Jésus disait : "Ce que l'être humain sème, il le récoltera au centuple." Car, oui, la loi d'attraction des affinités opèrent, ce qui explique que les conséquences dépassent parfois de très loin les causes, en proportion, du fait de l'agglomération qui a lieu par attraction des genres semblables, raison pour laquelle, oui, beaucoup d'entre nous ont l'impression tout à fait juste de payer dix fois plus pour une petite faute commise antérieurement. Pourquoi, aussi ? Parce que les centrales de force les plus abreuvées d'énergie ne sont certes pas les centrales du pur amour secourable, des nobles aspirations, élans, idéaux, de la compassion, des vertus ou valeurs nobles et pures, de l'aspiration vers le bon, le beau, le bien, le vrai. Au contraire, celles qui reçoivent le plus d'énergie sont celles qui concernent tout ce qu'il y a de plus bas et médiocre, trouble, impur, sombre et lourd.

Voilà que tout s'éclaire devant toi et devient facilement compréhensible !

L'être humain dispose donc effectivement d'un libre-arbitre, mais dans sa volonté intérieure, autrement dit par sa vie intérieure, qui prend ensuite différentes formes. Il est libre au départ dans le choix qu'il fait de s'adonner à telle ou telle vibration, dans laquelle il va émettre et attirer (ou être attiré ainsi par) les affinités. Il donne donc naissance à quelque chose dans l'Univers, qui lui reviendra avec certitude, et qui participera à former un de ces nombreux fils du destin qu'il charrie avec lui, produits par l'infatigable métier à tisser de l'Univers, et qui va contribuer, d'une manière ou d'une autre, à former le vêtement qu'il devra porter, le véhicule dans lequel il sera incarné. Donc, oui, effectivement, sur le plan terrestre, l'être humain est contraint par de multiples choses, mais il n'est rien à quoi il n'ait auparavant fourni une base, aussi infime soit-elle. Et c'est là que réside le danger : dans la restriction à l'intellect, au mental, et donc à la capacité de compréhension de l'unique matériel. Il a ainsi perdu la voie de la conscience de soi et il n'est donc plus conscient de tous ces processus qui se déroulent en lui et autour de lui, constamment, à chaque heure, à chaque seconde. Imagine un peu : tu macères dans telle ou telle émotion, tu produis telle ou telle pensée, tu émets telle ou telle intuition. Cela prend immédiatement une forme. Telle un rayon magnétique, ta vie intérieure émane de toi vers la centrale d'affinité, pour s'en nourrir et la nourrir également, double relation nutritive parasitaire. Ce à quoi tu as donné naissance dans le monde, l'avorton que tu as ainsi engendré dans l'Univers, grandit en puissance, croît en force, et te quitte pour mener sa propre vie dans le Cosmos, créant divers remous, agissant sur d'autres êtres humains, et cela doit un jour te revenir, chargé de ce que tout cela aura accumulé, se manifestant jusque dans la Matérialité-Grossière la plus dense, soit par la contrainte d'événements extérieurs, en te mettant en contact avec un certain type de personnes, soit dans le corps lui-même, sous forme de divers désordres ou maladies. En s'enfouissant volontairement dans la matière, en devenant aveugle et sourd au grand Invisible, l'être humain s'est lui-même fermé le chemin de compréhension de tous ces mécanismes, et il peut effectivement ensuite se retrouver complètement ligoté, lié, piégé, englué, accablé, et incapable d'exercer la moindre volonté libre. Mais, de tout cela, nous sommes tous responsables. Responsables, mais pas coupables, attention ! La voie de la maturité spirituelle passe par la responsabilité plutôt que par la culpabilité, aliénante et asservissante, empêchant de déployer l'élan joyeux qui porte vers le haut exclusivement. Nous devons donc nous montrer infiniment plus vigilants quant à tout cela. Et, moi le premier, je peux te dire qu'ici, sur Terre, dans la matière, pris dans le tourbillon du monde et de la société actuelle, cela n'est certes pas du tout facile, ça semble même bien souvent impossible de le faire constamment, même s'il est envisageable d'y travailler au moins ponctuellement, régulièrement.

Il te sera également évident, chère amie, cher ami, que tout cela ne peut se dérouler au cours d'une seule vie terrestre, ce serait impossible, de tout condenser dans l'espace d'une petite vie terrestre. Où serait également la véritable bienveillance du Créateur, l'immense bonté patiente, longanime et pédagogique de l'Univers, si nous n'avions pas la possibilité de réparer, compenser, transformer, changer, etc. ?... Mais c'est aussi tout simplement le but de cette existence terrestre, de cette incarnation dans la matière : apprendre par l'expérience, en commettant certes ses propres erreurs, mais en ayant la possibilité de les corriger et d'en apprendre, pour grandir, croître et se développer, dans ces grands champs d'expérimentation que constitue le grand domaine des matérialités, de l'Univers, dans lesquels œuvre l'être humain tel un agriculteur, semant, cultivant et récoltant les fruits de son vouloir.

Ainsi, chaque être humain, dès avant sa naissance, traîne avec lui un nombre de fils ou de liens à peine croyables. Tout cela influe sur sa personnalité, son caractère, l'attirera vers les parents qui sont en affinité avec lui, avec le niveau social et les moyens d'action dans la matière qui lui correspondent, à l'époque qui, par les diverses circonstances extérieures, revêt tout ce qui est nécessaire à son évolution, etc. Quant à la génétique, eh bien, c'est encore un autre souci, un autre problème, de même que tout ce qui est de l'ordre des mémoires ou valises transgénérationnelles. Ton histoire familiale te renverra des choses qui sont en affinité avec ta dette karmique, tes devoirs cosmiques et spirituels pour cette présente incarnation, te permettant, en en prenant conscience à l'extérieur de toi, chez les autres, d'en prendre conscience à l'intérieur de toi-même, car c'est ainsi que cela fonctionne. - Oui, ce n'est pas agréable, je suis bien placé pour le savoir, notamment quand, par exemple, tu vois débarquer un voisin insupportable et absolument odieux qui te pourrit l'existence et que tu te demandes désespérément pourquoi, qu'est-ce que tu as fait pour mériter ça !... Tu vois, nous sommes ici-bas tous logés à la même enseigne et soumis aux lois de la Création, quel que soit notre statut ici-bas, dans le petit monde des êtres humains de la Terre, et quel que soit aussi notre degré d'évolution spirituelle. Aussi évolué et élevé sois-tu, rien n'empêche jamais que tu t'adonnes, ne serait-ce qu'un seul tout petit instant, à des vibrations troubles qui te causeront ensuite bien des désagréments. Mais, courage, vois-tu, je suis là pour te rassurer aussi, grâce à la force du bon vouloir et de l'aspiration inlassable vers le souverain Bien, nous pouvons dissoudre tout le négatif, n'engendrer que du positif, et je compte sur toi aussi pour m'apporter ton aide, ton réconfort, tes conseils, lorsque je trébucherai moi-même sur le chemin. Nous avons, en cela, tellement besoin les uns des autres, afin de nous entraider, de nous stimuler à bien vouloir et à vouloir le bien, de nous entraîner pour progresser, que c'est bien triste et malheureux de voir à quel point règnent entre les gens défiance, méfiance, animosité et agressivité. En se crêpant le chignon à longueur de temps, pour des broutilles terrestres, nous ne sommes pas près d'y arriver et de la gravir, cette échelle de l'évolution, cette montagne du développement spirituel. - Mais j'en reviens à la génétique : elle ne fait pas tout. Des facteurs génétiques hérités peuvent ne jamais s'exprimer ; inversement, des conditions extérieures peuvent aussi finir par inscrire leurs traces jusque dans l'expression de notre génome, comme l'explique aujourd'hui l'épigénétique.

Revenons à nos moutons. Il faut que tu sois aussi conscient du fait (et que tu ne le perdes pas de vue) que tous ces plans sur lesquels toutes ces choses prennent forme et agissent, constituent également des plans de séjour durables d'âmes désincarnées dans ce qu'on appelle l'Au-delà. Des âmes humaines, qui ont quitté cette Terre, et qui se débattent elles-mêmes au milieu de tout ce à quoi elles ont donné naissance ici-bas, ouvert la porte et tendu la main. C'est encore une fois pour cette raison qu'il est si important, primordial, crucial et salutaire, de développer sa conscience, et d'engendrer, de ne nourrir et de n'entretenir ensuite que du positif (même si ce n'est pas toujours évident ni possible), des intuitions et des pensées lumineuses, pleines d'amour et de bienveillance, comme des filins de sécurité, ancrés dans les hauteurs lumineuses, et qui nous tiennent dans la tourmente. (Et, je te rassure, moi-même, hier soir encore, je pestais contre le monde entier, contre l'humanité tout entière, à cause du comportement des gens, et je ne nourrissais certes pas des pensées très bienveillantes… C'est tout ! Nous sommes ainsi faits, cela fait partie de nous, inutile aussi de se faire violence à soi-même, accordons-nous le bénéfice de notre imperfection, soyons déjà bienveillants et pleins de compassion vis-à-vis de nous-mêmes, et faisons-nous grandir avec patience !)

Voilà donc, ami(e), en quoi consiste notre libre-arbitre et de quelle manière se développe ensuite notre destin ou karma, nécessitant de multiples vies, incarnations dans la matière, afin d'épurer peu à peu tout cela ! L'existence a donc bien un sens : celui de l'évolution et de la progression, non seulement matériellement, mais aussi, et surtout, spirituellement. Je n'ai fait que brosser encore une fois un tableau d'ensemble à grands traits, afin de pouvoir ensuite me pencher avec plus de précision sur ce qui m'intéresse, que je crois avoir reconnu et compris personnellement (au prix de bien des déboires expérimentaux) et que j'ai à cœur de partager avec toi. Rassure-toi, plus loin dans cet ouvrage, je te parlerai de l'une de mes principales sources d'inspiration, de savoir et de connaissance, à laquelle tu pourras toi-même t'abreuver, afin d'en savoir plus, plus en détail, et de mieux comprendre. Je te propose en attendant de faire une petite pause méditative afin de prendre conscience de tout ce à quoi nous donnons naissance, par inconscience et irréflexion, de tout ce qui émane de nous, et d'infléchir ainsi le cours des événements, pour générer autre chose dans notre bel Univers !

L'être humain et ses corps subtils - Les différents plans de la Matérialité-Grossière

Avant d'en revenir à l'être humain lui-même ainsi qu'à son activité dans la Création, il nous faut nous pencher avec davantage de précision sur ses différents corps subtils, ce qui va nous obliger à démembrer plus précisément aussi les divers degrés de la Matérialité-Grossière, en particulier, dégageant ainsi également une idée de l'activité qui a lieu sur chaque plan correspondant. Peut-être avais-tu déjà auparavant entendu parler de "corps subtils", "éthérique", "astral", "mental", etc. ? Mais sans jamais parvenir à t'en faire une représentation tout à fait claire, puisque tout ce qui traîne aujourd'hui sur le sujet est plus ou moins confus et flou, si ce n'est pas tout simplement faux. De cette manière, tu t'apercevras que les choses sont en elles-mêmes plus vastes et pas aussi évidentes que ne le croient naïvement bien des adeptes des sciences occultes, des chercheurs dans le domaine ésotérique, bref, tout ce que l'on a caractérisé aujourd'hui de "New Age". C'est seulement ensuite que nous pourrons véritablement étudier la façon dont l'être humain agit, et s'empêtre parfois, dans la matière. - Tu excuseras d'ailleurs, je l'espère, l'aspect quelque peu théorique, technique, et très condensé de cet exposé. Il me semble nécessaire d'en passer par là, de donner rapidement une vue d'ensemble sur ça, mais, rassure-toi, tu n'es pas non plus obligé d'y souscrire à 100%, de même que tu n'es pas tenu de tout retenir, il n'y aura pas d'interrogation écrite à la clé, donc, relax, profite simplement de la promenade et du panorama, ne retiens que ce que tu captes au vol et qui fait écho en toi ! -

A. **Esprit**
Noyau spirituel vivant de l'être humain
Germe d'esprit inconscient en devenir vers la conscience de soi
Siège de la conscience spirituelle et de la volonté intérieure

B. Enveloppes du même genre, de même substance que le grand Cercle des entités de la Nature

C. Enveloppes de Matérialité-Fine de l'Au-Delà

D. Enveloppes de Matérialité-Grossière de l'En-Deçà

A. Commençons tout d'abord, au centre, par son noyau animateur : il s'agit du germe d'esprit humain, du grain de semence spirituelle, le véritable "Je" de l'être humain, le point de départ et le siège ultime de sa conscience et de son intuition, c'est-à-dire de sa capacité à vivre intérieurement, à ressentir les choses et à émettre ainsi des intuitions, de vivants ressentis. Il s'agit d'une unité ("monade"), d'un tout refermé en soi et sur soi, qui est la source de toute sa vie intérieure, sa vie véritable. - Soit dit en passant, je ne pense absolument pas, comme le prétendent les adeptes du bouddhisme, qu'il n'y ait pas de "moi" propre individué, la perception d'êtres séparés ou non étant purement subjective et de nature purement énergétique, mais j'y reviendrai éventuellement plus tard. Selon moi, il y a donc bien un "Moi" individué, ce qui ne signifie d'ailleurs pas forcément qu'il soit indépendant, isolé ou séparé. - Cet esprit, ce noyau ou "Je" spirituel, qui constitue le trésor le plus précieusement intime en chaque être humain, se présente donc au départ sous l'apparence d'un germe informe, sans forme, car inconscient, c'est-à-dire non seulement non-conscient de lui-même, mais aussi de son entourage. Ce n'est que peu à peu, au fil des expériences vécues dans la matière, avec le développement de son "Je", et ainsi de sa conscience spirituelle, que se développe progressivement la forme humaine, à l'image des Originels-Créés, eux-mêmes créés à l'image de Dieu. Ainsi seulement entre-t-il dans la voie de l'authentique "humanité", mais pas avant. C'est enfin là aussi le siège véritable de l'authentique libre-arbitre, comme nous l'avons vu précédemment.

B. Ce noyau spirituel est ensuite, au cours de sa descente, comme déjà expliqué, enrobé de diverses enveloppes de la même substance ou essence fondamentale que ce grand Cercle dont proviennent toutes les entités de la Nature ainsi que les âmes animales. Ce point est de la plus haute importance si l'on veut comprendre bien des choses qui exercent leur contrainte sur l'être humain tant qu'il ne s'est pas éveillé et fortifié spirituellement. Il a donc en soi quelque chose qui présente une certaine parenté avec l'âme animale, sans qu'il s'agisse effectivement tout à fait de la même chose. Pour l'âme animale, cette substance qui se forme et s'isole, s'individualise, à partir de l'âme-groupe animale (mais qui ne conserve pas forcément ensuite son autonomie et peut se trouver, au terme de son périple dans la matière, réabsorbée par son âme-groupe d'origine), cette substance, donc, est son noyau animateur, son "anima", autrement dit son âme. Ainsi, dans la Nature, seules les formes mobiles indépendantes du lieu ont-elles véritablement une âme qui les anime, c'est-à-dire qui les met en mouvement. Pour l'être humain lui-même, il ne s'agit là que d'enveloppes, dont il se revêt, ne disposant pas de volonté ni de mobilité propres ; ce qui l'anime, même inconsciemment, c'est toujours son noyau spirituel. Pourtant, c'est bien aussi de cette même substance que procède la vitalité nécessaire à l'animation de la matière, à sa mise en mouvement, c'est ce que l'on observe dans la Nature, c'est ce qui pousse inconditionnellement tout, dans la matière, à la croissance et au développement, à vivre et survivre, à exister et se maintenir, à l'expansion et à la perpétuation. - C'est de là que provient la fameuse "volonté vers la puissance" ("Wille zur Macht") dont parle Nietzsche et qui se manifeste dans la matière la plus dense. - Et c'est aussi ce qui prend la main dans le développement de l'être humain (comme dans son comportement, d'ailleurs) tant que le germe d'esprit n'a pas suffisamment consciemment percé en lui. Autrement dit encore, tant que son "humanité" ne s'est pas suffisamment développée en lui, c'est son "animalité" qui prend le dessus et l'agit (volontairement transitif ici) en toute chose.

C. Le germe d'esprit humain pénètre ensuite dans la grande œuvre de la Matérialité, et se couvre tout d'abord d'étoffes de nature finement-matérielle. Il s'agit de la Matérialité-Fine de l'Au-delà "absolu" (domaine que les occultistes et ésotériques désignent, je crois, comme le plan "causal"), où tout n'est que vie en intuitions, en ressentis et en images, sans la même notion ni le même écoulement du temps que dans la Matérialité-Grossière, sans concepts limités préalables, sans pensées ni paroles. C'est là en effet que prennent forme en premier lieu ses véritables intentions (émanant de son vouloir intuitif) qui constituent les causes profondes de sa destinée, et c'est donc là aussi qu'il charrie tout un tas de fils karmiques provenant de ses différentes vies antérieures, trimbalant avec lui toutes les valises et émanations en images de ses vies passées, mais seulement de ce qui est vraiment vécu intérieurement de part en part. Cette matérialité-fine (ou matière "causale") en lui porte en effet la mémoire de ses différentes incarnations, et constitue une forme de continuité dans l'information d'une vie à l'autre, même s'il s'est détaché auparavant des différents plans de la Matérialité-Grossière. De même, elle porte également les images des possibles à venir qu'il s'est potentiellement préparés à lui-même sur le chemin qu'il emprunte, du fait de la loi d'action en retour. Elle peut également se manifester dans les rêves, toujours sous des formes imagées et symboliques, sans mots ni paroles ; c'est là aussi le vaste domaine de la psyché humaine profonde. Tout un monde en soi encore à découvrir !...

D. Finalement, enfin, l'âme humaine, c'est-à-dire le germe d'esprit humain pourvu de ses différentes enveloppes plus subtiles, dont les finement-matérielles, plonge au cœur de la

Matérialité-Grossière la plus dense, grosso modo de "l'En-deçà". C'est là qu'il va nous falloir opérer des subdivisions plus précises, si nous voulons y comprendre véritablement quelque chose, et surtout si je veux pouvoir ensuite te parler de ce que j'ai moi-même reconnu, car cela nécessite quelques prérequis.

Commençons simplement par diviser tout d'abord cette Matérialité-Grossière en trois domaines distincts : le plus fin, le moyen et le plus dense. Pour faire simple, le plus fin correspond au mental, au domaine plus volatil et éthéré de la pensée ; le moyen correspond à ce qu'on appelle communément l' "astral" - et, pour plus de simplicité, je reprends cette désignation, aussi parce qu'elle a sa raison d'être -, il s'agit en fait de tout le vaste champ de l'émotionnel ; et enfin, le plus dense correspond au physique, au corporel physique terrestre, physiquement visible et palpable pour tout un chacun. Il va de soi, d'après ce premier démembrement, que les pensées prennent forme sur le plan mental, que les émotions appartiennent au plan astral et qu'enfin les actes, les actions se manifestent dans le plan physique.

Il existe d'ailleurs une image développée dans les traditions ésotériques et kabbalistiques (je ne sais plus quelle source exactement, mais je te laisse le soin de chercher par toi-même...) pour décrire l'être humain incarné avec ses différents corps, et qui résume très bien le rôle et la place de chaque élément : celle d'un attelage, avec hôte, carrosse, cochet et chevaux. L'enveloppe protectrice la plus dense, c'est le carrosse, le corps physique ; les chevaux correspondent à l'émotionnel qui anime et met en mouvement tout l'ensemble, et donc à l'astral ; le cochet, qui oriente, dirige et conduit l'ensemble, c'est le mental, l'intellect, qui sert en quelque sorte de gouvernail dans l'existence terrestre ;

tandis que l'esprit, lui, la conscience véritable, n'est que l'hôte de tout cet attirail, dont il doit se servir comme d'un véhicule pour poursuivre sa route et aller là où il le désire.

Mais alors, me diras-tu, qu'en est-il de nos paroles ? Qu'en est-il aussi des âmes désincarnées liées à la Terre, des esprits frappeurs ? Qu'en est-il de l'énergie vitale qu'on appelle Qi en Chine, Prana en Inde, Ka dans l'Egypte antique, et de sa circulation dans les chakras et les méridiens ? Qu'en est-il de nos guides spirituels ? Qu'en est-il de l'influence des astres ? Etc. Eh bien, pour remettre tout cela à sa place, et dans le bon ordre, avec une juste vision des rapports et des interactions entre les différents éléments, il suffit de procéder à des subdivisions plus précises. Dans tous les cas, ne perds jamais de vue que tout se développe en fait constamment du haut vers le bas, du plus subtil vers le plus dense, que ce qui se manifeste physiquement de manière concrète n'est en fait que l'aboutissement de processus antérieurement plus subtils, par condensation et cristallisation.

Représentons-nous tout d'abord les choses sous forme schématique : imaginons, pour ces trois domaines, trois grands cercles imbriqués l'un dans l'autre, s'enchaînant du haut vers le bas. Chaque domaine comporte trois degrés ou plans distincts, ainsi chaque grand cercle en contient lui-même à nouveau trois plus petits. Mais, attention, ces grands cercles étant imbriqués l'un dans le suivant, ils présentent à chaque fois une partie commune à deux cercles successifs, autrement dit un petit cercle charnière qui constitue à la fois le plan inférieur d'un domaine et le plan supérieur du suivant. Pour plus de simplicité, reporte-toi au schéma ci-joint.

Les différents corps subtils grossièrement-matériels de l'être humain

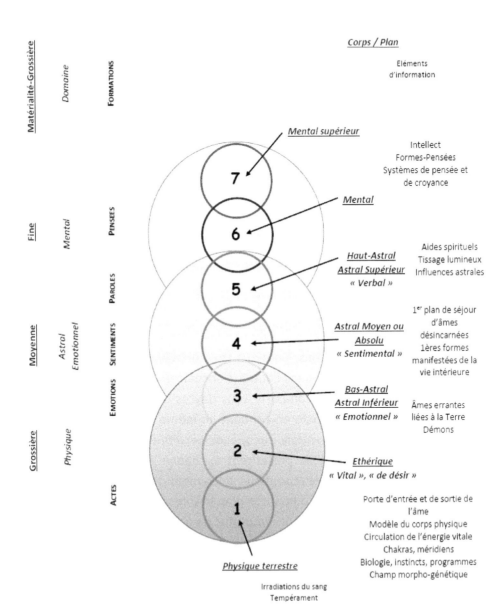

Matérialité-Grossière

Fine

Moyenne

Grossière

Domaine

Mental

Astral Emotionnel

Physique

FORMATIONS

PENSÉES

PAROLES

SENTIMENTS

EMOTIONS

ACTES

Corps / Plan

Eléments d'information

Mental supérieur
Intellect
Formes-Pensées
Systèmes de pensée et de croyance

Mental

Aides spirituels
Tissage lumineux
Influences astrales

Haut-Astral
Astral Supérieur
« Verbal »

1er plan de séjour d'âmes désincarnées
1ères formes manifestées de la vie intérieure

Astral Moyen ou Absolu
« Sentimental »

Bas-Astral
Astral Inférieur
« Emotionnel »
Âmes errantes liées à la Terre
Démons

Ethérique
« Vital », « de désir »

Porte d'entrée et de sortie de l'âme
Modèle du corps physique
Circulation de l'énergie vitale
Chakras, méridiens
Biologie, instincts, programmes
Champ morpho-génétique

Physique terrestre

Irradiations du sang
Tempérament

7
6
5
4
3
2
1

Passons donc en revue les différents plans grossièrement-matériels, ainsi que les corps correspondants, du bas vers le haut.

1. L'enveloppe la plus dense est le corps physique terrestre, correspondant lui-même au plan physique terrestre le plus dense. Celui-ci est constitué d'un squelette, de différents systèmes : nerveux, circulatoire, respiratoire, digestif, musculaire, de divers organes, de chairs, tissus, cellules, chromosomes, gènes, ADN. Bref ! Je ne suis pas du tout un spécialiste en anatomie ni en médecine, mais tu pourras aisément t'imaginer tout ce que cela représente. A noter cependant l'importance particulière du sang qui réchauffe et anime, joue sur les humeurs et le tempérament, lui-même influencé par l'équilibre acido-basique, le microbiote et donc l'alimentation, et qui forme surtout le pont d'irradiations nécessaire et indispensable vers le corps subtil immédiatement supérieur.

2. L'enveloppe suivante, du bas vers le haut, est ce qu'on appelle couramment le corps "éthérique", qui est véritablement, au niveau des irradiations, la porte d'entrée et de sortie de l'âme. Contrairement à ce que certains pensent à tort, ce n'est pas un "double" du corps physique. Non, en réalité, il s'agit exactement du contraire, ce qui est de la plus haute importance. Le corps éthérique est en effet le modèle du corps physique ; c'est d'après lui que se forme ce dernier. C'est le siège de ces informations qui vont servir à la formation du corps physique terrestre. C'est donc là aussi le siège de la biologie véritable et des instincts, ces "pulsions-programmes" naturelles, qui gèrent l'organisme de survie que nous sommes, dans lequel nous sommes incarnés. D'ailleurs, pour expliquer le comportement encore si mystérieux des cellules

(qui se forment, vieillissent plus ou moins, dégénèrent ou pas, sont éliminées ou pas, et meurent, sans qu'on sache encore tout à fait pourquoi ni comment), on parle de champ "morphogénétique", afin de désigner ce qu'on suppose exister et dont on suppose que c'est cela qui "informe" ("met en forme") la matière. Eh bien, tout cela relève du corps éthérique ! C'est tout simplement là aussi, enfin, que circulent les énergies vitales (avec méridiens et chakras), qu'on désigne par les mots "Qi", "Prana" ou "Ka", et qui permettent d'embraser la matière la plus dense et de former ainsi un pont solide entre l'âme humaine (l'esprit humain recouvert de ses différentes enveloppes subtiles) et le corps physique terrestre, parcouru et embrasé encore à son tour par l'irradiation sanguine. Sans cet intermédiaire, sans cette énergie vitale qui procède de la Nature et qui embrase toute la matière, s'activant plus particulièrement dans le plan éthérique, il manquerait une étape indispensable, un pont, un chaînon, un instrument, dans le cours du processus, sans lequel l'âme humaine, c'est-à-dire le germe d'esprit humain revêtu de ses corps subtils, ne pourrait habiter et animer ce corps physique terrestre bien trop lourd, opaque et dense. A noter que ce plan n'est pas un plan de séjour longue durée d'âmes désincarnées, ce n'est qu'un espace transitoire. En effet, lorsqu'a lieu la mort terrestre, l'âme se dégage du corps physique, elle entraîne alors avec elle, hors du corps physique, le corps éthérique, qui reste cependant très fortement, plus fortement, lié, attaché au corps physique. Comme elle aspire à poursuivre malgré tout son évolution, d'une manière ou d'une autre, elle s'en détache finalement aussi pour pénétrer dans le plan suivant. Ainsi le corps éthérique demeure-t-il à proximité du corps physique, et c'est la décomposition du corps éthérique, dans le plan éthérique de la Terre, qui entraîne à son tour seulement la décomposition du corps physique terrestre, car le corps éthérique seul est porteur de l'information qui maintient les différents éléments constituants en forme. Or, plus l'âme est liée à la Terre, plus elle s'accroche convulsivement à la matière, plus denses seront ses enveloppes (formées de telle manière qu'elles puissent permettre l'accomplissement de son désir intérieur). Cette densité plus importante peut malheureusement parfois former le pont pour le ressenti de tout ce qui touche le corps physique. Ainsi l'âme peut-elle non seulement souffrir de l'incinération de son corps physique, mais elle peut aussi ressentir douloureusement les lents effets de la décomposition naturelle du corps physique. - Se faire enterrer ou incinérer, à chacun de choisir en son âme et conscience. L'un comme l'autre, cependant, peuvent susciter une réelle douleur pour l'âme qui vient de quitter le plan terrestre, si elle y est encore accrochée, alors que, pour une âme lumineuse qui aspire à s'élever au-delà de l'emprise terrestre, cela est absolument exclu, qu'il s'agisse d'enterrement ou d'incinération, elle s'est déjà échappée très loin quand tout cela arrive. Il en va de même avec le prélèvement autorisé d'organes, qui peut constituer une bonne action et sauver des vies. -

3. Le plan suivant est un plan particulier, tout simplement parce qu'il constitue le plan d'intersection entre le domaine physique et le domaine astral, il appartient donc en quelque sorte aux deux domaines et présente des particularités propres aux deux. C'est donc le premier plan subtil, de Matérialité-Grossière moyenne, dans lequel peuvent

éventuellement séjourner des âmes désincarnées, mais qui ressemble encore au plan physique terrestre, auquel il est lié et superposé, appartenant toujours au champ d'influence du domaine physique et du plan terrestre. C'est le plan de l'ainsi dénommé "bas-astral" ou "astral inférieur", dans lequel pénètre l'âme humaine avec son corps astral inférieur, qui est, cette fois-ci, son écorce extérieure la plus dense. Tu l'auras deviné, sans doute, comme c'est le premier plan subtil, encore lié au plan physique terrestre, auquel il ressemble (parce qu'il a servi de modèle préalable à sa formation, via le plan éthérique), c'est donc là que séjournent les âmes liées à la Terre, par quelque circonstance tragique, soit parce qu'elles s'accrochent obstinément aux biens et plaisirs terrestres, à cause d'un quelconque penchant, soit parce qu'elles demeurent encore liées au plan terrestre par quelque dramatique événement. Sans parler de meurtres, il peut s'agir d'événements douloureux, de circonstances tragiques, ou bien plus trivialement d'âmes qui n'ont pas encore réellement pris conscience de ce qu'il leur était arrivé, du fait qu'elles sont terrestrement mortes et qu'elles ont quitté la Terre, ce qui va souvent de pair aussi avec le reste. Ces âmes liées à la Terre peuvent être d'ailleurs aussi bien victimes que bourreaux, et peuvent effectivement en vouloir aux vivants, si ce n'est à des personnes précises. Dans tous les cas, ce plan est un des plus dangereux. En effet, sauf exception, il ne s'y trouve que des intelligences limitées, qu'il serait imprudent d'écouter aveuglément, auxquelles il ne faut surtout pas chercher à tendre la main, par des jeux comme les tables ouija ou autres formes de spiritisme, channeling ou méditation visant à s'ouvrir à ces plans de l'Au-delà. Car une fois le pont levis volontairement levé dans la carapace, dans le mur de protection de la conscience diurne incarnée, une fois la main tendue, cela s'accroche, et éventuellement squatte énergétiquement, parasite, vampirise et pollue, cause nombre de désagréments, parfois jusqu'aux accidents les plus graves. C'est également sur ce plan que se forment nos émotions, ces mouvements énergétiques de l'âme et du corps, mus par des événements extérieurs (je reparlerai plus loin de leur formation). C'est là encore qu'agissent ceux qu'on appelle des "démons" et autres "entités", qui n'ont en fait rien de très effrayant quand on connaît leur origine et leur nature véritables ; ils ne peuvent en aucun cas subjuguer un quelconque être humain, encore moins le contraindre à quoi que ce soit, puisqu'ils sont en réalité eux-mêmes produits par le vouloir intuitif de l'être humain. C'est enfin aussi le plan du bas-astral qui forme le vaste champ d'incubation et d'épandage de tout l'émotionnel de l'humanité. Les émotions se regroupent ici par affinité, formant les premiers "égrégores", du bas vers le haut, ou centrales d'énergie émotionnelles, reversant de là des énergies similaires sur tous ceux qui y sont connectés, les parasitant et les nourrissant en même temps, comme par un cordon nutritif, les influençant fortement dans ce qu'ils peuvent éprouver. Tout cela va également de pair avec les phénomènes addictifs en tous genres, qu'il s'agisse de tabac, d'alcool, de drogues, de sexe ou d'émotions fortes en général, voire même tout simplement de télévision... - Tu vois, mon ami(e), la prudence est de mise, et savoir tout cela te permettra d'être davantage conscient(e) de certains processus, vigilant, de mieux t'en préserver, te protéger, afin de ne pas baigner dans des énergies troubles. -

4. Le plan suivant est le plan de l'astral moyen ou absolu, appartenant à la Matérialité-Grossière moyenne, constituant en quelque sorte le centre ou plan central du grand domaine de l'émotionnel. Ce plan-ci est complétement détaché du plan physique terrestre le plus dense ; ainsi les âmes qui y séjournent ne sont-elles plus liées à la Terre, mais ont, depuis leur mort, c'est-à-dire leur séparation d'avec le corps physique terrestre, pris le large avec tout ça pour poursuivre leur évolution. Elles sont alors pour la première fois confrontées à ce à quoi elles ont donné libre cours en elles-mêmes, que cela soit en bien ou en mal ; autrement dit, elles retrouvent là ce dans quoi elles vivent, ce qui vit en elle, leurs sentiments, ce à quoi elles ont donné forme, le précipité plus dense des pensées et paroles qu'elles ont nourries ou bien encore les émanations les plus éthérées et élaborées de leurs actions sur Terre, toutes ces formations qui ont façonné avec le temps leur propre réalité, constituant ainsi la base même des mises en scène (comme au théâtre) auxquelles elles s'adonnent ici sans retenue, comme si elles étaient encore sur Terre. J'ai qualifié ce plan de "sentimental" et je me dois de le justifier ici, même si ce n'est pas évident d'expliquer des nuances aussi ténues, des processus aussi vivants et multiplement ramifiés. Nous pénétrons donc ici dans un champ appartenant toujours au grand domaine de l'émotionnel, mais un émotionnel moins physique, qui trouve moins son origine dans le physique que dans le mental, d'où l'expression de "sentimental" ; c'est effectivement un émotionnel plus élaboré, qui influence la vie affective, sentimentale de l'être humain. La charnière à laquelle il se forme en fait, ce "sentimental", se trouve juste un degré plus haut, sur le plan astral supérieur, à la frontière entre mental

et émotionnel, car c'est là, sur ce plan intermédiaire de transition, que le mental pénètre dans et agit sur la sphère de l'émotionnel. Mais, même si cela concerne aussi le prochain plan subtil, je m'en vais te l'expliquer ici, c'est plus approprié. Le "senti-mental", au départ, c'est quand les pensées jouent avec ce qui est senti, ce que leur fournissent, en guise d'informations, le corps, les sens, les instincts, les pulsions ainsi que les émotions, et que le mental, en élaborant tout cela plus avant, influe ainsi en retour sur la vie émotionnelle, affective, de l'être humain, avec toutes les formes que cela peut engendrer. Or... le "senti ment" !... C'est-à-dire qu'il ne s'agit pas de la réalité, il ne s'agit pas non plus de la réaction brute du corps, du cerveau, face à des circonstances extérieures, dans l'émotion, poussant ainsi directement à l'action, mais il s'agit d'une construction mentale qui influe sur la vie affective et émotionnelle, et, émanant du mental, elle ne provient pas de la réalité, mais de la perception ou conception qu'on en a. C'est donc le premier plan subtil sur lequel l'être humain retrouve véritablement et uniquement tout ce qu'il s'est formé finalement pour lui-même. Et cela peut prendre des années, voire beaucoup plus, des dizaines ou des centaines d'années, avant qu'il n'en prenne conscience et ne s'en détache pour poursuivre son évolution. Entre-temps, il peut de nouveau être attiré par la vie terrestre et se réincarner sur Terre, rajoutant ainsi une couche karmique à ce dans quoi il était déjà empêtré, sans s'en être libéré au préalable. - Sans vouloir t'inquiéter, je te laisse le soin de te représenter ce que cette notion de "karma" peut avoir d'effrayant et d'asservissant pour des êtres qui n'en ont pas conscience et qui n'ont jamais fait l'effort de s'en libérer pour s'élever vers le haut. - Il peut donc s'écouler des siècles entiers avant que l'être humain ne se détache réellement du terrestre et ne poursuive son évolution en s'acheminant plus haut ; et il court entre-temps toujours le risque d'être entraîné plus bas, s'il ne se ressaisit pas pour entamer son ascension vers la Lumière.

5. Passons maintenant au plan du haut-astral. Il s'agit là encore d'un plan charnière, cette fois-ci entre le domaine mental et le domaine astral-émotionnel. Nous trouvons ici, pour la première fois, des intelligences plus évoluées et plus claires : il s'agit de ces âmes humaines qui se sont enfin éveillées un peu depuis leur mort terrestre, se détachant ainsi progressivement de tout le terrestre, et qui ont entamé ici leur ascension vers le haut, vers la Lumière. C'est là donc aussi que s'articulent pensées et émotions, en sentiments, qui précipitent ensuite pour se former plus bas, dans le plan astral moyen ou absolu dont nous venons de parler. Autrement dit encore, le mental et l'émotionnel s'articulent et précipitent à partir de là dans le plan suivant, l'astral moyen ou absolu, se formant en sentiments, influençant la vie émotionnelle-affective de l'être humain. - Au risque de me répéter encore, imagine un peu ce que cela peut avoir d'aliénant et d'asservissant ; reconnaître tout ça et s'en affranchir par la voie du développement de la conscience est de la plus haute importance, afin de retrouver sa véritable liberté fondamentale ! - C'est également sur ce plan que prennent forme nos paroles, des paroles qui ont ici, comme la musique et les sons, une influence très forte sur nos émotions, nos sentiments. Enfin (et nous y reviendrons en détail plus tard, je ne sais pas où ni quand exactement, mais j'en reparlerai, c'est sûr), c'est là que s'activent, d'une part, la part la plus proche

de notre guidance spirituelle dans l'Au-delà, mais aussi ces fils lumineux qui descendent d'en-haut, par tout une chaîne d'esprits et d'entités qui en sont les médiateurs et médiatrices, et qui correspondent à différentes vertus, qui peuvent nourrir, selon nos besoins et dispositions intérieurs, différentes qualités en nous, comme la patience, le courage, l'héroïsme, la bonté, la créativité, etc. Quant à la désignation d' "astrale" pour ce domaine, tu pourrais légitimement te poser la question du "pourquoi ?" et te dire aussitôt que, oui, c'est en rapport avec les astres et l'astrologie, et tu aurais tout à fait raison. Mais n'allons pas trop vite en besogne, surtout que toute cette vie foisonnante ne se laisse pas facilement délimiter, puisque tout s'influence réciproquement et s'imbrique mutuellement, et que chaque forme, par accumulation et condensation, peut se cristalliser, se précipiter ensuite, sous une forme plus dense, dans le plan suivant, du haut vers le bas. Oui, les configurations astrales, autrement dit astrologiques, conditionnent l'incarnation et l'entrée dans la matière, l'existence terrestre ; les rayonnements des astres forment les rails sur lesquels s'avance l'âme en instance d'incarnation et collaborent à la formation du vaisseau, du véhicule dans lequel l'âme humaine parcourra l'existence terrestre ; ils forment pour lui l'astral, c'est-à-dire la Matérialité-Grossière moyenne, en lui, qui conditionne et forme à son tour le corps éthérique, modèle du corps physique. C'est ainsi que le karma, mais aussi notre vie intérieure, pénètrent, d'une manière progressive et naturelle, de degré en degré, dans la matière la plus dense, jusque dans le corps physique terrestre lui-même.

6. Pénétrons plus avant dans le domaine mental. Nous parvenons ainsi sur le plan du mental absolu ou inférieur. C'est l'activité du cerveau antérieur qui génère les pensées, ces pensées qui constituent à leur tour la base du mental, du plan mental que s'est formé l'être humain, où il retrouve plus tard ses propres pensées, ses croyances, ses représentations et conceptions. Elles peuvent alors, si elles sont fausses, se présenter devant lui comme d'infranchissables et insurmontables barreaux, qui entravent sa progression vers le haut, tant qu'il n'a pas procédé à un retour sur lui-même pour modifier ses propres conceptions, ses croyances, ses représentations du Réel. (D'où l'importance de s'attacher davantage à l'esprit plutôt qu'à la lettre de la loi, c'est-à-dire aux notions de vérité intuitivement ressenties, plutôt qu'à des concepts intellectuels, mentaux, trop rigides et étriqués ; cela relève de la supériorité de la compréhension intuitive sur les finasseries et formalismes de l'intellect.) C'est donc là que prennent forme les pensées et que s'activent ainsi les formes-pensées, qui se rassemblent par affinité et se regroupent, donnant à leur tour naissance à d'immenses centrales d'énergies ou égrégores, nourrissant et influençant tous les êtres humains qui leur sont reliés, de par leurs propres pensées, et qui les nourrissent, à l'instar d'une parfaite relation parasitaire, les incitant à produire toujours plus de pensées similaires, les asservissant ainsi. C'est de là que proviennent également les influences parfois singulières et très étranges que l'on discerne sur la pensée collective, le soi-disant "inconscient" collectif, qui exerce son pouvoir sur des peuples entiers. (Inutile de chercher plus loin en élaborant des théories du complot quelque peu fantasques, et totalement invraisemblables, parce que, comme le dit mon petit frère,

même s'il y a de réelles tentatives de manipulation des masses dans ce sens, c'est sans compter un élément fondamental d'une importance capitale qui vient constamment tout pervertir : l'incompétence humaine, qui rend toute prévision impossible, toute manipulation difficile, du fait de l'instabilité du terrain humain. Autant faire du rodéo et essayer de monter un cheval fou sans se laisser désarçonner.) Petite remarque supplémentaire, soit dit en passant : Certains confondent allègrement aura et corps subtils. Ce sont pourtant deux choses différentes, même si elles sont liées. On parle à tort de "corps énergétiques". Or, il ne s'agit pas en réalité de corps "énergétiques", mais de corps matériels, plus finement matériels, mais encore matériels, appartenant plus précisément à la Matérialité-Grossière, faits d'une substance d'un autre genre matériel, mais elle-même parfaitement solide et tangible pour chaque genre et degré de densité correspondant. Et, oui, ces corps émettent des irradiations, leurs liaisons entre eux aussi, également selon ce qui est nourri sur chaque plan, et tout cela génère l'aura de l'être humain, que certaines personnes plus ou moins voyantes peuvent entrevoir, elles y distinguent même également parfois des couleurs. De même, ce corps mental a son irradiation nettement gonflée tant que l'âme humaine est incarnée dans un corps terrestre et qu'elle dispose ainsi du cerveau terrestre, produisant le mental et les pensées. Une fois mort, c'est-à-dire séparé du corps physique, l'être humain n'est plus asservi par le cerveau, mais, sur ce plan du mental, il retrouve cependant toutes les formes qu'il a conçues sur Terre et auxquels il demeure lié : ses propres formes-pensées. Difficile ensuite de s'en dépêtrer ! C'est sur ce plan seulement (et sur tous les plans plus denses qui en sont ensuite la reproduction) qu'existe un langage parlé, fait de mots, c'est-à-dire de concepts nettement déterminés et ainsi limités ayant adopté des formes figées.

7. Pour finir, le plan du mental supérieur constitue le dernier plan de la Matérialité-Grossière, du bas vers le haut, et forme presque déjà en lui-même un pont, une transition vers la Matérialité-Fine. En effet, les notions ou concepts existant jusque-là dans la Matérialité-Fine, du haut vers le bas, uniquement sous forme d'images intuitivement vécues et ressenties intérieurement, composées de formes, de couleurs, mais aussi de sons, ces notions ou concepts, donc, se concrétisent plus densément en pénétrant dans la Matérialité-Grossière la plus fine. Cette façon de voir les choses, propres à chaque pays, à chaque peuple, d'ailleurs, constitue une sorte de filtre et colore la façon de penser ainsi que le langage qui en découle. Je ne suis pas encore parvenu à m'en faire une représentation précise, mais je mettrais en relation le plan mental supérieur avec le cerveau droit, plus "intuitif", créatif, global, la pensée plus abstraite, poétique, symbolique, et le plan mental inférieur avec le cerveau gauche, plus analytique, concret, la pensée plus concrète, pragmatique et mathématique (même si, en réalité, c'est le cerveau droit qui est davantage en prise avec l'espace-temps et qui relationne, alors que le cerveau gauche, lui, est capable de tourner en boucle dans ses théories, dans le vide, déconnecté des autres et de la réalité). Les âmes humaines qui séjournent sur ce plan peuvent ici se défaire tranquillement de tout ce qui pourrait encore les retenir dans la Matérialité-Grossière périssable, se préparant ainsi pour cette nouvelle aventure que représente leur périple à venir à

travers la Matérialité-Fine, le domaine par excellence de la vraie vie intuitive intérieure de l'âme.

Bref ! Je ne suis pas voyant, ni médium, ni énergéticien, il m'est par conséquent difficile d'en savoir véritablement quelque chose avec certitude, puisqu'il ne s'agit pour moi que d'une vision intuitive, intérieure. Les véritables et bons voyants, médiums, énergéticiens et radiesthésistes pourront, en tout cela, sûrement, mieux savoir et apporter le concours de leur expérience directe et de leur pratique pour préciser et étayer ces choses qu'il me semble avoir reconnues dans les grandes lignes seulement, mais avec certitude cependant, non pas dans les détails, mais dans les rapports et relations d'ensemble.

Tu vois, chère amie, cher ami, tout cela : le Royaume Purement-Spirituel désigné comme le Paradis et qui constitue à la fois l'origine et le but de l'esprit humain, le grand Cercle de la Nature qui embrase, réchauffe et anime, met en mouvement, forme et façonne la matière, l'immense domaine de la Matérialité-Fine ainsi que tous ces vastes plans de la Matérialité-Grossière, l'être humain l'appelle brièvement et naïvement l' "Au-Delà", il met tout dans le même panier, alors que tout cela est bien différent l'un de l'autre. Il s'imagine en outre avoir atteint quelque chose d'élevé lorsqu'il perçoit le plan du bas-astral, et les âmes qui y séjournent, liées à la matière, ou lorsqu'il reçoit des communications depuis des "guides" se situant sur le plan du haut-astral, alors que toutes ces choses font encore partie de la matière, et demeurent périssables, tandis que c'est seulement lorsqu'il se sera affranchi de l'emprise terrestre, de tous ces plans, de la plus fine matérialité, qu'il pourra remonter dans les plans spirituels de la Création et goûter ainsi aux véritables délices de l'Eternité, à la félicité qui emplit les champs des bienheureux, dans l'éclat de la Lumière Originelle.

Il me faut donc préciser certaines choses afin d'éviter des confusions et des erreurs qui pourraient surgir dans la compréhension.

J'attirerais tout d'abord ton attention sur le fait que tous ces plans, notamment ceux de la Matérialité-Grossière, qui sont peut-être plus nombreux que ce que tu aurais pu imaginer au départ et sur lesquels s'activent diverses formes que nous avons pu engendrer, sont des plans de séjours d'âmes désincarnées. Il est important d'avoir une bonne représentation de tout ça pour comprendre ce qui nous arrive parfois, car bien des choses, aussi incompréhensibles qu'elles puissent paraître de prime abord, trouvent leur explication dans notre rapport au grand Invisible, en nous et tout autour de nous-mêmes. N'aurais-tu pas par exemple des douleurs ou contractures dans le dos, à tel ou tel endroit, qui seraient dues au fait que tu as ingéré certaines substances, et que ta façon de penser ou de ressentir les choses a constitué un point d'accroche particulier pour une formation quelconque de l'autre côté ou bien carrément une âme désincarnée, qui te parasite et te vampirise ainsi ? !... Médiumnité et énergétique, d'une part, psychologie et travail sur soi, d'autre part, se complètent ainsi, sont deux pans d'une même réalité, comme on peut le voir déjà dans l'ethnopsychiatrie, notamment dans les pratiques qui allient chamanisme et psychanalyse, travail sur les "esprits" et sur l'inconscient. En effet, tu peux très bien avoir quelque chose à "dégager" ou à "nettoyer", mais auquel tu auras toi-même fourni à la base un point d'accroche en toi, par une pensée, un sentiment, une émotion, une blessure psychologique ou une problématique karmique, transgénérationnelle, bref, tout cela est intimement lié, agissant l'un sur l'autre de façon réciproque, s'influençant et se stimulant mutuellement. En guise d'exemple théorique, une pathologie physique peut être en même temps en rapport avec une "dette" karmique, avec une âme désincarnée liée, parmi les ancêtres de la personne, ainsi qu'avec un travail psychologique à faire sur soi, sur la nature de ses pensées, sentiments ou émotions. Je te laisse le soin de réfléchir à tous ces processus.

D'ailleurs, à ce propos, rien ne sert de "nettoyer" ou de "dégager" des choses sur ces plans subtils de la Matérialité-Grossière (même si cela peut, il est vrai, aider temporairement à desserrer un peu l'étau et sortir un peu la tête de l'eau pour voir autre chose et mettre autre chose en place...), si cela n'est pas auparavant nettoyé ou dégagé dans la Matérialité-Fine (ou matière "causale"), c'est-à-dire à un niveau plus intime de l'âme, de la volonté intérieure, et intégré également dans le corps, ainsi que dans le fonctionnement du mental, du cerveau, car sinon cela reviendra, émergera, se reformera et se manifestera de nouveau, s'alimentera sans cesse, d'où la nécessité aussi d'un travail sur soi, éventuellement de nature psychologique ou psychanalytique, quand c'est nécessaire.

Mais la chose essentielle la plus importante à comprendre, c'est que, d'une certaine manière, finalement, ici-bas, sur Terre, comme dans les plans de l'Au-delà, comme dans tous les plans matériels, d'ailleurs, nous ne vivons pas dans une véritable Réalité objective (la Nature mise à part), mais dans une sorte de "matrice" (quasiment comme dans le film du même nom...), où ce qui prend forme extérieurement n'est finalement qu'une illusion bien réelle qui provient de nous. Un royaume entier d'ombres et de chimères, la grotte du banquet de Platon ! Nous vivons ainsi uniquement au milieu de nos œuvres, même ici sur le plan physique terrestre, appartenant en apparence seulement à la réalité objective concrète. Autrement dit encore, même si nous vivons tous ici sur Terre, nous ne vivons pas en réalité intérieurement les mêmes choses, ni dans les mêmes espace-temps ! Nous nous promenons, d'une certaine manière, dans des couloirs karmiques, avec parfois des baies vitrées qui nous permettent de voir autre chose, de voir les autres, mais nous restons prisonniers en quelque sorte du couloir que nous nous sommes créé, du chemin que nous nous sommes tracé, des rails que nous suivons, tant que nous n'en changeons pas en nous modifiant nous-même ou tant que nous n'ouvrons pas volontairement une porte, une brèche dans ces murs. (Malheureusement, à l'heure actuelle, tout cela est considérablement bouleversé par la montée écumante de la médiocrité provenant des bas-fonds et par la confusion des degrés d'évolution et des strictes affinités, ce qui fait que, de plus en plus, n'importe qui peut se retrouver brutalement confronté à n'importe quoi, de façon totalement disproportionnée, voire injuste !...)

Enfin, tous ces plans, qui n'appartiennent encore qu'à la Matérialité-Grossière, j'insiste, dont toutes les formes acquises sont périssables, constituent aussi les domaines dans lesquels des irréfléchis s'aventurent, les prétendus "initiés" de maintes sectes et loges, de différents courants ou regroupements occultes ou ésotériques, les soi-disant "magiciens", "sorciers" et autres "chamans", des magnétiseurs, énergéticiens ou radiesthésistes, ceux qui pratiquent les "sorties astrales" (comme s'il s'agissait d'une sortie touristique…) ou bien encore le spiritisme, la médiumnité et son pendant moderne, le "channeling". Tous ces gens-là pataugent cependant dans un univers fait d'illusions de réalité, s'ébattant au milieu de leurs propres formations, des formations de leur propre imagination, qu'ils prennent à tort pour la réalité objective véritable, d'où les nombreuses erreurs qui ont cours dans ce domaine. Il est extrêmement difficile à un esprit inexpérimenté et non véritablement sachant de discerner la vie réelle, avec l'activité immuablement logique et naturelle des lois de la Création, de ce qui provient de l'être humain lui-même, de ses représentations, formations, rêves ou fantasmes, des mises en scènes auxquels il s'adonne sans retenue dans l'Au-Delà. C'est la raison pour laquelle il était important de tracer un fil conducteur à travers tout ça. De même, tous les êtres apparemment plus lumineux qui vivent en ces plans et peuvent parfois se donner à connaître aux êtres humains incarnés sur Terre, ne sont pas pour autant tellement plus renseignés, sachants, initiés et sages, avancés, évolués ou élevés que cela, puisqu'ils ne connaissent que ce qui s'inscrit dans les limites de leur propre plan ou degré d'évolution respectif. Et tout cela fait encore partie de la matière périssable, de la Matérialité-Grossière, même pas de la Matérialité-Fine ; combien sommes-nous loin encore des plans du Spirituel-Eternel ! Tous ces "maîtres ascensionnés" du "channeling", pendant moderne du spiritisme, ne sont en réalité pas montés si haut que ça, que leurs enseignements soient à prendre comme paroles d'évangile, en tout point, au pied de la lettre, aussi bonnes et nobles que soient d'ailleurs leurs intentions. Y a-t-il, dans ce qu'ils disent, autre chose que ce qui te conforte dans ta propre représentation des choses, quelque chose qui te dérange positivement, t'incite à te dépasser, à avancer et à progresser humainement et spirituellement ? Cela seul devrait être le critère de valeur de ces si nombreuses, foisonnantes, et quasiment toutes aussi insipides les unes que les autres, communications qui envahissent notamment Internet, quand ce n'est pas malheureusement aussi l'offre littéraire. A quoi cela peut-il servir en outre de vouloir pénétrer de force dans un domaine qu'il n'est pas encore l'heure de découvrir ? ! La curiosité malsaine et la volonté d'explorer peuvent se venger amèrement. Tu auras bien le temps de t'en soucier le moment venu… En attendant, vis pleinement ta vie sur Terre, elle requière toute ton attention ainsi que toute ton énergie.

Seul le Sage, qui a devant son œil intérieur la vision du déroulement de tous les processus dans l'immense Création, par un authentique savoir spirituel, peut faire la part des choses en tout cela, et démêler le faux du vrai. Dans tous les cas, mon ami(e), ne perds pas ton précieux temps avec tout ça, ne te laisse pas embourber ni engluer dans ces bourbiers infectes, ces marécages putrides, aux confins de la Matérialité-Grossière, et poursuis allègrement ton ascension intérieure, sans te laisser piéger par la chausse-trappe de la vanité, qui fait de toutes ces choses des pièges, des filets, comme de jolies plantes vénéneuses qui se referment voracement sur le malheureux insecte qui aura été séduit par leur parfum !

La véritable et authentique voie de l'évolution spirituelle et de l'épanouissement humain ne passe pas par toutes ces broutilles insignifiantes qui demeurent sous l'emprise terrestre, restent asservies à la matière et ne conduisent que dans les bas-fonds de l'Au-Delà.

Rassure-toi donc, mon ami(e), vis-à-vis de toutes ces choses, reste simple et clair, pragmatique, détendu et plein de joie et d'humour, ancre bien tes deux pieds sur le sol, dans la matière, dans la Terre, passe du bon temps avec tes proches, débouche-toi une bonne bouteille de vin, mange un bon fromage avec du bon pain ou bien fais-toi plaisir avec une bonne pâtisserie. Il n'y a pas lieu, en 6ème, de s'occuper de ce qu'on enseigne seulement à la fac, de même la vie sur Terre doit être pleinement vécue dans ce qui la constitue intrinsèquement, certes sans se laisser totalement subjuguer, sans perdre de vue l'horizon et le relief, mais sans non plus se rendre malade avec ce qui vient après seulement, quand ce n'est ni le moment, ni ton job.

L'ascension spirituelle

Il ressort de tout cela, mon ami(e), que la véritable ascension spirituelle ne passe pas nécessairement par toutes les connaissances et pratiques indispensables pour aborder l'Au-Delà, au contraire, c'est en s'en passant fort bien qu'on peut le mieux progresser. Même si tu as besoin à l'occasion de l'aide d'un magnétiseur, d'un énergéticien ou d'un chaman, réellement sérieux et efficace, ou même si certaines personnes y sont confrontées de leur vivant, pour y découvrir des choses et les transmettre à leurs co-êtres humains, ou encore y opérer de manière efficiente, parce que c'est leur karma et leur mission, cela n'est pas valable en général pour le développement de tout un chacun.

Pour moi, spirituel est synonyme d'humain, l'un ne va pas sans l'autre, il ne peut donc y avoir de véritable évolution spirituelle sans épanouissement de la plus noble humanité.

Or, par quoi cela passe-t-il si ce n'est par l'aspiration au "souverain Bien", le ferme désir de faire le Bien autour de soi, non seulement auprès des autres, mais aussi déjà tout d'abord en soi-même, dans le déploiement du véritable Amour Universel, qui s'exprime aussi bien dans cette Compassion du Bouddhisme que dans cet Amour Christique et Chrétien, que l'on retrouve aussi, sous une autre forme, dans le Judaïsme et dans l'Islam, ainsi que, finalement, dans toutes les religions, quelles qu'elles soient, un Amour immense, qui englobe et embrasse tout, envers tous les êtres, c'est-à-dire envers tous les êtres vivants, pas seulement humains, mais également animaux, jusqu'aux règnes végétaux et minéraux, même, jusqu'à la Nature elle-même ? !...

Il n'y a pas d'autre voie véritable que celle de l'Amour, l'Amour altruiste. Sans amour, il n'y a pas de volonté véritablement libre. La voix de la conscience elle-même n'est que douceur et tendresse. Et l'Amour, le véritable Amour, c'est-à-dire le spirituel, envers toute l'humanité, permet de se dépasser soi-même et de se libérer de tout karma, quel qu'il soit.

C'est l'axe horizontal du développement spirituel-humain, qui concerne le relationnel, la relation aux autres, et, oui, c'est le plus difficile, me semble-t-il, le plus exigeant, le jamais gagné, acquis, toujours remis en cause, selon le niveau spirituel des personnes qui croisent notre route (ce qui devient vraiment difficile, voire pénible et éprouvant dans notre société actuelle), tandis que l'axe vertical, c'est-à-dire le déploiement de la conscience vers le haut, la reconnexion à l'Unité Originelle, la liaison avec la Lumière, Dieu, m'apparaît plus facile à acquérir et à conserver, à maintenir, puisqu'il ne concerne que soi-même, se réalise entièrement en soi-même, sans les autres. Les autres, c'est à la fois le paradis et l'enfer !

Ainsi, c'est en aspirant au bien en toute chose, en cherchant à faire le bien en tout, et en essayant de rester concentré uniquement sur la génération de choses positives, déjà et avant tout pour soi, sur tous les plans, en intuitions, pensées, paroles, sentiments, émotions et actions, que chacun d'entre nous peut véritablement progresser.

Peu à peu, cela forme autour de toi une couche lumineuse, protectrice, tous les retours karmiques, les attaques ou les choses négatives qui se présentent à toi sont tenues à distance, ou bien, si elles pénètrent jusqu'à toi, dans ta vie, elles sont en tout cas fortement diminuées, émoussées, diluées, voire dissoutes.

Exactement comme une météorite se consume en traversant l'atmosphère terrestre qui donne ainsi à la Terre sa protection.

Et si cela va encore plus loin et se répand autour de toi, envers les autres, dans l'empathie et la compassion, la bonté et la charité, la bienveillance et la bienfaisance, cela ne peut que contribuer encore grandement à ton ascension spirituelle personnelle, mais aussi à celle de toute l'humanité. Je suis d'ailleurs personnellement admiratif et je me sens terriblement petit quand je vois autour de moi ces personnes qui sont véritablement habitées, pleinement et entièrement, par cette vocation altruiste et forcenée de faire le bien autour d'elles, à répandre la semence de cet Amour Universel, sans aucune mièvrerie, d'ailleurs, mais telles des dragons de feu, le feu du cœur, qu'il s'agisse maintenant d'aider les nécessiteux, les plus pauvres, d'accompagner les malades ou les mourants, de porter secours à ceux qui souffrent d'une manière ou d'une autre, psychiquement ou physiquement, etc. Mais, en l'occurrence, à chacun sa mission, sa vocation, sa façon très personnelle et particulière de coopérer et de contribuer au souverain Bien de l'humanité, il n'y a pas lieu, en cela, d'ériger un quelconque mode de vie comme modèle ou exemple absolu à suivre de façon uniforme. Il nous appartient juste de vouloir sincèrement le Bien, de lui faire déjà une place en nous-même, et, telles les fleurs des champs, de capter ainsi la lumière qui descend d'en-haut, afin de pousser ainsi à sa plus noble expression nos propres particularités personnelles, dans la forme, la couleur et le parfum.

Garde-toi cependant de vouloir réaliser cette pureté en toi et dans tout ce qui émane de toi par le seul contrôle de ton intellect, de rester focaliser sur ça, ce serait une crispation qui t'empêcherait de vivre, d'expérimenter et de mûrir, et qui t'épuiserait très vite, autorise-toi avec indulgence et patience ta propre imperfection, la possibilité de commettre des erreurs et d'en apprendre, tout en continuant constamment à aspirer vers le haut. Peu à peu, par le développement de ta conscience, la source véritable et profonde de toutes tes formations dans ce monde, et par l'élévation de ta véritable morale intérieure, tout cela se fera naturellement, sans forcer, même si tu t'y efforces.

Pour le reste, inutile de te tourmenter outre mesure, continue de suivre tranquillement le chemin sur lequel tu te trouves dès à présent, tout ce dont tu as besoin, tu le croiseras en route, et tu seras accompagné, guidé et aidé à chaque instant, comme c'est déjà le cas en ce moment-même, même si tu n'en as pas conscience.

Voilà la raison pour laquelle ce ne sont pas forcément les croyants les plus fidèles en apparence, extérieurement, des églises, temples et mosquées, qui pénétreront dans le "Royaume de Dieu", c'est-à-dire le Royaume Purement-Spirituel, le Paradis, mais bien ceux qui auront porté l'Amour véritable dans leur cœur et fait concrètement le bien autour d'eux. Des athées entreront beaucoup plus facilement dans ce fameux "Royaume de Dieu", parce qu'ils ont cheminé sur Terre le cœur ouvert et ont fait le bien autour d'eux, plutôt que ces masses de pratiquants de religions, stupidement dociles, psychorigides et asservis par des dogmes eux-mêmes rigides et spirituellement creux.

Donc, sois rassuré(e), ne t'inquiète pas du tableau que je t'ai brossé précédemment, tout cela n'était dit que pour t'en donner éventuellement, si tu le désires, si tu t'y intéresses, une juste image d'ensemble, mais ce n'est pas indispensable pour aimer, faire le bien, se libérer de tout karma, de toute emprise terrestre, déployer son humanité et s'élever spirituellement vers le haut, vers la Lumière Qui est la Vie.

D'ailleurs, ne crois surtout pas que, parce que je t'en parle et que je te conseille sur le sujet, je réalise moi-même tout cela à 100% dans ma propre existence au quotidien, H24, J7 ! Ouh là, certes non ! J'en suis quelque part conscient malgré tout, plus ou moins, pas tout le temps avec la même acuité, et je m'y efforce, mais je suis le premier à reconnaître que c'est difficile, éminemment laborieux, voire douloureux et que cela semble même impossible, ici, sur Terre, surtout dans notre société actuelle, avec nos rythmes de vie effrénés, dans un monde où tout semble vouloir constamment te tirer vers le bas, t'agresser et t'enfoncer, où la masse médiocre, surtout, semble vouloir à tout prix te retenir dans le sable mouvant dans lequel elle s'étouffe elle-même peu à peu. Mes mots sont durs, mais vrais. J'en bave donc aussi régulièrement et je galère aussi, en faisant l'amère expérience de tout cela à mes dépends, et je t'avoue aussi que je ne réagis pas toujours de la façon la plus constructive qui soit, loin de là, notamment sous l'emprise de la souffrance, du ressentiment et de la colère, mais c'est là notre lot à tous. Te crois-tu tranquille que voilà surgir devant toi une expérience bien négative qui va te pousser dans tes retranchements, t'obliger à prendre conscience de certaines choses, t'apprendre, dans tous les cas, il est vrai, de précieuses choses, très intéressantes, mais dont tu te serais fort bien passé(e), et dont l'origine, parfois, remonte à quelque chose de tout à fait ténu et insignifiant en apparence, qui a suffi pourtant à un moment à ouvrir une brèche, à fournir un fil au métier à tisser du destin, à présenter un point d'accroche à ce qui est plus sombre. Vigilance constante, comme le disait Maugrey Fol Œil dans Harry Potter ! !

Je te disais déjà au début de cette ouvrage qu'ici, c'est aussi et avant tout la part de sagesse en moi (dont tu disposes également quelque part en toi-même !) qui s'adresse à ma part d'ignorance (qui peut vraiment être très bornée, je te l'assure !...), et que je cherche à fixer tout cela par écrit pour ne pas le perdre de vue, ne pas l'oublier, pour que cela m'aide aussi, en me relisant, comme je souhaite t'aider en le partageant avec toi, parce que je me mets à ta place, toi, chère/cher autre, qui cherches aussi à t'élever vers le haut, et que j'aurais apprécié qu'on m'aide ainsi dans mon propre cheminement.

Poursuivons donc notre route, nous avons encore plein de choses à voir, jusque dans les vallées les plus profondes et les plus sombres.

L'être humain et son activité dans la Création

L'être humain, de par son origine et sa nature spirituelles, agit d'abord spirituellement dans la Création, avec, d'une part, son processus de perception de la Réalité qu'on désigne comme l' "intuition" ou le "ressentir intérieur" et, d'autre part, la manifestation de son libre-arbitre dans sa volonté intérieure, son vouloir intuitif.

En ce qui concerne l'intuition, en dehors de la Matérialité, il s'agit d'un processus d'irradiations : le germe d'esprit humain, même inconsciemment, émet des irradiations vers son environnement et enregistre ainsi les résistances que cela occasionne ; le retour des irradiations émises l'informe sur ce qui vit autour de lui. C'est exactement la même chose que pour l'effet sonar ou d'écholocation qu'utilisent les chauves-souris ou les dauphins pour percevoir leur entourage. En revanche, une fois dans la matière, même en ses couches les plus subtiles, il faut tenir compte des enveloppes qui entourent l'esprit humain. Ces couches subtiles qui l'enrobent, influencent et colorent ainsi ses irradiations et donc son intuition, son ressenti intérieur, et par conséquent aussi la perception qu'il a de la réalité. Cela explique une vérité fondamentale : le regard que nous portons sur le monde est fortement coloré par notre vie intérieure, par notre façon de le voir. Finalement, dans la matière la plus dense, ce processus passe par le corps physique terrestre. En effet, il faut savoir que l'esprit, dans l'âme, est relié au corps physique au niveau du plexus solaire, le troisième chakra. Et le chemin de traitement des informations passe par le système nerveux, ainsi que par le cervelet et le cerveau. L'esprit imprime son vouloir ou son ressenti sur le système nerveux du corps humain, au niveau du plexus solaire. L'impression ainsi émise flue à travers le système nerveux jusqu'au cervelet, où elle est élaborée une première fois en images subtiles. Ces images sont ensuite traitées par le cerveau, et c'est seulement là que naissent les pensées. Cette onde d'énergie peut enfin se manifester soit, intérieurement, sous forme de sentiments, d'émotions, soit, extérieurement, en se dégageant plus loin, sous forme de paroles ou d'actes visibles. C'est exactement le même chemin, mais en sens inverse, qui est suivi par les impressions extérieures, vers le noyau spirituel intérieur. Ces impressions provenant de l'extérieur sous diverses formes, sont élaborées plus finement par le cerveau, transmises en images au cervelet, qui décharge une onde d'énergie sur le système nerveux via le plexus solaire, ce qui permet à l'esprit incarné de co-ressentir les choses, les événements. En gros, pour simplifier, le corps ne joue ici que le rôle d'un instrument, dont l'ensemble cerveau-cervelet-système nerveux-plexus solaire constitue l'antenne, lui transmettant grosso modo comme par le wifi les informations provenant des expériences vécues dans la matière la plus dense, afin qu'il les élabore en lui. Essaye de méditer sur ce processus, plus tu le feras, plus cela te deviendra clairement conscient en toi. Et c'est toute cette vie intuitive qui forme la Matérialité-Fine (ou matière "causale") dont l'esprit humain est vêtu, mais également celle dont il est entouré, qui constitue son entourage le plus proche dans l'Au-delà. C'est aussi la source d'une partie de ces émotions dans lesquelles il vit, baigne et qui prennent également forme sur les plans du domaine astral-émotionnel.

Intéressons-nous maintenant au vouloir intuitif, le vouloir de l'intuition, autrement dit la volonté intérieure, la manifestation du libre-arbitre humain. Cette capacité de vouloir dans un genre déterminé, et ainsi d'émettre un rayonnement attractif dans une vibration, une couleur donnée, a encore ceci de particulier qu'à sa naissance, comme elle provient du spirituel en l'être humain, et qu'elle traverse ces couches de même essence, ou substance, que ce cercle des entités de la Nature, elle prend forme dans ce même genre. Lors de sa formation dans la Matérialité, ce vouloir intérieur est donc pourvu d'une enveloppe de même genre que le noyau animateur de l'animal. Il ne s'agit cependant pas exactement de cette même substance qui constitue le noyau animateur de l'âme animale, possédant en quelque sorte une capacité propre d'être et de vouloir, mais simplement d'une enveloppe extérieure, possédant ainsi seulement une certaine dose de chaleur et de mobilité propres. C'est là la chose importante à comprendre, car c'est ce qui confère à ces formes une telle vitalité et une telle mobilité, parfois tout à fait indépendantes, car, une fois qu'elles sont détachées de leur auteur, de leur géniteur, elles ne cessent pas pour autant d'exister. En effet, même si elles ne sont plus reliées à leur créateur, elles n'en conservent pas moins cette mobilité propre qui leur permet d'agir indépendamment plus loin dans les plans matériels. Elles peuvent ainsi, suivant leur nature bonne ou mauvaise, porter secours ou causer bien des ennuis. Tels sont l'origine, la nature et le processus de développement de ces si mystérieuses "entités" que les voyants, médiums, énergéticiens, radiesthésistes perçoivent parfois dans l'Au-delà ! Il s'agit aussi des "démons" qui ont fait si peur aux peuples dits "primitifs" et qui continuent de terroriser les êtres humains qui en ont connaissance, le perçoivent comme réel, vivent dans ça. Il suffit cependant de se ressaisir et de vouloir dans un genre différent, comme la confiance et le courage, l'amour et la joie, l'humour surtout, pour tenir à distance, éloigner, voire dissoudre ces formations.

Il faut également garder à l'esprit (c'est-à-dire, ici, en tête) le fait que ces formations du vouloir intuitif, qui adoptent forcément, dès leur apparition dans la matière, une sorte de corps finement-matériel, peuvent ensuite être liées à d'autres formes grossièrement-matérielles (pensées, paroles, sentiments, émotions), comme si elles s'y incarnaient pour agir plus bas. Une fois qu'elles sont ressenties au niveau du plexus solaire sous forme émotionnelle, elles émanent aussi tout d'abord sous forme d'émotions dans le plan du bas-astral, et se revêtent ainsi d'une couche astrale inférieure. C'est là le processus de formation des "entités" et "démons" qui peuplent les champs du bas-astral. De là, si ces impressions montent ensuite à la conscience diurne par le système nerveux jusqu'au cerveau, elles donnent naissance à des pensées. Nous avons ainsi des émotions (sur le plan astral inférieur) ou des formes-pensées (sur le plan mental), dont le noyau animateur provient du vouloir intuitif, ce qui leur confère une mobilité propre, et qui peuvent donc de cette manière continuer d'agir indépendamment, une fois détachées de leur producteur.

Il y a ensuite les pensées qui résultent uniquement de l'activité à vide de l'encéphale, du cerveau, qui produit l'intellect, le mental, la raison. Elles ne proviennent pas du ressenti ou vouloir intuitifs, elles ne disposent donc pas d'un noyau mobile, elles sont creuses, vides de vie véritable, et ne font qu'influencer leur auteur et ceux qui sont reliés aux mêmes centrales d'énergie. Une fois qu'elles sont détachées de leur auteur, elles dépérissent rapidement, à moins qu'elles ne se retrouvent entièrement absorbées par l'égrégore correspondant. Elles ne peuvent en tout cas pas agir plus loin indépendamment et sont donc ainsi moins dangereuses que les formes du vouloir intuitif.

Toutes ces diverses choses peuvent donc être ensuite attachées, liées, incarnées, en quelque sorte, à ou dans d'autres formes : paroles, sentiments, émotions, actions.

Et c'est là que tu peux entrevoir la complexité de cette vie foisonnante et la difficulté de vouloir la décrire alors que tout est constamment en mouvement, et que tout s'influence mutuellement, réciproquement, interagit encore avec autre chose, s'accumule, se condense, se précipite et prend forme dans un autre plan.

Maintenant, si nous repartons du bas vers le haut, nous trouvons tout d'abord, dans le corps physique terrestre, toute la vie instinctuelle et pulsionnelle qui fait partie de l'animalité de l'être humain incarné, et qui provient de la Nature et des programmes de vie, de développement et de survie qu'elle a installés dans la matière, via le support du plan éthérique, embrasé par l'énergie vitale qu'elle produit sur Terre.

Les influences extérieures agissant sur le corps physique, sur le cerveau, par l'intermédiaire des cinq sens, provoquent des émotions, c'est-à-dire, étymologiquement, des "mouvements vers l'extérieur", autrement dit tout simplement des réactions émotionnelles, dont le but est de mettre en mouvement cet organisme de survie et de le pousser à l'action, à la défense et à la préservation, voire même à l'attaque.

Mais le jeu constant des pensées qui bouillonne dans l'intellect humain, prenant conscience de tout cela, influencé et influençant, peut aussi agir sur ces phénomènes, sur les émotions, produisant ainsi les sentiments, c'est-à-dire quelque chose qui a peut-être émergé au départ sous l'impulsion d'une émotion, mais qui est finalement un produit du mental, entretenu par l'intellect, et qui est ensuite entré à nouveau dans la sphère émotionnelle et agit sur la vie affective de l'être humain.

- J'espère être suffisamment clair et parvenir à trouver les mots et phrases justes pour te décrire tout cela. C'est infiniment difficile, car infiniment mouvant et sans limite précise, contrairement au genre précis, figé et limité du langage que je suis obligé d'utiliser pour te le décrire. -

L'intellect humain, avec le concours du sentiment, est ensuite stimulé à produire l'imagination, plus finement-matérielle, mais qui n'a pas en soi la même force vitale que s'il s'agissait de quelque chose provenant de son intuition, possédant ainsi la force de conviction de sa vie intérieure.

Quant aux paroles, elles peuvent simplement être les formations creuses de pensées tout aussi creuses (et creuse, c'est-à-dire sans noyau vivant, est le terme approprié), comme elles peuvent être habitées par une formation véritablement vivante du vouloir intuitif. Elles peuvent aussi être en contradiction avec ce que l'être humain ressent au fond de lui-même. Dans ce cas, les pensées ou paroles qui sont formées disposent de peu de vie interne et seront en contradiction, donc en interférences destructives, si l'on veut, avec les vraies formes de la vie intérieure.

Voilà pour te brosser un panorama de toute cette vie foisonnante qui jaillit de l'être humain !

Ce qui compte, avec le temps, même si cela est très difficile au début, c'est d'exercer une forme de vigilance sur ce que l'on émet, quoi que ce soit, par un état de conscience de sa vie intérieure.

Et c'est aussi là que tu peux réaliser qu'il n'y a pas que l'environnement matériel le plus dense, autrement dit la Nature, qui ait eu à souffrir de l'activité irréfléchie, profondément nuisible et destructrice de l'être humain. Là aussi un peu d' "égologie" permettrait d'assainir les choses. C'est bien beau de s'atteler à ne pas polluer l'environnement, quand, à côté de ça, on pollue malgré tout le monde invisible par ses intuitions, ses pensées, ses paroles, ses émotions. Cela rejoint aussi ce que je crois avoir entendu Pierre Rabhi dire au cours d'une interview, pas en ces termes exactement, bien sûr, mais grosso modo, en substance et de mémoire : faire du bio et traiter les gens comme de la merde est un non-sens ! Il faut y ajouter l'éthique, dans le respect de soi et des autres.[1]

Finalement, l'être humain en général, pour la grande majorité, se comporte de la même manière vis-à-vis de tout ce qui est vivant (comme le montre d'ailleurs très bien, métaphoriquement, le film "Gremlins") : de manière irréfléchie, stupide et irresponsable, qu'il s'agisse d'écologie et d'environnement, de sa vie intérieure et de ses œuvres, ses enfants dans l'Univers, comme vis-à-vis d'ailleurs de ses animaux domestiques ou de ses propres enfants terrestres. Mes paroles sont certes dures, elles n'en sont pas moins vraies et résultent uniquement de l'observation objective des faits, il n'y a pas de temps à perdre à pinailler là-dessus, il serait en effet grand temps de provoquer un ressaisissement salutaire vers le mieux. Mais cela est-il encore possible à

---

[1] D'après son assistante, voici précisément ce que Pierre Rabhi a écrit : "Il ne suffit pas de manger bio pour changer le monde. Vous pouvez trier vos déchets, vous chauffer à l'énergie solaire, etc., et terroriser votre famille ou vos voisins, ce n'est pas incompatible. Selon la formule consacrée, il faut se changer pour pouvoir changer le monde !" (Mais je n'ai pas les références exactes... ;))

beaucoup d'êtres humains ? Surtout s'ils ne sont pas en cela aidés, guidés par l'exemple, par ceux qui disposent de l'aisance, du pouvoir et des moyens d'action sur le plan terrestre. Je te laisse le soin d'imaginer, à travers ces propos, l'inquiétude qui est la mienne. En outre, soit dit en passant, la vision de certains courants bouddhistes quant à l'avenir de l'humanité n'en est pas moins sombre : pour eux, la majeure partie de l'humanité ne parviendra pas à l'éveil de la conscience, mais il appartient à chacun individuellement de s'efforcer et de faire ce qu'il peut à ce niveau-là.

Espérons que le Ciel nous vienne en aide ! !

Eclaircissement de quelques concepts clés dans les domaines philosophique et psychologique

Corps, âme, esprit

On a souvent coutume de parler du "corps", de l' "âme" et de l' "esprit", quasiment comme trois entités séparées, capables de désirer et de vouloir des choses totalement différentes, presque comme si elles se battaient à l'intérieur de nous pour l'emporter. Cela n'est pas complètement faux, tant que l'on sait à vrai dire de quoi l'on parle. Or, règne à ce sujet une certaine confusion. A partir de ce que nous avons vu précédemment sur notre chemin, mon ami(e), et de ce que j'ai pu te décrire et t'expliquer, nous allons pouvoir désormais progressivement éclairer et mieux comprendre bien des concepts et des notions, et nous rapprocher même d'une meilleure vision de la réalité, davantage propice à la construction du souverain Bien ici-bas. On parle donc en général du "corps" pour désigner le corps physique terrestre et, à ce titre, c'est totalement juste, je n'ai rien à y redire et nous considérerons cela comme acquis par la suite. En revanche, on désigne souvent à tort par "âme" tout ce qui relève du domaine purement affectif, émotionnel. Or, tu sais désormais qu'il s'agit là en fait de tout le vaste domaine de l'astral, dans lequel prennent forme nos sentiments et nos émotions. Quant à moi, par le mot "âme", je désignerai, d'une part, l'âme humaine, c'est-à-dire le noyau spirituel humain revêtu de toutes ses enveloppes subtiles, le corps physique terrestre mis à part, mais également, d'autre part, le noyau animateur de l'animal, qui se constitue à partir de l'âme-groupe de genre semblable dans le grand Cercle des entités de la

Nature. Enfin, par "esprit", on entend souvent en réalité tout ce qui relève de l'intellect, de la raison pure, le mental, avec toutes ses pensées, ses systèmes de pensée et de croyance. Cela appartient au domaine mental, qui fait encore partie de la Matérialité-Grossière, même si c'est en ses plans les plus subtils et fins. A contrario, comme je te l'ai dit et comme je le fais depuis le début, je désigne plutôt par "esprit" ce qui est véritablement d'essence spirituelle, absolument non-matérielle, le véritable souffle de vie en chaque être humain, son noyau spirituel vivant, siège de sa conscience véritable, de sa vie et de sa volonté intérieures. Tu vois que, du fait de la restriction et de la soumission à l'intellect, produit de l'activité du cerveau antérieur, tous les concepts ont été tirés vers le bas, littéralement traînés dans la poussière.

Mais, maintenant, qu'en est-il de la possibilité qu'aurait chacune de ses composantes de l'être humain de vouloir quelque chose par elle-même ? Eh bien, la réponse est simple, lorsque nous avons désormais sous les yeux l'image du cours logique des choses, du haut vers le vas : la véritable capacité de vouloir est uniquement intérieure et repose uniquement dans l'esprit de l'être humain, c'est-à-dire dans son noyau le plus intime. Elle est si puissante qu'absolument rien ne peut la subjuguer. Juste, elle est parfois, même trop souvent, enfouie, l'être humain n'est plus capable de l'entendre et de l'écouter, il en fait un reproche à Dieu, alors qu'il lui suffit de se ressaisir, de l'exhumer et de l'écouter, cette vraie voix de la conscience. Cela dit, chaque genre de matière a ses lois propres. (Ou plutôt, les mêmes lois de la Création qui traversent et régissent tout ce qui existe, se manifestent différemment selon le genre du plan sur lequel elles s'activent.) Le genre particulier du Cercle de la Nature dont l'être humain porte une enveloppe spéciale a aussi ses propres programmes, du fait de sa chaleur et de sa mobilité propres, ce qui se manifeste aussi tout particulièrement dans le plan éthérique, où circulent les énergies vitales qui informent et animent la matière. Le programme primordial est celui du mouvement, de la poursuite de l'évolution par-dessus tout, afin d'éviter la stagnation qui conduit à la mort, la mort spirituelle, qui est en fait l'absence de tout mouvement énergétique par paresse. C'est aussi la raison pour laquelle nous constatons dans la Nature cette fameuse "volonté de puissance" toujours à l'œuvre, cet instinct naturel inexorable, poussant à la lutte pour la survie, et sans lequel les germes inconscients, humains comme animaux, plongés dans cette matérialité, encourraient le risque de se laisser aller à leur paresse naturelle, en l'absence de stimulations extérieures, et finiraient par stagner, se figer, s'exclure du mouvement des créations et former aussi ainsi un obstacle à la poursuite de l'évolution partout. Ces programmes de survie, donc, agissent (volontairement transitif ici aussi) bien en effet le corps, ainsi que ce qui peut se passer aussi dans notre tête, notre cerveau, influençant aussi notre vision du monde, nos pensées, nos conceptions, nos réactions. L'être humain est cependant ainsi équipé qu'il peut avoir les pieds bien ancrés sur Terre, la tête dans les étoiles, éclairé depuis les hauteurs du Spirituel-Eternel dont il provient, capable de se frayer un chemin dans la jungle de ce monde et de réaliser ses aspirations, en les transposant/concrétisant dans la matière, grâce à l'outil acéré qu'est l'intellect. Il lui faut juste développer sa conscience plus qu'il ne l'a fait jusque-là, de par sa restriction volontaire à la matière et sa soumission au mental, instrument certes précieux, mais limité dans sa portée et son efficacité.

Quant à l'opposition qu'on fait naturellement entre l' "esprit" et le "corps", eh bien, elle n'a plus de sens avec ces "re-définitions", la réalité révèle d'ailleurs exactement le contraire : l'esprit, dans son caractère sensible, a davantage d'affinités avec le corps. En effet, l'esprit, c'est-à-dire toujours le noyau spirituel vivant de l'être humain, siège de sa conscience et de sa volonté intérieure, est relié au corps, à travers ses différentes enveloppes subtiles, au niveau du plexus solaire et a ainsi une prise directe sur le système nerveux de notre organisme. Alors qu'il est complètement séparé de l'intellect, de la raison ou du mental, qui n'est que le fruit de l'activité du cerveau cognitif antérieur. Ce que vit le corps, l'esprit (la conscience) le vit directement de manière sensible ! C'est ce qui explique que certains êtres humains, afin de retrouver une vraie vie de l'esprit, avec des ressentis puissants, recherchent désespérément ce qui stimule le corps, fait frémir les sens, est capable de générer des sensations suffisamment fortes et puissantes pour que ces vibrations énergétiques touchent la vie intérieure de l'esprit incarné. Il ressort de cela très logiquement que ces personnes, même si elles emploient parfois des moyens tragiques qui sont finalement néfastes pour elles-mêmes (- et j'en sais aussi quelque chose !...-), sont beaucoup plus vivantes spirituellement que ceux qui ne s'adonnent qu'aux plaisirs de l'intellect et s'enfouissent, s'enferment littéralement dedans. Il est ainsi aussi beaucoup plus facile de communiquer avec l'esprit en passant par le corps, et inversement. D'où l'importance du corps, du fait d'en prendre soin, mais pas de matière unilatérale, en passant son temps à faire des manucures, à mettre des crèmes anti-rides ou anti-âge et à faire du sport de façon acharnée. Une bonne alimentation, suffisamment de sommeil et d'activité sont certes indispensables, mais il serait bon aussi d'être tout simplement davantage à l'écoute et conscients de notre propre corps. Nous nous sommes déshabitués de cela, nous sommes tous devenus des cerveaux sur pattes, un peu coincés, artificiels, contraints, contrairement aux animaux qui sont si beaux dans leur grâce naturelle. Le développement de la conscience spirituelle passe aussi par une saine conscience de son propre corps. C'est bien pour cette raison aussi que, lorsqu'on aborde la pratique de la méditation, on commence par prendre conscience de notre corps, le scanner, et par nous concentrer sur notre respiration. Ainsi donc, quand on dit "Mens sana in sano corpore", ce qui signifie "un esprit sain dans un corps sain", il ne suffit pas d'avoir la tête bien pleine, de faire des études, de savoir des choses, et de faire du sport, mais il s'agit plutôt d'avoir un esprit sain, vivant, mobile, conscient, dans un corps, un véhicule terrestre, respecté et bien entretenu. On peut donc exclure comme exemple de cette maxime les ingénieurs qui fument du cannabis ainsi que les futurs médecins qui passent leurs soirées en beuveries, quel que soit le sport qu'ils pratiquent. - De même, soit dit en passant, ce qui m'énerve dans le sport, c'est par exemple de voir un alpiniste chevronné qui s'apprête à faire l'ascension du Mont Blanc, mais que ça ne dérange nullement de jeter un papier par terre dans la neige ! ! Attitude rien moins que sportive pour moi. Bref ! -

Conscient et inconscient

Quand j'utilisais jusqu'ici le mot de "conscience", je ne parlais absolument pas du "conscient" des psychanalystes. En effet, le "conscient" en psychanalyse, c'est juste ce qui émerge à la conscience diurne de l'intellect, du cerveau terrestre. Mais, avec le panorama que je t'ai brossé, tu peux désormais te rendre compte à quel point c'est peu de choses. A l'inverse, ce qui est "inconscient", c'est tout ce qui lui échappe, donc absolument tout le reste : les instincts ou pulsions-programmes du corps physique terrestre, parfois aussi les émotions ou certaines pensées en arrière-plan, qui teintent notre humeur, nos "états d'âme", mais également toutes les formations que l'être humain produit, met littéralement au monde comme ses propres enfants et qui peuplent sa vie et son monde intérieurs, autrement dit son environnement subtil invisible autour de lui dans l'Au-delà, et qui exercent leur pression sur lui. Plus loin encore, la véritable voix de son esprit, de son noyau spirituel vivant, son intuition la plus profonde, son ressenti intérieur, la voix de l'authentique conscience spirituelle. Tout cela lui est également totalement inconscient la plupart du temps, s'il ne fait pas un travail pour se dépouiller des scories qui recouvrent ce trésor en lui et s'il ne fait pas silence en lui-même pour apprendre à entendre et à écouter plus profondément en son for intérieur. Ainsi le "conscient" véritable, du point de vue spirituel, participe de cet "inconscient", du point de vue du domaine psychanalytique. En effet, notre esprit sait parfois mieux que nous ce qui est juste et bon pour nous. En dépit de ce que nous désirons/voulons avec notre corps, nos instincts, émotions, pensées, avec notre mental, nous ne parvenons parfois pas à l'obtenir, à l'atteindre, nous nous sabotons nous-mêmes, parce que notre esprit véritable en nous, notre vraie vie et volonté intérieures, y met le holà, nous freine dans la réalisation de nos désirs. De même, il nous arrive parfois, de façon inexplicable en apparence, de faire des "prises de conscience" et, brusquement, de changer nos habitudes, d'agir autrement, d'une manière surprenante ; ces manifestations proviennent de l'esprit en nous qui mûrit, prend conscience de lui-même et prend fermement en main les rênes de notre existence.

A cela, on peut voir la puissance inexorable que renferme notre véritable volonté libre dans ses décisions. C'est bien là aussi la petite voix de notre "conscience" qui nous taraude intérieurement quand nous savons intimement que nous avons mal agi, que nous avons fait quelque chose de mal, que nous avons blessé un autre être vivant, que nous avons rompu l'harmonie entre les êtres. Mais ce peut être aussi un programme issu de notre intellect et d'un sens du devoir rigide et faux. Tout cela n'est à vrai dire pas simple à discerner clairement. La seule voie que je connaisse, mon ami(e), qui permette de s'affranchir de ces limitations et de retrouver son plein pouvoir, c'est le développement d'une meilleure conscience de soi, au sens spirituel du terme, notamment par le biais de la méditation, qui n'a en fait rien à voir avec le fait de méditer à l'aide de son intellect, bien au contraire. Par davantage de conscience de soi, on peut nettement discerner ensuite tous ces mécanismes qui se déroulent en nous, ce que veulent les programmes naturels installés à l'incarnation, sur lesquels nous n'avons pas la main, ainsi que tous les mécanismes plus ou moins tortueux, voire tordus, de notre psyché ou de notre penser, et on peut ainsi mieux orienter tout cela, dans le sens de l'aspiration véritable de notre noyau intérieur et de nos valeurs spirituelles. Ainsi, lorsque l'esprit prend la main, le véritable esprit conscient, du plus profond de nous-mêmes, nous sommes inévitablement poussés à la réalisation.

Ça, Moi et Surmoi

Dans cet ordre d'idées, nous pouvons aussi reconsidérer ces notions de base en psychanalyse. Selon moi, en harmonie avec le tableau général que j'ai déroulé jusqu'ici, le "Ça", c'est le corps, ou plutôt le corps animé par ses instincts, ces pulsions-programmes qui informent la matière et qui proviennent de l'activité des entités de la Nature. Or, le "Ça", organisme de survie, est conçu pour désirer sans cesse, il n'a pas le choix. Comme l'esprit humain, d'ailleurs. En effet, la créature "esprit" se caractérise par son genre attractif dans l'activité des irradiations dans la Création. Il ne peut faire autrement que d'attirer à lui. Pour cela, bien sûr, comme il ne peut pas tout attirer (sinon il ressemblerait bien vite à un papier tue-mouche ou à un morceau de velcro qu'on aurait trimballé partout), il est doué d'un libre-arbitre, c'est-à-dire de la possibilité de régler sa station de radio sur une fréquence donnée, autrement dit encore de n'attirer que le genre pour lequel il se détermine. Cesser de désirer, pour l'esprit, c'est la mort, l'absence de mouvement et ainsi, comme pour tout ce qui se situe dans la Création, l'absence de vie. Littéralement, d'une certaine manière, l' "envie" (dans une acception plus large, spiritualisée), c'est ce qui le maintient "en vie". Il en va exactement de même avec le "Ça". Le cercle des entités de la Nature pénètre plus avant dans la matière, la réchauffe, l'embrase, la lie, la met en mouvement. Le résultat de son activité dans la matière, nous pouvons le contempler aussi sur le plan éthérique, dont le but est d'innerver et d'informer, de mettre en forme, la matière la plus dense. Il n'y a pas d'arrêt ni de stagnation possible, mais tout doit constamment être maintenu en mouvement, en particulier aussi pour la survie et la perpétuation de l'espèce. Vivre et survivre coûte que coûte, même au détriment des autres formes de vie, lutter pour cela, se reproduire, perpétuer l'espèce, établir et développer, agrandir son territoire, c'est un commandement impérieux de la Nature qui se fait sentir dans le corps, via le plan éthérique. Seulement, comme disait le père d'Albert Camus, "un homme, ça s'empêche". L'être humain est plus qu'un "Ça", un animal, un programme de pulsions et de désirs. Il a un cerveau, pour décortiquer ce qui se passe en lui, analyser les situations, anticiper, réfléchir dans son propre intérêt à long terme, et il a un esprit, une "sensibilité", une conscience, qui lui permet de faire preuve de compassion, de se mettre en empathie avec les autres êtres vivants en face de lui et de savoir ainsi exactement où, quand et comment il blesse et fait du mal, s'attirant de cette manière inévitablement des ennuis à long terme selon les lois de la Création, sans parler même de la rancœur ainsi possiblement éveillée.

Le "Moi" quant à lui, c'est l'intellect, le cerveau, le mental. Egoïste par nature, en tant qu'ultime outil de cet organisme de survie dans lequel nous sommes incarnés, il voit tout uniquement depuis sa petite lorgnette, selon son propre point de vue, à partir de lui-même, comme s'il était le centre de tout, et dans son propre intérêt uniquement évidemment. Il se prend pour ce qu'il est, c'est-à-dire qu'il s'identifie à ce qu'il croit qu'il est, à cette personnalité construite au fil des expériences, faite de tout un assemblage de sentiments et de pensées. L'être humain lui-même est cependant plus que son petit "Moi", plus que son petit mental. Quant au véritable "Je" spirituel individué, il n'a rien à voir avec le "Moi" de l'intellect, il sait qu'il n'est qu'un élément d'un grand Tout, il a, dans son état de conscience de lui-même à maturité, pleinement conscience à la fois de son individualité et de son appartenance et interdépendance avec le grand Tout.

Quant au "Surmoi", eh bien, ça n'a rien à voir non plus avec la "conscience" qui nous susurre à l'oreille que nous avons mal agi. Là encore, il s'agit de l'intellect, qui se prend pour la voix de la conscience spirituelle. C'est une part de nous qui a en sa possession la grande compilation de toutes les règles d'ordre moral, spirituel ou religieux, que nous avons retenues dans notre système de valeurs et de croyance, consciemment ou pas, volontairement ou non. Ce juge intérieur, tel un vieillard chenu antipathique, sort parfois le grand livre de la loi, quelque part dans un donjon poussiéreux de notre être intérieur, et nous rend la vie impossible, parce que, selon lui, nous avons commis une erreur grave, un péché mortel. C'est le rabat-joie de service, qui est tout le temps dans le jugement, vis-à-vis de soi comme vis-à-vis des autres, qui est tout le temps en train de juger, en fonction de notre grand livre de la loi, notre système de valeurs et de croyance, et qui s'exprime tout le temps sur le mode du "tu devrais", "tu aurais dû", "il faut que tu", "il faudrait que", etc. Même si ce programme devrait à vrai dire représenter un outil intellectuel pour la conscience spirituelle, afin qu'elle puisse ainsi, sur la base de ses délicates intuitions, mieux se faire connaître du cerveau cognitif, cela n'a cependant rien à voir avec l'authentique voix de la conscience qui ne juge pas, car elle a déjà validé tout ce qui est comme l'expression de quelque chose qui vit et fait partie de la réalité, et ne s'exprime qu'avec une infinie tendresse et douceur.

C'est exactement à l'image du monde où certains, notamment les dépositaires et représentants officiels des religions, décrètent à un moment donné que quelque chose est "mal" ou "faux" (on ne sait d'ailleurs jamais vraiment comment ni en vertu de quelle autorité réelle, de quelle capacité ni de quel pouvoir effectif) et que tout le monde doit s'y adapter. Face à un système de valeur externe et sans vie, il faut passer à une référence interne en accord avec notre être intime et notre niveau d'évolution. Attention, je n'encourage pas par-là l'idée selon laquelle le bien et le mal seraient purement subjectifs et relatifs : ce qui est bien pour moi, je pourrais le réaliser librement, sans me préoccuper des autres. Non, certainement pas, car si cela nuit et fait du mal à un autre être vivant, quel qu'il soit, je noue ainsi un fil karmique dans mon destin dont la récolte me ramènera ce négatif au centuple. Je ne parle donc que de ces broutilles pour lesquelles les gens se font un sang d'encre et s'entravent eux-mêmes dans la poursuite de leur évolution, dans leur recherche du bonheur. C'est pourquoi il est indispensable, arrivé à un certain niveau, de faire retour sur soi, en soi, sur son propre système de valeurs et de croyance, sur son propre système de règles de vie, afin de faire le tri. Pour le reste, quand ta conscience est suffisamment développée, tu sais exactement et pertinemment bien lorsque tu blesses autrui, que tu lui fais du mal, tu le ressens en toi, comme si tu te faisais du mal à toi-même, et tu sais aussi que, conformément aux lois de la Création, tu tisses ainsi un fil possiblement négatif et douloureux dans ton destin, ton vécu à venir.

Pour les êtres humains authentiques, véritablement évolués, dont la conscience est développée, point n'est besoin de lois ou de règles extérieures, car la Loi et la Règle, vivantes et vraies, chacun les a en lui dans la vibration vigilante de sa conscience spirituelle, elle-même reliée à tout moment au grand Tout, à l'Ordre cosmique tout entier.

Quant à l'intellect, il est impératif de se libérer de sa domination, de son emprise, car il a constamment tout perverti, il a tiré à lui toute notion vers le bas, en a fait de ridicules imitations, qui ne peuvent qu'entraîner échec, déception et souffrance, n'agissant cependant ici que conformément à sa propre nature matérielle limitée. Il en va ainsi des notions d'esprit, de conscience et de moi.

Egologie, Enfant-Moi et "Multiples Aspects Intérieurs"[®2]

Comme tu le vois, mon ami(e), point de salut en dehors du développement d'une meilleure conscience de soi. Tel est mon crédo ! C'est cela seul qui permet de discerner, comprendre, gérer, maîtriser et orienter tout ce qui se passe en nous, dans notre orbe personnel, c'est-à-dire dans la limite du champ d'action de notre vie intérieure, intuitions, pensées, sentiments, etc. Cela conduit naturellement à davantage d' "égologie", c'est-à-dire à une gestion de soi qui soit harmonieuse, viable et pérenne, qui ne crée pas déjà tension et violence à l'intérieur de soi. Et, à ce stade, j'aimerais citer une source précieuse pour moi que je t'invite à découvrir : Isabelle Padovani[3].

Partout, et surtout dans les milieux dits "spirituels", on dénigre le "Moi", l' "Ego", et le mental qui en est ainsi le ressort. On pense parvenir à l'éveil en s'absorbant totalement dans l'arrière-plan méditatif, le non-moi, jusqu'à presque faire partie des murs en devenant un simple papier peint. Or, ce n'est pas le but de l'existence terrestre du germe d'esprit humain incarné. Celui-ci existe en tant qu'individu. Même si cet individu ne doit pas vivre de façon séparée des autres et du grand Tout, il est néanmoins appelé à une existence personnelle et individuelle. Sur Terre, cependant, l'être humain ne doit pas s'identifier à son "Moi" terrestre, c'est-à-dire au véhicule conditionné qu'il emprunte le temps d'une incarnation sur Terre pour y apprendre et y progresser, il doit encore moins s'identifier à ses pensées et ses émotions. Tout cela, cependant, il doit en prendre conscience et

---

[2] Marque déposée
[3] www.communification.eu

le gérer. Et c'est en cela que j'aime particulièrement la notion d'
"Enfant-Moi" dont parle Isabelle Padovani. Ce "Moi"-là, ce fameux
"Ego", avec notre véhicule conditionné, en tant qu'organisme de
survie, notre personnalité acquise, nos pensées, nos sentiments,
nos désirs, etc., nous est donné comme un précieux cadeau, un
outil d'évolution pour le temps d'une vie terrestre. Tel un enfant,
il se comporte comme un "enfant-roi", car il est habité
uniquement de cette volonté de puissance qui anime la Nature et
le vivant sur Terre, il ne connaît rien d'autre que ce merveilleux et
prodigieux élan vital qui le pousse à vivre, à exister, à lutter, à
survivre, à se développer, se déployer, s'épanouir. Et, comme le
dit si justement Isabelle, cet enfant n'est qu'un enfant, il est
ignorant, et son ignorance peut être éduquée, par la voix et la voie
de la conscience.

Isabelle Padovani parle aussi des "Multiples Aspects Intérieurs"®.
Je te laisse le soin de le découvrir par toi-même et de te faire ta
propre opinion. Moi, je trouve cela fort judicieux et très pertinent.
Je pense à vrai dire que l'être humain est fait à l'image du grand
Tout (comme on le voit dans la Kabbale), il porte en lui la trace,
l'emprunte des Archétypes spirituels fondamentaux qui existent
plus haut, ce qui se manifeste ensuite plus loin d'une autre
manière dans l'architecture de sa personnalité, dans le bagage de
son véhicule incarné dans la matière. On retrouve cela dans
l'astrologie, par exemple, lorsqu'on bâtit le thème natal d'une
personne : chaque planète existe et est représentée pour chaque
individu, elle représente une part de lui-même, une fonction, un
rôle, un programme de base. Nous sommes un peu comme un
système solaire. Par ailleurs, chaque expérience que nous vivons
et qui laisse sa trace en nous peut faire naître des intuitions,
ressentis, pensées, sentiments, émotions, qui prendront forme

dans notre monde intérieur, notre entourage subtil invisible, exerçant une pression sur notre être incarné conditionné, sur notre intellect, notre corps, notre vie sensible. C'est comme un isolat de personnalité, un petit programme indépendant toujours à disposition, prêt à être lancé, qui exercera sa pression plus ou moins consciemment pour nous faire agir ou réagir de telle ou telle manière, mais toujours conformément à la configuration qui l'a vu naître, ce qui explique bien des schémas de penser et de comportement, plus ou moins conscients. Tout cela constitue notre personnalité humaine terrestre, nous nous identifions à cet ensemble auquel nous attribuons à tort une unité, une existence réelle en soi, en tant qu'individu, alors que tout cela, ce ne sont que les composantes du "Moi", de l'être humain terrestre, du véhicule dans lequel l'esprit s'est incarné pour le temps d'une existence terrestre ; ce ne sont à vrai dire que les sujets de notre royaume intérieur qui forme notre entourage subtil le plus proche. Mais tout cela vole en éclat lorsque la conscience s'éveille et que l'être humain cesse de s'identifier à toutes ces formes périssables qui constituent son monde intérieur et qu'il commence peu à peu à discerner la véritable nature profonde de l'esprit en lui, son être véritable. Je souhaitais faire cette référence qui me semble utile et pertinente pour comprendre, travailler sur soi, avancer et évoluer.

Voilà, chère amie, cher ami, ce que je souhaitais partager avec toi, par rapport à tous ces concepts, à la lumière de ce que je t'ai exposé précédemment. C'est bien peu de choses, succinctement abordées, mais cela me semble tellement utile et précieux pour notre développement personnel que je ne pouvais pas faire l'impasse dessus. Je souhaite très sincèrement que tout cela te soit aussi utile qu'à moi dans ta progression vers le bonheur !

Humanité

Reprenons notre parcours à travers les mondes, les jardins de la Vie ! Ainsi arrivons-nous de nouveau à un point de vue élevé. Ami(e), contemple avec moi l'humanité dont l'existence se déroule en bas, dans la vallée de la matière, là où la vue est limitée et où l'ombre se tapit dans les recoins sans lumière. Maintenant, réfléchis un peu à tout ce que je viens de dérouler devant tes yeux en ce qui concerne ma vision du monde, ma perception de l'origine et de la nature véritables de l'être humain.

Tu comprendras aisément que, selon moi, ce n'est pas parce qu'une créature dispose d'un corps de forme humanoïde, avec une tête, deux bras et deux jambes rattachés à un tronc, qu'elle appartient de facto à l'humanité, qu'elle peut d'emblée être qualifiée d'être "humain", tant que le germe d'esprit qui l'habite ne s'est pas éveillé et déployé en tant que tel, car c'est cela seul qui fait de l'être humain un être "humain", c'est-à-dire un être dont la conscience s'est à ce point développée qu'elle ne peut que rechercher à se positionner de façon harmonieuse par rapport au grand Tout, auquel elle sent pertinemment qu'elle est reliée, dont elle perçoit très nettement qu'elle est dépendante. C'est uniquement l'esprit qui fait l'humain ! Ainsi, être évolué spirituellement, c'est être évolué humainement, disposer d'une réelle sensibilité à l'égard de tout le Vivant. Parvenu à ce stade, l'être humain ne peut faire autrement que d'être en empathie avec tous les êtres qu'il croise en chemin, avec tout le Vivant qui se déploie devant lui et tout autour de lui. Il lui est alors absolument impossible de faire le mal, au moins volontairement, intentionnellement, ce qui compte fondamentalement pour les lois de l'Univers.

Nous pouvons ainsi constater, d'après ces simples critères objectifs, issus du système de représentations que je souhaite partager avec toi, que la plupart des êtres qu'on qualifie sans réfléchir plus loin d'humains n'ont en réalité rien d'humain en eux, parce que leur humanité en eux, qui réside uniquement dans le germe d'esprit inconscient en cheminement à travers les univers vers la conscience de soi, ne s'est pas encore pleinement éveillé, déployé et affermi. Ce qui explique que beaucoup se comportent de façon absolument odieuse vis-à-vis de leur prochain, sans aucun respect, sans aucune empathie, sans aucune compréhension, sans bienveillance.

Chez ces êtres pas tout à fait humains (quels que soient leur origine, leur peuple, leur pays, leur religion, leurs croyances, leur niveau social, leurs richesses, leurs connaissances, leurs diplômes, leurs opinions politiques, leur orientation sexuelle, etc., bref, quelles que soient les choses extérieures sans signification véritable et qui ne font que passer), l'esprit ne s'est pas véritablement éveillé et développé suffisamment pour permettre à leur conscience de se déployer jusqu'à ce point où elle perçoit naturellement les ondes de force émanant du Cosmos, la reliant ainsi au grand Tout. A ce point, la conscience de sa propre responsabilité, des conséquences de son activité dans le monde (qu'il s'agisse maintenant de ressentis, pensées, paroles, sentiments, émotions ou actions, etc., peu importe), et donc de l'impact que cela peut avoir sur les autres êtres, quels qu'ils soient, humains, animaux, ou même végétaux, relève de l'évidence la plus pure et la plus frappante. Un tel être, véritablement humain, même s'il commet des erreurs, des maladresses, blessant ainsi sans le vouloir, sera proprement incapable de faire du mal intentionnellement, que ce soit à un autre être humain ou à un animal, voire même au règne naturel dans son ensemble.

Au risque de paraître dur et impitoyable, je le répète, tout individu qui se situe en-deçà de ce stade d'évolution ne peut être purement et simplement qualifié d'humain sous prétexte qu'il dispose d'un corps humanoïde. Cela appartient certes indubitablement à sa perspective d'évolution, sans pour autant qu'il puisse se revendiquer comme pleinement "humain" à proprement parler.

Maintenant, qu'est-ce qui agit (volontairement transitif ici encore) ces individus, si l'esprit en eux n'est pas parvenu à l'éveil ? Eh bien, il n'est possible de l'expliquer véritablement en profondeur qu'en se référant au panorama que j'ai précédemment déroulé devant tes yeux. C'est l'enveloppe, disposant d'une mobilité propre, de même nature essentielle que cette couche dont proviennent les entités de la Nature ainsi que l'âme animale, qui prend les choses en main dans le développement et les agissements de l'individu qui n'est pas encore parvenu au stade de l'humanité véritable. C'est ce qui le réduit uniquement à un organisme de survie, programmé et régi par les lois biologiques naturelles, qui ne raisonnent, ne fonctionnent qu'en terme de survie de l'individu, de l'espèce, de lutte contre l'entropie et la mort, de perpétuation de l'espèce, de conquête du territoire, de "manger ou être mangé". Et nous retrouvons dans ce registre la plupart des comportements humains, ce qui prouve bien qu'en dehors d'un développement intellectuel plus raffiné, et malgré leur culture, leur savoir et leur pouvoir, la majeure partie des êtres "humains" se distingue à peine des animaux dans leurs perspectives, leurs représentations et leurs comportements. Ce qui justifie d'ailleurs le fait qu'on puisse appliquer l'étude du comportement animal à celui de l'être humain, un être grégaire à l'instinct de meute sous-jacent, comme on le voit en éthologie.

Voilà pourquoi tous autant que nous sommes, si nous ne déployons pas l'esprit et la conscience en nous, si nous ne leur donnons pas la main, afin qu'ils nous tirent vers le haut, ce sont nos pulsions "animales", naturelles, qui nous gouvernent, en tant que simples organismes de survie issue de l'évolution au sein de la matière, de la Nature. Les comportements égoïstes, le fait de ne penser qu'à soi, la propension au parasitage envers ce qui nourrit affectivement et énergétiquement, et pas seulement physiquement, l'instinct de reproduction déformé, dévoyé, anormalement surdéveloppé, la violence que génèrent les questions de territoire au sens large et de non-respect des limites de chaque individu ou de chaque espèce, la compétition, manger ou être mangé, "l'homme est un loup pour l'homme", le pillage égoïste des ressources, bref, tout cela provient uniquement en réalité du défaut d' "humanité" de l' "humanité", c'est-à-dire de la carence dans son développement spirituel, synonyme de déploiement de l'humanité véritable et d'éveil de la conscience. C'est ce qui fait aussi, par exemple, que les gens ne se montrent gentils qu'avec ceux qu'ils considèrent réellement comme leurs prochains, c'est-à-dire les membres de leur famille, leurs amis, se montrant froids, parfois durs, voire méchants, avec les autres, qu'ils ne considèrent pas comme faisant partie de leurs proches, qui sont pourtant aussi la mère, le père, la fille, le fils, la sœur, le frère, l'être cher et aimé, de quelqu'un d'autre.

Si on ajoute à cela les ravages que causent la restriction volontaire à l'intellect, produit de l'activité du cerveau, qui ne peut percevoir que les apparences extérieures, nous comprenons alors aisément pourquoi nous en sommes arrivés aujourd'hui à l'état catastrophique dans lequel se trouvent l'humanité et le monde. La plupart des gens, d'ailleurs, ne perçoivent à vrai dire jamais que les apparences extérieures et ils jugent d'après cela. Ils n'ont en réalité pas la sixième chaîne, celle de l'intuition, ils ne perçoivent que ce que leurs sens véhiculent comme informations vers leur cerveau antérieur. Raison pour laquelle on a parfois, par exemple, des gens qui s'étonnent lorsqu'ils apprennent que quelqu'un qu'il connaissait dans leur voisinage et qu'ils trouvaient pourtant poli et courtois, était en réalité un psychopathe. De même quand tu as des amis d'amis, qui peuvent aussi bien se comporter de manière charmante en certaines circonstances avec certaines personnes, et se comporter à l'inverse comme des pourritures avec d'autres personnes, en dehors de leur cercle d'amis immédiat, dans d'autres circonstances, ce qui révèlent seulement leur nature imparfaite d'êtres pas tout à fait humains dans leur développement. Ils ne perçoivent pas l'hypocrisie intrinsèque des relations humaines.

Cela dit, je suis parfaitement conscient aussi du fait que ce que je dis ici, en dépit de la réalité objective que cela revêt si l'on se plonge véritablement dans l'observation du monde et de l'humanité, peut faire peur parce que cela sonne peut-être un peu, de loin, - allons, n'ayons pas peur de le dire - comme les discours nazis par exemple sur la classification des "races" sur une échelle de valeur, impliquant ainsi que certains groupes humains ont plus de valeur que d'autres ou qu'ils ont davantage droit à l'existence que d'autres. Sauf que la différence essentielle, ici, c'est qu'il s'agit uniquement d'un critère intérieur, sans aucun lien avec de quelconques paramètres extérieurs, et donc qu'on ne peut en juger d'après les apparences, et qu'ainsi personne ne peut rien en dire ou décréter quoi que ce soit.

Par ailleurs, tout le monde a fondamentalement le droit de vivre sur cette Terre qui est une école pour l'évolution des germes d'esprit humains, à condition de respecter les autres, bien entendu. Seulement, le souci majeur, c'est quand on donne la maîtrise et la conduite des classes aux mauvais élèves, j'entends par-là à ceux dont les intentions ne sont pas animées avant tout par la préoccupation du bien commun, mais uniquement motivées par des vues égoïstes et limitées. C'est ce qui se passe actuellement, avec au pouvoir des gens matérialistes à l'humanité insuffisante, dont le développement spirituel-humain est à peu près équivalent, sur le plan spirituel, à celui d'un embryon de quelques semaines sur le plan physique.

Ainsi les véritables êtres "humains" nagent à contre-courant, au milieu de la masse immature, dans un monde si visiblement pas fait pour eux, parce que les règles en ont été définies uniquement par les matérialistes à la vue si étriquée, qu'il semble parfois impossible de faire le moindre pas sans rencontrer des difficultés, sans être écorché dans son "humanité", sa sensibilité, à chaque pas, à chaque instant. Ils en pâtissent et doivent se battre au quotidien, en faisant un énorme travail sur eux, afin d'avancer malgré tout et de cheminer véritablement vers l'épanouissement de l'authentique humanité, tout en demeurant dans la bienveillance, malgré toutes les agressions auxquelles ils sont susceptibles de se retrouver injustement exposés.

Et moi je pense, j'espère, qu'un jour, bientôt, aura lieu un renversement salutaire, par la force, s'il le faut, mais une force supraterrestre, sans doute, en partie, dans la conduite du monde, dans la façon dont l'humanité s'oriente ou est orientée, voire manipulée, dès qu'on aura atteint un seuil critique (peut-être ?...) dans la masse des consciences véritablement humaines qui se seront éveillées. La plupart des êtres humains de tous les peuples de la Terre, d'ailleurs, savent cela quelque part au fond d'eux, ils l'apprennent peu à peu, chacun à son niveau, à son rythme, voire à ses dépens, selon là où il en est, et, comme d'habitude, un jour, ils renverseront l'oppression, l'oppresseur de leur véritable humanité, quels qu'ils soient. Attention, cependant, à savoir alors identifier avec pertinence la nature de l'oppression comme de l'oppresseur, car il s'agit avant tout déjà d'une représentation du monde, d'une façon de fonctionner en soi, du fait de l'assujettissement de la conscience spirituelle aux limitations de la capacité de compréhension du cerveau matériel terrestre, et attention aussi à être alors à même de proposer ensuite autre chose à la place en matière de direction et de guidance de l'humanité.

La Terre est une école pour tous les êtres humains. Il faut cependant que la direction et la gestion en soient assurées d'une façon telle qu'elles permettent réellement à chaque individu d'effectuer son apprentissage d'être humain, de se développer et de devenir heureux en tant qu'être véritablement humain, au contact des plus expérimentés qui doivent être reconnus comme tels afin de pouvoir montrer l'exemple et apporter leur aide pour cela, ce qui n'est pas le cas aujourd'hui.

Mais sous la couche de pourri pleine d'agitation et d'effervescence, des consciences sont cependant déjà en train de changer, de se transformer, et de transformer les choses autour d'elles, amorçant par en-dessous, c'est-à-dire à l'insu des pouvoirs politiques eux-mêmes de tous les pays du monde, des changements réellement profonds et prometteurs, les seuls qui apportent véritablement des solutions à l'humanité. Il ne faut donc pas en rester à ce qui est négatif en apparence, ruminer dessus, s'en désespérer. Il en va exactement de même que, dans "Le Seigneur des Anneaux" de Tolkien, lorsque Dénéthor, intendant du Gondor, voit la puissance apparente de l'ennemi dans une palantir, et que, de désespoir, il décide de s'immoler par le feu, avec son propre fils qu'il croit mort. Ce qu'il voit n'est pas faux, mais ce n'est pas toute la vérité, toute la réalité ! Et la réalité, c'est bien qu'il y a souvent beaucoup plus de puissance dans l'apparente faiblesse !...

Perfection et évolution

Ami(e), reprenons depuis ce point de vue élevé par lequel nous sommes déjà passés. J'en ai déjà parlé et j'en reparlerai encore, parce que cela me semble de la plus haute importance pour dégonfler cette pression morbide et mortifère qui s'appesantit sur le genre humain.

La perfection implique l'immuabilité, parce qu'elle ne repose que dans l'Eternité, c'est-à-dire encore dans le Divin, en Dieu Lui-même, ou, en tout cas, Ce qu'il convient de désigner ainsi si on utilise le vocabulaire des êtres humains de cette Terre. L'Eternel-Immuable, la Vérité Absolue, Quelque Chose Qui puise en Soi Sa propre énergie et Qui Se renouvelle éternellement, Qui est perpétuellement identique à Lui-même, car parfait depuis l'origine, étant Lui-même l'Origine de tout ce qui est, et pour toujours, pour l'éternité, étant Lui-même l'Eternité Elle-même, ce vaste Océan de Lumière, de Sagesse, de Tendresse, d'Amour, de Vie et de Créativité illimitée que tous les "mystiques" de toutes les traditions, religions, spiritualités perçoivent depuis toujours dans leurs pratiques méditatives et dans leur prier.

Il est donc évident que la Perfection est l'apanage du Divin Seul, qu'elle ne concerne pas même tout ce qui en est issu en des hauteurs plus élevées, aux origines de la Création, dans le Royaume Spirituel, et qu'elle peut encore moins être revendiquée d'aucune manière que ce soit par aucun des êtres humains qui a jamais peuplé et peuplera jamais cette Terre.

En dehors de l'Eternel-Immuable, point de départ de la Nature, où l'on peut aussi percevoir ce même caractère à la fois d'éternelle immuabilité et en même temps de changement et de renouvellement perpétuels dans la créativité d'une "vivescence" illimitée, en dehors de Cela, tout le reste n'est que devenir, évolution, changement, développement, même ce qu'il y a de plus élevé, de plus pur, de plus éthéré, plus proche de l'Origine. De façon ô combien plus vraie encore cela doit-il s'appliquer aux êtres humains de la Terre, eux qui, tous, ne proviennent que du tout dernier précipité du Spirituel et ne portent en eux que les germes inconscients des esprits post-évolués. Ces derniers, comme je te l'ai déjà décrit, toujours selon moi, dans la logique du système de représentations que je déploie devant toi, ces derniers, donc, ne peuvent déjà pas parvenir à la conscience d'eux-mêmes, même en ce point le plus éloigné de l'Origine que constitue pour eux le plan d'où ils proviennent, le dernier du genre spirituel. Ils doivent pour cela s'éloigner encore, descendre dans les profondeurs des champs d'expérimentation de la matérialité, vivre d'expériences, se frotter les uns aux autres dans le plan physique terrestre.

Le malheur provient des dogmes religieux, quels qu'ils soient, ou bien des perspectives métaphysiques, philosophiques erronées, qui ont à un moment donné cherché à flatter l'esprit humain en le présentant comme la couronne de cette création, comme l'aboutissement ultime de ce que l'évolution pouvait apporter de plus élevé, comme une création directe de Dieu Lui-même, dans une vision anthropomorphique et anthropocentriste puérile et infantile, digne uniquement des contes et légendes pour enfants, mais pas des adultes spirituels que les êtres humains auraient dû devenir.

Ce qui se produit lorsqu'un être humain pense ou prétend avoir atteint un certain degré de perfection dans l'accomplissement spirituel, c'est uniquement qu'il est obligé de se figer dans son évolution, car la perfection implique l'immuabilité, et donc une certaine immobilité. Il est obligé de se figer dans les apparences, afin que les imperfections internes de son âme et de son noyau spirituel véritable, autrement dit de son humanité, ne se voient plus. Il cesse ainsi d'évoluer et d'avancer, et ceux qui l'admirent sont comme des enfants qui restent assis à vénérer des idoles de bois plutôt que de marcher sur leurs propres jambes pour entamer enfin leur propre évolution, leur propre cheminement. Ou bien encore comme ces êtres humains primitifs fascinés par ces ascètes qui décident un jour de demeurer parfaitement immobiles dans une grotte ou sur un rocher.

Par ailleurs, une chose est particulièrement singulière. Sans doute provient-elle des conditionnements imposés par les religions. Je pense en effet qu'il ne viendrait à personne de véritablement intelligent et sensé aujourd'hui l'idée de revendiquer la perfection pour lui-même (en mettant de côté, peut-être, les gourous des sectes et religions ou du développement personnel). Or, que n'attend-on pas inconsciemment de la plupart des gens, notamment dans le milieu professionnel ? !... Qu'ils ne se trompent jamais, qu'ils ne commettent jamais d'erreur ! ! Comme si cela était décemment possible. Alors que nous ne sommes ici que pour apprendre, évoluer, tester aussi, et ainsi commettre des erreurs et en apprendre. Bien évidemment à partir du moment où cela ne provient pas de la mauvaise volonté et du paresseux penchant à l'incompétence. J'irais même plus loin, ma chère amie, mon cher ami : Le Divin Lui-même ne pourrait éviter des erreurs si jamais Il devait S'incarner sur Terre, afin de S'y manifester directement, sans intermédiaire, car Il lui faudrait longtemps expérimenter la nature imparfaite, changeante, voire profondément anarchique et chaotique, de la matière comme de l'humanité, avant de savoir enfin comment S'y tenir et S'y positionner, afin d'y agir et de S'y déployer.

Non, il est vraiment temps que le petit être humain de la Terre, comme le moindre de son genre, appréhende enfin la réalité, fasse le deuil de toutes ces fables et illusions dans lesquelles il se complaît depuis trop longtemps, du fait aussi du conditionnement et de la manipulation exercés par les religions (c'est-à-dire au final par des êtres humains sur d'autres êtres humains). Alors seulement il pourra, libéré de cette oppression maladive et malsaine, si profondément psychorigide et morbide, entreprendre avec une joie immense son évolution et son cheminement à travers les mondes, sur les sentiers de la Sagesse.

Le complexe des Tables de la Loi

Du fait de son origine et de sa nature spirituelles, du fait qu'il est issu au commencement d'une sorte de conscience spirituelle unifiée, l'être humain porte en lui des aspirations illimitées, qui jaillissent en fait de cette seule aspiration infinie vers la Lumière, aspiration à la réintégration dans cette conscience universelle unifiée qui se vit dans le spirituel bien plus facilement que dans la matière. Or, son chemin d'évolution, comme j'en ai précédemment déjà déroulé le tableau d'ensemble devant tes yeux, mon ami(e), le conduit à l'incarnation dans la matière, et c'est là que ça se corse. De ce fait, il ne dispose ensuite que de moyens limités. C'est ce qu'explique déjà Isabelle Padovani dans un de ses propos et cela rejoint aussi la dialectique Saturne-Uranus en astrologie. En effet, Saturne représente l'autorité, la contrainte, l'incarnation dans la matière, l'inscription dans le temps, car cette incarnation dans l'espace nous précipite aussi dans le temps. Son symbole représente d'ailleurs très schématiquement une croix (associée à la matière, à l'épreuve) surmontant un arc de cercle (associé à la sensibilité, à l'âme, à la capacité de réceptionner intuitivement). Saturne nous parle effectivement du fait que nous avons des moyens limités et que cela requiert des efforts et du temps pour surmonter les limitations et les difficultés, ancrer et concrétiser les choses dans la matière. Il nous faut faire le deuil de cette nostalgie de perfection et d'absolu. Uranus, quant à lui, représente le souffle de l'esprit, qui souffle bien où il veut, lui... Uranus vient éveiller la conscience en remettant systématiquement tout en cause. Si Saturne, maître du Capricorne, symbolise toutes les structures de ce qui a pris forme dans la matière, dans le monde des êtres humains, Uranus, lui, en tant que maître du Verseau, représente tout ce qui vient les questionner, les titiller, les remettre en cause, les bouleverser, les révolutionner, afin qu'elles demeurent constamment en adéquation avec les aspirations et les idéaux dont elles se réclament et qu'elles ne se sclérosent pas. Ce dialogue entre Saturne et Uranus nous parle de cette crucifixion constante, littéralement, que nous ressentons tous entre nos aspirations, qui semblent illimitées, et tyranniques (surtout quand on n'en comprend pas la véritable nature, ni l'origine), et nos moyens dans la matière qui sont limités. Cela participe de cette blessure originelle de tout le spirituel humain dont j'ai déjà parlé auparavant. Cette soif inextinguible qui agite chaque être humain, qui fouaille ses entrailles, ne lui laissant aucun repos, aucun autre choix que de désirer, d'avancer, encore et toujours, cette soif, donc, à l'origine de toutes les soifs, ne provient de rien d'autre que de son aspiration innée à réintégrer le secret de son origine, dans sa nature spirituelle, lui permettant ainsi de vivre à nouveau dans un état de conscience unifiée avec le grand Tout, car c'est cela seul qui le nourrit véritablement.

C'est de là que proviennent également toutes les soifs d'absolu (encore en rapport avec Uranus, d'ailleurs) qui agitent l'humanité depuis la nuit des temps, encore aujourd'hui, plus que jamais. La plus belle des choses en l'être humain devient ainsi une véritable malédiction parce qu'elle n'est pas comprise, parce qu'elle s'égare, se perd, est détournée. C'est bien là la racine de tous ces maux, de toute cette agressivité, violence, animosité, de toutes ces horreurs perpétrées au nom d'absolus indiscutables, et même des plus nobles idéaux, qu'il s'agisse maintenant de spiritualité, de religion, de philosophie, de politique ou autre.

A la base, il n'y a pourtant, en chaque esprit humain, que la tendance naturelle et irrépressible à aspirer vers le haut, à aspirer à un absolu, à des idéaux. Seulement, cet Absolu, l'Unique auquel il doit aspirer, est Sans-Forme, Sans-Possibilité-De-Représentation, au-delà de tout ce qu'il peut penser, croire, imaginer. Vouloir l'enfermer dans une représentation, c'est déjà couler le navire à bord duquel on est embarqué. D'où, d'ailleurs, la raison du premier commandement, le plus important de tous : "Je suis le Seigneur, ton Dieu ! Tu n'auras pas d'autres dieux devant Ma Face !", avec l'impérieux interdit de ne pas se faire d'image de Dieu, car cela reviendrait à enfermer l'Absolu des absolus dans une représentation forcément limitée et insuffisante. - Et pourtant, c'est ce qu'ont fait quasiment toutes les religions… - Un commandement, donc, qui n'a jamais été vraiment compris, et qui a toujours été rabaissé par la capacité de compréhension humaine limitée, interprété faussement, limité et étriqué. Bref ! J'y reviendrai à l'occasion. Je parlais aussi précédemment du fait que, naturellement, à un certain niveau d'épanouissement de sa conscience spirituelle, notamment et surtout à l'adolescence, l'être humain ressent nettement en lui, bien que totalement inconsciemment au départ, l'impérieux besoin d'aspirer à des idéaux élevés. Là se manifeste l'action des Originels-Créés, au sommet du Spirituel-Eternel, eux qui sont les Archétypes idéaux parfaits de tout ce qui peut fleurir de plus élevé au sein du genre spirituel-humain. Cela se manifeste bien souvent par le besoin de se trouver, déjà ici sur Terre, des modèles à suivre, que l'on admire, que l'on adule, auquel on voudrait ressembler, toujours conformément à son genre propre. Et cela se manifeste aussi en politique, comme dans les religions, jusque dans la culture populaire.

Seulement, le problème, c'est que l'être humain s'y prend complètement de travers, comme un pied à vrai dire, pas du tout de la bonne manière, et ça tourne rapidement à la catastrophe. Car ces absolus, ces idéaux, qui sont de nature purement spirituelle et qui se tiennent bien haut au-dessus de l'humanité, ne sont pas de ce monde, n'appartiennent pas à la matière, où ils ne pourront jamais être réalisés. L'humanité, d'ailleurs, ne pourra à vrai dire jamais les atteindre, jamais les incarner. Tout absolu est une asymptote mathématique dont on peut se rapprocher indéfiniment sans jamais pouvoir l'atteindre pour autant. Les êtres humains ne doivent pas oublier qu'ils ne proviennent à la base, dans leur origine et leur nature spirituelles profondes et premières, que de germes d'esprit inconscients, ils ne sont que des esprits "post-évolués", en aucun cas des "créés". La maturité et le degré de perfection tout relatifs qui reposent dans la nature des "créés" véritables leur échapperont toujours, parce que cela ne repose pas au départ dans leur essence originelle.

Les êtres humains ne doivent donc jamais perdre de vue qu'ils ne sont que des créatures d'évolution, imparfaites et limitées, qui sont plongées dans la matière, à l'état de germes inconscients, pour entreprendre le long périple de leur évolution vers l'épanouissement de la conscience spirituelle. A ce titre, ils peuvent et doivent aspirer aux absolus, aux idéaux les plus élevés, à condition de ne jamais prétendre vouloir les réaliser eux-mêmes, encore moins les réaliser en eux-mêmes, sur Terre, dans la matière, dans ce champ d'expérimentation imparfait et d'apprentissage transitoire. Et pour capter ces idéaux élevés, il leur faut porter le regard bien loin au-dessus de la matière, ce que la restriction à l'intellect terrestre et la nonchalance de leur conscience spirituelle ne leur permettent pas. Voilà qui doit considérablement décompresser, voire déconstiper spirituellement les choses, notamment cette crispation malsaine dans une tension permanente vers une vaine quête de perfection, totalement irréaliste et irréalisable. L'être humain ne peut jamais évoluer naturellement et sainement, car, trop empressé qu'il est de vouloir coller à des absolus et des idéaux, des critères extérieurs à lui-même, tombés d'en-haut, voire plutôt assénés d'en-haut, prétendument, telles les Tables de la Loi, c'est comme s'il se fauchait les jambes à lui-même, car il nie et renie le terrain sur lequel il se tient, il nie la réalité pourtant indéniable de sa condition imparfaite et limitée. Tant qu'il ne sera pas descendu de l'arbre de ses prétentions à réaliser ou incarner des absolus ou des idéaux, pour se camper solidement des deux pieds sur Terre et marcher par lui-même, à partir de là où il se trouve, en prenant son indigence par la main pour la conduire plus haut, tant qu'il ne prendra pas conscience de cette erreur et qu'il ne réalisera pas cela, il sera à côté de la plaque, il sera dans la crispation, la tension, et, par voie de conséquence, dans le jugement, dans l'intolérance, l'animosité, l'agression et la violence, vis-à-vis de tout ce qui ne correspond pas à ses critères d'absolu et d'idéal. C'est là le pire terrorisme qui soit, celui qui existe déjà en tout être humain, prêt à le perdre en le faisant basculer dans une attitude sectaire et dans un comportement intégriste, guettant à chaque instant l'autre avec défiance et méfiance, prêt à bondir sur lui au moindre faux pas, à la moindre erreur.

Et là, je voudrais leur crier : "Hé, ho, les gars, calmos ! N'oubliez pas que nous allons tous mourir un jour et que nous ne sommes que d'indigentes créatures d'évolution cheminant depuis le germe d'esprit inconscient vers l'épanouissement d'une conscience spirituelle unifiée. Nous ne sommes que de petites choses médiocres et indigentes dans l'Univers, perdues dans l'Immensité Cosmique. On est sur Terre pour apprendre, ce qui implique de commettre des erreurs, il n'y a rien de mal à ça."

C'est vraiment un paradoxe incompréhensible pour moi, cette société, ce monde du travail, où on a l'obsession malsaine, maladive, de l'erreur, cette crispation autour du fait d'être tout bien parfait en apparence, alors qu'il est évident à tout un chacun, aujourd'hui comme toujours, qu'il n'y a absolument rien de parfait en l'être humain. Etre humain, sur Terre, c'est apprendre à bricoler au mieux avec tout ça !

Et c'est pire, je crois, à mon sens, dans les milieux dits "spirituels", car, dans ce domaine, les gens pensent automatiquement qu'il existe une Vérité, une seule et unique Vérité absolue et parfaite - et ils ont raison ! -, et ils cherchent à coller à cette Vérité absolue le mieux possible. Ce faisant, ils tirent ces absolus et ces idéaux vers le bas, se figent complètement dans leur évolution, et s'enveloppent douillettement dans le manteau des apparences, afin de paraître parfaits auprès de leurs semblables, pour faire bien, pour être respectés, admirés, pour obtenir des avantages matériels au sein du groupe social, quel qu'il soit. Cependant, en chacun d'eux sommeille le vice de leur imperfection essentielle, une tension existe entre ce qu'ils voudraient être et ce qu'ils sont. Parfois, ils se déchargent de cette tension, se défoulent, sur les autres, sur d'autres catégories d'êtres humains, qui semblent ne pas chercher à incarner les mêmes idéaux, les mêmes absolus. Mais cette violence qui s'extériorise parfois de manière extrêmement puérile et inacceptable en tout cas au regard des valeurs affichées, n'existe d'abord qu'en eux-mêmes, en chaque être humain, en chacun de nous. Il est important d'être simplement au clair avec ça, sans chercher à se hérisser là-contre, à le changer, simplement en l'acceptant comme un état de fait, et de composer avec.

Il y a à vrai dire effectivement une et une seule unique Vérité parfaite et absolue, la Réalité vivante, totale et pure, mais c'est un peu comme une asymptote mathématique : on peut s'en rapprocher indéfiniment, sans jamais l'atteindre pour autant. Ainsi, aucun individu sain d'esprit ne peut revendiquer la Vérité, cette Vérité totale et absolue, pour lui seul. Aucun être humain ne peut donc dire à un autre ce qu'il doit croire, ce qui est juste ou faux dans l'absolu. Pourtant, me diras-tu, il y a quand même objectivement du vrai et du faux... Et puis, je suis ainsi en contradiction avec moi-même, avec mes propres propos antérieurs. Eh bien, non, te dirais-je, dans une certaine mesure seulement. Ce qu'il faut prendre en compte, c'est la loi de l'évolution, qui est valable pour toute l'humanité dans son ensemble. Ce qui est vrai à un certain niveau, ce qui peut être considéré comme acceptable et même nécessaire, indispensable, à un certain degré d'évolution, ne l'est pas pour un autre niveau d'une perspective plus élevée, et inversement. Et vouloir asséner une vérité depuis un point de vue plus élevé à un degré d'évolution inférieur ne serait pas forcément profitable ni constructif. La Terre est une école où chacun, quel qu'il soit, quel que soit son degré d'évolution, j'insiste, doit et peut faire son apprentissage spirituel. Bon, le problème, à l'heure actuelle, en ces temps de clôture de cycles, c'est qu'on fait le grand écart entre les niveaux d'évolution et que les classes sont envahies par les mauvais élèves (j'entends, les perturbateurs), qui tirent tout le monde vers le bas, et qu'il y a aussi cette confusion importune, voire agression, entre les niveaux d'évolution, ce qui ne permet plus des conditions d'apprentissage, d'expérimentation et d'évolution optimales, pour tout le monde. Mais c'est là un autre problème !

Les religions, donc, portent une grande part de responsabilité dans la façon dont beaucoup d'êtres humains sont ainsi conditionnés à vouloir obstinément, artificiellement, hypocritement coller à des absolus, à des idéaux, qui leur sont au fond inaccessibles, et qu'ils voudraient pourtant voir reconnus, acceptés, intégrés, par tous. Peu importe qu'il s'agisse maintenant de l'animosité de certains athées, non-croyants, vis-à-vis des croyants, qu'ils soient catholiques, chrétiens, ou autres, qu'il s'agisse des agressions antisémites et racistes, de l'intolérance de minorités catholiques envers les communautés LGBT, de la défiance et méfiance à l'égard de l'Islam et des musulmans ou bien même d'intégrisme religieux en général ou de terrorisme islamiste en particulier, c'est du pareil au même, c'est bonnet blanc et blanc bonnet, cela provient de la même violence en nous exercée par notre part pseudo-spirituelle qui veut coller à un idéal, à un absolu, envers l'imperfection globale de ce que nous sommes, ce qui, lorsque cela n'est pas conscientisé en soi, se manifeste vers l'extérieur dans les comportements des êtres humains les uns envers les autres. - Et je remercie d'ailleurs ici chaleureusement Isabelle Padovani pour cette prise de conscience personnelle, un élément du puzzle faisant cohérence avec le reste… - Et tout ça pour quoi, donc, au final ? ? ?... Car la seule chose qui est sûr à 100%, qui est une vérité absolue irréfutable, que tout un chacun devrait garder à l'esprit, c'est bien que nous allons tous mourir un jour. Quelles que soient notre conviction personnelle sur ce qui se passe ensuite, cela ne devrait-il pas nous inciter à davantage d'humilité, de compassion, d'empathie, d'entraide, de solidarité et d'harmonie, le temps au moins de notre infime et ridicule petit passage sur Terre ?...

Souvent, certains croyants, devant les horreurs du monde, se disent : "Mais si Dieu existe, pourquoi laisse-t-Il faire cela ?". Eh bien, tout simplement parce que, déjà, Dieu n'est pas le vieux barbu disposant de super pouvoirs, sorte de superlatif humain, assis sur son trône dans les nuages, pouvant agir arbitrairement, mais aussi parce qu'Il respecte le libre-arbitre humain, tel que cela repose dans Ses décrets de Créateur. Et puis, à quoi cela conduirait-il si un pouvoir absolu, parfait, de droit véritablement divin, juste et bon, devait être imposé à toute la planète ? Si tant est que cela puisse être possible sur un terrain aussi imparfait et bancal que celui de l'humanité actuelle, peut-être que certains y trouveraient leur compte, effectivement, cela permettrait sûrement d'éviter les dérives puériles et arbitraires des gens qui nous dirigent, de ceux qui ont les moyens financiers, mais qu'en serait-il des êtres humains appartenant par exemple à des niveaux d'évolution plus bas dans l'échelle de l'évolution de la conscience humaine, qui ont besoin de se frictionner au contact des autres d'une manière plus rude ? Ils ne pourraient en aucun cas prendre pied en étant ainsi transposés brutalement sur un terrain qui ne leur correspond pas. Et ce serait une véritable tyrannie que leur feraient subir les êtres soi-disant plus évolués, allant ainsi à l'encontre de leur libre-arbitre. Bien évidemment, tout ce que je dis là est à prendre avec des pincettes, à nuancer, mais je voulais pousser le trait suffisamment loin pour montrer ce que cela aurait de caricatural et de faux. Il n'en demeure pas moins que la guidance de l'humanité ne devrait reposer qu'entre les mains d'esprits éclairés, d'êtres humains véritablement matures dans leur humanité, de façon que les règles du vivre ensemble permettent justement à chaque individu, quel que soit son niveau, de mener son évolution, de suivre son propre chemin, sans risque d'être importuné, agressé, voire stoppé dans son développement par une quelconque forme de violence extérieure ou d'injustice.

A bas, donc, ces "Tables de la Loi", prétendument descendues d'en-haut comme des absolus ou des idéaux parfaits que tout le monde devrait suivre, à bas cette tyrannie de la perfection, cette crispation autour d'idéaux de perfection fondamentalement inaccessibles aux êtres d'évolution imparfaits que sont les êtres humains, à bas cette violence mortifère qui se fustige soi-même et agresse les autres. - Et si tu es sincèrement croyant(e), mon ami(e), laisse-moi nuancer mon propos : je ne parle ici que de ce que les êtres humains ont eux-mêmes fait des valeurs spirituelles qui leur ont été données d'en-haut, je ne parle pas du don proprement dit qui a été effectivement fait du haut vers le bas de ces valeurs spirituelles. Enseignement spirituel toujours incarné dans une époque, un contexte, une histoire, d'ailleurs, mais j'en reparlerai plus loin. - Par ailleurs, ne perds jamais de vue le fait que, toute puissance supérieure qu'elle soit, ce qui se manifeste d'en-haut doit nécessairement être pris en défaut sur le terrain humain terrestre qu'elle ne connaît pas, auquel elle ne peut pas être adaptée, alors que toi tu l'es bien mieux. Tu dois pouvoir exercer là aussi ton jugement critique, et déterminer ce qui est applicable tel quel, ce qui ne l'est pas, ce que cela réclame comme négociation, compromis, adaptation, afin d'être réalisable dans ce monde imparfait, au sein de nos existences imparfaites. C'est un véritable artisanat, l'art de la vie, l'art de vivre, pour l'être humain, que de chercher à savoir comment, à chaque instant, il peut transposer dans la matière, sur Terre, dans le matériau humain imparfait, ses nobles intentions, les aspirations de sa conscience, les exhortations de son esprit en lui. Comme dit Isabelle Padovani, c'est à chaque instant que nous pouvons jouer le rôle d'alchimistes et transformer en or le plomb qui se présente à nous.

Moralité ; Notions de Bien et de Mal

Poursuivons joyeusement notre parcours ! Et nous rencontrons encore des concepts sur lesquels il nous faut nous attarder quelque peu en appliquant ce nouvel éclairage du haut vers le bas.

La question du Bien et du Mal est également une question délicate, mais fondamentale, car on peut voir encore aujourd'hui comment elle agite les débats de société. Une vision erronée des questions de bien et de mal, ainsi que, corollairement, de la moralité, génère bien des jugements, de l'hypocrisie, de la condescendance et du mépris, le rejet des autres, de la défiance et de l'animosité, pour ne pas dire de l'agressivité, voire de la violence. Cela me peine beaucoup quand je vois ou entends certaines choses. C'est pourquoi j'aimerais éclaircir ce sujet qui me tient à cœur et partager avec toi, si tu es d'accord, ma vision des choses, à la lumière du grand panorama d'ensemble de la Création que j'ai pu dérouler devant tes yeux. Et la seule motivation qui m'anime, c'est la quête de l'harmonie et de la paix entre tous les êtres. Ça n'a rien à voir, d'ailleurs, avec une vision "bisounoursique" ou idéaliste utopique des choses, car il s'agit bien là d'une question vitale, une question essentielle de survie et de sécurité pour le genre humain tout entier ; en dehors de cela, point de salut pour le vivre-ensemble !

Selon moi, donc, le Bien absolu, c'est ce qui vise à offrir à toute forme de vie, quelle qu'elle soit, une possibilité d'existence, d'évolution et d'épanouissement, et à préserver à tout prix cette possibilité, ce délicat équilibre entre toutes les formes de vie, tandis que le Mal absolu (qui n'existe d'ailleurs pas vraiment en soi de manière absolue, comme l'antagonisme qui est solidement enraciné dans les mentalités le suggère pourtant) cherche obstinément à détruire ces possibilités, voire carrément ces formes de vie.

Arrivé là, il me faut préciser que je parle d'un point de vue spirituel plus large, et non pas en me cantonnant à la seule matière dense visible, de même que je considère ici l'existence dans son ensemble, sans me limiter au temps restreint d'une seule incarnation terrestre, car, sinon, je devrais, selon cette définition, qualifier de "mal", par exemple, ce que je vois dans la Nature, où, loin de l'angélisme développé par certaines personnes qui font dans la sensiblerie, certaines espèces se développent allègrement au détriment d'autres espèces, voire en les asservissant, comme c'est le cas des parasites, de certaines plantes ou de certains insectes, et où le danger est omniprésent, avec la loi du plus fort, la loi de la jungle, manger ou être mangé, etc. Seulement, du point de vue spirituel, c'est-à-dire du point de vue global de la poursuite de l'évolution de tout le Vivant, à l'échelle de l'Univers, il n'y a là aucun "mal". En effet, dans la matière si opaque, lourde et dense, chaque être court constamment le danger de s'isoler du courant principal de la Vie, de stagner, par paresse, et de se figer, ce qui correspond à vrai dire à une certaine forme de mort spirituelle, par absence de mouvement, car, pour nous, dans notre monde matériel, soumis au changement des formes, le mouvement est la vie, et seul ce qui se tient en mouvement est en vie. Sans mouvement, il n'y a plus de vie. L'instinct ou programme de lutte pour la survie dans la matière, implanté et promu par la Nature en chaque forme de vie, est indispensable au maintien du mouvement et des possibilités d'évolution et de développement dans la matière. Il n'y a que la force incroyable de ce puissant instinct naturel de vie qui soit à même de contrebalancer la lourdeur de la matière, la grande difficulté qu'elle a de se mouvoir, la puissance inexorable de la fatale entropie, qui achemine tout irrémédiablement vers la disparition des formes. Mais, dans le déploiement de ces efforts, de cette force, justement, chaque germe incarné dans la matière atteint un embrasement qui le fait mûrir et lui permet ensuite de participer activement au grand cycle des irradiations de la Création.

Ainsi donc, ce n'est pas à l'échelle d'une seule vie terrestre, de la seule existence terrestre, qu'on peut juger de quelque chose et savoir si, en définitive, cela est bien ou mal, car la vie terrestre tout entière n'est qu'une suite d'expériences vécues diverses et variées, où se succèdent juste et non-juste, vrai et faux, bien et mal, joie et tristesse, souffrance et amour, paix et violence, et ainsi de suite. Telle est l'existence terrestre, la condition humaine ! L'incarnation dans la matière, la participation au grand cycle du Samsara, le cycle des réincarnations, impliquent cela, conditionnent cela, nul ne peut y échapper. Ce qui compte, ensuite, c'est ce qu'on en fait, comment on le transforme, comment, malgré tout, on s'en affranchit pour parvenir au but, l'épanouissement de la conscience spirituelle et de l'authentique humanité, et pour s'élever ensuite hors de la matière, renaître à une forme de vie éternelle, non soumise à ces vicissitudes.

Cependant, à l'échelle terrestre, deux éléments fondamentaux doivent nous guider sur ces questions de moralité, de bien et de mal. Premièrement, le développement d'une authentique humanité conditionne l'épanouissement de la vraie conscience spirituelle, qui va naturellement de pair avec l'émergence d'une vivante capacité d'empathie. Ainsi, quand tu es parvenu(e) à ce stade, tu ne peux plus faire sciemment, consciemment, volontairement du "mal" à qui que ce soit ou à quoi que ce soit, car tu ressens douloureusement en toi-même, avec une incisive acuité, où, quand et comment exactement tu blesses autrui, au sens large, c'est-à-dire non seulement n'importe quel individu ou être humain, mais aussi, de façon plus étendue, n'importe quel être vivant, donc également les animaux, de même encore que, plus loin, tout le règne naturel avec lequel nous vivons (ou devrions vivre) en symbiose. Deuxièmement, dès que tu as atteint un certain degré d'évolution spirituelle, de conscience, de connaissance spirituelle et de sagesse, tu es parfaitement conscient(e) du fait que, conformément aux immuables lois de la Création d'action en retour, de cause à conséquence, tu récoltes inévitablement ce que tu sèmes, au centuple. Disons, en tout cas, plus précisément (nuance importante), qu'avec certitude, ce que tu sèmes, quoi que ce soit, sur quelque plan que cela se forme, que ce soit visible ou invisible, tout cela, oui, tu le récoltes sûrement, au centuple, du fait de la loi d'attraction des affinités ou du genre semblable. Et cela va même plus loin que les simples conditions extérieures, car se manifeste également dans ton propre corps physique tout ce que tu as toi-même nourri comme formations (intuitions, pensées, paroles, sentiments, émotions...). Mais j'en parlerai plus loin, lorsque j'aborderai les questions de santé.

Maintenant, tout bien considéré, sur Terre, tu as le droit de faire ce que tu veux, exactement tout ce que tu veux, sans limite, à condition que tu ne blesses pas un autre être vivant (y compris toi-même !...), que tu ne lui causes aucun "mal", c'est-à-dire que tu n'agisses pas sur lui et son existence de façon destructrice, que tu n'entraves pas ses possibilités d'évolution, de déploiement et d'épanouissement spirituels à long terme. Parce qu'alors, tu t'exposes aux conséquences de cette activité nuisible que tu as générée dans l'Univers, en dehors du fait que, de toute façon, ta conscience spirituelle profonde en sera peinée et blessée, comme si tu t'étais fait du mal à toi-même. En dehors de ces considérations, il n'y a absolument rien qui soit bien ou mal en soi de façon absolue, contrairement à ce que veulent nous faire croire la société, les religions ou les sectes avec leurs critères psychorigides, car, bien souvent, ici-bas, tout n'est que relatif et s'inscrit dans une vaste échelle de gris ; rien n'est jamais ou tout blanc ou tout noir. Justement, le problème, c'est le fait que beaucoup de gens conditionnés veulent en juger uniquement d'après les valeurs prétendument absolues des religions, elles-mêmes calquées sur des textes prétendus sacrés, qui n'ont cependant rien de "divins" en eux-mêmes, qui n'émanent que d'êtres humains imparfaits, qui portent donc la marque non seulement de leur imperfection, de leur insuffisance, mais aussi de leur partialité, de leur intolérance, de leur animosité, agressivité et violence. Il n'y a qu'à lire, par exemple, certains passages de la Bible comme du Coran pour être choqué par l'immoralité évidente et la violence de certains propos qui ne peuvent donc avoir absolument rien de vrai en eux, rien de spirituel, rien de véritablement "humain", encore moins de "divin". Non, en cela, tous ces êtres humains - désolé mon ami(e) d'être aussi dur et direct - sont complètement à côté de la plaque, ils ne connaissent pas ce "Dieu" dont ils se réclament, ne font que servir le mal et donner aux autres êtres humains une bien piètre image de ce "Dieu" qu'ils disent servir, et ils contribuent ainsi, comme tant d'autres avant eux, à ensevelir les vrais joyaux des enseignements spirituels parvenus sur Terre, grâce à de véritablement appelés, conformément à la Volonté de la Lumière, sous un tas d'interprétations erronées, de déformations, manipulations, erreurs, errements, etc. Ce qui fait que beaucoup se méfient à juste titre de tout cela et ne savent plus faire la distinction entre la spiritualité pure et tout ce qui relève des religions, croyances et dogmes, rites et rituels, règles sociales, etc., bref, de l'asservissement d'êtres humains par d'autres êtres humains, dans un moule rigide, liberticide et mortifère.

Si tu prends en compte ce que j'ai décrit auparavant, sur la genèse de toutes ces formations qui émanent de nous, tu comprendras aisément qu'un acte, en soi, quel qu'il soit, n'est qu'une coquille vide inconsistante, qui n'est, en soi, ni bien, ni mal, mais que sa façon d'agir dans la Création, dans le Vivant, de manière constructrice ou destructrice, donc en bien ou en mal, dépend bien sûr des circonstances ainsi que, surtout, de son contenu, du vivant contenu qui l'anime, c'est-à-dire non seulement des émotions, sentiments, pensées qui président à son expression, mais également plus loin des intuitions, ressentis et intentions profonds, fondamentalement spirituels, qui le conditionnent, qui en sont véritablement à l'origine. Ainsi, évidemment, l'être humain qui ne jure que par le matériel-terrestre tangible et visible, ne voit que les apparences extérieures, la peau du fruit, mais pas le noyau. Il est donc dans l'incapacité totale de juger si quelque chose est "bien" ou "mal". De cette manière, les êtres humains restreints et limités par leur intellect ne devraient pas, quel que soit leur niveau d'étude, de compétence et leur formation, exercer une quelconque activité en tant que juriste ou magistrat. Pour beaucoup de choses qui relèvent du purement "humain" (et donc plus loin qui sollicitent une réelle activité "spirituelle"), les études intellectuelles seules ne suffisent pas à avoir autorité et à exercer une responsabilité en la matière, quand il y faut une véritable vocation et une réelle vivacité spirituelle-humaine.

Meurtre

Prenons un exemple. Dans les textes sacrés de certaines religions (et pas seulement des religions monothéistes), notamment dans les dix commandements qui figurent dans l'Ancien Testament de la Bible, et qui sont attribués à Moïse, comme manifestation de la Volonté Divine, inscrits sur le support des fameuses "Tables de la Loi", il est expressément et explicitement interdit de tuer. "Tu ne tueras point !", est-il écrit.

D'ailleurs, en ce qui concerne l'application de ce commandement au sens strict, on voit bien que beaucoup de représentants et de prétendus croyants de diverses religions, fidèles de leurs temples, églises, mosquées, etc. (et y compris même des bouddhistes ! !...), ne sont en réalité que de fieffés hypocrites, puisqu'ils enfreignent allègrement ce commandement suprême, qu'on retrouve pourtant dans toutes les religions, et qui ne prête à aucune interprétation, encore moins à une quelconque forme de tergiversation, qui ne saurait donc souffrir aucune exception ou dérogation. Et pourtant, ils tuent ! Au nom de Dieu ! (Ou d'autre chose...) Quelle ineptie, quelle bêtise ! Or, tuer, c'est bien agir de façon destructrice, en portant atteinte à la vie d'autrui, à ses possibilités d'évolution. Cela prouve bien uniquement que ces représentants et adhérents-là des religions ne sont tout simplement que des êtres humains imparfaits et faillibles, quel que soit l'artificiel statut dont ils se réclament. Et cela leur retire du même coup de facto toute autorité qu'ils chercheraient à s'arroger illégitimement pour parler au Nom de Dieu ou au nom de quelconques absolus spirituels.

En outre, il est bien dit : "Tu ne tueras point !". Il n'est fait aucune précision sur qui ou sur quoi porte ce commandement. Donc, tu ne tueras point (c'est-à-dire tu n'agiras pas de façon destructrice), qu'il s'agisse ensuite d'un autre être humain, mais aussi d'un animal, de la Nature, de l'environnement, voire même plus loin de l'élan de quelqu'un, de ses rêves, de ses aspirations, de ses sentiments, de ses pensées, de sa réputation, de sa carrière, de ses relations amoureuses ou amicales, et ainsi de suite... Nous voyons là qu'il y a bien plus de motifs d'infraction à ce commandement essentiel de la Vie que les gens ne le pensent en général, surtout ceux qui se laissent si facilement aller à des pensées ou des paroles destructrices. (Et moi-même, je n'échappe pas à la règle ni à ce cas de figure, je te rassure, je ne suis qu'un imparfait être humain comme toi, et je peine moi-même aussi à réaliser l'intégrité à laquelle, comme tout être humain digne de ce nom, j'aspire pourtant vivement et très sincèrement... ;))

Et pourtant, me diras-tu, dans la Nature, l'animal tue, pour se nourrir, sans intention de détruire, sans animosité.

Maintenant, est-ce que tuer, en soi, est mal ? Non, toujours pas. En effet, tu peux tuer par légitime défense ou par charité, ce qui change tout. Bref ! Je te laisse le soin d'y réfléchir par toi-même tranquillement. On pourrait multiplier à foison les exemples qui montrent clairement que les moralistes qui se réclament des religions et d'une forme bâtarde de moralité philosophique ou laïque, sont immoraux et que certains actes jugés comme "mauvais" ou "immoraux" ne le sont pas. Mais peut-être qu'il faut que je le précise quelque peu, au risque d'anticiper sur des éléments dont je ne veux parler en détail qu'ultérieurement. Je vais donc aborder quelques cas concrets à titre d'illustration de ma pensée, ce qui ne se veut en aucun cas absolument exhaustif.

Sexualité

Alors, abordons tout d'abord, mon ami(e), le sujet de la sexualité. C'est bien peut-être l'un des sujets les plus délicats pour le genre humain, voire le sujet qui pose vraiment le plus de problèmes. Quel foin n'a-t-on pas fait et ne fait-on pas encore autour de la sexualité ? Surtout dans les domaines dits "spirituels". Pire encore dans le domaine religieux ! ! J'en ai déjà parlé, la sexualité en soi n'a absolument rien à voir avec la fameuse chute dans le péché telle qu'elle est décrite dans la Bible. De la part du Divin, de la Vie, il n'y a donc aucun tabou, aucun interdit sur la sexualité. Seuls les hommes (et je parle bien ici intentionnellement des hommes en premier lieu, et pas forcément des êtres humains en général) ont dénaturé la sexualité et en ont fait quelque chose de problématique, de tabou, non pas parce que la sexualité est un problème en elle-même, mais simplement parce qu'ils ont eux-mêmes un problème avec la sexualité. Ils sont hypocrites : ils sentent bien en eux-mêmes qu'ils sont fouaillés par cet instinct sexuel qu'ils ne parviennent pas à maîtriser, à canaliser, parce qu'ils lui ont rendu un culte et l'ont ainsi hypertrophié, et que la sexualité les a asservis, ou plutôt qu'ils se sont eux-mêmes asservis à la sexualité, entravant ainsi leurs propres possibilités d'évolution. Du coup, leur réaction extrême est d'en faire un interdit absolu. Or, j'ai déjà parlé du danger des absolus, sur Terre, pour les créatures d'évolution imparfaites que sont les êtres humains. Cela engendre un contre-courant terrible qui se décharge de façon absolument tyrannique et dévastatrice, car, de l'autre côté, l'instinct n'en est pas moins cultivé, stimulé, exacerbé et déchaîné de toutes les manières possibles et imaginables, notamment en pensées...

Je nuancerai mes propos plus tard, lorsque je t'exposerai, mon ami(e), ce qui rentre en jeu, selon moi, au niveau de la sexualité, notamment en matière d'énergie vitale et de force sexuelle, la Kundalini, mais aussi en matière de rapport avec le grand Invisible, et plus loin en ce qui concerne la vie purement spirituelle. Car là, comme partout, il suffit de savoir et d'être conscient des processus pour se préserver des erreurs et des embûches. Et je parlerai aussi de la question des genres. Mais qu'il soit dit pour le moment que, comme pour tout acte, l'acte sexuel en soi n'est qu'une coquille vide, ni bien, ni mal. Tout dépend des pensées, sentiments, émotions, et plus loin des intentions, intuitions, ressentis, qui président à la naissance de cet acte, à son expression. Ainsi, lorsque cet acte sexuel a lieu entre deux personnes adultes consentantes, dans le respect mutuel de toutes les personnes éventuellement impliquées, de près ou de loin, directement ou indirectement (car il ne faut pas négliger l'impact sur l'entourage et l'engagement qu'on a pris auprès de ses proches), il n'y a là absolument aucun problème à chercher, que ces personnes, d'ailleurs, soient de sexes opposés ou de même sexe, qu'elles soient deux, trois, voire plus. A qui cela peut-il nuire ? Si cela se fait bien entendu entre des personnes qui en ont vraiment envie, à qui ça fait plaisir, dans le respect l'un de l'autre, aux niveaux physique et psychique. Bien évidemment, c'est encore mieux quand il y a des sentiments sincères, mais ce n'est pas non plus indispensable, dès que cela se fait - je le répète encore une fois - dans le respect, et également quand chacune des parties est bien consciente de ce que tout cela implique à différents niveaux, surtout en matière d'engagement et de responsabilités, et que le contrat est clair, qu'il n'y ait pas plus d'attente et d'attachement d'un côté que de l'autre. Volontairement, je mets de côté la question délicate des mineurs.

Un adulte majeur (surtout s'il est en position d'autorité), même jeune, n'a pas à avoir selon moi de quelconques rapports sexuels avec un mineur de moins de 14/15 ans, disons, au moins, que je considèrerais comme immature sexuellement (comme le dit à peu près la loi, je crois), et dont le prétendu et hypothétique consentement ne pourrait en aucun cas avoir la même valeur de libre décision consciente et réfléchie que celui d'un adulte. Et cela reste également discutable pour un mineur plus âgé, même si ce dernier sait ce qu'il veut et insiste. C'est là un avis purement personnel, provenant de ma vision personnelle des choses que j'entends ici partager librement avec toi. L'adulte responsable doit être conscient du fait que cela peut résulter d'un déséquilibre vis-à-vis de la sexualité et que sa responsabilité, en tant d'adulte, c'est de prendre soin des mineurs, a fortiori des enfants, de les préserver aussi des problèmes que pourraient causer une précocité malsaine. Il en va autrement des rapports entre mineurs adolescents parvenus à maturité sexuelle. S'ils doivent faire là leurs premiers pas, leurs premières expériences, cela doit rester entre eux, entre individus du même âge à peu près, les adultes ne doivent pas s'en mêler, toujours à partir du moment, bien sûr, où cela se fait avec le consentement des deux parties, dans le respect mutuel et avec les précautions qui s'imposent, ce qui, déjà en soi, n'est pas une mince affaire et nécessite encore un énorme travail d'éducation, d'écoute et de dialogue auprès des jeunes gens.

Finalement, on pourrait presque penser et dire que, le sexe, c'est juste du sexe. Sauf que non ! Le corps n'est pas juste un corps. Une âme y habite, y est incarnée pour le temps d'une existence terrestre. Chaque individu dispose d'un affect, d'une pudeur et d'une sensibilité qui peuvent amèrement souffrir de la chose sexuelle, pas seulement d'ailleurs en la subissant de l'extérieur sans consentement, mais aussi en la recherchant constamment de l'intérieur, au mépris de certains aspects propres de la personnalité qui peuvent en pâtir.

Bref ! Dans tous les cas, ce que je veux dire, c'est qu'il n'y a pas lieu de jeter l'anathème sur des êtres humains qui se rapprochent dans un désir authentique, dans une réelle envie, dans le respect mutuel, et du fait, en plus, de sincères sentiments d'affection réciproques, quels qu'ils soient. A condition aussi d'être bien évidemment conscient de ses responsabilités vis-à-vis de l'autre, et de tout ce que cela peut impliquer affectivement, émotionnellement, au sujet également de la question des conséquences à tous les niveaux, notamment de la procréation, et de prendre clairement ses dispositions.

Il n'y a à vrai dire rien à dire d'autre. Voilà cette question évacuée ! Elle ne vaut vraiment pas la peine qu'on en fasse tout un pataquès comme le font beaucoup d'intégristes des diverses religions, qui montent cela en épingle et détournent finalement l'attention sur quelque chose de tout à fait accessoire et corollaire qui n'a rien à voir avec les réelles exigences de l'évolution spirituelle humaine. La sexualité n'est certes pas quelque chose d'anodin à prendre à la légère, mais ce n'est en rien un péché ou quelque chose de mal en soi, quelle que soit la forme que cela revête, toujours à partir du moment où chaque individu mesure ce que cela implique et se montre consciemment consentant et respectueux.

Pour l'être humain normal, la sexualité ne doit pas être un problème, un sujet de rumination, de honte, de culpabilité, à partir du moment où cela se fait dans le respect de l'autre, sans blesser qui que ce soit. Au contraire, cela devrait être uniquement un motif de réjouissance, de plaisir et de joie, voire, plus loin, de gratitude envers la Vie et envers Dieu !

Après, oui, je parlerai de l'exception que constituent les êtres humains qui souhaitent davantage pousser leur évolution spirituelle, par le développement de leur conscience, la pratique de la méditation, ainsi que ceux qui travaillent avec les énergies. Pour eux, oui, l'activité sexuelle n'est pas du tout anodine. C'est pour cela qu'elle est évitée le plus possible (comme d'autres choses) par ceux qui désirent se consacrer à une vie spirituelle ou à un travail énergétique. Mais, dans ce cas précis, il ne s'agit nullement d'un interdit absolu vis-à-vis de quelque chose qui serait "mal" (exactement de la même façon, d'ailleurs, que pour la consommation d'alcool, par exemple), mais juste d'un choix relatif personnel, afin de pouvoir privilégier autre chose.

Donc arrière toutes ces hordes médiévales et obscurantistes, totalement hypocrites et même perverses, qui veulent s'en prendre à la sexualité des autres et leur dicter leur comportement ! Dans leurs jugements, elles révèlent seulement leur sécheresse de cœur et leur inanité spirituelle, ainsi que leur propre problème vis-à-vis de la sexualité. Dans leur volonté d'imposer leur diktat aux autres, elles ne montrent pas une préoccupation sincère vis-à-vis du bien d'autrui, mais seulement leur tyrannie face à ce qui est différent et qui les dérange.

Avortement

Enchaînons avec la question de l'avortement, faisant logiquement suite aux problèmes de procréation non désirée. Là encore, la chose en soi n'est ni bien ni mal. D'ailleurs, il y a bien plus de mal dans les jugements et dans l'oppression subséquente, qui sont exercés à l'encontre de femmes qui se font avorter, par certaines personnes qui se prennent pour de fervents défenseurs de la moralité. Tout cela, c'est n'importe quoi ! Mais je vais t'expliquer précisément ce que j'en pense, et pourquoi je le pense.

Premièrement, un embryon n'est pas déjà une personne, un être humain à part entière. Certes, s'il existe et qu'il est viable, c'est qu'une âme s'en est approchée et s'y est liée afin de pouvoir ensuite s'y incarner, dans le but de parfaire son évolution en pénétrant dans l'existence terrestre. Seulement, ce n'est qu'à peu près à la moitié de la grossesse, du temps de gestation, entre le quatrième et le cinquième mois, que l'âme en instance d'incarnation est absorbée par le corps en formation. Donc, tout bien considéré, objectivement, avant l'incarnation de l'âme dans le corps, l'avortement ne peut en aucun cas être considéré comme un meurtre proprement dit. L'embryon n'est qu'une masse de matière organique végétative, certes vivante en apparence, animée par l'énergie vitale naturelle sur le plan éthérique, mais sans âme véritable. Ce qui est tué, oui, c'est simplement une possibilité d'évolution, dont il se représentera par la suite à l'âme en question de multiples autres occasions. C'est tout ! Surtout si aucun projet-sens réellement constructif et positif n'est prévu et posé par les parents pour cet être en devenir seulement.

Deuxièmement, oui, effectivement, tout événement dans l'En-deçà a des conséquences dans l'Au-delà, et la femme qui se fait avorter en portera la marque, la trace, les séquelles, non seulement sur le plan physique, mais également dans l'Invisible, sur les plans subtils. D'où l'importance de la contraception ! Le but de la sexualité n'étant pas uniquement la procréation (sinon la Volonté Divine à l'œuvre dans la Nature n'aurait pas fait en sorte que cela procure autant de plaisir !... ;)), il est nécessaire que l'être humain, conscient de son humanité, et non pas réduit au simple rang d'un animal non civilisé, pense aux conséquences de ses actes, prenne des décisions éclairées et assume entièrement ses responsabilités. Faire un enfant de façon totalement irréfléchie est parfaitement stupide et nuisible, surtout quand on a conscience des enjeux d'une incarnation terrestre. Nuisible au futur être humain ainsi qu'à ses parents.

Finalement, encore une fois, c'est bien ce qui se cache derrière cet acte qui compte vraiment, donc ce qui siège en l'être humain lui-même, au cœur de ses pensées, sentiments, intuitions, intentions. Ne pas se préoccuper de contraception et s'accoupler de façon irréfléchie, au risque de devoir ainsi se faire avorter, et se faire avorter, même, comme on va chez le coiffeur, relève d'une négligence coupable, qui se vengera amèrement sur la personne elle-même. Mais se retrouver dans une situation délicate, sans l'avoir voulu, et ne pouvoir offrir le meilleur à une âme en attente d'une incarnation en vue de son évolution, c'est autre chose. Et il vaut mieux, bien évidemment, dans ce cas de figure, se faire très rapidement avorter. Surtout lorsque, par exemple, il s'agit d'une jeune fille mineure victime d'un viol, contre laquelle, d'ailleurs, l'église catholique ne se prive pas de prononcer une excommunication, ce qui montre qu'elle ne sert ni Dieu, ni le Christ, dont elle n'a si visiblement pas compris le Message d'Amour, dans sa sécheresse de cœur et ses préoccupations religieuses, pseudo-spirituelles, à vrai dire uniquement professionnelles et matérialistes, institutionnelles. Bref !

Dans tous les cas, la façon dont l'événement agira sur la personne concernée, dépend toujours de sa disposition intérieure. Si, par exemple, du fait de l'influence malfaisante de son entourage, en plus, elle éprouve de la culpabilité, consciemment ou inconsciemment, elle engendrera ainsi dans le grand Invisible, sur les plans subtils, une forme de la culpabilité qui survivra à l'événement et qui lui nuira, tant qu'elle n'en aura pas pris conscience et qu'elle ne se sera pas pardonné à elle-même.

Là encore, mes chers co-êtres humains, un peu de perspicacité, de compassion et de compréhension, s'il vous plaît ! On ne peut juger quelqu'un sur un acte, encore moins sur les apparences extérieures. Seul celui qui est vivant intérieurement, humainement, spirituellement, sera apte à percevoir la nature des intentions qui sous-tendent un acte quelconque. C'est ainsi toujours plus ou moins du cas par cas. Ce qui montre bien que le fonctionnement actuel de la justice et de la législation est imparfait, complètement à côté de la plaque, autiste et psychorigide, nuisible et mortifère.

Et puis, mince !, que celui qui n'a jamais pêché jette la première pierre ! ! !

Donc, non, il n'y a rien de mal en soi non plus dans l'avortement, tant qu'il intervient à temps, que les circonstances le justifient, et que les choses sont faites en conscience et que l'individu prend ses responsabilités sur tous les plans. Là où le bât blesse, cependant, souvent, c'est justement que l'être humain, du fait de sa restriction volontaire à l'intellect et à la matière, n'a absolument aucune conscience de tout ce qui se passe corollairement dans l'Au-delà qui l'entoure, sinon il prendrait certainement d'autres décisions et agirait bien différemment.

Par ailleurs, tout être humain qui s'adonne à un acte procréateur devrait être conscient du fait que des âmes l'entourent constamment dans l'Invisible, qui sont en attente d'une possibilité d'incarnation, des âmes à vrai dire tout à fait étrangères à lui-même...

Mort

Avant d'aborder les questions du suicide et de l'euthanasie (réjouissant, n'est-ce pas ?... ;)), il me faut rapidement parler de la mort. Et je supposerai d'emblée que tu en sais déjà quelque chose, si tu as entamé une quête spirituelle et que tu as ce livre entre les mains. Avec la naissance, il n'y a certes pas d'événement plus important dans l'existence d'un être humain. Ma conviction intime en la matière, c'est-à-dire non pas ce que je crois théoriquement, mais ce dont je me permets de dire que je le sais, tu l'auras compris, c'est que la mort terrestre n'est pas la fin en soi de l'existence. Notre évolution spirituelle se poursuit au-delà de ce passage, de cette simple transition. Mais, dans tous les cas, que l'on croit que la mort est une fin en soi (ce que la science n'est pas parvenue à prouver irréfutablement à ce jour) ou que l'on croit qu'elle n'est qu'une transition vers une autre forme d'existence (ce pour quoi parlent énormément d'indices, d'expériences vécues et de témoignages, quand on s'y intéresse vraiment en toute objectivité), il n'en demeure pas moins que cela vient considérablement relativiser la façon dont nous vivons sur Terre, au sein de cette société. A quoi cela sert-il donc de s'exciter ainsi, de se mettre la pression pour des choses insignifiantes et de s'agiter et de se précipiter ainsi dans tous les sens comme des fourmis, alors que nous allons tous mourir un jour ? !... Alors que, à l'échelle du Cosmos, nous n'avons finalement pas plus de valeur ni d'importance que ces moucherons qui viennent s'écraser sur le pare-brise de notre voiture lorsque nous faisons de la route ? !... On ne crie certes pas au génocide, ni au meurtre, dans ce cas de figure. Et qu'est-ce qui justifierait à vrai dire philosophiquement que nous ne le fassions pas ? A fortiori si l'on croit que tout s'éteint et disparaît avec la mort terrestre. Alors, quel sens tout cela aurait-il ? Tuer quelqu'un n'aurait plus rien de mal en soi, puisque cela ne serait pas plus grave, à l'échelle de l'Univers, que de tuer un petit moucheron. A la rigueur, cela ne revêtirait qu'une valeur toute relative et subjective d'acte répréhensible à l'échelle du groupe humain, de l'espèce, d'un point de vue social, mais pas plus. J'avoue que, oui, là, je force le trait pour donner à entendre jusqu'où vont ces considérations si l'on se donne la peine de poursuivre à fond leur logique. Cependant, la vérité en la matière est bien différente, du fait que la vie véritable n'est que la spirituelle, du fait que l'incarnation terrestre du moment n'est qu'une brève séquence d'évolution, du fait des lois de la Création et des relations au grand Invisible, du fait que l'Univers nous sert inlassablement les conséquences de notre activité au sens large. Ainsi donc, les personnes qui pensent que tout s'arrête avec la mort devraient-elles en tout cas être les dernières à juger le suicide comme un acte égoïste à connotation négative, péjorative, et à considérer comme tabou l'euthanasie, c'est-à-dire le fait de venir en aide à quelqu'un qui est condamné à mourir de toute façon et qui souffre au quotidien, en lui permettant de faire ce difficile passage volontairement en étant accompagné et entouré. Mais là encore une fois, comme partout, seule la véritable connaissance de la Création, des lois qui la régissent et des mécanismes qui s'y déroulent, permet de juger véritablement des choses.

Suicide

Dans beaucoup de cultures et de civilisations, le suicide est très mal vu, considéré comme un des actes les pires qui soient (voire même puni de peine de mort, au risque de paraître totalement absurde et ridicule, comme ce fut cependant le cas dans certains pays à certaines époques - raison pour laquelle il ne valait d'ailleurs mieux pas se louper, si tu me permets cette petite pointe d'humour noir !... ;) -), sûrement parce qu'il est interprété comme un échec, ce qui est très mal perçu dans une société de la performance, alors que, dans d'autres cultures et civilisations, se donner la mort plutôt qu'encourir le déshonneur est un acte de courage et de bravoure. Je suis à vrai dire personnellement interloqué par l'opinion et l'attitude des gens vis-à-vis du suicide, qui révèlent en réalité d'une part leur gêne face à la mort, ce que j'évoquais précédemment, d'autre part leur propre égoïsme, alors qu'ils qualifient eux-mêmes cet acte d'égoïste. Tous nos actes, finalement, sont toujours égoïstes et non sans conséquence les uns sur les autres, de toute façon.

Tout d'abord, si les gens croient que tout s'arrête avec la mort terrestre, au final, qu'est-ce que ça peut bien leur faire ? Si la personne est malheureuse, qu'elle souffre, qu'elle n'a plus goût à la vie, et qu'elle décide d'en finir, qu'est-ce que ça peut faire, qu'elle meure maintenant, à sa propre manière, ou qu'elle meure plus tard, d'une façon tout à fait imprévisible, en passant par la lente décrépitude du corps ou par l'agonie causée par la maladie ? !... S'il n'y a rien après, il n'y a pas lieu de juger, mais plutôt, au contraire, de saluer cet acte courageux qui décide d'en finir avec une existence reconnue comme insignifiante et insatisfaisante. Quant à l'égoïsme reproché au suicidé, on pourrait aisément le retourner contre ses proches qui lui en font un reproche : ne se montrent-ils pas eux aussi très égoïstes du fait de ne penser qu'à la peine que cela leur cause, en faisant l'impasse sur le fait qu'ils n'étaient pas même conscients peut-être, auparavant, de l'état de souffrance intérieure du suicidé ? !...

Là encore, je force le trait. Bien évidemment, il n'en va pas ainsi. L'existence ne prend pas fin avec la mort terrestre, ainsi, les souffrances non plus ne prennent pas fin avec le suicide. Malheureusement, chez les gens qui croient qu'il y a bien une vie après la mort, le suicide est aussi mal vu, jugé comme un échec, mais, pire, comme un échec non pas en matière de productivité au regard des critères de rentabilité de notre société de consommation bassement matérialiste, mais comme un échec spirituel ! Blam ! Le pire du pire qui soit ! Mais qu'en est-il vraiment ?

Eh bien, déjà, faisons preuve d'un peu d'empathie, de compassion et de bienveillance. Si quelqu'un se suicide ou tente de se suicider, c'est bien qu'il est malheureux, qu'il souffre, qu'il est en souffrance par rapport à son existence, qu'il pense ne pas pouvoir vivre vraiment, s'épanouir et être heureux dans ce monde (et j'en sais quelque chose !...). Là déjà, cela réclame de l'attention et une véritable préoccupation vis-à-vis de l'autre pour remarquer, comprendre et compatir à sa profonde détresse, alors que souvent ces personnes cachent cela profondément à l'intérieur, et pour pouvoir intervenir à temps, en amont, là où se situe la blessure et la souffrance.

Nous avons tous des périodes dans notre existence terrestre où nous sommes tellement mal et en souffrance que nous aimerions que cela cesse. Fuir, vouloir mourir, est la chose la plus naturelle qui soit, l'impulsion la plus légitime et compréhensible qui soit.

Seulement, la mort, le suicide, n'est pas la solution, car elle n'est pas la fin, la fin de l'existence comme la fin des tourments. Tout cela a une autre signification. Personne n'est jamais abandonné sans raison, même si cela a l'air profondément injuste. Chaque individu est aimé, entouré et aidé, accompagné et assisté à chaque instant, qu'il en ait conscience ou pas. - Et cela, je l'affirme sans problème aujourd'hui, car, mon ami(e), je te le dis, je suis moi-même passé par de foutus états d'âme et de foutus moments, et cette conviction, je ne l'ai acquise par la suite qu'au prix d'une difficile lutte intérieure plusieurs fois renouvelée et par l'expérience vécue. Je le sais donc enfin désormais avec certitude et je peux en témoigner avec conviction, même s'il n'en a pas toujours été ainsi, je l'avoue... -

Maintenant, qu'en est-il alors véritablement du suicide et de ses conséquences ? Eh bien, là encore, comme partout, cela dépend uniquement de l'état d'âme intérieur de l'individu, ainsi que de son degré de conscience. Il vivra dans l'Au-delà, de l'autre côté, ce dans quoi il vivait déjà auparavant avant de mourir, qu'il se soit d'ailleurs suicidé ou pas. S'il se laisse aller à s'abîmer lui-même dans la souffrance, c'est dans cela qu'il sera plongé. S'il est animé de sentiments positifs et lumineux (imaginons quelqu'un, un résistant, par exemple, qui croque une ampoule de cyanure pour échapper à la torture et éviter de révéler ainsi aux nazis de précieux renseignements à son insu, contre son gré, à cause de la douleur), il vivra dans cela uniquement. S'il s'agit en plus de quelqu'un ayant un degré de conscience élevé, il ne lui faudra pas longtemps pour justement prendre conscience de ses sentiments et s'en affranchir, car ce ne sont que des sentiments, et pas la réalité. D'une manière générale, il serait profitable à tout être humain quel qu'il soit de parvenir à ce degré de conscience et de maîtrise des sentiments et émotions que confère une pleine conscience de soi, acquise notamment par la méditation. L'être humain ressent en toute bonne foi ce qu'il s'imagine. Il peut ainsi à tout moment se brancher sur des sources lumineuses et générer de la joie. Beaucoup de nos états d'âme ne s'expliquent que par une meilleure connaissance de notre relation intime avec le grand Invisible.

Bon, évidemment, je ne voudrais pas non plus que l'on s'imagine, sous prétexte que je détricote ces carcans pseudo-moraux, que j'encourage à l' "immoralité", à faire n'importe quoi. Ce n'est pas mon intention. J'aimerais seulement, au contraire, amener davantage de prudence dans les jugements et à davantage de compassion et de bienveillance dans l'appréhension des situations et des événements, notamment et surtout chez ceux qui se préoccupent de spiritualité et de vérité. Quelqu'un qui se suicide ne le fait pas (en tout cas, en général, je l'espère) à la légère, il n'y trouvera pas forcément la libération qu'il envisage, mais il n'est pas non plus quelqu'un qui a failli, qui a péché, qui devra, au-delà du tombeau, être puni pour ça. C'est simplement quelqu'un qui est dans la détresse et qui nécessite qu'on lui porte charitablement secours. Bien évidemment, il ne pourra empêcher que, par exemple, la douleur de ses proches ne le lie encore à la Terre en lui causant beaucoup de peine. Ce qui est sûr, en tout cas, pour reprendre les raisonnements simplistes que je veux mettre en pièce, c'est qu'il n'ira pas pour autant en enfer. Penser cela, c'est d'une stupidité incroyable, c'est ne pas avoir conscience de la tendresse infinie de la Vie à l'égard de chaque créature, n'avoir aucune notion de l'Amour de Dieu. Penser ainsi, d'ailleurs, c'est aussi se priver d'accéder jamais à cette tendresse, ainsi qu'au pardon absolu qui y réside toujours, omniprésent, pour tout un chacun, tel un véritable cadeau divin.

Euthanasie

Je terminerais rapidement avec le sujet de l'euthanasie. Je ne peux m'empêcher d'être profondément touché, voire bouleversé, par les témoignages des personnes qui se savent condamnées à mourir de toute façon par une maladie incurable et qui souffrent au quotidien du fait des effets de cette maladie, qu'il s'agisse d'un cancer ou d'une autre maladie. Je suis profondément touché par la souffrance que ces personnes expriment. Je me mets à leur place et, personnellement, je serais extrêmement reconnaissant qu'on fasse preuve de charité envers moi et qu'on abrège mes souffrances, en m'aidant à partir, à mourir dans de bonnes conditions. Je ne comprends pas qu'un Etat soit disant laïc digne de ce nom, donc libre de toute considération moralisatrice et moralisante issue des conditionnements religieux, comme la France par exemple, pour ne citer qu'elle, et, qui plus est, qui adhère à une vision matérialiste où la mort est la fin absolue de tout (à moins que cette laïcité ne soit qu'un mensonge, une hypocrisie), ne soit pas à même de comprendre cela et de légiférer afin de faire en sorte que les personnes qui le désirent et le décident, en leur âme et conscience, dans les circonstances où cela se justifie, puissent être accompagnées dans leur mort. N'est-il pas davantage profitable pour chacun, lorsqu'on se sait condamné et qu'on souffre quotidiennement, de pouvoir bénéficier d'une aide médicale face à la souffrance, de pouvoir programmer le jour de son départ, et partir ainsi sereinement, paisiblement, entouré de ses proches, après une quelconque courte cérémonie marquant le caractère solennel et sacré de ce moment où une âme quitte son corps ? !... Tout le monde n'a pas les capacités d'un moine tibétain qui pourrait se désincarner volontairement et échapper ainsi à la décrépitude de son enveloppe charnelle et à la souffrance physique. Il n'y a pas lieu de craindre des abus ou que les gens bénéficient d'une sorte de suicide assisté au frais de l'Etat, si les législateurs font correctement leur boulot, et que ce cas de figure reste un ultime recours dans ces situations où la mort est la seule issue possible dans un court délai et où les souffrances physiques de la personne sont difficiles à soulager. Cela permettrait en plus aux proches d'être présents et de ne pas vivre ensuite avec la culpabilité de ne pas avoir été là. Je sais que, là encore, je risque d'en choquer plus d'un, de ces biens pensants zélés de leurs religions, mais, pour moi, c'est seulement et simplement l'expression d'une réelle empathie vis-à-vis de celles et ceux qui souffrent. - Personnellement, j'ai eu un accident de moto il y a de cela quelques années. J'aurais pu y rester… Seuls mes épaules, mes bras furent touchés. Le chemin pour revenir à la normale, à peu près, fut laborieux et difficile moralement au départ. Eh bien, si j'avais été réduit à l'état de légume - je l'ai dit à mes proches -, honnêtement, à tort ou à raison, j'aurais préféré en finir !... - Et qu'on ne vienne pas me dire en plus que Dieu Seul peut décider de l'heure et des circonstances de notre mort, parce que cela n'est pas aussi simple, c'est même, tel quel, faux, puisque ne découlant que d'une vision puérile et infantile des choses, que d'une conception limitée et étriquée de Dieu, de la Vie, de l'activité de Sa Volonté Créatrice et de Ses Lois dans la Création. Mais, là encore, il suffirait simplement d'avoir des esprits éclairés, des êtres humains réellement matures, pour réaliser cet accompagnement, capables aussi de jeter un coup d'œil de l'autre côté afin de s'assurer que cela soit "permis", "autorisé".

Bref ! Chère amie, cher ami, tu l'auras compris, je l'espère, mon propos était ici de tout simplement battre en brèche les idées préconçues, les préjugés archaïques issus des conditionnements religieux, selon lesquels la moralité pourrait se résumer au jugement sur les apparences extérieures, et les questions de bien et de mal, à l'acte lui-même, plutôt qu'à ce qui l'habite et l'anime, dans le fort intérieur de chaque individu, car cela seul, par ailleurs, a le pouvoir d'agir dans l'Univers, constitue le levier mettant véritablement en branle les lois de la Création et leur activité. Un simple coup d'œil jeté sur un panorama plus complet de ce qui se déroule vraiment de l'autre côté, dans le grand Invisible, permet d'avoir une meilleure appréciation des choses, de faire preuve aussi de davantage de compassion et de manifester ainsi davantage de sagesse face à ces délicates situations, dont je n'ai pas épuisé ici tous les aspects. Espérons qu'à l'avenir, suffisamment d'êtres humains se développent véritablement humainement, pour porter secours à ceux qui souffrent dans ces difficiles situations, sans les juger, mais en leur témoignant la même indulgence, la même bienveillance, que l'Univers témoigne à chaque instant à chaque créature, quelle qu'elle soit et quoi qu'elle fasse. Non, vraiment, il y a encore un long chemin pour certains avant qu'ils n'atteignent la pleine réalisation de l'Amour Divin, peu importe ce dont ils se réclament en ce bas monde. Par leurs jugements, leurs pensées, leurs paroles et leurs actes blessants, ils ne montrent qu'une seule chose : que ce sont, en l'occurrence, eux et eux seuls, qui sont immoraux et méchants, et agissent de mauvaise manière, puisqu'ils font uniquement du mal. Mais pour voir ainsi clairement la réalité telle qu'elle est, et non telle qu'on se l'imagine, au travers du filtre de représentations déformées par des concepts très théoriques, plutôt que de considérer la réalité humaine et sensible des choses, il y faut davantage d'humanité et de conscience. A l'aune des attitudes et comportements de la plupart de tes contemporains, tu pourras te rendre compte, mon ami(e), du fait qu'il reste encore beaucoup de chemin à parcourir, et beaucoup de travail à réaliser ! !

Mariage, enfants, PMA et GPA

Le mariage ! Que n'a-t-on également pas fait par erreur de quelque chose qui n'existe pourtant que sur le plan matériel terrestre le plus dense ? De même pour la paternité et la maternité ! Cela n'existe qu'ici-bas, que pour la matière, et relève uniquement de la Nature, c'est le tribut que l'on doit payer à la Nature, en tant qu'êtres de chair et de sang incarnés dans la matière et soumis aux lois de l'évolution. La grosse différence réside uniquement dans le fait que, encore une fois, comme je l'ai déjà expliqué, en l'être humain de la Terre, ce n'est pas une âme animale qui est incarnée, mais un esprit, inconscient au départ, se présentant sous forme d'un germe d'esprit sans-forme, dont le but est d'évoluer vers le développement et l'épanouissement de sa conscience spirituelle et ainsi seulement de son authentique humanité. Cependant, comme on peut le constater partout, cela n'a pas eu lieu, en tout cas pas pour la grande majorité de l'humanité. Au contraire, à force de tendre la main vers le bas, tout s'enlise toujours un peu plus dans la médiocrité. Ainsi, ces notions et ces statuts que sont le mariage, l'union de deux êtres, la procréation, le fait d'avoir des enfants, la maternité et la paternité, qui auraient dû être spiritualisés et élevés davantage par l'être humain dans sa croissance spirituelle, sont restés bien en-deçà de ce qu'ils auraient pu et dû devenir, sont demeurés bassement terrestres, matérialistement conçus, purement animaux, entravant ainsi souvent les êtres humains dans de nombreux liens aliénants, au lieu d'être un motif et une occasion de libération et d'évolution.

Commençons par le mariage ! L'église est passée par là (comme d'autres religions, d'ailleurs) et a fait de l'institution du mariage un absolu, quelque chose de sacré, sur le modèle de l'union mystique de l'âme à Dieu, de l'église au Messie, le Christ Jésus, symboliquement, l'époux bien aimé. Ainsi, de quelque chose d'humain et d'imparfait qui n'est valable que pour le temps d'une existence terrestre - et encore ! -, elle a fait quelque chose qui est condamné à la tyrannie de la perfection et à l'éternité ! Pauvres êtres humains stupides ! - Excuse-moi, mon ami(e), si cela te choque, si tu trouves mes paroles dures et sévères, mais je ne peux t'offrir mon plus précieux, partager avec toi ma vision du monde, sans m'impliquer aussi humainement, affectivement et émotionnellement, sans laisser transparaître aussi mes opinions, voire mes jugements, car, je le reconnais, je ne suis pas non plus complètement émancipé de la servitude des jugements de l'intellect. Aussi, pardonne-moi cette part humaine bien imparfaite, qu'elle n'empêche pas malgré tout la part de sagesse de transparaître et de s'exprimer ! - Ainsi, donc, les êtres humains se sont eux-mêmes piégés et enlisés dans quelque chose qui devient souvent une véritable prison sans mur, une cause d'enlisement et de régression spirituelle. Si on ajoute à cela l'instinct sexuel hyperdéveloppé, on voit bien qu'on ne peut courir qu'à la catastrophe !

Dans la Nature, c'est fascinant, car nous trouvons plusieurs modèles dans le comportement des animaux : il y a des systèmes patriarcaux comme des systèmes matriarcaux, il y a des couples qui existent pour la vie, comme il y a aussi des unions brèves, uniquement dans le but de la reproduction, où le mâle n'intervient que comme reproducteur, auprès de toutes les femelles qu'il croise, sans parler même des structures sociétales des meutes, où seul le mâle dominant dispose de cette prérogative et de son petit harem, tandis que les autres mâles, du coup, pour échapper à la frustration sexuelle, se font de petites gâteries entre eux.

Remettons donc les choses à leur place !

Le but de la procréation, chez les êtres humains, est uniquement d'offrir à d'autres âmes humaines la possibilité d'une incarnation pour poursuivre leur propre évolution dans l'existence terrestre. Sois-en bien conscient(e) ! Autour de nous, dans l'Au-delà, cette partie du grand Invisible constitué par les différents plans subtils grossièrement et finement matériels, se trouvent une multitude d'âmes en instance d'incarnation. A chaque fois qu'a lieu un acte de procréation, elles se précipitent vers cet endroit et tentent de s'accrocher pour parvenir à l'incarnation. (Raison pour laquelle toute activité sexuelle est propice à d'invisibles liens de parasitage, car cette énergie sexuelle est faite pour lier et agit dans l'Au-delà comme la lumière d'un phare pour ces âmes cheminant plus ou moins dans la pénombre, aspirant inconsciemment à une nouvelle occasion de progression sur Terre. Mais j'en reparlerai plus loin.) Ainsi, donc, avec chaque nouvelle naissance, c'est un étranger qui fait son entrée dans la vie du couple ! Un étranger ! Mets-toi bien ça dans le crâne ! C'est comme si un couple accueillait un réfugié, le nourrissait, l'habillait, l'accompagnait dans la vie, dans son éducation, son instruction, son insertion dans le monde et la société. Tout de suite, cette image, salutaire, change la donne, la façon de concevoir les choses.

Le mariage, quant à lui, c'est uniquement (s'il est fondé sur des sentiments sincères) l'union de deux êtres humains, qui trouvent un accord harmonieux dans la complémentarité de leurs particularités passives et actives, permettant ainsi la pleine expression des facultés intérieures, et qui désirent, pour un temps, faire un bout de chemin ensemble. Il ne s'agit plus aujourd'hui de survivre, mais de vivre. Pour un temps seulement. Selon la façon dont chacun évolue (le libre-arbitre de chaque individu ne peut jamais être aboli !), cela peut durer le temps d'une existence terrestre, ou moins, ou plus, cela dépend de chacun. Il n'y a donc pas lieu d'en faire quelque chose d'absolu, de sacré, d'intangible. Cela est faux, erroné, aliénant, contraire à la Volonté Divine d'évolution spirituelle. Si les deux ne peuvent plus avancer de concert, de façon harmonieuse et joyeuse, l'union terrestre doit être dissoute et cesser, pour le bien de chacune des deux parties. C'est aussi simple que cela !

Il ne faut donc pas craindre l'augmentation des divorces, c'est au contraire spirituellement très profitable pour chaque individu, plutôt que de se mortifier une existence terrestre tout entière dans une relation fausse, qui n'est pas épanouissante. Tout ce qu'on avait artificiellement maintenu par la force et de façon rigide vole en éclat, et c'est très bien ainsi !

Maintenant, concernant le désir d'enfants, eh bien, je serais moi-même très circonspect. A cette nuance près, tout d'abord : il n'y a pas lieu, comme pour le reste, d'être obstinément et aveuglément contre la PMA (procréation médicalement assistée) comme la GPA (gestation pour autrui). Dans la mesure, bien évidemment, où chaque partie est consciente de tout ce que cela implique, tant au niveau terrestre qu'au niveau spirituel, subtil, invisible, tant sur le plan psychologique, affectif, que sur le plan biologique, physique, etc., pour chacun des protagonistes de l'affaire. On ne peut retirer aux individus leur libre-arbitre, on ne peut leur retirer de même leur responsabilité. Les choses changent cependant d'elles-mêmes par la connaissance du monde invisible qui nous entoure, des liens karmiques que cela engendre entre les âmes.

Tout d'abord, ma position personnelle en la matière, le jugement qui me vient en premier lieu à l'esprit, c'est : Pourquoi vouloir à tout prix un ou des enfant(s) ? N'y en a-t-il pas déjà assez sur Terre ? Surtout des orphelins, des malheureux... N'y a-t-il pas suffisamment d'êtres humains sur Terre, voire trop ? Dire cela n'a rien de choquant, au regard de la façon dont l'humanité croît au mépris des équilibres naturels et en pillant les ressources, en plus d'une façon inégalitaire. Il serait bon que chaque couple qui veut avoir un enfant sans le pouvoir réfléchisse déjà à cela.

Ensuite, eh bien, moi, personnellement, encore, - je précise bien qu'il s'agit ici de mon appréciation personnelle, fonction de la vision du monde que je développe devant toi, en rien de quelque chose à ériger comme une vérité absolue, puisque je ne veux au contraire que susciter la réflexion, l'examen personnel, afin de favoriser des décisions conscientes et réfléchies... - selon moi, donc, afin de ne pas louper complètement l'intérêt d'une incarnation terrestre, il serait bon que les parents aient déjà auparavant fait un travail sur eux-mêmes, sur leur enfance, sur leurs propres conditionnements terrestres, qu'ils aient renoué avec leur enfant intérieur, afin de parvenir à la guérison des blessures infantiles sur le plan psychologique, et qu'ils soient ainsi capables de ne projeter sur leur enfant que le meilleur, pour lui-même uniquement, à partir de ce qu'il est en tant qu'individu à part entière, plutôt que de projeter leurs propres manques, blessures, souffrances, attentes et regrets. De façon que ce nouvel arrivant dans l'existence terrestre ne parte pas déjà de façon bancale au départ.

Cependant, il n'y a pas lieu de refuser à certaines personnes le bonheur d'avoir un enfant, quand on voit surtout la façon dont des êtres peu évolués, d'un niveau très bas, sur le plan spirituel-humain, se reproduisent, font des enfants, qu'ils bousillent aussi parfois pour tout le temps de leur existence terrestre. Pas d'angélisme naïf, s'il te plaît, nous sommes ici pour affronter la réalité telle qu'elle est, tenter d'exercer notre jugement, non pas intellectuel extérieur, mais spirituel intérieur, développant ainsi un sain et sage discernement, pour un agir plus constructif, à même de susciter le bonheur. Car rien ne peut offrir du bonheur de façon pérenne si cela n'est pas spirituellement fondé de manière harmonieuse, juste et vraie. Ainsi, si un couple, étant pleinement conscient de ce que je viens d'évoquer précédemment, ayant déjà travaillé intérieurement sur tout ça, veut absolument accueillir un enfant, pour son propre bien, pour son évolution, il n'y a pas lieu de le lui interdire. Qu'il soit hétérosexuel ou homosexuel, d'ailleurs. A ce titre, certains couples homosexuels sont davantage à même, de par leur niveau d'évolution spirituel, d'offrir de meilleures conditions d'épanouissement à des enfants, que certains couples hétérosexuels qui sont une véritable catastrophe. Si tu y as été confronté(e), tu sais pertinemment de quoi je parle. Sinon, ne préjuge pas de ce que tu ne connais pas.

En revanche, concernant les solutions, je trouve personnellement qu'il serait plus charitable de s'occuper des enfants qui existent déjà et qui n'ont pas de foyer. Plutôt que de vouloir obstinément, égoïstement, capricieusement, avoir son propre enfant, en bricolant de manière irréfléchie avec la PMA comme la GPA. Contre lesquelles je ne me positionne pas de façon stricte. Il en va exactement comme de l'avortement. Tout dépend de la façon dont les gens procèdent, de ce qui repose en leur intérieur le plus intime. Cela seul a de la valeur. Et, avoir conscience du fait qu'il n'y a pas que la matière dense terrestre visible, ainsi que de tout ce que cela implique, permet de prendre des décisions plus éclairées, plus sages, plus à même d'apporter le bonheur. Ainsi, lorsque la PMA et la GPA sont appréhendées et organisées de la bonne manière, cela ne peut être qu'une bénédiction.

Accueillir un enfant, quelle que soit la manière, ne doit pas être irréfléchi. Il faut aborder la question très sérieusement. Spirituellement aussi. Car la loi d'attraction des affinités qui agit au moment de l'incarnation d'une âme amènera aussi, dans le cas de l'adoption, de la PMA ou de la GPA, au couple en attente, une âme en affinité, par forcément avec eux, mais avec chacun des protagonistes impliqués, comme avec les personnes qui tournent autour du couple durant cette période. Si les gens sont ainsi alertes spirituellement afin de ne s'entourer et de ne se lier, sur le plan terrestre, qu'avec des personnes véritablement en affinité intérieurement avec eux, il ne pourra en résulter que des choses positives. Cependant, le risque existe toujours, même pour une naissance normale, de voir débarquer une "brebis galeuse", c'est-à-dire une âme qui n'est pas en affinité avec le couple, qui n'est pas spirituellement du même niveau qu'eux, et qui pourra leur causer bien des désagréments. Cela doit donc être mûrement réfléchi. Par la vie intérieure, la méditation, la prière, la résultante peut être grandement modifiée, influencée, afin d'être bénéfique pour chacune des parties.

Malheureusement, ce à quoi on assiste spirituellement à l'échelle de l'humanité et du globe terrestre, c'est une dégringolade vers le bas. Le niveau spirituel baissant, la main est tendue à des âmes imparfaites, qui ne sont pas en affinité avec ce qu'était au départ le niveau spirituel moyen de cette école qu'est la Terre. Des âmes qui devaient mûrir dans des plans d'évolution plus sombres purent ainsi parvenir à l'incarnation sur Terre. On laissa ainsi littéralement le loup entrer dans la bergerie, avec des âmes humaines immatures sur le plan spirituel, inconscientes, puériles, malveillantes, voire prédatrices. L'effet de masse et la latence dans les changements spirituels jouent en cela, avec la loi d'attraction des affinités qui ramènent la semence au centuple, contre l'humanité elle-même et ses possibilités d'évolution. Son libre-arbitre est ainsi devenu son pire ennemi ! Il ne faudra donc par s'étonner, ni s'inquiéter, encore moins être choqué outre mesure, quand l'ordre naturel lui-même pourvoira à ces défaillances. Il n'y a qu'à voir déjà comment l'humanité, se polluant elle-même, s'achemine progressivement vers la stérilité...

Chaque être humain qui désire accueillir un enfant doit donc être conscient de la responsabilité qu'il a sur le niveau d'évolution de toute l'humanité ! !

Dans la continuité de ces questions de moralité sur lesquelles je souhaitais m'exprimer et prendre clairement position du point de vue spirituel, il y a un sujet d'actualité que je n'ai pas encore traité et auquel je réserve ici une place spéciale. Là encore, mon ami(e), je te l'avoue, je suis aussi profondément attristé lorsque je vois ces débats et polémiques agiter notre société ainsi que nos contemporains, je frémis lorsque j'observe certaines réactions ou lorsque j'entends certains propos. Des gens qui se voudraient de fervents croyants, de sincères chrétiens ou bien encore qui se prétendent évolués spirituellement, qui se réclament d'une certaine sagesse (à vrai dire, finalement, très humaine seulement, et toute relative), manifestent seulement ici leur bêtise, révèlent leur ignorance totale au sujet de la grande et vaste Réalité, de l'activité des lois dans la Création et des mécanismes qui se déroulent d'une façon vivante et parfaite à chaque instant dans le grand Invisible.

De tout cela fait aussi partie la question des genres comme de l'orientation sexuelle. Et j'en reviens encore à nouveau à ce que j'expliquais précédemment, parce que c'est ici fondamental pour comprendre, à savoir : que l'être humain de la Terre n'est pas un esprit "créé" proprement dit, c'est-à-dire créé tout accompli et parfait dès l'origine comme couronnement du monde par une sorte de Divinité envisagée jusqu'ici et encore aujourd'hui comme un Vieillard chenu sur son nuage, sorte de superlatif de l'humain, capable d'agir arbitrairement et juste doué de pouvoirs supraterrestres. Cette vision appartient au passé, à l'enfance de l'humanité, c'est une image défunte qui doit être abandonnée si l'humanité veut enfin réellement prouver sa nature humaine, la réaliser, l'épanouir et la développer à sa plus haute floraison. Non ! L'être humain n'est en réalité issu que d'un germe d'esprit, un esprit post-évolué inconscient, se présentant au départ sous forme de germe informe, car inconscient, entreprenant un périple à travers l'Univers matériel, afin d'y vivre d'expériences et de développer sa conscience spirituelle, ce que signifie à vrai dire goûter du fruit de l'Arbre de la Connaissance du Bien et du Mal. C'est seulement au cours de ce lent processus d'évolution qu'il acquière la forme humaine idéale, qui est déjà auparavant celles des "créés" proprement dits, et même plus haut des "originels-créés", qui sont en quelque sorte les prototypes, les archétypes, les modèles de ce que le genre spirituel-humain (disposant d'un libre-arbitre) peut réaliser de plus élevé.

Or, chose de la plus haute importance, dans ce panorama qui révèle ma conviction profonde, ou plutôt ce dont je suis convaincu que je le sais, et que je souhaite partager avec toi, chère amie, cher ami, eh bien, lorsque ce germe d'esprit quitte le "Paradis", c'est-à-dire le plan de son origine dans le Royaume purement-spirituel, il est donc inconscient, sans-forme et asexué, c'est-à-dire sans sexe, sans genre.

Oui, dans la Création entière, il n'existe que deux genres, au sens de deux sexes : le masculin et le féminin. Dit ainsi, c'est très limitatif, on n'y voit qu'une distinction basée sur la différence d'apparence extérieure, mais cela va bien plus loin que ça et touche à la nature profonde des choses. Ces deux genres ou sexes, qui se manifestent extérieurement dans la forme, consistent en réalité en deux genres d'activité fondamentalement différents, parfaitement égaux en valeur et en importance à tous égards, et sans lesquels la vie n'aurait pu apparaître sur tous ces plans de la Création. On devrait plutôt parler, afin que ce soit moins restrictif, dans la notion développée par les mots, des genres : positif-émetteur-masculin-Yang et négatif-récepteur-féminin-Yin. Je ne veux pas anticiper ici sur des détails que je ne développerai que plus tard, mais le mouvement circulaire originel qui a donné naissance à tous les cercles de la Création, s'élargissant vers le bas au fur et à mesure de leur densification, provient de cette scission originelle, depuis la Lumière Originelle, donc déjà en "Dieu" Lui-même, entre ces deux polarités, qui génèrent attraction et répulsion, ce par quoi naît le mouvement circulaire. Par exemple, déjà précédemment, j'ai parlé des deux types fondamentaux de créatures qui existent à travers toute la Création : l' "entité" et l' "esprit". Cette distinction est du même ordre. Dans chacune de ces catégories, "entité" et "esprit", nous retrouvons également la distinction entre le féminin-récepteur, qui se trouve à chaque fois un demi-degré plus haut, formant le pont vers le haut, vers le plan immédiatement supérieur, par sa sensibilité et sa réceptivité, et le masculin-émetteur, qui se forme plus bas, car plus grossier, indispensable à l'action, à la formation et à la réalisation concrète dans chaque plan. Et ainsi de suite. Mais ce n'est pas le moment de développer ce grand tableau d'ensemble, que je n'ébauche que progressivement, même s'il m'arrive de faire des bonds, d'une part, parce que je suppose que, si tu as ce livre entre les mains, ami(e) chercheur.euse, c'est que tu disposes déjà de certaines connaissances et d'une certaine culture dans ces domaines, et, d'autre part, sans quoi je n'aurais pas le temps de te donner à comprendre ce que je souhaite partager avec toi, tellement aussi cela bouillonne en moi pour s'exprimer, c'est-à-dire se dégager de cette pression du trop-plein.

Ainsi, donc, lorsque le germe d'esprit quitte son plan origine à l'état inconscient, il est sans-forme et sans-sexe ou sans-genre. En revanche, lorsqu'il y revient plus tard, émergeant de l'immense champ d'expérimentation et d'évolution des matérialités, il dispose d'une forme humaine sexuée, il s'est enfin décidé pour un genre d'activité, dans les rayonnements, nettement déterminé, soit "masculin", soit "féminin". Evidemment, il s'agit toujours d'une forme perfectible, qui sera indéfiniment parfaite par l'évolution dans ces plans. Toujours est-il qu'à un moment donné de son parcours s'effectue une décision primordiale déterminante pour le choix de son genre, de son sexe, à son degré le plus intime, c'est-à-dire au niveau spirituel. A quel moment, je ne saurais le dire. Et ce choix, à ce stade, est irréversible et définitif.

En outre, chacune de ses enveloppes, chacun de ses corps, qu'il adopte jusqu'à l'incarnation terrestre dans le plan le plus grossièrement-matériel, dispose également de particularités féminines et masculines, Yin et Yang, rarement sera-ce uniquement du 100% féminin ou du 100% masculin, mais plutôt un mélange complexe, à tous les niveaux, à tous les étages, de qualités dites "féminines" et "masculines". Si les aspects, tendances, aspirations masculins prédominent au moment de l'incarnation, il s'incarnera dans un corps physique terrestre masculin, et inversement pour le féminin. Mais ce qui compte surtout en l'occurrence, c'est son écorce la plus extérieure au moment de l'incarnation.

Cela explique déjà une première chose : un homme de la Terre n'est jamais totalement masculin ; une femme de la Terre n'est jamais totalement féminine.

Deuxième chose, la relation de couple recherchée par deux êtres humains, qui visent en fait une complémentarité des particularités, apportant à l'autre ce qui lui manque, permettant ainsi à chaque particularité d'avoir sa pleine valeur, reposera avant tout sur la recherche de cette complémentarité entre les deux parties, ce pour quoi il y a d'ailleurs d'infinies possibilités, de multiples combinaisons possibles. Cela donne par exemple des couples où le féminin-masculin est partagé par les deux individus, sans qu'ils soient exactement et parfaitement l'apanage d'aucun.

Quant à l'homosexualité, c'est encore à vrai dire tout à fait autre chose, et beaucoup plus complexe que ne le laisseraient penser bien des gens bornés qui ont la gâchette facile en matière de préjugés, de stéréotypes, d'explications simplistes toutes faites et, disons-le carrément, de réflexions à la con, permets-moi de le formuler ainsi. Certains hommes homosexuels sont parfois bien plus virils que certains hommes hétérosexuels, ne vous en déplaisent, messieurs. - La virilité, tiens, parlons-en ! La virilité n'est pas, après tout, l'apanage des hommes ! Ne doit-il pas y avoir, dans la virilité, de l'intégrité, de la droiture, de la bravoure, du courage, de la force ? Être viril ne se résume pas au fait d'avoir une bite et des couilles, pour parler vulgairement, désolé. Il y a en vérité bien plus de virilité dans la force intérieure qui se maîtrise soi-même, dans la capacité d'assumer ses responsabilités, la conséquence de ses choix et de ses actes, ainsi que dans le courage de se battre pour se défendre ou défendre son prochain ou bien encore pour une cause juste, contre l'injustice. Dans ce sens, beaucoup d'hommes, tout machos qu'ils soient, manquent de virilité, pour ne pas dire qu'ils en sont totalement dépourvus. Pour parler, là encore, de façon populaire et vulgaire (désolé, mais c'est tellement parlant !... ;)), ils n'ont pas de couilles, alors que certaines femmes en ont bien plus ! !... - Un homme homosexuel n'est donc pas forcément "efféminé", de même qu'une femme homosexuelle n'est pas forcément masculine, garçonne, de même encore qu'un homme sensible avec des particularités Yin fortement représentées, pour ne pas dire "efféminé", ne sera pas forcément homosexuel, mais peut aussi être totalement hétérosexuel, sans aucune ambigüité possible à ce niveau-là. Tu vois, mon ami(e), il en va exactement comme dans la Nature, dans la formation de l'Univers lui-même : les particularités fondamentales qui constituent les briques de base, certes, existent et sont nettement déterminées, mais leurs possibilités de combinaison pour la formation de tout ce qui existe sont infinies, sans fin, sans limite. Refuser de le voir et de le prendre en compte est un déni de réalité ! Comme un enfant capricieux qui fait une colère parce qu'il refuse obstinément que les choses ne se déroulent pas comme il voudrait qu'elles se déroulent, alors que cela est en train d'advenir.

Qu'il soit dit encore à ce titre, que, d'ailleurs, les modèles du masculin-féminin et du féminin-masculin existent aussi bel et bien, là-haut, au "Paradis", dans le Règne purement-spirituel, et même dans le plan des "originels-créés", les archétypes les plus parfaits du genre spirituel-humain, au rang desquels jamais les esprits humains de la Terre ne pourront se hisser. Il y a là en effet, aussi, le prototype de l'homme tourné vers l'intérieur, disposant d'une plus grande sensibilité, délicatesse et ainsi de facultés réceptrices plus fines que l'homme purement masculin et viril, de même qu'il y a aussi le modèle de la femme à la féminité mise en retrait, farouche et guerrière, manifestant des traits d'action plutôt "masculins".

Donc, mon ami(e), comme tu peux ainsi le réaliser, les choses sont bien loin d'être aussi simplistes et manichéennes que certains êtres bornés se plaisent à le penser, à le dire et à vouloir obstinément le faire croire dans les domaines spirituel et religieux. En fait, entre leurs représentations et la réalité des choses, il y a un gouffre immense, dans lequel se déploie l'immense et vaste Réalité, l'Univers tout entier, la Création tout entière, avec la perspective infinie et illimitée d'évolution de tous les êtres ! !

Les "causes" de l'homosexualité, quant à elle, sont plus complexes que les ignorants ne le pensent. - Et, d'après ce que je viens de dire, on pourrait aussi, à juste titre, interroger les causes de l'hétérosexualité... Surtout à une époque où les êtres humains se reproduisent beaucoup trop et beaucoup trop vite... - C'est tout simplement une autre forme de combinaison qui fait jouer de multiples paramètres qui vont ainsi entrer en mouvement, en vibration, en résonance, et qui vont pouvoir faire mûrir les individus dans l'expérimentation. Je ne m'arrêterais même pas sur l'argument selon lequel seule est "naturelle" la complémentarité féminin/masculin, puisque qu'à vrai dire, comme je l'ai déjà dit, aucun être humain sur Terre n'est un digne représentant de l'unique et authentique masculin ou féminin, n'est uniquement masculin ou féminin, et que, dans toutes ces combinaisons, quelles qu'elles soient, justement, cette complémentarité existe, mais pas de la façon aussi puérilement simpliste que ces gens ne le pensent, avec leurs croyances à deux balles, qu'ils imaginent plus proches de la Vérité !...

Voilà qui explique aussi le fait que certains êtres humains éprouvent à un certain moment le désir de changer de sexe ! Au moment de leur incarnation, ils devaient certes incliner vers un certain genre, mais qui ne correspondait pas, à vrai dire, à leur nature intime plus profonde, avec laquelle il se reconnecte seulement ensuite. Raison pour laquelle il est toujours très important et salutaire d'être véritablement à l'écoute de soi uniquement, de son être intime, en développant sa conscience, afin de ne pas lui imposer ainsi cette sorte de violence.

Et voilà qui évacue encore pas mal de débats et de polémiques, notamment chez ces âmes engluées dans les fosses communes de la pensée libre et véritablement sage, creusées depuis des siècles par les religions, qui, depuis le départ, quasiment, se sont érigées entre Dieu et les êtres humains, s'arrogeant le droit de décréter, de décider et d'imposer.

Que ces chaînes tombent enfin, afin que chaque individu, quel qu'il soit, puisse enfin cheminer sur les sentiers de la Sagesse véritable et s'élever vers les hauteurs du spirituel-humain et de la conscience éclairée, sans peiner à cause de ces préjugés !

La femme et la domination du mâle

La femme ! Nous touchons ici une, voire la blessure la plus douloureuse qui a été infligée au genre humain dans son ensemble, et cela va plus loin qu'une simple rivalité entre les sexes, que le féminisme ou la libération de la femme, car cela touche encore plus profondément à la catastrophe spirituelle qui a brisé le genre spirituel-humain de la Terre dans son évolution, dans sa véritable vocation en ce monde.

Ne nous leurrons pas, ne restons pas embourbés dans un hypocrite déni de réalité, dans quasiment toutes les civilisations, peuples et religions, la femme a toujours été considérée de manière condescendante et hautaine, méprisée, muselée, bâillonnée, voilée, manipulée, dominée, écrasée, reléguée à l'arrière-plan, jugulée, asservie, emprisonnée, etc., j'en passe et des meilleures ! Il ne s'agit pas là d'une banale opinion, ni d'une quelconque subjective interprétation, mais d'un fait, d'une réalité objective, désormais indéniable et irréfutable. Pendant des siècles, la femme a vécu, ou plutôt végété, dans l'ombre de l'homme, et même encore aujourd'hui, quoi qu'on en dise, quoi qu'on veuille nous faire croire. Toutes les religions portent en cela la plus grande part de cette culpabilité, du fait de leur importante responsabilité dans les représentations du monde qu'elles véhiculent, représentations éminemment structurantes dans l'ordre social de chaque civilisation. Et, tel Emile Zola, j'aimerais m'écrier, à leur encontre : J'accuse ! Je vous accuse d'avoir asservi la femme à la domination masculine, la domination du mâle, pour le plus grand malheur de l'humanité, ne servant ainsi que les ténèbres et le Mal, obstruant ainsi ses véritables possibilités d'évolution vers la Lumière, vous faisant ainsi les ennemis de la

Volonté Divine et du Bien. Depuis les peuples dit "primitifs" - et l'on peut se permettre ici à juste titre de les considérer comme arriérés, peu évolués, et donc primitifs -, qui excisent les femmes, afin de les priver du plaisir et de la jouissance sexuels (car la sexualité a toujours représenté un moyen de contrôle, voire de coercition des masses !...), jusqu'à la chrétienté qui considère la femme, en tant que représentante du personnage biblique et mythique d'Eve, comme la grande pécheresse, tentatrice de l'homme, responsable de la faute originelle et de la chute dans le péché, en passant par le bouddhisme qui relègue aussi les moniales et les femmes à l'arrière-plan, leur imposant davantage de règles qu'aux hommes, de même encore que dans le judaïsme, où, par exemple, la femme qui a ses règles est considérée comme impures et ne doit pas dormir dans le lit conjugal (voire même plutôt sur le paillasson devant l'entrée), sans oublier l'Islam, où, selon l'interprétation de certains êtres pauvres en intuition, en sensibilité et en intelligence véritable, la femme doit être voilée, cachée, masquée aux yeux des hommes, afin de ne pas susciter leur convoitise, incapables que sont ces animaux prétendument civilisés de maîtriser leurs pulsions sexuelles dont ils sont les esclaves. Non ! Le degré véritable d'évolution spirituelle et de proximité réelle avec la Vérité d'un peuple, d'une religion, d'un groupe humain, d'un système de représentation du monde et de pensée, peut aisément être évalué, jaugé, jugé en fonction du statut que la femme y occupe, selon la façon dont elle y est considérée et dont on se comporte avec elle. Il arrive un moment où, inévitablement, le politiquement correct, l'universalisme gnangnan, l'hypocrite apparence de respect face aux êtres humains, avec leurs opinions toutes relatives et leurs imparfaites croyances religieuses sujettes à caution, doivent s'effondrer comme un vaniteux et ridicule château de carte devant la Vérité vraie, devant la Réalité vivante de ce qui est, et où nulle autre considération ne doit rentrer en jeu. Tous les êtres humains qui ne se positionnent pas de la façon la plus respectueuse et "libertifère", disons (c'est-à-dire porteuse de liberté), vis-à-vis du genre féminin, sont primitifs, sous-évolués et arriérés, n'ont pas développé et épanoui leur humanité véritable, ne peuvent pas être considérés comme faisant réellement partie de l'authentique humanité, consciente et évoluée spirituellement. - Là-dessus, je serai parfaitement intransigeant et intraitable, car je sais que j'ai raison et que cela est juste, n'en déplaise à tous les êtres qui sont dans l'erreur, ce n'est pas à eux que je m'adresse, de toute façon, ce n'est pas pour eux que je parle. -

Et ce n'est pas d'ailleurs que la femme qui a eu à en souffrir, qui a pâti de cette domination masculine, de ces siècles de machisme, de misogynie et de phallocratie. Une des premières victimes de cette ostracisation du féminin a été indubitablement l'homme lui-même, qui s'est enfermé dans le rôle de l'homme fort que la société lui a imposé, le séparant ainsi lui-même de son intériorité, de sa propre sensibilité, le coupant de ses émotions, le rendant faible et vulnérable psychologiquement, car pas habitué à être à l'écoute de lui-même, de ses émotions, incapable d'apprendre à les gérer, le rendant par la même occasion incapable de se connaître lui-même et d'évoluer, allant jusqu'à le rendre absent affectivement de l'équation parentale, de l'éducation des enfants, élevant ainsi des générations dans le même schéma de pensée conditionné, avec les mêmes stéréotypes et comportements limitant et entravant, avec des hommes bloqués dans leur évolution, littéralement handicapés spirituellement, qui, en plus, s'arrogent le droit d'imposer leurs limitations aux autres.

L'homme est une femme comme les autres ! Lui aussi a une part féminine, une sensibilité, qu'il a laissé s'étioler et se faner. L'homme est vulnérable, Mesdames et Messieurs, et c'est un homme qui vous le dit. Bien sûr, il y a en tout des exceptions, et heureusement, mais, dans les grandes lignes, il en va bien ainsi. Mesdames, les hommes ont besoin de vous. Mais aussi, Messieurs, les femmes ont besoin de vous ! Qu'on pense simplement déjà aux conditions de la naissance : La fille est portée dans le ventre de sa mère, un rapport fusionnel normal et naturel s'instaure normalement à ce stade entre la femme enceinte et le bébé qu'elle porte dans son ventre. Seulement, en grandissant, elle se démarquera de sa mère, puisque de même sexe qu'elle, donc nécessairement, d'un point de vue naturel, en compétition avec elle, notamment dans ce qu'on désigne comme le complexe d'Œdipe/Electre. Quant à l'homme, c'est bien différent. Le garçon aussi, bien sûr, grandit dans le ventre de sa mère, il est "victime" du même rapport fusionnel, qui est pourtant nécessaire au niveau naturel pour assurer la maternité. Seulement, n'étant pas en compétition du point de vue des genres, restera toujours une trace, une nostalgie de cette relation particulière. Enfin, c'est là un aspect seulement de la réalité, selon moi.

La libération de la femme aura donc aussi comme conséquence la libération de l'homme du carcan dans lequel il s'est enfermé et asséché pendant des siècles.

Et cela va même beaucoup plus loin que la simple question des relations entre les sexes. L'asservissement de la femme par l'homme trouve aussi son expression, en chaque individu, dans l'écrasement du mode de fonctionnement et de communication "girafe" par le mode "chacal". Ce sont là des notions empruntées à la "CNV", la "Communication Non-Violente", élaborée par

Marshall B. Rosenberg[4]. Le mode "chacal" se régale de compétition, c'est l'homme de Cro-magnon qui chasse et se bat pour sa propre survie. Il se montre de ce fait purement égoïste, individualiste, batailleur, compétiteur, raisonne en termes de "chacun pour soi", ne voit que son intérêt matériel propre à court terme, est obsédé par la rentabilité, la victoire par la force brutale, la puissance qui renverse et écrase tout sur son passage, ne cherche pas à se connaître lui-même ni à évoluer, est incapable de vivre en pleine conscience et en harmonie avec les autres êtres ainsi que son environnement. C'est la caractéristique de l'être humain (homme ou femme, d'ailleurs) qui n'a pas développé son esprit, sa conscience, son humanité, et qui en est encore au stade de l'animalité, de l'organisme de survie. C'est là aussi l'héritage naturel que nous portons également tous en nous, la base des programmes qui sont installés dans ce corps sans qu'on ait la main dessus dans un premier temps. Le mode "girafe", quant à lui, est capable de considérer les choses d'un point de vue plus élevé, conscient et serein, capable ainsi de se relier à ses besoins, aux besoins des autres, grâce à son empathie naturelle, et de choisir, pour obtenir ce qu'il veut, des stratégies qui ne soit pas destructrices, car purement égoïstes, mais élaborées au contraire sur des compromis, sur la base de la coopération avec et de la contribution auprès des autres. Il est seul capable de vivre en harmonie avec tous les êtres. C'est là la caractéristique de l'être humain (homme ou femme) qui a développé son esprit, sa conscience, son humanité, qui s'est affranchi de son animalité et de son héritage naturel, sur lequel il a la main dans un deuxième

---

[4] Pour en savoir plus, tu peux te reporter au site d'Isabelle Padovani : www.cnv-ip.com .

temps, en exerçant un contrôle sur ces pulsions naturelles du fait de sa conscience de lui-même et de ce qui se passe en lui.

Ainsi, la domination de l'homme sur la femme, c'est aussi la pensée selon laquelle la voie royale pour parvenir à son but égoïste et individualiste, c'est en écrasant les autres, dans la compétition, en le faisant au détriment des autres êtres humains, en les asservissant, en les écrasant, en les exploitant, plutôt qu'en agissant dans une perspective de coopération.

C'est pourquoi, ce qui se cache véritablement derrière, c'est effectivement la faute originelle, la chute dans le péché, c'est-à-dire le fait que l'être humain s'est enfoui dans la matière, hypertrophiant ainsi son intellect, le produit de l'activité de son cerveau antérieur, devenant ainsi un matérialiste qui croit à la marche victorieuse du progrès et pense naïvement dominer quoi que ce soit. Domination de l'homme sur la femme, dictature du mode "chacal" sur le mode "girafe", tyrannie de l'intellect sur l'intuition, asservissement du spirituel à la matière et au matérialisme, tout cela va de pair, car ce sont les qualités sensibles, dites "féminines", dans les stéréotypes humains, mais dont chaque individu dispose, qui sont nécessaires au mode de fonctionnement "girafe" et au développement de la conscience spirituelle, qui nécessite sensibilité et intuition, écoute et attention.

Plus loin encore, cela touche à la mentalité avec laquelle l'être humain se positionne dans la Création, pensant qu'il doit faire moultes efforts, se battre constamment, pour s'élever, se libérer, s'affranchir, obtenir ce qu'il veut, entreprendre son ascension. Oui, certes, il faut se maintenir en mouvement, s'exercer à l'effort, spirituellement surtout, et, du fait de notre libre-arbitre, c'est-à-dire notre libre volonté, autrement dit notre libre capacité de résolution, de décision, de détermination, nous sommes, en définitive, seuls maîtres à bord en ce qui concerne notre univers personnel et notre destin. Mais quelle puissance insoupçonnée ne repose-t-il pas dans l'apparente faiblesse, la capacité à s'abandonner et à recevoir, à s'ouvrir et à se laisser porter ? ! Spirituellement parlant, c'est là que repose la véritable voie spirituelle royale et la plus efficace de toute, dans la foi, notion malheureusement jusqu'ici galvaudée et déformée. Dans la faiblesse et l'abandon, justement conçus du point de vue spirituel, attention, repose bien plus de puissance que dans la volonté de conquérir sa victoire par la force et le seul effort personnel, car alors c'est la Toute-Puissance de l'Ensemble qui flue à travers l'individu isolé et qui agit, c'est là le miracle de la véritable Grâce Divine, sans laquelle nous sommes condamnés à ne nous mouvoir que dans nos propres limites, sans laquelle nous ne pouvons jamais nous en affranchir pour nous dépasser véritablement nous-mêmes, et aller au-delà de nos limites, en tant qu'êtres humains s'efforçant sur la voie du développement spirituel, de la conscience et de l'authentique humanité.

Ainsi, donc, pendant tout ce temps, la domination du mâle, la domination des hommes sur les femmes, si on la ramène, en chaque être humain, à l'emprise de l'intellect sur l'intuition, du mental sur la conscience, de la matière sur l'esprit, à la violente dictature du mode "chacal" sur le mode "girafe", n'était autre que l'expression de la domination du Mal sur le Bien, du point de vue des exigences de l'évolution spirituelle de l'humanité, dont l'origine, la nature, la vocation et le but sont de nature spirituelle.

Mais cet édifice, qui trouve aussi aujourd'hui son expression dans le matérialisme, l'abjecte société capitaliste de consommation, ce que certains désignent très justement comme l'ordre cannibale du monde, où quelques êtres humains exploitent et ponctionnent le monde et l'humanité, amassant la plus grande part des ressources et des richesses, au détriment de masses pataugeant dans la misère, et ceci à toutes les échelles, et à tous les niveaux, cet édifice, donc, n'est au final qu'un colosse aux pieds d'argile qui se fissure de plus en plus et commence déjà à s'effondrer de façon menaçante.

Souhaitons que, dans cet effondrement, la femme se libère enfin et occupe vraiment sa place, telle qu'elle est conçue pour elle dans la Création, à l'image de ce qu'il y a de plus haut. La part sensible est celle qui capte, reçoit, transmet et donne littéralement le ton, en donnant une direction, une orientation, tandis que la part active s'occupe de la réalisation. Cela est valable à tous les niveaux, au niveau de l'individu, à l'intérieur de chaque être humain, comme au niveau du couple et des relations interpersonnelles, comme au niveau de la famille et du foyer, jusqu'au niveau de la communauté, des pays et du monde. Quand il est dit, de façon très simpliste, par certains, d'après certaines sources, que : "La place de la femme est au foyer !", c'est à vrai dire tout à fait juste, mais à condition de considérer ici la notion de foyer d'une façon plus large et plus vastement englobante, à l'échelle de l'humanité tout entière. Le foyer, c'est le lieu de la flamme, le centre, le point de départ qui organise le vivre-ensemble. Ainsi, à une échelle plus large, il s'agit de la cité et de la nation. Quand on aura compris cela, on aura gagné beaucoup et les choses pourront enfin changer. Ainsi le pouvoir politique ne sera plus aux mains de ces mecs qui se comportent comme des bébés, jouant dans leur bac à sable avec pelles et seaux en plastique, comme des animaux de compétition, et la direction du monde pourra se baser enfin sur la coopération et la préoccupation unique et constante pour le bien commun à long terme. C'est pourquoi il n'y a aucun progrès quand des femmes s'affirment en politique si c'est pour se comporter comme ces hommes qui fonctionnent en mode "chacal". Cela fait très stéréotype, j'en suis désolé, mais je vais me reposer sur cette image imparfaite pour donner à comprendre comment je conçois les choses et ce que je veux dire. Regardez la femme, mariée, amante et épouse, mère de famille, qui, en plus, mène de front sa propre vie professionnelle : elle s'occupe d'elle-même, de son boulot, de son mari, de ses enfants, de son foyer, de sa maison, et de toute cette troupe, sans même forcément penser à elle-même de façon égoïste, mais dans un véritable esprit de service, se consacrant littéralement à la réalisation du bien commun, en chapeautant et supervisant tout, du haut de sa tour de contrôle, le regard tourné au loin sur les objectifs à long terme, tel un capitaine d'équipage. Eh bien, les particularités dites "féminines" (qui ne sont d'ailleurs pas nécessairement l'apanage exclusif des femmes) permettent ce type de gestion de la vie en communauté et c'est bien ainsi que les choses devraient être gérées, tant au niveau de la cité, que du pays, de la nation et du monde. Ce qui ne pourra d'ailleurs être le cas que lorsqu'on sera débarrassés de la pression tyrannique des enjeux financiers qui pervertissent tout, ainsi que des parasites qui voient le monde et l'humanité comme une orange qu'ils peuvent presser jusqu'au bout, pour en extirper un maximum de jus.

La domination du mâle, et du mal, tire à sa fin, les consciences changent, nous sommes à l'aube d'un changement de paradigme, une révolution dans la vision du monde et de l'humanité. Et la femme y joue un rôle primordial, ainsi que tous les hommes en qui vit véritablement l'intuition qui n'est autre que la voix de l'esprit, de la conscience.

Courants de lumière et cosmo-tellurisme

Un petit bond, et nous voilà de nouveau sur les hauteurs, d'où nous pouvons contempler la large vue d'ensemble sur la marche du Cosmos. A nos pieds s'étendent les champs de la Matérialité.

Au moment de la naissance de l'Univers matériel, à l'extrême limite du bord inférieur du dernier des cercles de la Création, se déployèrent des courants lumineux, tels des cordons nerveux ou des veines, servant de support et de point d'appui au déploiement de la Matérialité tout entière, l'irriguant et la nourrissant, sans lesquels elle ne pourrait pas se maintenir, et les différents mondes qui en sont issus, se former, exister et mûrir.

Ces courants, il n'en existe que de deux sortes : des courants provenant des plans spirituels dont sont issus les êtres humains de la Terre, sous forme de germes d'esprit inconscients, et des courants de même nature que ce cercle ultérieur dont sont issues les entités de la Nature, formatrices de la matière, ainsi que les âmes animales.

En effet, le but, la nécessaire raison d'être de ces courants, ce n'est pas seulement de soutenir et d'irriguer la Matérialité tout entière, dont les différentes couches sont sans chaleur, vie et mobilité propres, mais c'est aussi de porter et d'accompagner tous les germes en devenir qui sont plongés dans les champs de la matière afin de pouvoir y prendre conscience, s'y développer, déployer, épanouir, en s'y activant. A ce titre, les êtres humains ne sont d'ailleurs pas les créatures les plus représentées dans l'Univers, en ce qui concerne les plans subtils de la Matérialité-Grossière dont j'ai déjà parlé. Et ils sont d'autant plus précieux qu'ils sont rares, comme les endroits propices à l'incarnation dans la matière la plus dense.

De la même façon qu'un fleuve, tout au long de son parcours, dépose sur ses rives de nombreux débris, de la même manière ces courants, en pénétrant à travers tous les plans matériels de l'immense couronne de la matière, en tant que cercle terminal le plus inférieur de la Création, déposent les différents germes, d'entités ou d'esprits, sur les plans où ils peuvent s'éveiller à la conscience d'eux-mêmes, prendre forme, se développer, agir et s'épanouir. Jusqu'au plan physique terrestre (le plan le plus dense de la Matérialité-Grossière), c'est-à-dire jusqu'ici sur Terre, où ces courants arrivent du Cosmos à certains endroits précis. Il y a donc deux types de courants cosmiques, c'est-à-dire provenant du Cosmos, de l'extérieur de la Terre : des courants de nature spirituelle, ceux-là même qui ont porté les germes d'esprit humains jusqu'à leur incarnation terrestre, et les courants propres aux entités de la Nature et aux animaux. Pour chaque espèce, l'endroit où ces courants pénètrent sur Terre forment toujours un point de rassemblement particulier. Même également une sorte de porte, de passage ou de portail d'un monde à l'autre, du monde terrestre physiquement visible et palpable, vers cet autre monde, invisible et impalpable, qui nous entoure de toutes parts, car les énergies y sont telles qu'elles permettent cette possibilité de perception et de communication entre les différents plans subtils, mondes matériels ou dimensions physiques, qu'elles la facilitent grandement, car ces courants lient aussi les différents plans matériels entre eux.

Voilà qui explique du même coup, tout simplement, dans cette image d'ensemble que je déroule devant tes yeux, tous ces endroits particuliers, où des êtres humains, par le passé, érigèrent différents types de constructions, comme les mégalithes que sont dolmens et menhirs, qui n'en sont que des exemples parmi tant d'autres. Je ne parle en l'occurrence que des courants de nature spirituelle, puisque ce sont ces courants-là surtout qui nous intéressent en tant qu'êtres humains.

Autre élément à prendre en compte : c'est aussi seulement sur la voie de ces courants que des esprits ou des entités provenant de ces plans du Spirituel pouvaient en quelque sorte descendre jusqu'ici sur Terre, sur le plan terrestre, le long de ces cordes ou fils tendu(e)s du haut vers le bas, sur la voie de ces irradiations, afin de s'y manifester aux êtres humains, notamment les premiers sur Terre, qui, du coup, les vénéraient comme des divinités et leur vouaient un culte. Cela explique par exemple ces cas d'apparition d'êtres féminins de la consolation, considérés à tort comme des apparitions de la "Sainte Vierge", ce qui est impossible, comme je l'expliquerai plus tard, conformément aux lois de la Création, démêlant ainsi le vrai du faux. - Il y a effectivement quelque chose, mais les êtres humains, dans leurs représentations, font bien des confusions entre des éléments totalement distincts et différents, croyant en des choses qui sont impossibles si l'on prend en compte la perfection du Créateur et de Sa Création. -

C'est donc en ces endroits particuliers que furent plus tard édifiées de nombreuses églises - et autres temples ou mosquées, d'ailleurs -. C'est logique : du fait de l'activité particulière des énergies en ces lieux propices à l'ouverture vers d'autres dimensions de l'existence, il y est plus facile de se connecter au Cosmos tout entier et, plus loin, aux plans spirituels. A l'inverse, chaque religion et chaque culte, quel qu'il soit, profite de ces énergies qui ont un effet éminemment positif sur les êtres humains. Leur tort, malheureusement, est de vouloir obstinément avoir la main mise dessus et de faire croire que, pour autant, c'est parce qu'ils possèdent la Vérité et sont véritablement comblés de grâce d'en-haut, que les gens, leurs adeptes, s'y sentent si bien...

En tout cas, c'est un fait que, passer un peu de temps régulièrement dans ce type de hauts-lieux cosmo-telluriques, élève considérablement le niveau vibratoire, desserre peu à peu les liens qui parasitent et polluent l'être humain, lui redonne de la force spirituellement, nourrissant son esprit, son noyau spirituel vivant, au plus profond de lui, et lui permette plus facilement de percevoir tout un tas de choses lumineuses et élevées, à condition qu'il parvienne à faire le silence en lui-même et à écouter son ressenti intérieur profond.

Attention, la nature véritable de ces courants est spirituelle (pour ceux qui concernent les êtres humains), et c'est seulement de fil en aiguille, par voie de conséquence, sur chaque plan matériel, que s'y déroule ensuite une activité énergétique particulière, propre à chaque plan, ayant des effets palpables sur le plan immédiatement inférieur.

Maintenant, que sont les courants telluriques ? !... Eh bien, c'est très simple, si les courants cosmiques sont ceux qui proviennent du Cosmos, c'est-à-dire de l'extérieur de la Terre, les courants telluriques, eux, sont les courants d'énergie qui circulent à la surface de la Terre et à travers elle. Là encore, leur nature profonde trouve son origine sur un certain plan seulement, ce n'est qu'ensuite que, de proche en proche, ces énergies, au départ très subtiles, se manifestent de façon plus perceptible, sur les plans plus denses de la Matérialité-Grossière, jusque dans le plan éthérique.

Ma vision et mon interprétation actuelle de ces phénomènes est que ces différents courants cosmiques pénètrent la Terre et s'accumulent en son centre ; par les entités qui s'en occupent, ils sont transformés pour produire cette énergie ou force vitale d'une qualité plus dense, qui s'active essentiellement dans le plan éthérique terrestre, et qui est seule capable, au moment de la maturité sexuelle d'une créature incarnée, d'engendrer cet élan permettant de former le pont avec son noyau animateur incarné et de stimuler ainsi cette aspiration particulière à s'élever vers les hauteurs. Sans cette énergie de liaison particulière, il manquerait au germe incarné (et je considérerai surtout le cas de l'être humain, avec son esprit) un outil, un moyen, un pont afin d'embraser le corps physique terrestre, le mouvoir, afin de pouvoir pleinement déployer son activité dans la matière et afin de réaliser ainsi pleinement dans la matière la plus dense, lourde et opaque l'aspiration à l'évolution et à l'épanouissement. Sans cela, je le répète, le germe d'esprit serait trop enfermé et entravé dans et par la matière si dense de son corps physique pour pouvoir véritablement déployer sa conscience, son activité et son aspiration à s'élever vers la Lumière, vers les champs bienheureux de sa lumineuse patrie d'origine.

Voilà l'explication véritable du pourquoi de toutes ces choses qui ne sont connues que dans leurs ultimes manifestations les plus denses par certains chamanes et sorciers, druides et prêtres des époques passées, ainsi que par les magnétiseurs, énergéticiens et géobiologues de l'époque actuelle ! Ainsi, tout ce qui relève de ces disciplines énergétiques, telles que la géobiologie, provient de là, trouve là sa raison d'être dans la Création.

J'insiste encore une fois sur le fait que, tant que l'être humain n'est pas capable lui-même de rayonner spirituellement et d'élever son propre niveau vibratoire d'énergie, à partir de l'intense activité de son noyau spirituel parvenu à la conscience, il peut lui être extrêmement profitable, voire salutaire, de fréquenter régulièrement ces lieux, dont il y en a un peu partout. Cela lui facilitera grandement, d'une part, la désaccoutumance vis-à-vis de tout ce qui est polluant, parasitaire, mais également la capacité de percevoir, en conscience, ce qui s'élève bien au-delà du monde des êtres humains. Moi, en tout cas, c'est ce que je fais régulièrement, et cela me fait à chaque fois un bien fou. C'est aussi le meilleur moyen de se maintenir à un certain niveau vibratoire, au-dessus de la moyenne des êtres humains, permettant d'échapper à bien des choses sinistres sur les plans subtils. Parfois, cela permet même très salutairement de sortir et de garder la tête hors de l'eau ! !

Force sexuelle et sexualité

Revenons sur la sexualité, mais d'un point de vue énergétique, cette fois-ci.

L'instinct sexuel, la pulsion sexuelle, et la sexualité qui en découle, ne sont à vrai dire qu'une conséquence de cette fabuleuse énergie vitale dont j'ai parlé précédemment, qui est produite par la Nature, qui flue à travers tout le vivant et qui nourrit tous les êtres vivants qui peuplent la surface de la Terre. Le but de cette énergie est d'embraser la matière animée par les entités de la Nature. Sans cela, cette matière si lourde, dense et opaque, ne pourrait être liée, formée, façonnée, mise en mouvement, dans ses différents genres, et les différents plans matériels ne pourraient être liés et reliés ensemble, ne pourraient communiquer entre eux, et les germes qui sont plongés, incarnés dans la matière pour leur évolution, ne pourraient s'y déployer, ils n'en auraient pas la force, ils ne pourraient vaincre cette inertie. Cette force de vie est le pendant nécessaire à cette force entropique, dite "de mort" (car il n'est pas de mort véritable, tout n'est que transformations...), propre à la matière inerte, sans chaleur, vie et mobilité propres. Tout ce qui prend forme dans la matière est soumis à l'éternel cycle de semaille, germination, croissance, floraison, fructification, hypermaturation, pourriture, décomposition, dissolution et réintégration à l'état primordial. En effet, tout ce qui existe en ce monde est périssable, car ce monde n'est qu'une création ultérieure, une post-création, un champ pour l'expérimentation et l'évolution, où les formes changent constamment, jusqu'à la disparition.

C'est là l'unique but de cette force mystérieuse qui anime tout le vivant dans la matière, ici-bas, sur Terre. Et, à l'origine, elle aurait dû permettre à l'esprit humain d'embraser la matière, en la dominant entièrement (plutôt qu'en se laissant dominer par elle, voire en s'en faisant l'esclave), et de porter plus haut cette merveilleuse impulsion, par la transformation en une aspiration consciente vers la Lumière, comme chez les plantes, permettant la connexion, la jonction avec le genre spirituel, son genre d'origine, permettant ainsi l'épanouissement des forces spirituelles ancrées dans la matière à leur plus haut degré de floraison. Mais, à cause de la "chute dans le péché", c'est-à-dire du fait que l'être humain se mit à vouloir régner tel un petit dieu dans son royaume terrestre, du fait qu'il se restreignit ainsi à la matière seulement et donna la prééminence au développement de son seul intellect, l'activité du cerveau antérieur pour l'intelligence et la compréhension dans la matière, cela n'advint pas. Tel une taupe aveugle, l'être humain s'est littéralement enfoui lui-même dans la matière. Cette force écumante, dont l'inexorable impulsion à s'élever vers le haut ne pouvait être endiguée, devait trouver un autre moyen de s'exprimer. Du fait de l'enchaînement à la matière, elle ne put trouver de voie d'expression que dans la sexualité. L'être humain, du fait de sa paresse d'esprit, c'est-à-dire de l'inertie de son noyau spirituel, ne se sentait vivant, ne se sentait vibrer, que par l'activité sexuelle, dont l'intensité seule était capable de pénétrer jusqu'à son noyau intérieur, pour lui donner la sensation de vivre. Il se focalisa donc sur le sexe et le plaisir qu'il pouvait en tirer, détournant ainsi ce courant ascensionnel qu'il aurait dû utiliser pour le déploiement spirituel de sa conscience.

Maintenant, après des siècles de conditionnement, force est de constater que cet instinct, naturel au départ, qui supplante désormais l'élan vital, l'aspiration vivante, car artificiellement et unilatéralement cultivé, est devenu disproportionné, il subjugue sans exception quasiment tous les êtres humains de la Terre, les hommes surtout, selon moi. Cette influence de l'être humain s'est étendue jusqu'au règne naturel ; car les êtres humains influencent leur environnement matériel terrestre, tant sur le plan physique, que sur les plans subtils et énergétiques. Ainsi cette impulsion est-elle devenue tyrannique. Les êtres humains se sont rabaissés eux-mêmes au rang d'animaux, entièrement soumis à cet instinct, tributaire de cette pulsion. En gros, pour parler crument, mon ami(e) : il leur faut baiser ou mourir. Car, oui, on a l'impression qu'il s'agit bien de ça, à l'instar, par exemple, d'une certaine espèce de cervidés, je crois, dont les testicules enflent à tel point en période de rut, que cela équivaudrait, pour les êtres humains, à avoir des testicules de la taille d'un pamplemousse ! !... ;) ...

Maintenant, tout le monde n'est pas "configuré" de la même façon, heureusement, n'a pas les mêmes impulsions, les mêmes besoins. Mais pour ceux qui ont une impulsivité sexuelle plus importante (ce qui va souvent de pair avec une grande force créatrice), eh bien, la masturbation seule leur permet encore de fonctionner normalement, en tant qu'êtres humains, de se décharger de cette pression, d'être capable de penser à autre chose, plutôt que de ne penser tout le temps qu'à forniquer comme des sauvages avec tout ce qui bouge (ce dont certains ne se privent d'ailleurs pas du tout, au détriment des autres, des femmes notamment, bien souvent). C'est donc, finalement, contrairement à ce que disent certaines religions, très sain, et même salvateur et salutaire ! ! Et puis, à titre tout à fait anecdotique, pour ceux qui désirent aussi goûter les fruits de la vigne, cela permet une meilleure connaissance de son corps, de son sexe, de son plaisir, cela offre ensuite davantage de possibilités de partage du plaisir dans la relation à l'autre, et ça, c'est merveilleux, quand il est librement consenti d'offrir une part de son plus précieux à l'autre, en l'accompagnant dans le plaisir, la jouissance, de jouir et faire jouir. - J'espère que je ne te choque pas, mon ami(e), en adoptant un peu ici quasiment la casquette d'un sexologue, je sais que je suis très cru, direct sur le sujet, là où on ne l'attendrait peut-être pas du tout (c'est-à-dire dans un ouvrage portant sur la spiritualité et la sagesse en générale), mais cela fait aussi partie de la vie d'être humain incarné sur Terre, nous ne sommes certes pas de purs esprits. -

En revanche - et là j'en viens à mes mises en garde et exceptions -, pour l'être véritablement humain, qui émerge de son état de germe inconscient et qui déploie sa conscience spirituelle et son humanité vers le haut, la sexualité, l'acte sexuel, n'est pas anodin.

En effet, une première chose à ne pas perdre de vue : cette force vitale merveilleuse et phénoménale est avant tout une force de liaison. Elle permet de lier les différents plans matériels entre eux, elle permet de lier et de relier l'esprit au corps, au travers de ses différentes enveloppes subtiles, dont j'ai déjà donné un aperçu. Cette force lie. Elle liera en premier lieu les âmes désincarnées, en attente d'incarnation, aux endroits où ont lieu des actes sexuels. Elles sont littéralement attirées par cette libération d'énergie sexuelle. Elles se lieront donc aux personnes qui s'y adonnent. Et, en cette fin de cycle, où tous les cycles individuels sont accélérés jusqu'au dénouement, beaucoup d'âmes en attendent quelque chose, pour leur évolution et leur salut, consciemment ou inconsciemment. L'Au-delà, en ce moment, ressemble un peu à une immense salle d'attente où un nombre incalculable d'âmes humaines attendent une solution à leurs problèmes, attendent quelque chose, sans savoir quoi exactement, si ce n'est, bien souvent, que cela passe obligatoirement pour elles par une incarnation terrestre. Dans le cas où l'acte est reproducteur, donne naissance à la formation d'un embryon viable, l'âme se liera à celui-ci, conformément à des lois ou propriétés spécifiques, sur chacun des plans concernés, avec l'aide de nombreuses entités secourables dont c'est le job, afin de s'y incarner au moment de sa maturité, en y étant d'un seul coup comme absorbée.

Or, d'être ainsi lié à des âmes désincarnées, cela peut avoir des conséquences fâcheuses et causer bien des désagréments, des plus légers et anodins (stress, tensions ou contractures musculaires, douleurs, anxiété, attaques d'angoisse, etc.), ou plus lourds et graves (maladies, accidents...). Cela ne veut pas dire qu'il faut s'en priver lorsque cela se présente, cela ne peut pas nuire à la totalité de l'être dans son ensemble, à l'intégrité spirituelle, ce pour quoi les sentiments sont aussi importants, il suffit simplement d'en être conscient et de savoir s'en dégager. Là, encore une fois, seul le savoir véritable agit de façon salvatrice.

D'ailleurs, à ce propos, le rapport sexuel n'a pas uniquement pour but d'être reproductif, de faire des bébés. Vision ô combien naïve et rigide ! Eh non ! Pendant l'acte sexuel a lieu un merveilleux échange et mélange des énergies des deux partenaires, tendant à l'union, à la fusion. C'est pour cela aussi que c'est un piège pour les esprits insuffisamment éveillés, qui font la confusion entre leur aspiration spirituelle au retour à l'état fusionnel avec le grand Tout et leurs besoins sexuels. Cela ne peut à vrai dire lier sous forme de penchant que des êtres vivants en eux-mêmes, qui sont souvent à la recherche de quelque chose qui les fasse vibrer, sans savoir quoi exactement. Cependant, ces merveilleux échanges d'énergie, que ce soit d'ailleurs entre un homme et une femme, ou entre deux hommes ou deux femmes, ne peuvent avoir lieu que quand il y a vraiment connexion à un autre niveau, plus subtil, plus élevé, entre les deux partenaires, quand il y a véritablement une envie, non pas seulement de prendre du plaisir, mais aussi de donner du plaisir à l'autre (c'est même ce qu'il y a de plus excitant ! ;)), quand il y a de véritables sentiments. Dans ce cas-là, la sexualité est quelque chose de magnifique qui contribue au bien-être et à l'épanouissement des deux partenaires, tant aux niveaux psychique et énergétique, que physique. Du côté de l'Inde et de l'Asie, on savait tout cela fort bien.

Seulement, d'autres facteurs rentrent encore en jeu. Mais ce qui suit ne concerne pas tout le monde, "le commun des mortels", seulement les personnes qui sont plus sensibles que la moyenne, un peu médium, qui perçoivent les énergies et/ou qui souhaitent travailler avec les énergies, sont aptes à cela, et le font peut-être déjà.

Premièrement, ces personnes étant plus sensibles, elles sont déjà en elles-mêmes des voies d'accès privilégiées entre les deux mondes, entre ce monde-ci, visible, et l'autre, invisible, peuplé de nombreuses choses, de multiples formes de vie, notamment de "démons" (au sens de formations du vouloir intuitif) et d'âmes désincarnées. Pour ces personnes, ces possibilités de lien peuvent être beaucoup plus problématiques. Moins à l'abri derrière leur corps physique terrestre et leur conscience diurne, grâce à un bon ancrage dans le sol, dans la matière, ces liens peuvent même les perturber, aussi bien psychiquement, énergétiquement que physiquement.

Deuxièmement, cette force vitale sexuelle fait aussi partie des outils fondamentaux dont dispose l'être humain pour son activité dans la matière. En fait, cette force seule, lorsqu'elle est à maturité, parfait l'être humain. Car cette énergie lui sert non seulement de rempart vis-à-vis des dangers du monde invisible, des pollutions ou agressions subtiles, énergétiques, mais elle lui sert aussi, en perçant ses enveloppes, à se connecter à l'Univers, au Cosmos tout entier, par voie d'irradiations. Exactement comme un poste radio ne peut fonctionner sans énergie, sans électricité, sans pile ou sans batterie. Et, selon la qualité de l'ancrage de la personne, cela peut prendre plus ou moins de temps pour capter à nouveau la nécessaire et suffisante énergie vitale tellurique terrestre et pour que son corps éthérique la transforme de nouveau en force vitale d'embrasement du corps physique. Le problème, c'est que, quand revient la force d'élan, l'impulsivité sexuelle, prête à l'action (au cas où...), est de nouveau présente également. Et ce vide énergétique provoque en fait, en plus d'une certaine vulnérabilité aux énergies externes ou d'une certaine forme d'isolement énergétique, une sorte de petite dépression énergétique. L'être humain concerné n'est alors plus à même de capter les formidables ondes de force du Cosmos.

Troisièmement, justement, du fait que cette énergie vitale, cette force sexuelle constitue l'élément majeur dans l'équipement essentiel dont l'esprit humain dispose pour son activité dans la matière, les personnes qui travaillent avec les énergies, se retrouveront elles-mêmes démunies, si elles s'en desservent ainsi. Et ça demande du temps de parvenir à maîtriser tout cela. Il est beaucoup plus facile d'agir dans l'Invisible, sur les plans subtils, dans le domaine énergétique, lorsque l'être humain dispose pour cela de tous ses moyens énergétiques.

Quatrièmement, en ce qui concerne la vie spirituelle, quant à elle, eh bien, cette force est indispensable. Et il est indispensable qu'elle ne soit pas détournée vers le bas, vers la bagatelle. Tout d'abord parce que toutes les formations que peut produire l'être humain incarné sur Terre ont beaucoup plus de force, de puissance, de capacité d'action, lorsqu'elles sont engendrées avec cette pleine et entière énergie vitale transformée et maîtrisée, qu'il s'agisse d'intuitions, de formes-pensées ou autres. Mais également parce que cette force d'embrasement seule permet d'irradier tellement fortement vers le haut, en s'accumulant, qu'elle peut alors seulement ouvrir la voie à la perception de choses plus élevées spirituellement, à l'accession à des états de conscience modifiés supérieurs, à l'extase mystique, puisque telle est la façon de désigner cet état. Cette fabuleuse énergie permet de retrouver, ici, sur Terre, même dans l'incarnation dans un corps de matière dense, lourde et opaque, l'état de connexion et de fusion avec le grand Tout, ce que recherchent tous les méditants, pratiquants spirituels, mystiques, religieux et moines de tous temps et de toutes religions, jusqu'à atteindre l'état de prière véritable, dont je parlerai plus loin avec toi.

Voilà donc tout ce que recouvre le sujet de la sexualité ! Maintenant, libre à toi d'expérimenter ce que tu veux, de goûter ce qui te fait plaisir sur cette belle Terre, dans le respect de tous les êtres. Seulement, choisir, c'est renoncer, comme me l'a cité une amie un jour. A toi de choisir, donc, que ce soit pour ta vie entière sur Terre, pour une période donnée, ou pour un moment, mais en étant pleinement conscient cette fois-ci des tenants et des aboutissants, ayant toutes les clés en main, capable d'agir en toute autonomie et indépendance, librement, en conscience, ce qui ne peut qu'engendrer davantage de liberté véritable et de joie ! !

Energie vitale et force sexuelle

C'est donc la Terre qui produit en son sein cette fabuleuse, merveilleuse, fascinante et miraculeuse énergie vitale qui nourrit tous les êtres vivants qui peuplent sa surface : minéraux, végétaux, animaux ou humains. Et, contrairement à ce qui se déroule ici-bas, dans le monde des êtres humains de cette Terre, cette force vitale est totalement gratuite, et disponible en abondance, de façon illimitée, sans distinction de genre ou de mérite, sans discrimination ou ségrégation. Sans elle, tout le vivant qui se développe ici-bas, sur le plan physique terrestre, ne serait pas à même de prendre forme dans la lourde et opaque matérialité-grossière la plus dense, afin de s'y activer et de s'y développer, ne serait pas à même non plus de lutter contre l'entropie qui guette, car tout ici est périssable, chaque forme est destinée à dépérir, à se décomposer, et à disparaître, ce qui est d'ailleurs valable pour toute la matière, attention, pour tous les plans matériels, quels qu'ils soient, qu'il s'agisse maintenant de la Matérialité-Grossière de l'En-deçà ou bien de la Matérialité-Fine de l'Au-delà, séjour des trépassés.

Sans cette incroyable énergie vitale que produit la Nature au sein de la matière la plus dense, il manquerait un pont intermédiaire, un instrument, un outil pour l'incarnation véritable, la liaison, le ressentir et l'action. C'est là l'objet de cette force naturelle qui pousse tout au développement et à l'épanouissement, à la vie et à la survie, à la lutte contre l'entropie et la mort pour l'existence et la persistance, également à la reproduction et à la perpétuation des espèces.

Exactement comme un arbre enfonce profondément ses racines dans le sol, dans la Terre, pour y puiser l'eau et les éléments dont il a besoin, faisant ensuite monter la sève issue de cette transformation et de cette assimilation à travers son tronc, ses branches, jusqu'à ses feuilles, afin de s'épanouir vers la lumière du soleil, exactement de la même manière est conçu et bâti notre système énergétique, notamment sur le plan éthérique. Notre premier chakra, notre chakra racine, ainsi que les chakras qui se trouvent au niveau de nos plantes de pieds, absorbent, aspirent cette énergie vitale tellurique terrestre brute, la faisant monter à travers ces canaux énergétiques que sont les méridiens.

A ce sujet, d'ailleurs, on peut mettre exactement en parallèle la Terre et le corps humain. De la même manière que nous avons des chakras, la Terre en a aussi ; ce sont ces points cosmo-telluriques, où les courants spirituels (et "naturels") provenant du Cosmos viennent féconder la Terre. De même également que les énergies plus denses et concrètes élaborées par la Terre circulent à sa surface, irriguant tout sur leur passage, de même l'énergie vitale élaborée ensuite par le corps humain, ou plus exactement le corps éthérique, circule à travers les méridiens, reliant entre eux les différents chakras, centres d'énergie principaux, ainsi que les différents points d'acupuncture secondaires.

Car, oui, en effet, l'énergie vitale brute, tellurique terrestre, produite en son sein par la Terre et abreuvant tous les êtres vivants à sa surface, doit encore être élaborée par les corps éthériques des créatures qui s'y épanouissent. Cette énergie doit être digérée, transformée et élaborée, pour produire cette fameuse force sexuelle, la Kundalini, qui, seule, est à même d'embraser à ce point le corps physique terrestre de l'être humain sur Terre, au travers du corps éthérique, que le germe d'esprit, dans l'âme qui l'habite, puisse le mouvoir, soit à partir de là capable de s'exprimer vers l'extérieur, sur le plan physique terrestre, sans y être enfermé et muselé. Cette force seule est capable de former le pont entre la matière lourde, dense et opaque du corps physique terrestre de l'être humain et son noyau animateur profond qui est fondamentalement de nature spirituelle, une nature totalement étrangère à la matière, dans laquelle il est pourtant plongé pour son évolution. Maturité physique sexuelle, maturité spirituelle, conscience et responsabilité, vont ainsi de pair, émergeant au moment de l'adolescence.

De la même manière que nos organes physiques nous permettent de digérer les aliments matériels afin d'en extraire les nutriments nécessaires au bon fonctionnement de notre corps, de même leurs équivalents dans le corps éthérique digèrent, en quelque sorte, et élaborent cette énergie vitale.

Ce qui explique différentes choses, sur lesquelles je ne peux trop m'attarder ici, mais dont je veux malgré tout dire deux mots. D'une part, c'est le corps éthérique, avec son système énergétique, qui est responsable du bon fonctionnement du corps physique et de sa santé. Comme le merveilleux système énergétique de la médecine chinoise, avec notamment l'acupuncture, mais aussi le système indien des chakras le suggèrent, une pathologie quelconque peut être due, essentiellement, à un déséquilibre énergétique auquel il faut d'abord remédier, sur le plan plus subtil de son origine véritable, afin d'obtenir la guérison. Chercher d'abord à guérir le corps physique, en se restreignant surtout aux symptômes extérieurs, visibles, sans remonter aux causes premières du désordre, ne peut qu'aboutir à un échec, non pas à une guérison véritable, profonde et durable, voire parfaite et définitive. D'autre part, cela explique que certaines personnes puissent maintenir leur corps en bonne santé tout en mangeant très peu, voire pas du tout, en tout cas, pendant une certaine période. En effet, la nature supporte mieux le manque que l'excès ; il n'y a qu'à considérer, par exemple, les végétaux : trop d'eau les fait pourrir, alors que le manque d'eau (s'il n'est pas prolongé à outrance, bien sûr) met en quelque sort le végétal en dormance, lui permettant de redémarrer plus tard. De même, pour l'être humain, lorsqu'il mange (et aujourd'hui, d'ailleurs, dans de nombreux cas, il mange beaucoup trop par rapport à ses besoins effectifs), son corps va principalement s'occuper de renouveler ses cellules. En revanche, en cas de disette ou de jeûne, l'organisme va surtout s'atteler à entretenir les cellules et à réparer celles qui sont, disons, abîmées, défectueuses. Or, comme le support de l'information pour l'entretien, qui est d'abord de nature énergétique, se situe sur le plan éthérique, cela explique le fait que les gens du terroir, disposant d'un bon ancrage sur leur sol natal, aient une meilleure longévité, mais aussi le fait que certaines personnes soient capables de ne se nourrir, au moins temporairement, que de prana ou qi, d'énergie vitale. Si la captation de cette énergie est telle que le corps éthérique est bien nourri, le corps physique sera à même, grâce à ces énergies, de se maintenir et de s'entretenir en bonne santé.

Cela dit, je nuance ici mon propos : c'est quelque chose face auquel j'étais pour le moins dubitatif auparavant, et puis ma vision des choses a évolué. Par ailleurs, je ne pense pas qu'il soit possible d'entretenir cet état indéfiniment. Et puis, ce n'est pas non plus le but de l'existence terrestre. Une partie de l'énergie nécessaire à la vie sur Terre, à l'expérimentation et à l'évolution, est ainsi sûrement détournée ou accaparée par ces pratiques. En tout cas, j'en entrevois ici la possibilité, mais j'en discerne aussi les limites.

De toute façon, il n'en demeure pas moins qu'une bonne santé physique, commence d'abord par une bonne santé énergétique, ce qui va également de pair avec une bonne santé psychique.

Maintenant, malheureusement, cette magnifique force sexuelle, cette fameuse Kundalini, qui s'éveille dans le premier chakra racine, et est censée monter ensuite vers le haut à travers les autres chakras, pour littéralement former le pont entre Ciel et Terre, entre cosmique et tellurique, entre spirituel et matériel, a été détournée de son but premier. Comme l'esprit humain ne s'est pas entièrement développé dans la matière, que sa conscience spirituelle est demeurée embryonnaire, il en est resté au stade "animal", c'est-à-dire à ce stade où il n'est régi que par ses instincts naturels, par ces programmes qui émanent de son enveloppe, qu'il porte en lui, de même nature que ce plan des entités de la Nature et des âmes animales. Il n'utilise donc cette force que pour ce pour quoi elle existe au sein de la Nature : la lutte pour la survie et la perpétuation de l'espèce. Ce qui explique pourquoi l'instinct sexuel sur Terre a été détourné, hypertrophié, car cette merveilleuse force vitale aurait dû être la base d'un puissant élan vers le spirituel, une montée des énergies vers le haut. Au lieu de cela, il y a eu, du fait de la restriction à la matière, limitation, stagnation et régression. Cette force n'a pu s'échapper vers le haut, mais a dû se décharger uniquement en bas, sur le plan terrestre, sous la forme d'un instinct de survie déformé, dévoyé, hyperdéveloppé, une pulsion sexuelle exagérée, hypertrophiée, qui subjuguent le règne animal comme les êtres humains, déchargeant sur eux toute la violence de sa puissance, les asservissant, leur imposant son joug, les poussant, comme s'il s'agissait d'une question de vie ou de mort (et c'est un peu le cas), à se reproduire, à s'accoupler et à forniquer, encore et encore.

Chaque être humain est menacé par cette possible servitude.

Cycles

Viens, mon ami(e), suis-moi, place-toi, avec une humble gravité, en cette hauteur du Spirituel-Eternel, d'où tu peux contempler, en bas, l'Univers matériel, le champ des matérialités. Vois comment de petites étincelles lumineuses jaillissent du bord inférieur du domaine spirituel pour plonger dans la matière. Il s'agit des germes d'esprit humains, les petits pèlerins des mondes, auxquels appartiennent les êtres humains de cette Terre. Il en va exactement de même que si un semeur s'en allait semer, dispersant dans l'air, en un mouvement large, ample et généreux, des graines prometteuses, qui retombent ensuite ici ou là dans la terre d'un champ, pour y prendre pied, s'y ancrer et s'y enraciner.

Et c'est au cours de cette mystérieuse plongée dans la matière que se produit tout le développement secret qui conduit une graine à germer. De même, c'est au cœur de la matière, dans les champs matériels de l'Univers, que le potentiel du germe d'esprit doit éclore. De germe inconscient et sans forme, il doit s'éveiller, se développer, évoluer, s'épanouir, mûrir et porter des fruits, devenant ainsi pleinement conscient de lui-même, de sa connexion avec le grand Tout, responsable de son activité dans l'Univers, acquérant ainsi la forme humaine. D'expérience en expérience, il mûrit, se renforce. Note bien que cela ne peut avoir lieu dans l'espace d'une seule incarnation terrestre, il en faut plusieurs. C'est là le Samsara, le cycle des incarnations terrestres répétées. Puis, de plan en plan, il s'élève, irrésistiblement tiré vers le haut par son ardente aspiration vers la Lumière, la nostalgie de son origine et de sa connexion spirituelle avec le grand Tout. C'est ainsi qu'il émerge un jour des plans de la matière et réintègre son origine, mais cette fois-ci comme un "Je" plein et entier, pleinement conscient de lui-même, capable d'agir de concert avec ce qui l'entoure, s'adaptant non seulement docilement à l'ordre cosmique, mais apportant de surcroît sa plus active et constructive participation.

Tel est le cycle des germes d'esprit ! Plongés dans la matière afin de s'y éveiller et d'y mûrir, ils sont cependant destinés à s'en affranchir, afin d'atteindre leur plein épanouissement conscient en tant qu'esprits humains à part entière, afin de participer avec joie et félicité aux accords harmonieux du grand chœur de tous les êtres dans la Création.

Ce parcours initiatique passe nécessairement par l'immersion dans les champs d'expérimentation matériels. Matière qui, elle-même, poursuit un immense cycle. Regarde autour de toi ! Chaque chose qui prend forme finit un jour ou l'autre par mourir, se désagréger, désassembler, dissoudre et décomposer, pour réintégrer l'état de semence primordiale, d'éléments fondamentaux épars, qui rentreront à nouveau plus tard dans un cycle de formation. Semer, germer, mûrir, fleurir, fructifier, pourrir, se décomposer. Tel est le cycle de la matière ! C'est valable pour le plus petit comme pour le plus grand. Ainsi, ce qui est valable, par exemple, pour les feuilles des arbres, est également valable pour les mondes, les galaxies et l'univers dans lequel nous nous trouvons. Et participent à ce grand cycle de naissance, devenir et disparition, non seulement la matière visible, mais également toute la matière invisible qui nous entoure, tous ces plans plus finement-matériels de l'Au-delà, dans lesquels évoluent des âmes humaines. L'évolution des êtres humains dans les plans de l'Au-delà n'est donc pas sans fin. Pour toute partie du grand Univers, fécondée un jour par des germes d'esprit, poursuivant son cycle à travers l'immensité, il existe un moment où doit s'amorcer la décomposition, c'est-à-dire le désassemblement des éléments fondamentaux, afin de vivre ainsi un renouvellement des forces de formation et d'évolution, après une séquence d'épuisement menant à la dispersion. Or, si les âmes humaines, qui peuplent les plans matériels subtils et invisibles de cette partie de l'Univers, n'en appartenant pas moins pour autant à la matière dans son ensemble, ne sont pas devenues suffisamment mûres, conscientes, et pures, telles qu'elles puissent entamer leur ascension finale vers la Lumière, afin de s'extirper de la matière en décomposition, pour ressusciter, en quelque sorte, hors de cet univers, dans le domaine purement-spirituel, à la vie éternelle, en dehors du cycle des réincarnations, eh bien, elles restent liées à la matière, aux différents plans matériels, quel que soit leur degré de subtilité, de légèreté, de raffinement et de perméabilité. Elles sont alors entraînées avec la matière dans la décomposition finale, et y vivent tragiquement et douloureusement la dissolution de leur propre personnalité acquise, de leur propre capacité de conscience et ainsi de leur forme humaine développée avec le temps. Le spirituel est alors séparé de la matière, à nouveau libéré sous forme de germes inconscients, et non pas sous forme d'esprits humains mûris, conscients d'eux-mêmes. Peut-être alors, un jour, une nouvelle aspiration s'éveillera en eux, qui les poussera à nouveau dans la matière pour entreprendre à nouveau leur évolution et leur développement.

A l'échelle de l'Univers, nous ne pouvons pas même nous représenter ce que représente cette immense machinerie cosmique. Chaque planète, chaque étoile, notre système solaire, chaque galaxie, entraînent avec eux une bien plus grande proportion de matérialités plus fines, plus subtiles.

Et ceci est le premier cycle de la matière que nous vivons. Matière dans laquelle, il ne faut pas l'oublier, il n'y a pas que les germes d'esprit humains qui soient plongés afin d'y mûrir. Sur d'autres plans, bien d'autres entités y poursuivent également leur activité comme leur évolution. Les endroits, dans l'univers, dans lesquels sont incarnés des êtres humains sont donc d'autant plus précieux qu'ils sont rares. S'y concentrent, comme j'en ai déjà ébauché une image, des courants de force qui proviennent de tous les plans de la Création, jusqu'aux plus élevés. Raison pour laquelle, même si l'être humain n'est pas au centre de l'Univers, même s'il n'est finalement que peu de choses dans cette part de l'immensité que l'on peut contempler, à laquelle on a accès, il n'en est pas moins précieux pour autant. Ainsi la Terre fut-elle aussi la première à recevoir en son sein des germes d'esprit humains pour leur évolution. C'est pourquoi s'y concentrent des événements d'une portée capitale, profondément cosmique, spirituelle et universelle, qui ne concernent pas seulement l'humanité terrestre, mais tous les mondes. (Raison pour laquelle, également, je doute qu'il existe des formes de vie extraterrestres autres que d'autres êtres humains, tout simplement, depuis suffisamment longtemps dans la matière pour avoir eu le temps de développer une technologie suffisamment performante et puissante, à même de leur permettre de voyager dans l'espace sur d'aussi longues distances…)

Or, de même que l'être humain a perturbé tous les cycles à sa portée dans son environnement naturel, en détournant à chaque fois le courant principal de vie vers d'autres buts qui ne s'avèrent être finalement que des voies de garage, où cela stagne et pourrit, s'excluant ainsi du grand cycle des irradiations dans la Création, de même il a, à l'origine, voulu prendre un chemin de traverse, autre que celui qui lui avait été préparé pour son évolution, détournant ainsi le courant principal du devenir des germes d'esprit vers le bas, se dispersant et se perdant par la suite dans la matière. Il en va exactement comme d'une hémorragie, une hémorragie spirituelle. Ou bien comme d'un fleuve, dont se séparerait un petit cours d'eau secondaire qui irait se perdre dans les terres, dans les marais.

L'Univers tout entier se précipite cependant désormais vers l'exigence sévère et parfaitement intransigeante de la clôture de tous les cycles de la Création : cycles karmiques de chaque individu, cycle des réincarnations, cycle des énergies et des irradiations, dans le donner et le recevoir, et cycle du spirituel. Cette exigence se dresse devant chaque créature, l'obligeant à faire un choix, à se décider enfin, afin de boucler son propre cycle.

Ce n'est pas pour rien que de plus en plus d'âmes parviennent à l'incarnation sur Terre. De tous les plans plus finement matériels, subtils et invisibles, elles viennent sur le plan terrestre, afin de parfaire leur évolution. Il y en a, cependant, qui sont très en retard, et qui s'acheminent, malheureusement pour elles, au-devant d'un "trop tard", car l'Univers, dans sa marche inexorable, n'attend pas, même s'il est porté par une bienveillance illimitée. L'inexorable et rigoureux accomplissement des lois de la Création ne le permet pas. Et, malheureusement encore, sur cette Terre, ce ne sont pas les âmes les plus matures sur le plan spirituel, du point de vue de la conscience et selon les critères de l'authentique humanité, qui mènent la danse. Tout est plutôt fait pour entraîner tout le monde vers le bas.

A ce triste mardi gras succédera un terrible mercredi des cendres. De même qu'on enlève le fruit pourri afin qu'il ne contamine pas les autres, de même qu'on fait sauter sous le tranchant du bistouri la tumeur maligne afin qu'elle ne se propage pas au reste du corps tout entier, de même l'Univers se débarrassera des fruits gâtés qui entrave sa marche, du simple fait de la montée des énergies qui est en marche depuis longtemps, et qui, chaque année, chaque mois, voire bientôt chaque semaine et chaque jour, monte et montera encore en gamme et en puissance.

Tel est le destin de tout être humain qui ne s'éveille pas enfin spirituellement, qui ne prend pas enfin conscience de son humanité et ne la développe pas consciemment à sa plus haute floraison ! Cette exigence plane au-dessus de chaque individu, telle une épée de Damoclès, comme cela est perceptible par certains voyants sur le plan spirituel.

Maintenant, mon ami(e), n'aie pas peur de cette sévérité que je manifeste ici dans mes propos. Aucun être humain, si savant et sage soit-il, ne sait tout cela, n'a conscience de cette simple réalité. Sévérité, exigence envers soi-même et goût de l'effort et du dépassement de soi, enfin transposés surtout sur le plan spirituel, au niveau de la conscience, en ce qui concerne les qualités purement "humaines", sont la seule bouée de sauvetage à laquelle chacun peut s'arrimer avec certitude. Méfie-toi des paroles doucereuses qui amollissent et endorment, préfère-leur celles dont la sévérité n'est qu'amour spirituel véritable et cherche à te tirer vers le haut pour t'élever, pour te sauver ! Je te souhaite pour cela le discernement le plus sage.

L'âme humaine, sur Terre, est incarnée dans un corps physique terrestre, sans lequel elle ne pourrait percevoir son environnement ni s'y manifester, y agir. Ainsi ton corps est-il un précieux instrument, dont il te faut prendre soin. Ton corps est ton temple ! Ton for intérieur est à vrai dire le seul refuge absolu en ce bas monde, et cela demande du travail, de l'ascèse, au sens d'exercice et d'entraînement, pour parvenir à en faire une véritable forteresse, une citadelle de paix et de sérénité, quel que soit ce qui se déchaîne au dehors. (Et, je te rassure, je suis bien loin d'être exemplaire en la matière… ;) Mais je m'y efforce, et j'ose espérer que je progresse un peu chaque jour ! Et c'est bien ce qui compte, n'est-ce pas ?...)

Il est bien connu, reconnu et évident que, tout d'abord, pour bien "philosopher", il faut être bien dans ses baskets, bien dans son corps, en bonne santé, ne pas être malade, n'être pas constamment harcelé, agressé, attaqué, corrodé, dans sa capacité à ressentir et à penser, par la douleur. De même que pour se cultiver, s'intéresser à d'autres choses, se consacrer à la spiritualité, s'acheminer vers la Sagesse, entreprendre son développement personnel, une quête spirituelle, bref, pour tout cela, il faut n'être pas exclusivement occuper à survivre ! En cela, le monde actuel est terriblement coupable. Il n'est pas faux de penser que le développement personnel, la spiritualité, etc., toutes ces choses peuvent être jugées comme des préoccupations de "bobos", de nantis, de privilégiés, qui n'ont que ça à faire. Comment peuvent donc s'y consacrer les gens qui sont épuisés par l'existence terrestre, qui sont trop occupés à essayer de gagner leur vie, même médiocrement, pour simplement survivre ? - Ça, je l'ai bien compris, à mes dépends, dans cette présente incarnation ! !... - Il appartient cependant à chacun de résister et de consacrer un minimum d'attention à sa vie intérieure, de quelque manière que ce soit, dans le secret de son âme, pour trouver refuge dans ce qui ne passe pas, plutôt que de se disperser, de distractions en distractions, surtout quand elles nuisent au corps.

La première étape indispensable, donc, pour pouvoir bien "philosopher", et s'élever ainsi sur les multiples et protéiformes sentiers de la Sagesse, vers les hauteurs spirituelles, c'est d'abord de soigner son corps, de prendre soin de son corps, déjà lorsqu'il est en bonne santé, avant qu'il ne tombe malade. Exactement comme le font par exemple les Chinois, conformément à la façon de concevoir les choses dans la médecine énergétique chinoise.

Et la pierre angulaire d'une bonne santé se résume à trois choses principales, incontournables : l'alimentation, l'activité physique et le repos, le sommeil.

Désormais, avec les progrès de la science et de la médecine, nous sommes enfin à même de reconnaître, avec les nouvelles découvertes sur les intestins, notre "deuxième cerveau" (parce qu'il est également peuplé de neurones), ainsi que sur le microbiote (notre "flore intestinale", c'est-à-dire la population de micro-organismes avec lesquels nous vivons en symbiose, dans nos intestins), que ce que nous mangeons à un impact direct et de la plus capitale importance non seulement sur notre tempérament, notre humeur, nos états émotionnels, le tégument de nos pensées, mais aussi sur notre santé et même notre immunité. C'était pourtant connu depuis des siècles. Or, dans ce domaine, il y a souvent beaucoup de sectarisme.

Au sujet de l'alimentation, je voudrais, en toute simplicité, te faire part de mon opinion et de ma position personnelles en la matière : personnellement, je mange de tout, de la viande aussi, même si ce n'est pas tous les jours, mais je mange surtout en quantités raisonnables, avec une bien plus grande proportion de fruits et légumes, cuits et crus. Et je trouve d'ailleurs que les gens, en général, déjà, mangent trop, et ensuite pas assez de fruits et légumes, ni de crudités surtout ! ! ! Beaucoup trop en quantité par rapport à leurs besoins réels et à leur mode de vie sédentaire. Or, la nature supporte mieux le manque que l'excès. Lorsqu'on mange normalement, l'organisme se préoccupe surtout de renouveler ses cellules ; tandis que, lorsqu'on jeûne, il se consacre principalement à l'élimination des toxines, à la réparation et à l'entretien des cellules existantes. Jeûner de temps en temps (évidemment, de façon raisonnable et encadrée) est très bénéfique pour le corps. De même que le fait d'espacer suffisamment les repas, notamment entre le dernier de la journée et le premier de la journée suivante, au moins de temps en temps. Sinon, nos intestins ne parviennent jamais à tout évacuer, et à se nettoyer vraiment, afin de consolider aussi notre paroi intestinale, qui agit véritablement comme un rempart et un filtre, non seulement d'ailleurs sur le plan physique, mais aussi sur le plan énergétique et émotionnel, ce qui est aussi en relation avec les fonctions et l'activité du foie. Bref ! Je ne suis ni diététicien, bien sûr, ni médecin, encore moins, mais j'attire simplement ton attention sur le fait que, si tu veux être bien disposé(e), afin de pouvoir aussi capter et émettre certaines irradiations dans l'Univers, à l'aide de ton corps, qui est pour cela le meilleur des instruments, tel un poste radio, il te faut prendre soin de ton corps, de ton alimentation. Faire attention à ton microbiote, à ton équilibre acido-basique, à ton foie, manger varié et suffisamment de crudités, mais le tout en quantités raisonnables, sans oublier bien évidemment de se faire plaisir aussi, c'est très important, et éviter enfin la consommation de poisons, comme la cigarette et l'alcool, par exemple, en tout cas de manière excessive, sans parler des drogues, comme le cannabis, ou même le sucre. (C'est difficile, oui, je sais ! !...) Ces poisons t'intoxiquent non seulement physiquement, mais également énergétiquement, tout ce qui s'inhale surtout, cela te met à la merci de choses troubles de l'autre côté du miroir, dans l'Au-delà, notamment sur les plans de l'Astral, plus précisément du bas-astral, tu peux ainsi te retrouver parasité(e) par différentes formations, des démons (formations du vouloir intuitif), ou même par des âmes désincarnées piégées et liées à la Terre par leurs propres addictions. (Ça, je peux te le certifier et en témoigner, car je l'ai moi-même expérimenté, et il m'a fallu aussi un certain temps, rechuter dans mes erreurs, pour en prendre conscience et comprendre…)

De même, mettre son corps en activité physique régulièrement est primordial, cela permet d'éliminer les toxines, de stimuler le fonctionnement de toute la machinerie, d'entretenir par le mouvement, d'oxygéner ses cellules, de booster son immunité, etc. Car, je te le rappelle, pour nous, ici, sur Terre, dans la matière, le mouvement est la vie. Sans mouvement, il n'y a plus que stagnation et mort, décomposition et disparition. Prendre sa retraite, au sens de se retirer du grand mouvement qui anime tout l'Univers, toute la Création, notamment avec ce grand cycle des radiations, c'est s'isoler, stagner, pourrir, se décomposer et mourir. Et le mouvement dans l'alimentation, c'est aussi le changement, varier son alimentation, changer d'alimentation, faire des cures, cela stimule, rafraîchit et renouvelle.

Enfin, dernier point en ce qui concerne l'aspect purement physique de la santé, la compensation de l'activité diurne, quelle qu'elle soit, c'est le repos. Dormir bien et suffisamment. C'est primordial d'un point de vue nerveux et pour tout le reste également.

Bien sûr, ce ne sont là que des pistes de réflexion et de recherche pour ton bien-être, que je te propose, que je te soumets, si jamais tu ne les connais pas déjà, car j'en ai fait moi-même l'expérience, en commettant, comme tout le monde, occasionnellement, quelques excès, et je vois bien à chaque fois que cela abaisse mon niveau d'énergie, mon niveau vibratoire, et que, non seulement, je ne suis plus à même de percevoir les ondes de force du Cosmos qui me nourrissent autrement habituellement, mais que cela me met aussi à la merci, du fait de ma sensibilité quasi médiumnique, de toutes sortes de pollutions et de parasitages, qui nécessitent ensuite un travail énergétique pour m'en débarrasser. Raison pour laquelle il existe, dans certaines religions, des interdits alimentaires. Mais, ce qui est présenté comme un absolu indiscutable, par exemple, dans le Judaïsme ou dans l'Islam, au sujet de la consommation de porc et d'alcool, est considéré de manière bien plus souple et intelligente, dans le Bouddhisme, non pas comme un interdit absolu à respecter sous peine d'aller griller en enfer (ce qui est parfaitement inepte objectivement), mais comme une simple recommandation, afin de garder son corps et son mental dans un état qui soit vraiment propice à la maîtrise de soi et à un état de conscience plus élevé. Ce n'est donc pas un interdit, mais un choix. De la même façon, un manque de sommeil ou d'activité physique se vengera amèrement au niveau de la santé, quel qu'en soit le délai de manifestation. Pour moi, et pour toi peut-être aussi, tout cela relève de l'évidence et du B.A.BA.

dans l'art de prendre soin de son corps, dans l'art de vivre, mais il m'arrive souvent encore d'être consterné par les habitudes alimentaires et les modes de vie de beaucoup de gens : ils n'ont absolument pas conscience du fait que cela leur porte préjudice, est malsain et nuit à leur santé, et que, même s'ils n'en sont pas gênés dans l'immédiat, cela finira tôt ou tard par se manifester physiquement. C'est pourquoi il me semblait nécessaire et essentiel de le rappeler ici, car seul un corps en bonne santé physique est à même de produire les irradiations dont nous avons besoin, d'un point de vue énergétique, en tant qu'esprits incarnés, pour nous ancrer vraiment solidement et fermement dans la matière, nous y manifester, exprimer et y agir de manière efficiente et efficace.

Encore une chose, au sujet de l'alimentation. Il va de soi, bien évidemment, que nous devrions surtout manger bio, local, poussé en terre et mûri sur pied, et éviter l'absorption de poisons dans l'alimentation qui est censée nous maintenir en bonne santé, comme le prône, par exemple, Pierre Rabhi, entre autres, depuis longtemps. On a perdu la vue d'ensemble du cycle naturel, depuis la production, jusqu'à son impact sur le corps, après consommation. On en voit aujourd'hui les funestes conséquences, il n'y a pas à pinailler là-dessus, les faits objectifs sont là.[5]

Evidemment, en tout cela, il n'y a surtout pas lieu d'ériger quoi que ce soit en dogme unilatéral, épargnons-nous les dérives du sectarisme alimentaire, sanitaire ou médical, qui ne porte en lui que morbidité ; chaque manque d'ouverture, de souplesse et de

---

[5] Lire à ce sujet l'excellent livre "La danse avec le Diable" de Günther Schwab 1963, où il est question de beaucoup de ces choses qu'on ne "réalise" qu'aujourd'hui... Dans ce domaine, le film "Solutions locales pour un désordre global" de Coline Serreau est très bien aussi... Et ainsi de suite...

flexibilité, d'un côté comme de l'autre, est une marque d'immaturité, l'indice d'une erreur. Au contraire, la santé vient justement de la complexité, de la variété et de la diversité. Il faut rester simple et naturel.

Attention, j'insiste, et je tiens à préciser ici que je m'inscris en faux contre toute forme de sectarisme, d'intégrisme et d'extrémisme, quels qu'ils soient, ces tendances qui existent en l'être humain et qui peuvent se manifester dans tous les domaines. Je ne suis donc pas non plus un absolutiste du bio intégral ; personnellement, je privilégie surtout le local et les circuits courts. Ainsi aussi ne suis-je pas non plus végétarien, encore moins végétalien ou végan. Personnellement, je trouve cela stupide, de même que je trouve d'ailleurs aussi certains végans (pas tous) extrêmement sectaires, intégristes, voire agressifs. En outre, leur argumentation prétendument "antispéciste" ne tient pas la route, selon moi, car, de ce point de vue, si on ne doit pas hiérarchiser les espèces vivantes les unes par rapport aux autres, il n'y a pas de raison que l'être humain se place au-dessus de l'animal et n'en mange pas, contrairement à ce que font les animaux carnivores, il n'y a pas de raison non plus qu'il n'en exploite pas, comme le font pourtant certaines espèces (qu'on songe aux fourmis vis-à-vis des pucerons…), notamment les parasites, et il n'y a pas non plus de raison de croire qu'on peut faire du règne végétal une exception. Mais ce n'est là que mon opinion personnelle, subjective, partielle et partiale. Certes, je ne mange pas souvent de viande, mais je ne me l'interdis pas non plus et, quand j'en mange, j'en mange avec grand plaisir. On peut défendre la cause animale, sans pour autant se priver de viande. Il n'y a qu'à en manger moins et moins souvent, privilégier la qualité à la quantité, et remettre en cause surtout, changer et améliorer les modes et les conditions d'élevage, de production et d'abattage. A la rigueur, le seul argument recevable est celui de l'impact écologique de l'élevage. Il n'y a cependant rien de plus naturel que de manger de tout, raisonnablement, y compris de la viande, d'autres êtres vivants, oui, comme on le voit dans la Nature elle-même, dans tout le règne animal, depuis la nuit des temps. (Prenons aussi exemple sur les Bushmen d'Afrique austral qui parlent aux animaux et leur demandent la permission de les tuer, avec respect, et sans souffrance inutile, afin de pouvoir les manger.) Et puis, on sait maintenant que les végétaux aussi sont sensibles et capables de réagir aux stress, de développer une intelligence remarquable, ainsi que des stratégies pour se protéger, de communiquer entre eux, de fonctionner en réseau, de coopérer et de s'entraider. Les plantes aussi ont une âme, finalement, d'une certaine façon, même si, dans ce cas particulier, celle-ci n'est pas liée à la forme terrestre, ce qui va de pair avec le fait qu'elle ne soit pas mobile. - Il y a là aussi un mystère de la Création qui échappera toujours à ceux qui ne peuvent percer les secrets qui remontent à ce qu'il y avait bien avant le commencement… -

Bref ! En ce qui concerne tout cela, je te laisse le soin d'étudier la question par toi-même, de faire des recherches, de réfléchir, et de trouver finalement surtout ce qui te convient, à toi ! Car c'est là le principal, nous sommes tous différents, nos organismes sont différents, nous avons des besoins différents, il n'y a pas lieu d'ériger quoi que ce soit en règle générale, chacun doit trouver ce qui lui convient, éviter ce qui ne lui convient pas.

Mais, maintenant, ce n'est là à vrai dire qu'une toute petite partie de ce qui influence et façonne notre santé, la partie visible de l'iceberg. Il y a encore tout ce qui se déroule sur d'autres plans.

Cette connaissance est indispensable pour parvenir à l'avenir à soigner véritablement les gens malades et guérir les maladies. Malheureusement, la science comme la médecine, dont on ne peut que respecter, saluer et honorer les progrès, les connaissances et le savoir-faire qui en découlent, sont encore bien en-deçà de ce qu'elles pourraient atteindre en la matière, si elles ne se bouchaient pas volontairement la vue, en refusant obstinément, voire convulsivement, du fait de leurs croyances (car il ne s'agit là que d'une croyance !), de s'intéresser à ce qui relève de l'invisible, qui se manifeste pourtant au niveau énergétique et qui impacte toute l'activité de l'organisme.

Si l'on veut parler de santé jusqu'au bout, il faut tenir compte de nos interactions avec le monde invisible. J'en ai déjà parlé précédemment, notre système énergétique est conçu de telle sorte qu'il puisse capter, absorber, intégrer l'énergie vitale tellurique terrestre et la transformer ensuite en une énergie, une force nouvelle, plus dense, totalement personnalisée et adaptée à notre corps, c'est ce que je désignais comme la "force sexuelle", la fameuse "Kundalini", qui parvient à maturité justement avec la maturité sexuelle, au moment de l'adolescence. Cette force, tu ne l'utilises pas que pour l'activité sexuelle, mais pour tout. Elle fait le lien entre ton corps et ton ressenti profond, elle te permet de mettre au monde toutes ces formations qui émanent de toi : ressentis, pensées, paroles, sentiments, émotions, actions, etc. Et, comme je l'expliquais, cette force est faite pour lier : lier l'esprit au corps, dans l'âme ; te lier à tes œuvres ; ou bien encore te relier et te lier à d'autres âmes ou formations dans l'Au-delà. Ainsi, quelle que soit l'activité à laquelle tu t'adonnes, même la plus anodine en apparence, tu es susceptible de rentrer en contact avec un égrégore, avec d'autres formes de vie dans l'Au-delà, que ce soit de véritables âmes humaines indépendantes ou bien qu'il s'agisse de formations dépendantes de leurs auteurs comme de ceux qui les nourrissent et les entretiennent. Ainsi, la condition d'une santé saine, d'abord sur le plan énergétique subtil, avant que cela ne se manifeste sur le plan physique terrestre, c'est un minimum d' "égo-logie", d'équilibre harmonieux et sain vis-à-vis de tout ce que tu produis dans l'autre monde, au sein de ton propre monde intérieur.

On se trompe souvent lorsqu'on parle de "somatisation". On croit alors, comme pour l'effet placebo, que le mental est capable de faire illusion, de faire croire quelque chose au corps qui le réalise en apparence, sans pour autant changer véritablement la réalité des choses. Mais c'est une erreur de jugement qui provient d'une vision tronquée des événements qui se déroulent sur différents plans encore inaccessibles à la science comme à la médecine. De même que le corps a réellement les moyens de se guérir lui-même (sans nous le faire croire faussement, en masquant seulement les symptômes), de même que nous avons le pouvoir de nous guérir nous-même, de même avons-nous le pouvoir de nous intoxiquer nous-même, voire de nous rendre malades, en ruminant, par exemple, en entretenant toutes sortes de pensées et d'émotions négatives. Toute maladie est la manifestation d'un désordre et d'un déséquilibre énergétique, plus subtil, considéré à grande échelle. Tu peux te nuire à toi-même par exemple déjà en ressassant des pensées ou des émotions négatives. Ces formations, avec le temps, se rassemblent, se condensent, se densifient, passent peu à peu dans l'astral, puis dans l'éthérique.

Oui, en tout cela, le plan éthérique est déterminant. J'en ai déjà parlé, j'y reviens ici. C'est le corps éthérique qui sert de modèle au corps physique terrestre, c'est lui seulement qui est porteur des énergies-informations-programmes qui configurent l'activité de notre corps physique, de nos organes et de nos cellules.

Or, une fois que les choses sont passées dans le corps éthérique, aux niveaux de ces énergies dont parle par exemple la médecine chinoise, donc lorsqu'il y a des déséquilibres dans le Qi, cela devient programmant, informant, c'est-à-dire donnant forme, et se manifeste dans le corps physique. Et c'est valable non seulement pour les maladies qui sont dues à un dérèglement interne du fonctionnement de l'organisme, mais aussi pour celles qui semblent dues à un agent pathogène extérieur, bactérie, microbe ou virus, car ce sont les qualités énergétiques vibratoires du corps éthérique et du corps physique qui auront permis, du fait de la loi d'attraction des affinités, l'attraction, l'accrochage, la fixation, l'implantation et la prolifération de cet agent extérieur. D'où la notion vitale et essentielle de "terrain", physique, biochimique et énergétique, d'une importance cruciale et capitale ! !

En outre, pour certaines personnes, qu'on considère à tort comme "fragiles", mais qui ne sont en fait que "sensibles", la malléabilité de leurs corps éthérique et physique fait que, dès qu'il y a une contrariété, un stress, de trop fortes émotions ou des pensées toxiques récurrentes, cela se manifeste assez rapidement physiquement, parce que la chaîne des manifestations du mental au physique, en passant par l'astral/émotionnel et l'éthérique/énergétique, est tendue, ténue, mobile, souple, fluide. L'inconvénient, c'est le désagrément physique occasionné à la moindre perturbation, d'où le fait qu'on considère à tort ces gens comme "fragiles", alors que, bien au contraire, il s'agit là d'une force, d'un atout et d'un avantage certain. En effet, chez la plupart des êtres humains, du fait de leur manque de mobilité spirituelle/énergétique et de la plus grande opacité de leurs enveloppes, lourdement chargées au cours de leurs multiples incarnations terrestres, ce cheminement est beaucoup plus lent, beaucoup moins rapidement visible, mais il ne s'en accomplit pas moins sûrement, et c'est d'autant plus grave que le manque de malléabilité et de mobilité d'un point de vue spirituel et énergétique induit une beaucoup plus grande force d'inertie dans les changements et les modifications qui parviennent finalement à se manifester dans le corps physique, après s'être densifiés et être ainsi devenus programmants dans le corps éthérique, jusqu'à la cristallisation dans le corps physique. C'est ce qui fait aussi, soit dit en passant, que ces personnes sont beaucoup moins réceptives aux disciplines énergétiques ainsi qu'à l'homéopathie, par exemple. Il faut quelque chose de bien plus "costaud" et dense pour mettre en branle les capacités de guérison de leur organisme. Parfois même, cela n'est pas possible et on se contente bêtement de "soigner", de traiter les symptômes visibles extérieurs.

Se préoccuper sérieusement et efficacement de sa santé commence donc déjà par entretenir la paix et l'harmonie en soi, dans ses intuitions, ses pensées et ses émotions, ce pour quoi la méditation est une aide salutaire d'une puissance inouïe et d'une redoutable efficacité. Mais il y a aussi bien d'autres explications, causes et cas possibles à certains dérèglements et à certaines pathologies, comme j'y ai fait allusion plus haut. Comme tout le vivant, c'est incroyablement vaste, complexe, foisonnant, et pourtant simple dans les grandes lignes des achèvements logiques.

Une âme désincarnée peut être liée à toi, pour différentes raisons, attendant le rachat, l'expiation, une prise de conscience d'une problématique commune, qui vous lie et vous relie, par exemple, un ascendant décédé. Il peut s'agir aussi de n'importe quelle âme que tu aurais attirée à toi, à laquelle tu te serais lié(e) ou qui s'accrocherait à toi, de différentes manières, pour différentes raisons, attendant une quelconque rémission. Le parasitage énergétique qui s'installe provoque un déséquilibre, qui se manifeste dans le corps éthérique, puis dans le corps physique. - Cette perspective permet d'ailleurs de bien mieux comprendre les pratiques des chamans ou sorciers de tous les peuples qu'on considère comme "primitifs", parce qu'ils ne disposent pas de notre confort moderne et vivent plus proches de la Nature. Même si cela nous semble bizarre, fantasque, saugrenu, aberrant, c'est eux qui ont raison, en réalité, d'une certaine manière, et c'est notre vision des choses qui est faussée, car tronquée, limitée à la matière dense visible, sinon, si nous pouvions voir comment le monde invisible, le monde des démons et des esprits, influence le monde visible et ce qui s'y déroule, nous comprendrions que leurs pratiques, rituels, cérémonies, etc., sont, d'un certain point de vue, sur certains plans, la seule façon réellement appropriée de permettre un quelconque processus de guérison, bien évidemment à condition que ces chamans ou sorciers disposent de dons et de capacités effectifs. Nous pouvons et devrions ainsi apprendre les uns des autres, et ce n'est pas pour rien non plus qu'on constate aujourd'hui une résurgence de ces pratiques chamaniques, y compris avec la consommation de plantes psychotropes, afin d'atteindre des états de conscience modifiés, dans le but de faire des sortes de psychanalyses accélérées. L'ethnopsychiatrie, par exemple, est née du croisement entre cette approche chamanique de dialogue et de commerce avec les "esprits" et l'approche psychanalytique classique. Tout est intimement lié. Mais j'en reviens à mon sujet principal. -

Si, en plus d'un quelconque parasitage énergétique provoqué par une simple formation humaine subtile ou pire par une âme désincarnée, on ajoute à l'équation des facteurs physiques aggravants, comme l'absorption de poisons et/ou des pollutions électromagnétiques, cela peut engendrer une maladie lourde, grave de conséquences. Les poisons physiques vont constituer des points d'achoppement particuliers sur lesquels vont se concentrer encore plus, jusqu'à la densification et à la manifestation physique, les désordres énergétiques générés en amont ; et inversement, ces troubles dans les énergies subtiles vont créer des points d'attraction et de concentration des poisons physiques ingérés.

C'est pourquoi, afin de nous maintenir en bonne santé, il ne suffit pas seulement de prendre garde à notre alimentation, à notre mode de vie, mais il faut aussi veiller à maintenir pur notre foyer intérieur, dont jaillissent toutes les productions, formations, que nous déversons dans le monde. Oui, cela n'est pas facile, mais ça fait partie d'une hygiène de vie, qui ne considère pas que le terrestre limité. Dans tous les cas, maintenir la santé énergétique du corps éthérique est primordiale. Le bon fonctionnement énergétique du corps éthérique est central et fondamental en ce qui concerne la santé physique.

C'est d'ailleurs ce qui explique que certaines personnes puissent, par exemple, s'abstenir, pour un temps au moins, de manger (leur corps éthérique se nourrissant directement de cette énergie vitale appelé "Prana" ou "Qi", le corps physique étant ainsi entretenu énergétiquement dans son état, sa structure et ses fonctionnalités), mais aussi que les personnes liées à leur terroir, bien ancrées dans la matière, ayant un mode de vie sain, une nourriture saine et équilibrée, à haute valeur énergétique, voient leur espérance de vie augmenter. - A ce titre, oui, il ne faut pas voir que l'aspect terrestre de la production alimentaire, mais la valeur énergétique des aliments sur le plan éthérique, cela seul nourrit véritablement de façon durable. Ainsi, du bio hors sol n'a aucun intérêt énergétiquement, il vaut bien mieux consommer des fruits et légumes de saison qui ont poussés dans la terre, et privilégier pour cela bien évidemment les circuits courts. -

J'espère que tu parviens à me suivre en tout cela. Je vais prendre un exemple : le cancer. Cette maladie est tout simplement fascinante. Pourquoi ?, me diras-tu. Qu'est-ce qu'il y a de fascinant dans cette maladie qui est devenue un véritable fléau ? !... Eh bien, parce qu'à la base, il y a une dégénérescence des cellules. Et ça, c'est extraordinaire. En effet, on ne sait pas exactement pourquoi il y a des cellules qui meurent rapidement, alors que d'autres ont une durée de vie plus importante ; on ne sait pas exactement pourquoi certaines cellules dégénèrent, ou se retournent contre le corps lui-même auquel elles appartiennent, ni pourquoi certaines sont tout de suite éliminées, alors que d'autres prolifèrent. C'est là que certains plus avancés postulent l'existence d'un "champ morphogénétique", qui présiderait à la formation des cellules, à leur développement comme à leur activité. Et ils ont tout à fait raison. Il s'agit simplement là de l'activité énergétique qui se déroule sur le plan éthérique, dans le corps éthérique de chaque être vivant. C'est là que tout se passe véritablement. Et, d'ailleurs, ces troubles énergétiques dans l'aura d'un être vivant, je crois savoir qu'on peut facilement les observer scientifiquement à l'aide du procédé Kirlian...

Mais j'en reviens à l'exemple du cancer. Pour moi (et je te rappelle que je ne suis ni médecin ni scientifique spécialisé sur la question, je ne prends aucune responsabilité de cet ordre, ce ne sont là que mes ressentis, opinions, perspectives et réflexions personnelles, fondées sur ma vision du monde, basées sur mon expérience personnelle, que je partage avec toi et dont tu feras bien ensuite ce que tu veux), concernant le cancer, il ne suffit pas, par exemple, d'ingérer des substances dites cancérigènes ou d'avoir la mauvaise habitude de fumer pour contracter un cancer quelconque, ce n'est pas aussi simpliste, car rentrent entre jeu et convergent de multiples et différents facteurs.

Eliminons déjà tout de suite l'opinion étriquée, simpliste, manichéenne et stupide qui consisterait à dire que c'est karmique. Beaucoup de gens se trompent dans leur vision de ce qu'est le "karma", à cause, certes, de la perspective infantilisante que les religions, principalement monothéistes, culpabilisantes, leur ont inculquée, leur ont proprement inoculée dans la chair. Ces gens ont une vision ridicule, puérile et naïve du karma : pour eux, le karma (en gros, je simplifie), c'est quand tu as jadis fait du mal à quelqu'un et que tu es finalement ensuite puni pour cela. Rien à voir. Tout est karmique. Mais le karma, c'est avant tout notre interaction constante avec le Vivant, avec l'Univers, visible ou invisible, qui nous ramène toujours uniquement ce que nous lui envoyons. Exactement comme la mer fait s'échouer sur la plage tous les déchets que l'être humain y déverse. Ainsi est karmique aussi le fait de se pourrir soi-même l'existence en nourrissant, déjà à son égard, des pensées négatives (comme de la culpabilité...) ou en entretenant des émotions négatives (comme de la peur ou de la colère...).

Donc, en ce qui concerne le cancer, comme d'autres maladies, il faut considérer les choses dans leur ensemble, le visible comme l'invisible, ainsi que leurs interactions. Il peut donc y avoir, oui, du karmique là-dedans, un lien quelconque avec une âme désincarnée, ou bien avec un démon, formation vivante et mobile du vouloir intuitif, le ressenti intérieur, avec encore peut-être des pensées, paroles, sentiments, émotions, entretenus, nourris, condensés, densifiés, qui se manifestent enfin, depuis le plan éthérique, jusque sur le plan physique. Si on ajoute à cela, en plus, des facteurs héréditaires, une prédisposition génétique (qui ne fait que rejoindre ce que j'ai évoqué précédemment sur les liens avec des ascendants décédés), une mauvaise alimentation, un mode de vie à risque et surtout l'absorption de poisons, de toxiques, sur le plan purement physique, ainsi que l'exposition à des pollutions électromagnétiques, eh bien, cette convergence de facteurs amène finalement la maladie. Et lorsque les programmes informationnels sont détraqués sur le plan physique, il est extrêmement difficile d'y remédier rapidement, à cause de l'inertie de la matière. - Et moi-même, je ne fais pas exception à la règle ! ! !... Je n'en suis que trop conscient, comme du fait qu'on "paye", entre guillemets, toujours le fruit de son inconséquence et de ses abus, tout simplement parce que rien n'est sans conséquence. Mais, avec notre vue courte et étriquée, nous avons perdu la vision d'ensemble, la perception de jusqu'où s'étend notre activité, la notion claire de notre responsabilité. -

Ainsi, tout ce qui est de l'ordre de la psycho-généalogie, du transgénérationnel et du "Décodage Biologique"® du Dr Hamer ou de la "Biologie Totale des êtres vivants" de Claude Sabbah, est tout à fait valable, profitable, digne d'intérêt et capable d'aider considérablement, bien entendu, tant que cela n'est pas considéré intellectuellement de manière stricte, psychorigide, unilatérale, voire dogmatique et sectaire. Même le plus vrai et le meilleur peut conduire à des dérives lorsqu'il est considéré faussement, comme on le voit avec les religions. En outre, par rapport à la génétique, les progrès récents montrent bien, d'une part, que tout ce qui est génétique ne s'exprime pas forcément, nous ne sommes donc pas soumis à déterminisme génétique absolu, et, d'autre part, notre environnement a également un impact sur l'expression de notre bagage génétique, qui, comme le montre l'épigénétique, peut même intégrer de nouvelles particularités, non seulement du fait, par exemple, de notre microbiote, mais aussi du fait de ce que nous vivons. Cela s'inscrit littéralement dans nos cellules, voire dans notre matrice génétique, de la même façon que tout s'inscrit sur le support informationnel de notre corps éthérique.

J'aimerais aussi parler de quelque chose qui me tient personnellement à cœur : l'homéopathie. Je suis convaincu que l'homéopathie est réellement efficace et qu'il ne s'agit pas d'un vague effet placebo. D'ailleurs, ce fameux effet placebo m'a toujours fait sourire. Pour moi, il s'agit d'une anarque intellectuelle, scientiste, d'un voile fumeux qui cherche vainement à détourner l'attention et à masquer l'ignorance et l'étroitesse de vue. En effet, qu'appelle-t-on en réalité effet "placebo" ? Quels sont les ressorts scientifiques et médicaux, les mécanismes chimiques, biologiques, physiologiques d'un tel obscur phénomène, au final, bien trop abscons et ésotérique pour être véritablement scientifique et pris au sérieux ? ! Entend-on par-là qu'un patient, convaincu de prendre un médicament efficace et d'être ainsi guéri, ne manifeste plus de symptômes gênants et douloureux, sans pour autant être réellement guéri en profondeur ? On sait, oui, l'impact important de l'état mental par rapport à la douleur et à certaines pathologies, par exemple. Ou bien désigne-t-on ainsi la réelle capacité que le corps a de se guérir lui-même ? Auquel cas, ce serait bien de s'y intéresser enfin sérieusement, scientifiquement, ce qui couperait du même coup enfin l'herbe sous le pied à ceux qui profitent de cette brèche laissée grande ouverte, dans laquelle ils s'engouffrent, profitant et abusant de la crédulité de gens qui sentent bien pourtant qu'il y a aussi autre chose. Quant à la mémoire de l'eau, n'en déplaise à ses détracteurs, quand on a fait des études scientifiques, qu'on a étudié la mécanique quantique, les principes sur lesquels repose cette théorie ne sont pas totalement dénués de fondement scientifique (même si aucune preuve scientifique réellement concluante et convaincante n'est aujourd'hui connue et reconnue par le grand public), si l'on considère les particularités exceptionnelles de l'eau, liquide qui a la plus grande capacité calorifique, donc le mieux à même d'emmagasiner et de véhiculer la chaleur, dont la molécule est polaire, qui se comporterait ainsi exactement comme ces sortes de "micro-aimants" grâce auxquels on peut enregistrer des informations sur une bande magnétique, comme une cassette audio ou vidéo.

Or, d'une façon générale, c'est bien là le point crucial. L'important, ce n'est pas forcément la matière, mais l'information ! Information qui est énergie, et qui est à même d'enclencher les mécanismes de guérison du corps. Ce qui peut aussi être atteint et cultivé par la méditation, d'ailleurs, ou bien encore par l'hypnose.

Enfin, une dernière chose, concernant ce qu'on appelle la "médecine "quantique"", et je pense que j'aurais ainsi fait le tour de la question pour te faire part de toutes les clés que j'ai en main, afin que tu puisses prendre soin de ta santé en piochant allègrement à ta convenance dans cette grande variété d'approches et cette riche palette d'outils qui sont à notre disposition. Eh bien, je trouve ça purement et simplement fascinant ! Je l'ai testé sur moi-même et, étant très sensible aux énergies, je peux dire que c'est très efficace, redoutablement efficace. - Ce qui ne veut pas dire pour autant qu'on puisse s'y livrer aveuglément auprès de n'importe qui ! - Cette technique aurait prétendument été développée par l'armée, notamment pour soigner les astronautes à distance. Mais je n'en sais pas plus. Le terme "quantique" cependant est abusif, selon moi, et c'est dommage, car cela discrédite du même coup le contenu aux yeux des détracteurs et des scientifiques. Il n'y a là rien de véritablement "quantique", au sens de la mécanique quantique. C'est juste énergétique. Même si, au final, la mécanique quantique, apportant un éclairage sur le comportement de l'infiniment petit et des particules subatomiques, a commencé à voir le jour justement en étudiant les interactions entre la lumière, onde électromagnétique qui n'est autre que de l'information, avec la matière… Juste encore une petite réserve seulement à rajouter : le seul souci, c'est que, quels que soient les résultats positifs réels que cela peut avoir sur le corps physique, si nous ne changeons pas nous-mêmes intérieurement, afin de résoudre les causes réelles de ce désordre s'accompagnant d'un trouble, d'une pathologie physiques, sur les plans spirituel, psychique / animique, psychologique / mental, astral / émotionnel, éthérique / énergétique, cela finira tôt ou tard par revenir et se manifester de nouveau physiquement. Cela doit donc être considéré comme une aide précieuse, sur le plan physique, mais pas comme la panacée, la réponse à tout, il faut de toute façon à tout prix travailler sur tous les plans à la fois, c'est ce que prône l'approche "holistique", il faut soigner l'esprit et le corps, ou plutôt l'âme, le mental, l'émotionnel, l'énergétique et le corps ! ! !

Bref ! Je ne veux dire à personne comment se soigner, je le répète, je ne suis pas médecin, ni scientifique spécialiste en la matière, seulement attirer ton attention sur ce qui me semble important pour être bien, tout simplement, sur toutes ces voies qui méritent sérieusement d'être explorées, avec prudence et vigilance, évidemment, sur toutes ces pistes merveilleusement stimulantes et enthousiasmantes, permettant de trouver véritablement la guérison, d'entretenir ou de recouvrer sa santé. De même, je ne veux en aucun cas jeter un quelconque discrédit sur la science ou la médecine modernes officielles. On ne peut s'asseoir négligemment et impunément sur leurs connaissances, leur savoir, leurs méthodes, pratiques et savoir-faire. Elles progresseront encore à l'avenir pour s'ouvrir de plus en plus à l'aspect énergétique et invisible du fonctionnement du corps humain, de l'origine et de la nature des maladies, ainsi qu'aux merveilleuses possibilités de soin et de guérison qui sont ainsi à notre disposition.

Personnellement, je suis bien content de pouvoir me faire vacciner, par exemple, avant de voyager dans un pays étranger à risque vis-à-vis de certaines maladies (même si, comme beaucoup de monde, je suis quelque peu suspicieux sur la qualité réelle des vaccins, la façon dont ils sont conçus, fabriqués, produits et inoculés, notamment concernant les adjuvants faits à base d'aluminium parce que c'est moins coûteux, et même si je soupçonne aussi derrière tout cela un lobbying pharmaceutique important ainsi que d'énormes enjeux financiers), de pouvoir prendre des antibiotiques lorsque c'est nécessaire (même si je l'évite en général quand ça n'est pas indispensable, sachant les dégâts que ça fait au niveau de notre microbiote, et par rapport aux souches bactériennes de plus en plus résistantes) et, si jamais je devais avoir un cancer - ce que je n'espère pas, bien sûr, mais je me dis qu'au rythme où vont les choses, personne n'est à l'abri, et je suis conscient du fait que je n'ai pas toujours eu des comportements très sains pour mon corps, et puis je suis aussi fondamentalement un anxieux qui se fait beaucoup de mauvais sang, ce en quoi la méditation m'aide beaucoup -, eh bien, si je devais avoir un cancer, donc, tout en me tournant vers tout un tas d'approches, de thérapies et de pratiques alternatives et complémentaires, je n'en suivrais pas moins les traitements préconisés par la médecine officielle, les autres permettant de soutenir le corps, de compléter l'action, de travailler sur d'autres plans.

Re-bref ! Voilà tout ce qui fait partie de ma perspective personnelle en la matière, mon ami(e), ce que je voulais partager avec toi, j'espère que cela t'aidera, te permettra de découvrir quelques nouveautés stimulantes. La santé physique n'a pas de prix, elle mérite qu'on fasse tout ce qui est en notre pouvoir pour la maintenir ou la recouvrer, sans se mettre des œillères ou se fixer des limites, parce que ce n'est que sur le terrain d'un corps en bonne santé qu'on peut se permettre d'aborder d'autres choses. La maladie est certes un signal d'alarme, un message, qui peut nous aider à avancer, mais c'est toujours quelque chose d'éprouvant. Et, parfois, on se sent impuissant, à juste titre, car tout n'est pas non plus possible d'un coup de baguette magique, en un tournemain. Nous ne savons pas toujours pourquoi nous vivons ce que nous vivons, ce que nous avons fait pour mériter ça, comme on dit, le pourquoi du comment, et les explications sont inutiles, car elles seront forcément fausses, puisque partielles, imparfaites, car nous ne savons pas tout non plus. Parfois, il n'y a pas d'autre voie que de se livrer, de s'abandonner à ce qui advient, quelle qu'en soit l'issue... C'est même parfois la voie royale !

C'est donc seulement sur le terrain d'un corps sain qu'on peut bâtir une authentique capacité à philosopher, parce que notre corps sain est notre moyen de capter les ondes de force du Cosmos et d'y agir de façon efficiente.

Le secret de la guérison

Au sujet des questions de santé, de maladie et de guérison, je souhaiterais y revenir et insister sur quelques éléments visiblement mal compris aujourd'hui, du fait de l'ignorance en bien des domaines, et qui me semblent pourtant de la plus haute importance.

Tout d'abord, au préalable, il y a un point central qu'il ne faut pas occulter, mais qu'il faut bien garder à l'esprit, c'est que la médecine moderne occidentale dite "conventionnelle", la seule reconnue officiellement, repose en fait sur une croyance, qui n'a rien d'objectif ou de scientifique, la croyance en la supériorité absolue et systématique de la chimie humaine pour soigner et guérir. Or, comme on le constate, dès qu'on connaît et qu'on utilise des remèdes purement naturels d'une redoutable efficacité, c'est totalement faux. Oui, c'est une aide précieuse, mais il serait sectaire de s'y cantonner obstinément avec des œillères, de peur que quelque chose d'autre ne vienne perturber ses petites représentations figées. Nous avons encore beaucoup à apprendre de la Nature (qu'il ne faut pas non plus enrober de mièvrerie, idéaliser dans un sentimentalisme naïf), dans laquelle nous pouvons trouver de puissants remèdes, ciblés et efficaces, sans l'inconvénient des nombreux effets secondaires nuisibles des médicaments "chimiques", de synthèse et artificiels, conçus et fabriqués par l'être humain, sur la commercialisation desquels, d'ailleurs, certains se font quand même beaucoup, beaucoup d'argent.

D'ailleurs, et ce sera le point de départ véritable de ma présente réflexion, il n'y a pas longtemps, des médecins ont publié une tribune dans un journal, tribune à charge, dans laquelle on met tout dans le même panier en criant au charlatanisme, à l'escroquerie, au risque de dérive sectaire, et tout y passe sur le même plan : homéopathie, ostéopathie, naturopathie, méditation, hypnose, etc. J'ai trouvé ça pour le moins hallucinant ! Tout simplement parce qu'il me semble évident que cela ne fait que mettre au jour une incroyable étroitesse de vue bornée, l'aveu - qui devrait être honteux - d'une ignorance totale sur le sujet, bref, l'expression triviale de la bêtise et de la stupidité, sûrement également de la peur, de la crainte - qu'on ose à peine exprimer - d'y voir ici une concurrence et une menace. Le comble, pour moi, c'est que, tout cela, pratiquement, est de plus en plus étudié et validé scientifiquement ou par l'expérience, de plus en plus utilisé et répandu, y compris par des médecins et dans des hôpitaux, apportant de manière absolument indéniable et irréfutable un incontestable soulagement, mieux-être et bien-être à beaucoup de patients, qui ne s'y trompent pas, d'ailleurs, en l'occurrence, et dont on devrait enfin un peu plus reconnaître, respecter et prendre en compte l'expertise vis-à-vis de ce qui leur fait du bien, tout simplement. Elle est encore tenace cette idéologie d'une relation totalement déséquilibrée entre un soignant, disposant de tout le savoir et de toute l'expertise, et d'un soigné à sa merci, totalement ignorant et devant lui obéir aveuglément. Or, combien de patients ont fait l'amère expérience de l'ignorance de beaucoup de médecins et de l'impuissance totale de la médecine conventionnelle actuelle, avant de se tourner enfin vers d'autres approches qui leur ont apporté un vif soulagement et de notables progrès, ces mêmes approches que la plupart des médecins méprisent et dédaignent, convaincus qu'ils sont de l'éminente supériorité de ce qu'on leur a inculqué et qu'ils reproduisent de façon sectaire sans esprit critique ! De toute façon, lorsqu'on se penche un peu sur l'histoire de la médecine, on s'aperçoit qu'à leurs débuts, toutes les approches et thérapeutiques novatrices, visionnaires, efficientes et salvatrices ont toujours été systématiquement discréditées par tous les moyens et taxées d'exercice illégal de la médecine, de charlatanisme, etc. Il était en effet à chaque fois plus facile aux représentants officiels de la médecine de jeter ainsi l'opprobre sur ce qu'ils ne connaissaient pas eux-mêmes, ne comprenaient pas encore, ne pouvaient pas comprendre, que de remettre en cause leur vision des choses, leurs connaissances. Et tout cela n'a rien de scientifique en soi, non, il s'agit juste de croyances, comme nous le montre aussi l'histoire des sciences, à maintes et maintes reprises, parce qu'il manque à beaucoup la véritable honnêteté intellectuelle ainsi que l'authentique approche scientifique. Il faut toujours partir du principe qu'on ne sait pas tout, qu'il y a ce qu'on sait - ou croit savoir - à un moment M de l'histoire, mais qu'il y a encore au-delà tout ce que l'on ne sait pas, dont on n'a pas même idée. Bref ! Inutile d'en dire davantage à ce sujet. Loin de moi également l'idée de jeter l'opprobre, non plus, sur la médecine dite "conventionnelle", mais, tout de même, mon expérience me dit que, des charlatans incompétents, il y en a beaucoup aussi parmi les médecins "conventionnels". Beaucoup, en effet, parmi eux, n'ont visiblement absolument aucune connaissance, à mon sens, du fonctionnement du vivant, du corps humain, des mécanismes réels et profonds de la maladie comme de la guérison ; beaucoup ne sont finalement que des distributeurs d'ordonnances permettant de faire fonctionner le lobbying pharmaceutique. Il n'y a là non plus pas à pinailler et discuter, c'est un fait, c'est aussi une partie de la réalité objective, de même qu'il y a effectivement des excès dans l'autre sens, de l'autre côté, avec, par exemple, pour prendre un cas extrême, des gens atteints de cancers graves et lourds, qui cessent tout traitement conventionnel, espérant naïvement guérir en ne prenant que du jus de carotte, des granules homéopathiques, en jeûnant et en faisant de la méditation, en se livrant entre les mains plus ou moins compétentes et bien intentionnées de quelconques chamans, magnétiseurs, énergéticiens, homéopathes, naturopathes, etc. Mais, après tout, c'est aussi leur choix, leur libre-arbitre, leur liberté et leur responsabilité personnelles ! Evidemment, nous parlons ici avant tout d'un phénomène humain, il y a donc forcément des croyances, de l'irrationnel et du n'importe quoi un peu partout, mais ce n'est pas une raison non plus pour mettre tout et tout le monde dans le même panier, d'un côté comme de l'autre. De plus en plus, aujourd'hui, des gens trouvent un réel soulagement entre les mains de bons ostéopathes (ou grâce à d'autres approches du même type comme la "biokinergie" ou la méthode Feldenkrais…), au lieu de se gaver de médicaments, qui masquent un moment les problèmes, jusqu'à nécessiter ensuite de lourdes opérations ; des médecins se forment à l'homéopathie, à la phytothérapie, à l'aromathérapie, à l'acupuncture, etc. ; l'hypnose, comme la méditation, ainsi que l'acupuncture sont utilisés, de façon intelligente et complémentaire, dans les hôpitaux, etc. Bref, bref ! A eux seuls les faits objectifs parlent d'eux-mêmes ! Après, je ne sais pas ce qui peut être dit d'autre ? !... Il me semble qu'il y a des gens qui sont incapables de voir la réalité en face, il n'y a donc pas de temps à perdre avec eux, il n'y a pas lieu de chercher à les convaincre non plus, chacun est libre de ses croyances, de même que, de toute façon, moi, ici, personnellement, je ne cherche à convaincre personne, je souhaite juste exprimer ma vision du monde en bien de ces domaines et de ces différents aspects, c'est mon droit le plus strict, chacun est libre ensuite d'en faire ce qu'il veut, mais se doit en tout cas cependant de le respecter aussi. Maintenant, passons aux différents points que je voulais encore aborder très concrètement.

Premièrement, il y a ce fameux effet "placebo". Je l'ai dit, je considère cela comme un paravent scientiste, un écran de fumée, poussé en avant, à la manière de prestidigitateurs, afin de masquer l'ignorance, de voiler le manque de connaissances. En effet, qu'est-ce donc que cet effet "placebo" ? Eh bien, comme la somatisation, ainsi que l'effet contraire "nocebo", le mental, la croyance, est capable d'influer sur l'expression des symptômes, de les créer comme de les faire disparaître. Seulement, quand on parle ainsi d'effet "placebo", finalement, même si les symptômes disparaissent, la maladie demeure. C'est bien là que résident l'arnaque ainsi que le danger. Effectivement, on le sait, le mental, notre penser, a un impact certain, indéniable et très important sur les symptômes, notamment sur la douleur physique, ainsi que sur nos perceptions, de même que sur la manifestation de nouveaux symptômes. Mais, plus loin, ce qu'on observe aussi, c'est que le corps est véritablement capable de se guérir lui-même ! Et je ne parle pas ici simplement de l'activité normale du système immunitaire, je parle carrément de l'activité cellulaire, de la réorganisation ou reconstruction organique, et ainsi de suite. Cela a été observé. C'est donc qu'il y a quelque chose ! Quelque chose sur lequel des scientifiques dignes de ce nom, au lieu de raisonner en fonction de ce qu'ils croient savoir et de se répéter mentalement en boucle comme un mantra, à l'instar d'un T.O.C., pour se rassurer, que ce n'est pas possible, devraient sérieusement se pencher, enquêter, investiguer, chercher, expérimenter, etc., comme le font d'ailleurs ceux qui sont réellement bons, sérieux et honnêtes ! ! Mais, évidemment, chère amie, cher ami, tu imagines aisément, je pense, les difficultés que cela peut rencontrer : déjà parce que cela va à l'encontre de leurs représentations mentales (tout scientifique qu'il soit, est et demeure tout de même le fruit d'un conditionnement ! !...) et que, surtout, cela pourrait provoquer un bouleversement conséquent, une véritable révolution dans le domaine de la santé et dans l'industrie du médicament. Il est évident qu'il existe un lobbying pharmaceutique, comme plus d'un scandale médicamenteux le prouve, et que les gens qui en profitent ne verraient pas d'un bon œil qu'on répande l'idée qu'on peut guérir éventuellement sans médicament, que le corps peut se guérir lui-même ! !...

Attention, cela dit, un petit avertissement s'impose : ne t'aventure pas non plus, si tu es gravement malade, à arrêter tout traitement médical classique, en espérant comme ça, du jour au lendemain, guérir par tes propres moyens, grâce à la puissance de ton esprit. Ce serait éminemment stupide ! ! ! En effet, tout le monde n'a pas les compétences durement acquises d'un moine bouddhiste tibétain ou d'un vrai chaman ! ! !

Donc, il y a d'une part, en effet, un effet "placebo" ou "nocebo", qui va de pair avec ce que l'on désigne communément comme la "somatisation", où le mental, le penser joue un rôle important sur l'expression des symptômes, sur leur apparition comme leur disparition, et puis, d'autre part, comme je l'ai montré précédemment, un réel impact du mental sur le physique, y compris la capacité effective du corps à se guérir lui-même.

Et c'est là que nous en venons à mon deuxièmement. Dans ce registre, ce qui est finalement le plus important, ce n'est pas la matière, comme le croit encore la médecine conventionnelle moderne occidentale (car ce n'est bien là qu'une croyance !), mais l'information ! C'est l'information qui est primordiale pour la guérison, parce que, finalement, la matière la plus dense ne fait qu'obéir aux informations qu'elle reçoit, qui l'in-forment, c'est-à-dire littéralement qui la mettent en forme. Et c'est là, en effet, comme je l'ai déjà dit que ça peut fonctionner très facilement sur certains personnes, parce qu'elles se situent à un niveau vibratoire, énergétique plus élevé, qu'ainsi leurs différentes enveloppes, y compris leur corps physique terrestre, sont plus souples, perméables, influençables, flexibles, mobiles, alors que ça ne fonctionne effectivement pas du tout chez certaines autres personnes, qui vibrent à un niveau d'énergie plus bas ; là, pour elles, malheureusement, seule la matière peut encore faire bouger la matière, avec toute l'inertie que cela implique. Maintenant, derrière cette prévalence de l'information sur la matière, il n'y a absolument rien d'incompréhensible, d'ésotérique, d'abscons, de surnaturel ni de non-scientifique, au contraire. Mais là, le bât blesse, lorsque des gens qui n'ont aucune connaissance scientifique réelle se permettent d'en juger et de déverser leur petit point de vue étriqué, y compris certains médecins qui ne sont pas des foudres de guerre au niveau intellectuel et qui n'ont qu'une connaissance techniciste du corps humain et des pathologies. Oui, donc, l'information l'emporte sur la matière ! Pourquoi ? Tout simplement parce que les deux ne font qu'un ! Depuis Einstein, avec la formule $E=mc^2$, on sait que la matière est de l'énergie, or l'énergie, c'est aussi une onde électro-magnétique, autrement dit de la lumière. C'est en étudiant les interactions entre la lumière et la matière qu'est apparue la fameuse "mécanique quantique". Et, la lumière, du fait de la dualité onde-corpuscule (qu'on peut étendre à tout), c'est à la fois une onde électro-magnétique (c'est-à-dire l'ensemble d'un champ électrique et d'un champ magnétique qui se déplacent dans l'espace, en modifient les propriétés, et qui agissent ainsi sur les particules chargées et les moments dipolaires) et une particule, le "photon", en l'occurrence. La lumière, en soit, au final, on ne sait pas exactement ce que c'est intrinsèquement, mis à part, avec certitude, de l'énergie et de l'information, mais on sait qu'elle se comporte tantôt comme une particule (le photon, correspondant à un "quantum" ou paquet d'énergie) et tantôt comme une onde électro-magnétique. Si on ajoute à cela le fait que, d'une part, en mécanique quantique, une particule subatomique, au final, ne peut être localisée précisément à un instant t, parce que c'est un peu comme si elle existait sous une forme énergétique diffuse étalée, dispersée dans l'espace, ne se localisant, ne se matérialisant, en quelque sorte, qu'au moment où l'on procède à une mesure (ce en quoi, d'ailleurs, l'opérateur de mesure influe d'une certaine manière sur l'état de la particule), lorsqu'il y a ce qu'on désigne comme la "réduction du paquet d'onde" ; si on ajoute encore, d'autre part, le fait que, par exemple, un photon peut donner lieu à la création d'une paire particule / antiparticule, de même que l'inverse peut avoir lieu, entre matière et antimatière ; et si enfin on considère également le phénomène d'intrication quantique, qui, pour faire vite, laisse penser qu'une information passe instantanément entre deux particules intriquées, à l'encontre de ce qu'on croyait jusque-là, parce que l'information, n'étant autre chose qu'une onde électromagnétique, ne peut se déplacer plus vite que la lumière ; eh bien, on a alors tous les ingrédients pour, plutôt que d'en fermer, ouvrir des portes à n'en plus finir sur toutes les possibilités qui s'ouvrent à nous dans le domaine de la santé, de la médecine, au niveau de l'interaction entre le mental, le penser, qui est énergie et information, et le corps, à l'instar exactement de l'interaction entre la lumière/information et la matière. Cela dit, je laisse même pour l'instant de côté la mystérieuse "matière noire", qui a tout simplement permis à la science d'en savoir plus sur le fait qu'au final elle en savait moins !...

Cela m'amène très logiquement à considérer, ou plutôt à reconsidérer sérieusement, en guise de troisièmement, la question de la "mémoire de l'eau". Et là, eh bien, je vais me permettre de me moquer un peu, chacun son tour ! Si, si, mon ami(e), j'espère que tu me le pardonneras. La plupart des gens, en effet, se mettent à rire et ne savent que se moquer quand on leur parle de "mémoire de l'eau", parce qu'en réalité, ils ont une vision anthropomorphique de la chose et, à dire vrai, n'ont absolument aucune connaissance scientifique qui leur permettrait de comprendre qu'en réalité, cela repose sur des éléments, des principes, des processus, bien plus plausibles et étayables scientifiquement ! ! ! Au final, ce sont eux qui sont ridicules et risibles ; dans leurs sourires et leurs rires, s'affichent leur ignorance et leur bêtise, c'est l'image même de l'incroyable et inouïe arrogance et outrecuidance de ceux qui se prélassent dans l'ignorance et la bêtise ! ! !

C'est donc parti pour un mini-cours de physique ! (Ce ne sont là, mon ami(e), à moins que tu ne connaisses déjà, que quelques pistes à creuser par toi-même ! Comme tu l'auras compris, je ne souhaite pas livrer un ouvrage savant et documentaire, où tout serait commodément disséqué, sourcé, argumenté, justifié, premièrement, parce que c'est fastidieux et que je suis paresseux, deuxièmement, parce que, comme je te l'ai dit dès le départ, je ne souhaite convaincre personne, je m'en contrefiche, j'offre juste la vision du monde qui est la mienne, troisièmement, parce que n'a de valeur que ce qui est le fruit de tes propres recherches, investigations, réflexions…) La molécule d'eau, comme chacun devrait le savoir, est donc constituée d'un atome d'oxygène et de deux atomes d'hydrogène, formant une sorte de triangle isocèle, avec l'atome d'oxygène à son sommet, les liaisons avec les atomes d'hydrogène correspondant aux côtés identiques. Ces deux liaisons oxygène-hydrogène sont des liaisons "covalentes", c'est-à-dire qu'elles sont formées par la mise en commun de deux électrons, celui, unique, de l'atome d'hydrogène, et celui de l'atome d'oxygène qui se trouve sur sa couche la plus externe et qui n'est pas apparié (du point de vue des états d'énergie quantiques, avec un électron de spin opposé). Cela offre aux deux atomes une meilleure stabilité énergétique. Or, dans cette liaison covalente, il y a un important déséquilibre entre l'atome d'oxygène, plus fortement électronégatif, et les atomes d'hydrogène, de sorte que les électrons de ces liaisons sont davantage attirés du côté de l'atome d'oxygène, ce qui fait apparaître une charge partielle positive sur chaque atome d'hydrogène et deux charges partielles négatives sur l'atome d'oxygène. Et c'est ce fait qui est responsable de la formation de ce qu'on appelle des "liaisons hydrogène", c'est-à-dire des liaisons peu solides qui se forment par le rapprochement (dû à l'attraction électrique) d'un atome d'hydrogène partiellement positif avec un atome d'oxygène partiellement négatif (deux fois) d'une autre molécule d'eau. C'est pour cette raison que l'eau, quand elle gèle, voit son volume augmenter, prend plus de place à l'état solide qu'à l'état liquide, du fait de la réorganisation des molécules en fonction de ces liaisons hydrogène qui se forment entre les molécules d'eau au cours de la solidification et qui forment ainsi des cristaux de glace. Or, contrairement à ce qu'on croit, à l'état liquide, ces molécules d'eau ne sont pas indépendantes les unes des autres, elles forment des super-structures, c'est-à-dire des assemblages organisés de molécules d'eau, toujours du fait de ces liaisons hydrogène. Et ces assemblages pourraient (c'est là l'hypothèse de base sur laquelle repose le phénomène de "mémoire de l'eau") constituer des structures résonnantes et vibrantes, polarisées, comme la molécule d'eau, disposant de ce qu'on appelle un "moment dipolaire". Ainsi, de la même manière qu'on peut enregistrer de l'information, une onde électro-magnétique, sur une bande magnétique de cassette vidéo ou audio, parce que les "moments dipolaires", ou micro-aimants, en quelque sorte, de cette bande magnétique tendent à s'orienter dans le sens du champ électro-magnétique qui leur a été imposé au départ au moment de l'enregistrement, et qu'ils vont le reproduire ensuite au moment de la lecture ; de même, donc, l'eau, du fait de ces super-structures résonantes et vibrantes, disposant d'un moment dipolaire (c'est-à-dire, pour simplifier, se comportant comme des micro-aimants), pourrait également "enregistrer" de l'information, parce que ces "clusters" s'orienteraient dans le sens du champ électro-magnétique qui leur est imposé au départ et le restitueraient ensuite. Et cette information de nature purement électro-magnétique induirait à son tour ensuite dans l'organisme une réponse de nature biochimique. Evidemment, cela n'est pour l'instant qu'hypothétique, mais ce n'est pas non plus stupide, dénué de fondement scientifique, cela ne mérite en aucun cas les moqueries, encore moins les insultes. D'autant plus que bien des travaux scientifiques, directement ou indirectement en rapport avec ce phénomène, tendent à cautionner cet hypothétique processus.

Moi, personnellement, j'en suis convaincu ! C'est bien pour cette raison, me semble-t-il, outre son importante capacité calorifique (à emmagasiner et transporter la chaleur), que l'eau est un constituant majeur du vivant. Et c'est cette activité énergétique des molécules d'eau, qui formerait le moyen d'action, le pont pour la compréhension de l'activité des énergies subtiles sur le plan éthérique, le plan de matérialité-grossière immédiatement supérieur au plan physique terrestre. L'eau serait donc un véhicule, un vecteur de l'information énergétique ! C'est donc grâce à ce vecteur particulier que l'information pourrait être fixée et transmise au corps.

Passons maintenant, quatrièmement, à l'homéopathie, tant décriée. Et là, plusieurs choses sont à considérées.

Tout d'abord, l'éminente supériorité d'une consultation avec un médecin homéopathe par rapport à la pauvreté d'une consultation avec un médecin conventionnel classique, et ce ne sont pas des jugements de valeur, mais des faits. L'approche de l'homéopathe est "holistique", elle considère l'individu dans son ensemble, elle part du principe que les questions de santé, de maladie et de guérison, sont un ensemble complexe d'éléments et de facteurs, de paramètres aussi bien physiques, biochimiques, physiologiques, que psychiques, mentaux, psychologiques, qui interagissent entre eux, en plus en fonction de la personnalité du patient, de son tempérament, de l'archétype de fonctionnement de sa personnalité et de son organisme, en fonction de ce qu'on désigne comme le "terrain". Un homéopathe ne soigne donc pas bêtement un symptôme de manière isolée en balançant de la chimie à gogo en toute inconscience (et on retrouve le même écueil inconséquent en médecine qu'en agriculture...), mais il va adapter le traitement à l'ensemble, en fonction des autres symptômes et du patient. Cela explique qu'une consultation (une vraie, une bonne) avec un homéopathe (un vrai, un bon) prenne plus de temps, et satisfasse également bien mieux le besoin d'écoute psychologique du patient. Par ailleurs, un médecin généraliste homéopathe présentera cet avantage énorme que, dans ses prescriptions, du fait de sa vision globale, il pourra non seulement prescrire aussi bien de l'homéopathie que de l'allopathie (s'il n'est pas intégriste !...), lorsque cela s'y prête et se justifie - on n'est pas non plus au Moyen-Âge ! !... -, pourra aussi bien taper dans la phytothérapie et l'aromathérapie que dans l'oligothérapie (dont l'efficacité scientifique n'est plus à prouver ni à remettre en cause, et qui sont même d'une redoutable efficacité, lorsqu'elles sont judicieusement utilisées), mais donner également des conseils au niveau de l'alimentation et des compléments alimentaires. Bref ! Beaucoup de choses qui échappent totalement à la plupart des médecins dits "conventionnels".

Ensuite, sur quoi est basée l'homéopathie ? Eh bien, je ne suis pas non plus un spécialiste, mais je peux te livrer quelques éléments d'explication, si tu ne les connais pas déjà. Les gens, en général, parce qu'ils sont désinformés et conditionnés par les médias et la pensée dominante qui leur mentent éhontément, pensent tout de suite à la question de la dilution, aux hautes dilutions. Or, cela est faux, ce n'est pas l'objet principal, le principe fondamental de l'homéopathie, qui utilise aussi beaucoup les teintures-mères et les faibles dilutions. L'homéopathie se base sur le principe selon lequel une substance qui, à concentration normale importante, provoque tel ou tel symptôme, peut, en-dessous d'un certain seuil de concentration, inverser ses effets et soigner au contraire ce symptôme. Depuis que des médecins s'intéressent aux différentes pharmacopées du monde, dans le cadre de ce qu'on appelle l' "ethno-médecine", on s'est aperçu qu'effectivement, certaines substances toxiques à concentration normale, lorsqu'elles sont diluées, ont un effet non seulement non toxique, mais même contraire ; il existe une concentration seuil à partir de laquelle l'effet s'inverse. En ce qui concerne le choix du remède, c'est exactement du même ordre, ou presque, que le principe de "signature" dans le choix des plantes pour soigner tel ou tel mal : on va choisir par exemple la plante en analogie, en fonction de sa forme et de sa couleur, avec l'organe malade, ici en l'occurrence en fonction des symptômes… Cela peut sembler ésotérique, car totalement empirique, mais ça marche ! Peu importe pourquoi, à vrai dire, ça fonctionne ! ! La question du pourquoi ne peut être abordée qu'avec ceux qui ont bien saisi intuitivement qu'il y a bien un "Logos" qui organise l'univers, visible et invisible, et que tout est dans tout, que chaque microcosme reproduit le macrocosme, l'être humain lui-même, mais également le règne naturel, avec les arbres, les plantes, les minéraux, pierres et cristaux, ainsi que même les animaux. Mais je ne pourrai éventuellement te donner à voir cela que lorsque je déroulerai devant tes yeux une grande et large vue d'ensemble, du haut vers le bas, depuis les hauteurs les plus élevées jusqu'ici sur Terre, de tout le tissage des énergies prenant forme dans la Création.

C'est donc pour cette raison que l'homéopathie, après avoir choisi le remède approprié en fonction du symptôme, de la pathologie à soigner, va éventuellement - mais pas nécessairement - procéder à une dilution. Et c'est là qu'intervient la mémoire de l'eau ! Plus la dilution est élevée, plus nous sommes sur une fréquence vibratoire, énergétique élevée, correspondant à un plan plus subtil, aux niveaux émotionnel, mental, psychologique, psychique. Parce que, le but, ce n'est pas d'attaquer la matière par de la matière, directement, brutalement, c'est de comprendre ce qui est à l'origine du dérèglement et d'agir en profondeur, en stimulant l'organisme à se rééquilibrer et se guérir lui-même, en lui apportant juste pour cela une petite correction, grâce à une stimulation nécessaire et suffisante, par le biais d'une information fixée sur un vecteur matériel physique.

Et c'est là que j'en viens à mon… cinquièmement : qu'il s'agisse maintenant d'homéopathie, de placebo, de pensée positive, de méditation, d'hypnose, de visualisation créatrice, c'est la même chose, on en revient à l'essentiel, à savoir, agir sur la matière par l'énergie, sur le corps par l'information. Et, comme je l'ai déjà dit, cela explique, d'une part, le fait que ça ne fonctionne pas chez les personnes pour lesquels leur organisme est devenu à ce point opaque, imperméable aux énergies, dense et lourd, que seule de la matière peut encore mobiliser la matière en eux, qui offre pour cette raison d'ailleurs une certaine inertie et résistance. D'autre part, à cause de l'incroyable ténuité, finesse et subtilité de ce domaine et en vertu du principe quantique selon lequel, pour ces énergies subtiles (parce qu'en s'enfonçant vers l'infiniment petit, au-delà de l'atome, dans le domaine des particules subatomiques, on s'aventure dans les lois de fonctionnement, les phénomènes et processus des plans plus subtils de la matérialité-grossière), l'opérateur de mesure a une influence sur la mesure, sur la "réduction du paquet d'onde", c'est-à-dire sur l'état dans lequel se détermine la particule quantique, tout cela explique donc pourquoi les études scientifiques et cliniques dans ces domaines (qui n'ont d'ailleurs en aucun cas valeur de preuve scientifique absolument irréfutable, mais juste d'indicateur statistique subordonné à la fiabilité des protocoles) sont incroyablement difficiles à mener et à conduire, à mettre en œuvre et à analyser, à cause du trop grand nombre de petits paramètres subtils sur lesquels il est très difficile, voire quasiment impossible d'agir.

Evidemment, chère amie, cher ami, ces quelques informations, que je veux cantonner au rang de pistes de recherche et de réflexion que je te soumets, ne remplacent pas la consultation et l'étude d'ouvrages spécialisés et sérieux sur le sujet. En outre, je ne me substitue en aucun cas aux scientifiques ni aux médecins. Je t'offre simplement la possibilité de jeter un œil sur ce qui constitue ma vision du monde, "ma vérité", c'est-à-dire la façon dont je vis la Réalité, du fait de ma sensibilité, de mes capacités de perception ainsi que de mes connaissances dans le domaine spirituel, sur l'activité d'ensemble de la Création, avec la précieuse connaissance surtout des rapports du haut vers le bas, car c'est ce qui manque au savoir humain actuel, dans tous les domaines.

Transhumanisme et intelligence artificielle, clonage et immortalité

Comme pour mon propos précédent, l'entrée que je ferais ici sur ce sujet repose sur l'actualité, au moment où j'écris. On parle en effet beaucoup ces derniers temps d'intelligence artificielle et de transhumanisme, comme s'il s'agissait quasiment d'une nouvelle religion, porteuse d'une nouvelle vision du monde, apte à transformer réellement les choses, paradigme conditionnant et formateur pour la société de demain. Et je trouve que beaucoup de bêtises sont dites à ce sujet, à mon humble avis, eu égard aux connaissances spirituelles qu'on peut avoir dans certains domaines, à la vision spirituelle des choses qu'on peut avoir sur la vie, le vivant et l'être humain.

Alors, comme je veux passer rapidement là-dessus, puisque ce n'est pas ce qui m'intéresse le plus, je ne vais pas revenir dans le détail sur ce que croient les tenants du transhumanisme (bizarrement affiliés aux "GAFAM"[6]...) ni sur ce que pensent ceux qui croient pouvoir atteindre l'immortalité en enregistrant une image de la configuration informationnelle, en quelque sorte, avec leurs souvenirs, de leur cerveau et en la transposant ensuite dans un clone, qui serait, selon eux, dépourvu d'âme, de même que, à l'inverse, certains craignent que les robots, avec l'intelligence artificielle, ne concurrencent, voire ne remplacent les êtres humains, et n'acquièrent en définitive une réelle capacité de penser autonome, une véritable indépendance, ainsi que, peut-être, une âme.

---

[6] "Google, Apple, Facebook, Amazon, Microsoft" et compagnie...

En fait, cela fait pitié ! Désolé d'être péjoratif et de sembler méprisant. Mais c'est vrai, ça fait pitié ! Pourquoi ? Parce que cela montre que ces êtres humains ont si peu développé leur "humanité", leur conscience, leur esprit incarné en eux, qu'ils ne savent à vrai dire pas du tout sur quoi repose leur propre "humanité" véritable, en quoi elle consiste vraiment, de quoi elle relève, ni comment elle se manifeste.

Je l'ai déjà expliqué et j'y reviens. Ce qui fait de l'être humain un être humain, c'est l'esprit incarné en lui. Ou plutôt le germe d'esprit, qui a tout le potentiel de l'humanité en lui, mais à condition, pour cela, d'éveiller, de développer et d'épanouir sa conscience. Ainsi, on peut faire tout ce qu'on veut pour "améliorer" et augmenter les capacités physiques de notre corps ainsi que les capacités intellectuelles de notre cerveau, cela n'améliorera pas en définitive d'un iota nos chances d'être plus "humains", cela ne fera pas grandir notre "humanité", qui ne réside que dans le développement de notre conscience spirituelle intérieure profonde, qui implique à son tour un certain degré d'empathie et engendre naturellement de la compassion vis-à-vis de tout ce qui est vivant. Et c'est bien ça, la caractéristique fondamentale et l'authentique expression de l' "humanité" véritable, le but de notre existence en tant qu'êtres humains sur Terre et également la seule chose qui permette quelque progrès réel dans le vivre ensemble avec comme unique optique le bien commun de tout le vivant ! ! Comme on peut le constater, on en est bien loin. Avec tous ces fantasmes, on est plutôt complètement à côté de la plaque, on passe, comme toujours, aveuglément, du fait de la restriction intellectuelle matérialiste, à côté de l'essentiel, à côté de la vie véritable.

Les capacités des robots et de l'intelligence artificielle, aussi extraordinaires qu'elles pourront devenir, aussi utiles qu'elles pourront être pour nous, ne pourront jamais leur permettre d'atteindre une réelle autonomie, d'éprouver des émotions, d'avoir une "âme", car cela n'est pas de la matière vivante, irriguée sur le plan éthérique, disposant en soi d'un noyau animateur vivant, comme c'est le cas pour l'animal ou l'être humain.

Par ailleurs, identifier une personne à son cerveau, à son activité cérébrale, à ses souvenirs, c'est bien passer à côté de la réalité avec des œillères, comme le montre le Bouddhisme, car nous sommes infiniment plus que cela. Le siège de la conscience véritable, qui vit les choses de l'intérieur, ce n'est pas le cerveau, mais l'esprit incarné dans la matière. Le cerveau n'est qu'un relais, dans un sens comme dans un autre, transmettant les informations sous forme d'ondes électromagnétiques, d'impulsions électriques nerveuses transmises au plexus solaire, dégageant alors une vague d'énergie vers l'esprit lié au corps, dans l'âme, à cet endroit. Comme par le wifi ou le bluetooth, la conscience véritable, non localisée dans le cerveau, et ce dernier communiquent et échangent constamment, de cette manière, sans que les plus petits processus à la base de ce phénomène soient véritablement conscientisés par la plupart des êtres humains. Il serait donc totalement illusoire et faux de croire pouvoir situer, isoler, prélever et enregistrer dans et depuis notre cerveau la totalité, l'essence même de ce que nous sommes, afin de la stocker ensuite ailleurs et de la transposer dans un clone, par exemple. En outre, ce clone, s'il s'agit d'un être véritablement vivant (et non pas juste de matière organique végétative mais non véritablement animée), disposera à son tour d'une âme incarnée, d'un esprit en tant que véritable noyau animateur mobile. En aucun cas (et en vertu de je ne sais quel délire ! !...), il ne pourrait être considéré comme un objet, comme autre chose qu'un être humain, qu'une personne, un individu, à part entière.

Croire le contraire est tout simplement faux, c'est une erreur, qui révèle l'ignorance crasse de ceux qui prônent ce genre de "progrès" vis-à-vis de la réalité et de la vie véritables. Ce ne sont que des croyances, des fantasmes, des illusions, des billevesées. Vraiment, je suis désolé de sembler ici négatif, mais c'est consternant, cela révèle l'immaturité complète et totale des êtres humains, leur faillite tragique quant au développement de leur authentique humanité et de leur véritable potentiel. C'est comme ces gens qui pensent que la seule issue, pour l'humanité, c'est d'aller conquérir d'autres planètes. Pardonne-moi pour la vulgarité de cette expression, mais si c'est pour aller y foutre la merde comme au sein de l'humanité, ici, sur Terre, si c'est pour exploiter, ponctionner, parasiter, le vivant, épuiser ses ressources de façon égoïste et inconséquente, c'est totalement futile et inutile. Il y a bien d'autres défis à relever ici-bas, sur le terrain du présent concret, sans s'évader dans un ailleurs à venir et inconsistant. La seule et unique issue, voie d'évolution, pour l'humanité actuelle, c'est là, ici et maintenant, en redressant la barre, en opérant un changement radical dans la façon d'exploiter et de gérer les ressources, en cessant de polluer, et en travaillant, chacun pour soi-même, à son intérieur. Et c'est bien là surtout que le bât blesse de cruelle manière : dans sa paresse d'esprit, chaque être humain est prêt à TOUT et N'IMPORTE QUOI, plutôt que de faire le plus petit effort spirituel intérieur réel pour apprendre à se connaître lui-même, remplir son devoir en prenant conscience de lui-même, en travaillant sur lui-même et à lui-même, en se transformant et en évoluant spirituellement. Comme on le voit partout, dans tous les domaines, tous les moyens sont bons pour fermer les yeux à cette pourtant incontournable exigence et pour évincer ces obligations de mobilité spirituelle. Voilà l'échec de l'humanité ! Chacun peut désormais en contempler librement le résultat, la conséquence, partout, à tous les niveaux, dans tous les domaines. Et il semble bien que, sans aide extérieure, sans la pression d'une contrainte exercée d'en-haut par la Lumière, jusqu'ici dans le terrestre, l'humanité soit bien incapable de se relever de sa morbide condition totalement déchue. Pour moi, sans une intervention de ce type, cela me semble bien compromis. Mais ce n'est là que mon opinion ! Espérons que ces poches d'êtres humains qui en ont marre de tout ça et qui veulent véritablement développer leur humanité, sainement et harmonieusement, grandissent et grossissent, jusqu'à prendre le pouvoir terrestrement pour imposer finalement leur vision du monde, qui est la seule juste et bonne, viable à long terme, apte à susciter le bonheur !...

Conscience, Vide et Silence, Présence

Comme je l'ai déjà expliqué précédemment à plusieurs reprises, le but principal de l'esprit humain, l'unique raison pour laquelle il est plongé au cœur des matérialités afin de s'y incarner et d'y expérimenter l'existence terrestre, c'est de devenir conscient de lui-même, d'éveiller, d'épanouir et d'affirmer sa conscience de lui-même, au sein du grand Tout, en harmonie avec tous les êtres. C'est ainsi seulement qu'il peut trouver le bonheur véritable et durable.

- Tiens, d'ailleurs, au passage, au risque de faire encore une digression (ce qui est un peu ma spécialité, chose pénible, je crois, pour mes interlocuteurs quand je m'exprime à l'oral, parce que je pars dans tous les sens, tellement ma pensée perçoit intuitivement tous les fils qui rayonnent d'un sujet dans toutes les directions, et cela transparaît aussi sûrement à l'écrit dans le côté foisonnant et exubérant de mon discours...), cela me fait penser au roman "Les Thanatonautes" de Bernard Werber. Je te laisse le soin de prendre plaisir à le lire. Dedans, un des personnages, une femme, à un moment donné, dit, en substance, de mémoire, que nous ne sommes en fait pas sur Terre pour faire le bien ou le mal, d'une façon simpliste et manichéenne, mais pour devenir conscients de nous-mêmes. Et, dans le sens de ce que j'ai pu t'expliquer jusque-là, elle a tout à fait raison. C'est ça goûter du fruit de l'Arbre de la Connaissance du Bien et du Mal, ce qui, grâce à ce degré de conscience qui confère nécessairement liberté, autonomie, responsabilité, permet ensuite seulement de goûter, dans l'allégresse et la félicité, tous les fruits de l'Arbre de Vie. Cheminer sur les sentiers de la Sagesse, ce n'est autre que cela, user d'un discernement qui permet de ne pas s'égarer et de s'élever toujours, vers toujours plus de vie, de créativité, d'amour, de joie et de félicité, car tout cela ne repose uniquement que dans la Lumière. -

Mais, me diras-tu, comment faire pour parvenir à cela, à cet épanouissement de la conscience ? Eh bien, ce n'est pas si compliqué que certains veulent bien le faire croire pour se donner de l'importance, et ce n'est pas aussi simple non plus que ne le croient ceux qui en parlent le plus.

La religion qui est d'ailleurs très objectivement la plus avancée à ce niveau-là - considérée par certains non pas comme une religion, mais plutôt comme une philosophie de vie, ce avec quoi, compte tenu de certaines manifestations extérieures, je ne suis pas tout à fait d'accord -, cette religion, donc, c'est le Bouddhisme, qui s'attache, non pas au culte d'une quelconque divinité supérieure humainement conçue, mais à la libération personnelle, l'affranchissement de la souffrance, la quête du bonheur intérieur, par le développement de la conscience de soi. Tu y trouveras, ainsi que dans tous les domaines corollaires, c'est-à-dire dans les approches de développement personnel qui s'en inspirent, de nombreux outils qui pourront t'aider, d'une manière bien plus élaborée que ce que je suis moi-même en mesure de t'offrir. - Je ne fais pas en effet dans le détail, mais plutôt dans les grandes lignes, afin de contribuer en apportant ma réponse à certaines grandes questions spirituelles, religieuses, métaphysiques, existentielles, t'offrant ainsi par là-même un cadre, dans lequel tu peux rassembler et assembler correctement toutes les pièces du puzzle, une coupe avec laquelle tu peux recueillir le contenu bouillonnant des eaux de la Vie, afin d'avoir ainsi un viatique qui te sustente de salutaire façon à travers ton périple dans l'Univers. -

Mais voici malgré tout, puisque j'en parle, mes quelques conseils :

Déjà, tout simplement, fais un pas devant l'autre, à partir de là où tu es. A chaque jour suffit sa peine. Profite des expériences qui se précipitent vers toi. Inutile de chercher midi à quatorze heures ou de fuir dans des délires inconsistants qui te donneraient faussement l'impression d'être vraiment en prise avec du spirituel. Chacun est déjà placé là où il faut pour son évolution, par les lois de la Création. Cela, martèle-toi-le dans le crâne, surtout lorsque tu doutes ou que tu as peur, que tu es pris d'angoisse ou de panique : "Je suis exactement là où je dois être, à faire exactement ce que je dois faire, conformément à la Volonté infiniment bienveillante de la Vie qui se manifeste dans l'Univers.". Même les erreurs sont autorisées dans cette école qu'est le monde, et ne peuvent que nous faire progresser. Ne te fustige pas pour autant ! Ne culpabilise pas ! Sois empli(e) de bienveillance à ton égard ! Prends tes responsabilités et essaye à nouveau de faire mieux ! A l'échelle de l'existence spirituelle tout entière, rien n'est jamais vraiment grave, ni irrémédiablement définitif. Sois tout simplement à l'écoute, surtout de ce que tu ressens au plus profond de toi, dans ton intime. C'est ton plus précieux. Sois humain. Cultive la bienveillance et l'optimisme, et cela affluera vers toi. Bref ! Vis !

Prends soin de toi, et de ton corps, surtout ! Pour bien philosopher, il faut avoir un corps sain. Se soigner, c'est avant tout prendre soin du corps en bonne santé. Ce n'est un secret pour personne que bien manger, bien dormir, s'activer physiquement régulièrement, sont les meilleurs remèdes préventifs qui soient. Occupe-toi de toi comme tu t'occuperais de quelqu'un que tu considères véritablement comme ton cher prochain. Re-bref ! Je n'ai pas l'intention te donner ici un manuel de développement personnel, d'autres, en ces choses, sont bien meilleurs guides que moi-même. Il s'agit simplement d'un rappel pour attirer ton attention sur cela.

Ce dont je veux te parler, c'est de ce que j'ai pu moi-même expérimenter, cela seul, je le sais vraiment, cela seul, je peux le partager avec toi, du fond de mon plus précieux intime.

Ménage-toi des moments de vide ! Les gens pensent à tort que c'est à force de faire et d'agir et de remplir leur emploi du temps, avec tout un tas d'activités, qu'ils vont pouvoir se sentir mieux, qu'ils vont pouvoir trouver le bonheur, voire même atteindre la conscience et l'élévation spirituelle, en participant à des stages, formations, cours en groupe, ou salamalecs collectives, et ainsi de suite. Foutaises ! Tous, ils s'agitent dans tous les sens comme des fourmis affolées qu'on viendrait déranger, et pour si peu de choses, à dire vrai. D'ailleurs, de manière surprenante et paradoxale, plus c'est insignifiant, plus on se prend au sérieux et plus on se croit important. Je ne nie pas là que cela soit parfois aussi valable, profitable et utile, instructif et formateur, aidant, voire salutaire, et puisse provoquer des déclics, contribuer à ce que tu recherches, à ce vers quoi tu tends. Mais cela ne remplacera jamais la très éminente supériorité, efficience, puissance et efficacité de ce que tu peux atteindre toi-même, par toi-même !! Arrête de te fuir toi-même, et de te perdre à l'extérieur, dans le monde, auprès des autres. Prends le temps de t'isoler, d'être seul avec toi-même, entièrement disponible à ton être intime, et de ressentir, de t'écouter, d'écouter à l'intérieur de toi. Et pas en te distrayant, en regardant la télé, en lisant ou en rêvassant. Non, activement, en étant vraiment à 100% là, avec toi, comme tu serais vraiment à 100% avec un ou une ami(e). A force de vouloir agir, d'être dans le faire, de se tenir dans une sorte de penchant constant à la dévoration, à la stimulation et à l'agitation, tu deviens comme un gros morceau de velcro qui accroche tout sur son passage. Tu ne peux plus accueillir autre chose, tu ne peux plus profiter du reste, car tu es déjà plein à craquer, pollué et parasité. Fais le vide ! Le vide n'est pas ton ennemi, n'en aie pas peur. Le vide, c'est une immensité incroyablement libératrice qui se déploie, dans laquelle la Vie peut se déverser en flots abondants, et tout advenir. Plus il y a de vide, plus la Vie peut affluer, plus il y a d'infinités possibilités d'existence et de créativité. Débarrassé de tout ce qui t'alourdit, tu te sentiras plus léger, tout aura soudain plus de goût, plus de saveur, plus de sens. De toutes les autres choses, tu tireras davantage de plaisir. Le plein et le vide ! Ils sont le sel de l'existence.

Réfugie-toi alors aussi dans la solitude et le silence ! N'aie pas peur de la solitude. Même si nous sommes au fond toujours un peu seuls, nous ne sommes en réalité jamais vraiment seuls. Dans l'isolement et la solitude, en particulier dans la Nature, tu sentiras bientôt d'autres présences. Voire même peut-être un jour, au-delà de ce rideau de pluie qu'est le silence, pourras-tu sentir, loin, au-delà, la Présence. Inaccessible, Ineffable, Indicible.

Pour cela, tu n'as besoin d'aucune technique. Assieds-toi juste là et reste suffisamment longtemps. Si tu somnoles, somnole. Si tu cogites, rumines, ressasses, eh bien, cogite, rumine, ressasse. Bientôt, comme la boue d'une flaque d'eau, cela se décantera et se déposera au fond, ne laissant apparaître au-dessus que l'eau claire de la pure conscience.

Puisses-tu faire un jour, ne serait-ce que très fugitivement, l'espace d'une seconde, même pas, l'expérience du non-penser, ce qui est certes très difficile à atteindre, mais pas non plus absolument impossible, ne serait-ce qu'extrêmement fugitivement, contrairement à ce qu'en disent certains "spécialistes". Tu verras alors que notre penser, l'activité de notre cerveau, notre mental, n'est en fait qu'un rideau grisâtre qui nous voile la réalité du monde, qui nous empêche, surtout à cause de nos représentations mentales, d'être en prise directe avec la Réalité vivante, la Vie réelle, la Vérité, et de voir les choses réellement telles qu'elles sont.

Et je te livre encore ce qui fonctionne le mieux pour moi : abandonne-toi ! La meilleure des techniques, c'est de n'en avoir aucune. D'être simplement là, de se livrer, de se donner, de s'abandonner. Ne cherche surtout pas à atteindre quoi que ce soit, un quelconque état, en utilisant toutes sortes de techniques ! Cette volonté même serait un obstacle infranchissable. Laisse tomber tout cela, et sois simplement là, livre-toi, donne-toi, abandonne-toi. Alors, au lieu de vouloir conquérir par toi-même et de n'atteindre ainsi que quelque chose d'imparfait et de médiocre, tu seras touché par la Grâce, et c'est l'Immense lui-même qui viendra à toi et s'emparera tout entier de toi, te prenant dans ses bras et t'embrassant comme son enfant chéri(e). Simplement, cela est tout le temps le cas, constamment, à chaque instant, seulement tu ne feras plus obstacle et tu finiras alors enfin par le ressentir.

Alors, peut-être, tu ressentiras cet immense Océan de Lumière, de Sagesse et d'Amour, dont le Souffle constitue la toile de fond de tout ce qui existe, l'immense canevas de toute la Création, la base même de l'espace-temps dans lequel se déploie l'Univers. Et cela n'est que tendresse et douceur. Les lois de la Création sont certes à l'œuvre, rigoureuses, implacables, inexorables, inflexibles, immuables, irrépressibles, parce que cela ne peut s'accomplir autrement, du simple fait qu'elles ne sont en réalité que l'expression des propriétés, particularités, qualités de tout ce qui existe, et qui ne peuvent s'achever autrement que parfaitement logiquement sous cette forme. Par contre, l'Intention (car il y a bien une Intention originelle, pour ceux qui peuvent la percevoir), l'Intention qui préside à tout cela, qui est à l'origine même de tout cela, n'est que bienveillance, douceur et tendresse infinie.

Alors, à chaque moment de méditation auquel tu t'adonneras ainsi, ce sera un peu comme aller à la mer (La Mère…) et se baigner dans l'immense Océan de la Vie. Tu n'as même pas besoin de savoir quel en est la Source ultime, ou comment tout cela fonctionne, simplement de goûter cet instant. Mais il se peut, oui, aussi, qu'à un moment donné, ta conscience puisse percevoir l'indicible éclat de l'ultime Origine de cet immense Océan, et tu en seras comblé de félicité.

Bien évidemment, cela ne viendra pas du jour au lendemain. Il te faudra d'abord traverser les différents cercles de l'enfer, qui ne sont autres que ceux que nous trimballons partout avec nous, que ceux qui t'entourent, dans ton monde intérieur, tes ressentis, tes pensées, tes émotions, tes peurs, tes désirs, etc. Il te faudra d'abord apprendre à te connaître, à t'apprivoiser, à apprivoiser qui tu es vraiment au plus profond de toi, dans ton intimité sacrée. Exactement comme le renard le recommande et l'explique au Petit Prince, qui souhaiterait devenir son ami.

Dans tous les cas, ces moments éclaireront ta vie, ton existence tout entière, te guideront, t'affermiront, comme un filin métallique indestructible, solidement arrimé dans les hauteurs spirituelles, qui te tiendra toujours dans la tourmente et le chaos, dans la pire des nuits, dans l'horreur comme dans la souffrance. Car tu auras ainsi en toi un roc solide, immuable, auquel t'arrimer fermement, qui ne passera jamais, contrairement à tout ce qui existe en ce bas monde.

Quant à tout ce qui est corollaire pour atteindre cette expérience, suffisamment de choses ont été écrites sur le sujet, par des personnes qui peuvent bien mieux te guider que moi. Pour cela, il me manque un pont. Alors, va, cherche, trouve, lis, examine, analyse, apprends, essaye, exerce-toi, expérimente, mets à l'épreuve de l'expérience, concentre-toi sur ce qui te parle et te convient et fonctionne pour toi, va plus loin, explore, approfondis, persévère, exerce-toi encore et toujours, inlassablement.

Alors, quand tu auras un jour peut-être fait cette ultime expérience dont je viens de parler, alors seulement tu seras mûr pour le Sacré ! Pas avant. En-deçà de ce stade, si le pressentiment du Sacré ne vit pas réellement intérieurement en l'être humain, il vaut bien mieux qu'il ne s'en préoccupe pas (et ce n'est d'ailleurs pas une priorité ni indispensable pour lui dans son évolution spirituelle-humaine), car toute tentative dans ce sens n'aboutirait qu'à un lamentable échec, ne serait qu'artificielle et hypocrite, vide de sens et inutile, sans la chaleur vivante de l'intuition. Ainsi, les pratiques cultuelles, si, déjà, elles ne revêtent pas des formes conformes à la Vérité, à la Réalité Vivante, et si elles ne sont pas pleinement vécues intérieurement, de manière que la forme extérieure découle logiquement de la vie intérieure, alors elles n'ont aucune valeur, aucun sens, ne sont que vains salamalecs, croyances et superstitions.

Mais je vais peut-être un peu vite, ici, en toutes ces choses, et il me faut reprendre pas à pas quelques étapes fondamentales pour en arriver là.

Ressourcement et méditation

Selon moi, chère amie, cher ami, méditation et ressourcement vont de pair. On ne peut méditer correctement si l'on n'est pas bien ressourcé ; et inversement, on ne peut se ressourcer véritablement en profondeur si l'on n'est pas capable de méditer correctement.

Alors, par quoi vais-je commencer ? Eh bien, peut-être tout simplement par la base : le ressourcement. Nous l'avons vu ensemble précédemment, la condition préalable indispensable, c'est déjà d'avoir un corps en bonne santé, correctement et sainement nourri, assaini et tonifié par une activité physique régulière, et suffisamment reposé. Tu ne peux te ressourcer ni a fortiori méditer correctement si tu es en manque de sommeil. Alors commence par te reposer !

Se ressourcer, comme le dit le mot lui-même, c'est bien se relier à nouveau, se reconnecter à la Source, tout simplement. Exactement comme un appareil électrique, qui ne peut fonctionner sans électricité, sans pile ou sans être branché sur une prise de secteur. Et ce ressourcement présente plusieurs aspects, a plusieurs dimensions, suivant le niveau correspondant, selon la source d'énergie à laquelle tu veux te reconnecter. Ainsi, au niveau énergétique pur, c'est à la Nature, à la Terre, qu'il faut que tu te reconnectes d'abord. Quant au niveau spirituel, c'est à la Lumière Originelle, Qui est la Source de toute vie, Qui est la Vie Elle-même, qu'il faut chercher à se relier, à se reconnecter, via le Grand Tout. Mais, dans les deux cas, pour atteindre le degré de conscience qui permet cela, le rend possible, effectif, efficace et durable, c'est aussi et surtout à soi-même avant tout qu'il faut se reconnecter, à sa propre source intérieure, à son noyau spirituel vivant, ce trésor le plus précieusement intime en chacun de nous. C'est cela qui donne de la valeur au reste, et permet le ressentir profond de part en part.

Pour cela, va déjà dans la Nature et, pour commencer, marche pieds nus sur la terre ou dans l'herbe, allonge-toi et sieste langoureusement à même le sol, assieds-toi au pied d'un arbre. - Laisse de côté pour le moment les dolmens et les menhirs. - Ton corps éthérique va ainsi se gaver littéralement de cette belle énergie vitale tellurique terrestre, produite par la Terre en son sein, et qui circule à travers la couche éthérique de la Terre. Ne crains pas cependant, comme le pensent certains à tort, que le fait de t'allonger par terre va te vider de ton énergie. Tout d'abord, oui, cela aura pour effet d'aspirer les pollutions énergétiques qui s'accrochent à toi pour les dissoudre, de même que les tensions corollaires, et de faire ainsi redescendre la pression du mental, de remettre ensuite à flot ton corps éthérique, au niveau d'énergie optimal de la Terre. (La plupart des êtres humains fonctionnent à un niveau d'énergie qui n'est même pas celui de base de la Terre ! !...) Et tout te semblera soudain plus vivant, plus goûtu et coloré. En effet, au travers de tes cinq sens physiques, ce n'est pas seulement ton corps et ton cerveau qui perçoivent les informations provenant de ton environnement, mais c'est ton esprit, enrobé par ses différentes enveloppes, donc ton âme, incarnée dans ton corps, qui perçoit ton entourage. Lorsque ton corps éthérique est suffisamment nourri et abreuvé d'énergie vitale, la liaison entre tes différentes enveloppes est plus ténue, solide, ferme, efficiente, te permettant ainsi de mieux ressentir les choses à partir de ton intérieur. Tout commence donc avec la Terre, la reconnexion à la Terre. Ces énergies telluriques décompressent aussi le mental, elles apaisent sa surexcitation constante, elles créent du lien entre toutes les couches. Sans cette énergie vitale tellurique terrestre, ton mental est comme une voiture embourbée dans un chemin de terre imbibé d'eau, dont les roues ont beau s'exciter et ne font que tourner à vide dans la boue, elles n'avancent pas, car ces dernières glissent, n'ont aucune adhérence au sol. Cette énergie refait le lien avec le sol, avec le terrain de la réalité concrète, elle permet avant tout à ton mental de s'apaiser et de reprendre contact avec l'humilité de l'humus, du sol et de la terre. Cela modifie considérablement toutes tes capacités de perception et de conception. Alors, tu seras d'autant plus apte à méditer véritablement efficacement, sans que ton mental ne se disperse en un embrouillement de multiples pensées inutiles, mieux prédisposé et ouvert à une conscience de soi plus aiguë. N'oublie pas que nous sommes avant tout des organismes de survie, ton mental est en cela un précieux outil toujours en éveil, en activité, afin de parer aux dangers qui pourraient se présenter, afin de trouver constamment des solutions aux problèmes. Cependant, nous ne nous sommes pas affranchis des dangers que nous encourrions jadis dans la nature, pour demeurer encore dans cet état de quasi anxiété permanente, sur le qui-vive, réactif à toute forme de stimulus extérieur.

C'est pourquoi : reconnecte-toi d'abord à la Terre, si tu veux te ressourcer ! Mais ne t'imagine pas, comme le reste, que cela se fasse si facilement automatiquement en quelques instants seulement. C'est comme de se faire un nouvel ami : cela réclame du temps, de la régularité et de la patience. Mais avec le temps, de plus en plus facilement, tu parviendras à te reconnecter au sol et à sentir l'énergie vitale tellurique terrestre monter en toi, le long de ton système énergétique, dans ton corps éthérique. Car, oui, ces mêmes énergies circulent dans le corps éthérique de la Terre. Avec l'expérience, tes capacités de perception s'affineront, tu deviendras de plus en plus réceptif, sensible. Tu pourras alors, par exemple, entreprendre une séance de méditation sur tes chakras, afin de mieux faire monter ces énergies, mais également afin de nettoyer et réactiver tes centres énergétiques et afin de dégager tes enveloppes subtiles de toute forme de parasitage. Car tout parasitage détournerait tes énergies et t'empêcherait de te ressourcer véritablement et de méditer correctement. Pour cela, je te propose la méditation guidée que tu trouveras à la suite de ce propos, que je consigne à part, dans une partie en soi.

Maintenant, passons à la méditation. J'en ai déjà parlé précédemment, mais je pense que je suis passé assez vite dessus, en allant directement à des choses peut-être peu accessibles d'emblée dès le départ. Laissons bien entendu le Sacré de côté pour le moment. En tant que créature d'évolution, ce n'est pas indispensable pour toi, ce n'est pas ta préoccupation principale immédiate, cela n'est pas une condition indispensable pour avancer, évoluer, en tant qu'être humain à part entière, et cela ne doit pas non plus être un obstacle ni un point d'achoppement.

Méditer n'a rien à voir avec le fait de penser, cogiter, ruminer, ressasser. Bien au contraire. Ce n'est pas non plus ne pas penser du tout. Cela paraît impossible. - Personnellement, cependant, il me semble que cela n'est pas complètement impossible, car ça m'est véritablement arrivé, une seule fois, certes, et très fugitivement, mais d'une façon suffisamment marquante pour que cela suffise à laisser son empreinte sur moi à vie. Je m'étais allongé dans les bois, au pied d'un hêtre, et j'avais copieusement fait la sieste. En me réveillant, je me suis mis en tailleur afin d'entreprendre une séance de méditation, en commençant par travailler sur mes chakras. Et, subrepticement, je me suis retrouvé dans un état de conscience directe de mon environnement, sans passer par le penser, le mental. J'ai réalisé alors, avec une extrême acuité, que notre penser n'est en réalité qu'un voile grisâtre qui recouvre la réalité et nous empêche de la percevoir telle qu'elle est vraiment. Cela n'était sans doute qu'une étape. Depuis, ce sont d'autres choses que je perçois. Mais revenons à la méditation basique. -

Et là, me diras-tu, que dois-je faire ? Grave question ! La réponse, en générale, est assez simple, quel que soit l'objet précis de la question : débrouille-toi toi-même ! C'est à toi de savoir ce que tu dois faire à partir de ton for intérieur ! Si tu gardes cela toute ta vie comme ligne de conduite, tu échapperas à bien des errements, surtout, cela t'évitera de te laisser embrigader par d'autres et de te faire piéger dans des erreurs collectives. L'indépendance et l'autonomie sont indispensables à tout développement spirituel véritable ! ! Tu trouveras en outre dans la littérature spécialisée bien plus d'aide que ce que je peux t'apporter ici. Malgré tout, je vais pourtant te confier mon expérience personnelle, puisque le but de cet ouvrage est tout simplement de partager ma vision des choses.

Premièrement, la posture. Aucune posture particulière n'est requise, selon moi. Ce qui compte, c'est de pouvoir la tenir le plus longtemps possible, sans fléchir, et donc qu'elle soit avant tout confortable. Le mieux, c'est d'être confortablement assis. Tu peux aussi t'asseoir en tailleur par terre, afin que ton derrière soit au contact du sol, ce qui est beaucoup mieux pour la méditation sur les chakras. Mais tu peux aussi te mettre debout, tout simplement. Il est vrai, cependant, qu'il vaut mieux avoir le dos bien droit, afin que les énergies circulent mieux.

Deuxièmement, concentre-toi d'abord sur ta respiration. Respire calmement, profondément, mais sans forcer, naturellement. Là encore, c'est classique et tu trouveras des conseils bien plus précis et spécialisés ailleurs. Tu peux aussi, tel un professeur qui fait l'appel dans sa classe, faire ce qu'on appelle un "body scan", c'est-à-dire scanner toutes les parties de ton corps, des pieds à la tête, pour t'assurer que tout le monde est bien là, bien présent, réceptif et attentif, cela améliore la conscience que tu as d'abord de ton corps. Puis, toujours, revenir à la respiration, inspirer, expirer, donner, recevoir, comme la mer sur le rivage, paisiblement. Peu à peu, la boue se décante et, comme l'eau d'un lac de montagne, la surface n'est plus agitée par aucune ride.

Finalement, selon mon expérience à moi, tu n'as ensuite plus rien à faire. Plus rien à penser ou à chercher. Ne cherche même pas à atteindre un quelconque état, je te l'ai déjà dit, cette volonté de ton intellect serait déjà un obstacle en soi. Sois simplement là, attentif, à l'écoute, et patiente. Comme si tu cherchais à apprivoiser le renard du Petit Prince... ;) Pendant un certain temps, ton mental, habitué à une constante activité, va continuer à mouliner tout seul, à cogiter. Laisse faire, laisse passer, prends-en seulement conscience, juste, ne t'accroche à rien, ne suis pas les pensées là où elles t'emmènent, car elles chercheront toujours à t'emmener plus loin avec elles, ailleurs que là où tu es. Simplement, essaye d'en être conscient, et laisse-les passer, comme des nuages dans le ciel. D'ailleurs, mieux tu te seras reposé auparavant, mieux tu te seras rechargé en énergie vitale, plus vite tu parviendras à cet état très fin, subtil et ténu de conscience de soi au sein de son environnement. Ce qui t'aidera encore plus, à chaque fois, c'est d'écouter le silence qui se trouve au-delà de tous les bruits, et qui est comme la toile de fond sur laquelle toute chose en cet univers se dessine. Au bout d'un certain temps, peut-être après avoir somnolé et cogité, tout cela s'apaisera et se décantera en toi, se déposera au fond, exactement comme la boue dans une flaque d'eau. Ne restera au-dessus que la limpidité de la conscience du moment présent. La présence ou l'être présent à ce qui est, à soi et au monde.

Sache en outre que le but de la méditation n'est pas non plus d'entrer en contact avec d'autres mondes extérieurs, avec d'autres plans subtils du grand Invisible, de l'Au-delà, sinon, ce ne serait que du spiritisme, de la médiumnité ou du channeling, et cela n'aurait pas grande valeur. Tu serais à la merci de tout et n'importe quoi et cela t'entraînerait inévitablement vers le bas.

Le but, plus loin, de la méditation, c'est bien de te ressourcer, de te ressourcer à toi-même, c'est-à-dire, déjà, de te reconnecter à ta source intérieure, le point de départ de ta vie intérieure, ton intimité la plus sacrée, de ce qu'il y a de plus personnel, profond et intime en toi. Il s'agit de ton plus précieux, ton noyau spirituel vivant. Prends en conscience et fais-le rayonner clairement, comme la source de ta lumière intérieure. N'aie de cesse de t'exercer jusqu'à parvenir à cette rencontre. Mais là encore sans véritablement la chercher volontairement, mais en étant simplement là et en la laissant advenir et surgir, car c'est ainsi que cela vient.

Laisse le silence se faire également en toi. Affranchis-toi pour quelques instants de toutes les perceptions et sollicitations de ton corps, de tes sens, de tous ces désirs, envies, pulsions, émotions, sentiments, pensées. Recherche le détachement, le dépouillement et le dénuement, éminemment libérateurs et salvateurs. Dans cet état, que tu ne manqueras pas d'apprivoiser petit à petit progressivement, tu verras que tu seras capable de voir beaucoup plus clairement, avec une grande acuité, tout ce qui se passe en toi, dont tu n'as pas forcément conscience, sous la contrainte de quoi tu penses, parles, ressens et agis. Connais-toi toi-même ! Telle est la clé de l'évolution spirituelle humaine ! Et tu constateras que la méditation est une aide extraordinaire pour cela.

Peu à peu, le silence, donc, s'installera en toi, la paix fera son lit en toi, tu sentiras la vitalité et la chaleur émanant de ton noyau spirituel, qui est la source véritable de ta vie intérieure et le point de départ de ta conscience. Avec le temps, tu t'affermiras et tu grandiras dans cet état. Peu à peu, tu percevras autour de toi, sûrement, peut-être, d'autres présences, mais ne t'y arrête pas, ne t'en contente pas. Tu sentiras également affluer vers toi, depuis la Source de la Toute-Sagesse, une abondance de connaissances dont tu n'imaginais même pas l'existence ni qu'il te serait un jour possible d'y accéder. Et peut-être alors, dans cette suite logique, feras-tu ensuite l'ultime expérience de ce que j'ai décrit précédemment : la perception de cet immense Océan de Lumière, de Sagesse et d'Amour qui baigne, englobe, embrasse et embrase tout ce qui existe, et tu te sentiras agréablement et tendrement enveloppé comme par des bras doux et aimants. Alors, seulement, il pourra être question du Sacré qui est à vrai dire la Source et l'Origine ultimes de ce que j'appelle cet immense Océan, qui n'est autre que l'immense champ d'énergie qui embrasse tout ce qui existe, servant de toile de fond à tout ce qui est.

Dans cet état, tu n'auras plus besoin de rien, car tu seras comblé de tout. Véritablement comblé, de joie et de la plus grande félicité. Et c'est ainsi que tu auras enfin réellement expérimenté ce que sont la prière et l'adoration, dans la connexion avec le Sacré, comme Origine de tout ce qui existe, Source de tout ce qui est, Lumière Originelle des mondes. Là, tu seras mûr pour aborder ce Sacré, dans le secret de ton âme, pas avant. Et, rassure-toi, si tu n'atteins pas cela, sache que ce n'est pas un problème, tu as déjà bien à faire avec toi-même, en tant qu'être humain, pour développer ton humanité. Le reste viendra avec le temps, avec les dénouements, et le dépouillement de ton esprit, qui, moins pris à la nasse par tout un tas de choses, sera à nouveau capable de percevoir tout cela.

Je te souhaite très sincèrement d'en faire un jour l'expérience, car cela te comblera au-delà de toute mesure, car il s'agit alors d'être en présence de et en relation directe avec la VIE Elle-même !

Les chakras

Les chakras, comme c'est bien connu et comme tu le sais sûrement, mon ami(e), sont des centres d'énergie, visibles dans notre aura, à partir du plan éthérique - le plan des énergies informatrices de la Matérialité-Grossière la plus dense -, sous forme de tourbillons ou spirales d'énergie (d'où le mot "chakra" qui signifie "roue" en sanskrit), qui traversent et irriguent tous nos corps subtils appartenant encore à la Matérialité-Grossière. D'ailleurs, personnellement, je pense qu'il existe effectivement un lien particulier entre nos 7 chakras et nos 7 corps de Matérialité-Grossière, mais ce ne sont là, vraiment, que mon ressenti et mon opinion personnels en l'état actuel. De même, j'associe véritablement à ces 7 chakras les 7 notes de la gamme universelle ainsi que les 7 couleurs de l'arc-en-ciel, à peu de choses près. Cela ne fait pas l'unanimité, c'est là ma vision personnelle des choses, et, par la suite, dans la méditation que je te propose sur les chakras, tu comprendras peut-être pourquoi.

Quant à donner la véritable raison d'être de cela, en donner l'origine et la nature, ainsi que la fonction véritable, c'est plus compliqué. Moi-même, en réalité, je n'en sais pas grand-chose, à vrai dire rien, je n'ai que des pistes de réflexion à t'offrir, qui mûriront sûrement encore avec le temps. Disons, pour l'instant, que, de même que les courants cosmiques spirituels viennent féconder la Terre, énergétiquement, à certains endroits, portant avec eux une vibration particulière, une coloration spécifique, allant de pair avec une vertu précise, de même, à travers ces chakras, notre noyau spirituel peut rayonner de façon particulière, se relier à certaines sources d'énergie spécifiques, accueillir certains courants d'irradiation particuliers. Mais, pour donner un aperçu du chaînon originel de ce processus, du haut vers le bas, en commençant par ce qui est tout en haut, et en déroulant ensuite tout ce qui en découle vers le bas, il me faudra d'abord auparavant parler de ce qui se trouve loin là-haut, dans le Divin, dans l'éternel proximité de Dieu, la Source de la Vie. Car c'est là, en principe, en tant qu'énergies-informations prenant formes, que se trouve l'architecture énergétique de base de toute la Création et de tout ce qui y existe, y compris de l'être humain lui-même, qui, sans faire dans l'anthropocentrisme primaire, couronne véritablement l'œuvre de la création matérielle, en tant que microcosme reflétant le macrocosme.

Mais revenons donc à nos chakras. La connaissance que j'en ai n'est qu'empirique, basée sur mon expérience personnelle. Pour d'autres aspects théoriques complémentaires, tu trouveras ailleurs, comme pour le reste, d'ailleurs, à chaque fois, d'autres sources bien plus érudites sur la question que ce que je suis moi-même en mesure de te donner ici. En ce qui me concerne, je ne pars que de mon ressenti et de mon expérience personnels, et c'est l'aspect original de ma vision personnelle que je souhaite avant tout partager avec toi.

Nous allons voir le cheminement logique, du bas vers le haut, que doit théoriquement entreprendre la force vitale tellurique terrestre correctement utilisée, domestiquée et maîtrisée, afin de remplir tout simplement son rôle, sa fonction, qui est d'embraser suffisamment la matière la plus dense, pour en transcender les limitations, s'unir à la force spirituelle descendant d'En-haut et manifester ainsi l'aspiration de la conscience spirituelle à se déployer dans le monde.

Pour ce cheminement énergétique, je te propose en fait une sorte de méditation guidée sur les chakras, que tu peux faire quand bon

355

te semble pour te ressourcer et que tu pourras ensuite adapter à ta manière, selon ce qui te parle, ce que tu penses pouvoir en retirer. J'ajouterai ensuite seulement quelques détails.

Concentre-toi tout d'abord sur tes plantes de pied. S'y trouvent aussi des ouvertures énergétiques. Ouvre-les. Comment ? Simplement en le visualisant et en le ressentant, en faisant comme si cela se produisait et que tu le ressentais, et cela se réalisera. Aussitôt ouvertes, ces ouvertures énergétiques vont se mettre à absorber, pomper, aspirer l'énergie vitale tellurique terrestre qui circule à travers la couche éthérique de la Terre. Cette énergie va monter le long de tes jambes (dans tes méridiens) et s'accumuler dans ton premier chakra, qui se trouve à la base de ton tronc, entre les organes génitaux et l'anus, ouvert vers le bas, puisque son but est l'ancrage, la reconnexion au sol et à la Terre. Imagine ton premier chakra comme une bouillonnante sphère de lumière rouge. Cette énergie se concentre suffisamment et te permet de produire avec elle une sorte de racine de lumière rouge, comme un filin métallique, extrêmement fin, ténu et résistant, qui plonge vers le bas, jusqu'au sol, et qui pénètre le sol, et la terre, centimètre après centimètre, décimètre après décimètre, mètre après mètre, toujours plus profondément, kilomètre après kilomètre, à travers toute la surface de la Terre, l'écorce terrestre, couche après couche, strate après strate, à travers la lave en fusion, jusqu'au noyau métallique, jusqu'au centre même de la Terre, dans cette sphère d'énergie rouge, qui est le centre, la source de cette fabuleuse, merveilleuse, fascinante et miraculeuse énergie vitale qui nourrit tous les êtres vivants qui peuplent la surface de la Terre, minéraux, végétaux, animaux, humains, et qui est disponible pour tous, et pour tout un chacun, sans aucune condition, sans aucune distinction, sans aucune limitation, mais gratuitement, généreusement, abondamment, de manière illimitée. Cette magnifique énergie de vie naturelle-matérielle est propulsée vers le haut, avec une force prodigieuse, et monte à travers cette infrangible colonne de lumière rouge, jusqu'à ton premier chakra, où elle afflue, jaillit, bouillonne et déborde en rayonnant. Imagine cette énergie de lumière rouge, concentrée, pleine de vie, de vitalité, de force, de courage, de dynamisme, d'élan, d'enthousiasme, se répandant en toi, te permettant de t'ancrer encore plus fermement et solidement dans le sol, dans la terre, comme par des milliers de racines, et se répandant également tout autour de toi, pour former finalement un rempart autour de toi, comme un château-fort, avec tours, murailles, douves, herse et pont-levis, le tout hérissé de cristaux rouges tournés vers l'extérieur, émoussant, brisant, toute forme d'agression et de tentative d'intrusion. - Ce chakra est symboliquement associé à la couleur Rouge, à la note Do ainsi qu'à l'élément Terre. -

Et cette énergie monte, écumante, jusqu'à ton deuxième chakra, qui s'ouvre vers l'avant, à peu près à mi-chemin entre ton sexe et ton nombril. Elle se colore alors d'une magnifique teinte orange et déferle dans ton deuxième chakra, dans ton ventre, comme un océan de lumière orange, bouillonnant, écumant, nourrissant cette grosse marmite d'énergie dont tu disposes au niveau de ton ventre. Cette énergie de lumière orange est "féminine", douce, rieuse, pleine de sourires, de joie et de bonne humeur, d'humour et de rires, et elle déferle, en un flot constant que rien ne peut endiguer, nourrissant ton appétit inouïe pour la vie, ton appétence pour l'existence, ton envie de vivre, de croquer la vie à pleines dents et de dévorer le monde, nourrissant ta capacité à flotter au milieux des eaux déchaînées, à recréer constamment équilibre et harmonie au milieu du chaos, nourrissant ta créativité, ainsi que ta capacité à t'adapter à ce qui change, à relationner avec les autres. - Ce chakra est symboliquement associé à la couleur Orange, à la note Ré ainsi qu'à l'élément Eau. -

Et cette énergie continue à monter. Elle arrive alors dans ton troisième chakra, au niveau de ton plexus solaire, là où ton noyau spirituel vivant, en toi, est relié à ton corps physique terrestre, au travers de tes multiples enveloppes subtiles, afin de pouvoir y imprimer son vouloir, sa volonté, son ressentir et éprouver, sous forme d'ondes de force qui impressionnent ensuite ton système nerveux jusqu'à monter au cervelet pour être ensuite traitées par le cerveau, en tant qu'information intelligible. C'est là que se trouve ton sanctuaire intérieur, dans la paix duquel s'exprime ton intimité la plus sacrée, ce qu'il y a de plus précieux en toi, ta voix intérieure, la voix de ton esprit, le siège de ta conscience spirituelle véritable. Et cela éclate en rayonnements d'une intense lumière jaune, solaire, comme un magnifique soleil d'été, rayonnant, irradiant, réchauffant, embrasant, que nul ombre ne peut ternir, que rien ne peut refroidir, ni assombrir, dont rien ne peut endiguer le flot. Au cœur de ton royaume intérieur, place toi-même la ville aux rues d'or ; sur la hauteur, en son centre, se dresse la citadelle imprenable de ton for intérieur, où seule trône ta volonté intérieure ; en son sein le plus sacré repose le sanctuaire, le saint des saints, empli d'une abondante clarté immaculée, en lequel la coupe de ta réceptivité intuitive peut capter, accueillir, concentrer, et, de là, laisser jaillir, déborder et se déverser, l'éclat lumineux de ton noyau spirituel vivant. L'authentique expression de ton libre-arbitre, de ta volonté intérieure, la plus profonde et la plus intime. - Ce chakra est symboliquement associé à la couleur Jaune, à la note Mi ainsi qu'à l'élément Feu. -

Et l'énergie monte encore, jusqu'à ton quatrième chakra, qui s'ouvre à l'avant au milieu de ta poitrine, un peu au-dessus de la ligne horizontale des deux seins. Elle s'y déploie alors comme une vaste forêt d'un vert émeraude intense et profond, traversée par un souffle libérateur, nettoyant, lavant, purifiant, assainissant, équilibrant et harmonisant. Et sous cette forêt repose une couche de granit rose, une strate de quartz rose, qui symbolise toute la douceur et la tendresse sous-jacente dans l'activité de la Nature, qui sous-tend tout ce qui est à l'œuvre dans la Création, une immense capacité d'empathie et de compassion, d'amour et de bonté, une bienveillance illimitée. - Ce chakra, comme le premier, est en relation avec l'attachement, le lien à la Nature, comme base, dans la Création, à partir de laquelle croître. Il est symboliquement associé aux couleurs Vert, Rose, Or, à la note Fa ainsi qu'à l'élément Air. -

Ce courant d'énergie débouche vers le haut dans ton cinquième chakra, au niveau de ta gorge, se déployant à son tour en un immense ciel bleu clair, délavé par la pluie, parfaitement pur et limpide, sans aucun nuage, immaculé, vibrant dans un tintement sonor, minéral et cristallin. Tout y est possible, car rien ne s'est encore produit. Il n'y a pas encore eu de compromission avec la matière. Et cet immense ciel de tous les infinis possibles te procure une immense joie. Tu perçois allègrement la présence de tes guides, de tes aides, tu te laisses toucher par l'inspiration, qui, comme une onde de force, se décharge immédiatement à travers tes bras, jusqu'à tes mains, pour la réalisation concrète immédiate. Tu te réjouis alors de la fluidité qui existe désormais entre ton inspiration créatrice, ton intention, à sa réalisation concrète dans la matière. - Ce cinquième chakra, dit "laryngé", est lié au deuxième chakra, en tant que centres, tous deux, de la créativité ; le deuxième est celui de l'énergie créatrice brute, qui alimente également la sexualité, créativité qui, comme l'eau, est jaillissante, débordante, ne s'arrête devant aucun obstacle, mais le contourne allègrement ; tandis que le cinquième est celui d'une créativité plus conceptuelle, débutant par l'inspiration, l'abreuvement à d'autres sphères, et se réalisant ensuite par l'intermédiaire des bras et des mains, organes du faire et du façonner, à partir de la force créatrice disponible dans le deuxième. Ceci explique pourquoi, souvent, beaucoup d'artistes géniaux ont à la fois une créativité débordante et une vie sexuelle débridée, un équilibre manque entre ces deux chakras. Ce chakra est symboliquement associé à la couleur Bleu Ciel, à la note Sol ainsi qu'à l'élément Air. -

Tu parviens maintenant à faire monter cette fameuse "Kundalini" jusque dans ton troisième œil, le sixième chakra, qui se situe au milieu du front, entre les deux yeux, au-dessus de la racine du nez. Ce chakra, souvent associé à la couleur indigo, bleu nuit, te permet de voir, d'atteindre la vision claire ou vision éclairée, de ce qui est, de ce que tu es, de comment tu es, de qui tu es vraiment, d'où tu viens, mais surtout de là où tu veux aller. De cette manière, ton penser peut devenir, par l'attention et la concentration, ainsi aussi intuitivement animé et soutenu, une lance acérée qui te permet de combattre en pensées, de te frayer un chemin sûr, au travers des obstacles, malgré les difficultés, au milieu de la nuit noire, sur le fil de l'épée. Tes pensées peuvent ainsi devenir d'ardentes flèches œuvrant à la réalisation de tes intentions. Fais que celles-ci ne soient orienter que vers le bien, le tien propre à long terme ainsi que celui des autres, à la rigueur dans la sévérité, mais surtout dans la justice, la justesse et la bienveillance. - Cette activité est au cœur de la fameuse (pour ceux qui connaissent...) "visualisation créatrice" qui te permet de mettre au monde et de pousser à la réalisation ce que tu désires. Ce chakra de la claire vision est associé à ce qu'on appelle la "claire-voyance", de la même façon que le chakra précédent, le cinquième, est associé à la "claire-audience". Et si le troisième chakra, celui du plexus solaire, est celui de l'éprouver, du ressentir intérieurs, depuis le fond de ton être, ton esprit ; le sixième chakra, celui du troisième œil, est celui de l'intuition, en tant que vision pénétrante, voire révélation fulgurante. En cela, ces deux chakras sont liés et reliés, par l'intermédiaire du système nerveux, via le cervelet et le cerveau, comme manifestation de la volonté intérieure dans l'éprouver, le ressentir et le penser. Ce sixième chakra, celui de la vision éclairée et éclairante, affranchie de la restriction de l'intellect, est symboliquement associé à la couleur Indigo et à la note La. -

Finalement, cette bouillonnante énergie vitale jaillit vers le haut, écumante, au niveau de ton septième chakra, la fontanelle, au sommet du crâne, afin de s'y épanouir, en fusionnant avec l'énergie spirituelle qui descend d'en-haut. - L'esprit humain incarné dans la matière est, la plupart du temps, en grande majorité, dans son corps physique terrestre, comme enfermé dans un sac, ligaturé en haut, au niveau de son ouverture, par l'intellect, le mental, produit de l'activité cérébrale, et ainsi limité dans sa perspective à tout ce qui est matériel-terrestre uniquement ; son champ de conscience est alors restreint à la matière. Il en va ainsi tant que son septième chakra n'est pas ouvert. Ce chakra est donc celui de la capacité de réception et d'entendement du Spirituel et du Sacré, symboliquement associé aux couleurs Violet et Blanc ainsi qu'à la note Si. -

Tu peux ensuite procéder de même, à l'inverse, en conscientisant les énergies spirituelles qui se déversent en toi, par ton chakra-couronne, traversant ensuite tous tes chakras, du haut vers le bas, jusqu'à ton ancrage dans le sol.

Ces 7 chakras sont les principaux centres d'énergie dans ton aura, formant des voies d'accès particulières vers ton âme, vers ton noyau spirituel vivant, au travers de tes différentes enveloppes. Il y en a bien d'autres, des points secondaires, de différentes taille et importance, reliés entre eux par des canaux d'énergie vitale courant à la surface du corps éthérique, tout particulièrement, dans ce qu'on désigne comme des méridiens, dans le système énergétique chinois, dont les points de jonction sont en fait les fameux points d'acupuncture.

Bref ! C'était le rapide aperçu que je souhaitais partager avec toi ! Je te laisse poursuivre tes propres recherches sur ce sujet, s'il t'intéresse. Laisse-moi juste encore rajouter quelques détails. En effet, je suis tombé un jour sur des informations qui m'ont parlé, et j'y entrevois une réalité à peine perceptible, visiblement encore méconnue, mais peut-être d'une importance non négligeable. D'après certains, il y aurait encore, sur les plans subtils énergétiques (sûrement sur le plan "causal" de la Matérialité-Fine, je pense), traversant notre aura, notre système radiant, des sortes de "banques d'information" en-dessous de nos pieds et au-dessus de notre tête. En-dessous de nos pieds, il s'agirait de nos "poubelles karmiques", contenant les informations propres à notre karma, aux fils karmiques plus ou moins dénoués, aux fonctions karmiques plus ou moins liquidées, informations qui traversent nos différentes incarnations, d'une vie terrestre à l'autre, et nous accompagnent tout au long de notre existence terrestre. Au-dessus de notre tête, il s'agirait des images de nos vies passées, ainsi que, peut-être, aussi, des différents possibles à venir sur notre chemin, dans le tissage de notre destin. Et, immédiatement, je mets cela en relation avec un acte singulier auquel Jésus s'adonna envers ses disciples : en effet, il leur lava les pieds ! ! Cela, les églises chrétiennes le voient, l'interprètent et le transmettent comme un acte d'humilité, illustrant le fait que l'Amour de Dieu est là pour servir, non pour dominer et régner. Même si cela n'est pas en soi totalement faux, bien que cela donne une image assez servile et malsaine de l'Amour Divin, au détriment de la sévérité salvatrice, il me semble que ce n'en est pas là la principale et essentielle signification. Comme pour beaucoup d'autres choses encore incomprises dans le Christianisme, on s'accroche aux détails, et on passe à côté de l'essentiel, du fondamental. Non, pour moi, il s'agit là d'un acte bien plus profond et important, surtout pour les disciples de Jésus qui se déclaraient prêts à commencer une vie nouvelle, à entreprendre une importante mission, une tâche qui aurait pu leur faire peur et les écraser. A mon sens, ici, Jésus procéda à un acte symbolique ayant eu immédiatement une répercussion dans l'Au-delà, dans le grand Invisible, en lavant véritablement ses disciples de leurs fautes passées, de leur karma ayant existé jusque-là, afin qu'ils puissent ensuite accueillir sa force et agir en son nom, sans que tout cela ne remonte et ne leur pète à la figure, sous la pression de cette force, afin qu'ils soient à partir de cet instant libres d'agir, entièrement tournés vers l'avenir, vers leur mission à accomplir. Il les détacha ainsi du karma résiduel qui s'accrochait encore à eux. Bien sûr, cela, il put le faire, conformément aux lois de la Création, uniquement parce qu'ils s'étaient véritablement convertis, transformés intérieurement, parce qu'ils étaient morts à leur ancienne vie et qu'ils étaient nés de nouveau. Nous verrons plus tard encore une importante implication de ce fait. Je tenais cependant à le signaler ici, parce que cela va de pair avec le système énergétique auxquels appartiennent les chakras. Après, je ne sais à vrai dire pas exactement sur quel plan se trouvent ces banques d'informations… Sûrement sur le plan de la Matérialité-Fine, transpénétrant ensuite toutes les enveloppes subtiles de Matérialité-Grossière, jusqu'au plan éthérique, peut-être. A voir et à méditer !... ;)

Le Sacré, prière et adoration

Le Sacré !

Qu'il soit bien clair, tout d'abord, que n'est concerné(e) par la question du Sacré et de la relation au Sacré que celle ou celui qui se sent elle ou lui-même concerné(e), qui en ressent intérieurement le besoin, qui le vit intuitivement, sinon, cela n'a aucun sens, ne rime à rien, ne peut rien apporter de fructueux ni de constructif, ne peut aboutir qu'à de l'inanité, de l'inutile, du vide, du rien, synonyme de perte de temps.

D'ailleurs, à ce propos - et c'est là uniquement l'expression d'un jugement tout personnel ainsi que d'une petite pointe de rancune toute personnelle aussi, tu me le pardonneras, mon ami(e), s'il te plaît, je ne suis pas parfait ! !... ;) -, du fait de mes expériences de méditation dans certains lieux considérés comme "sacrés", car voués au Sacré, théoriquement, consacrés à cela, eh bien, au regard de mes observations, donc, je dirais que la plupart des êtres humains a autant de conscience du Sacré qu'une vache ! Les touristes surtout, avec leurs appareils photos qui font "clic, blip, bip", qui veulent tout voir absolument, et ne se rendent pas compte, comme tous les êtres humains en général d'ailleurs, qu'il y a une limite intrinsèque posée à leur vouloir explorer, savoir, connaître, voir, qu'ils ne peuvent pas franchir, qu'ils ne devraient pas même oser franchir. Et ce n'est pas forcément péjoratif, surtout quand on connaît mon grand amour pour les animaux, c'est une simple constatation objective. Et ce ne serait d'ailleurs pas non plus un problème dans l'absolu. Car l'être humain a déjà fort à faire avec lui-même, à faire tout d'abord croître, grandir, fleurir et fructifier son humanité. Ce n'est que lorsqu'il arrive à un certain stade dans son évolution véritablement spirituelle, qu'il commence à discerner l'existence du Sacré en Soi, ce qui éveille en lui un puissant ressentir, auquel il essaye ensuite de donner une forme extérieure par le culte. Il suffirait juste que la limite entre ces deux degrés d'évolution soit respectée pour que l'un n'importune pas l'autre avec ce qu'il perçoit et vit. Bref ! Tout cela pour dire que l'être humain en lequel ne vit pas la conscience du Sacré, même si ce n'est absolument pas un mal en soi, même si cela fait partie du cheminement normal du germe d'esprit dans la percée de sa conscience vers le haut, se devrait seulement de rester à une distance respectueuse. Avec les moqueries et les insultes, il ne fait qu'entraver sa possible ascension en jalonnant son chemin vers le haut de multiples obstacles.

En effet, parvenu à un certain degré d'évolution spirituelle, d'éveil de sa conscience et donc de capacité de perception à travers le Grand Tout, l'esprit humain entrevoit, au-delà des présences qu'il peut éventuellement croiser en chemin, l'existence de l'Unique Présence, au-dessus et au-delà de tout, la Source Originelle de tout ce qui est, le Point de Départ primordial de cet immense Indicible, de ce vaste Océan de Lumière, de Sagesse et d'Amour, d'une tendresse infinie, dont le Souffle qui s'exhale est la base de l'espace-temps lui-même, le voile à travers lequel s'étendent les mondes, la toile de fond sur laquelle se dessine la Création tout entière, l'Univers tout entier. Et, dès qu'il commence à percevoir, avec sa propre conscience spirituelle, cet Indicible Lumière Originelle, Qui porte en Elle la Vie, Qui est Elle-même la VIE, Sacrée, à l'état pur, la Source de toute grâce, de toute abondance et de toute bénédiction, il ne peut que ressentir, éprouver, au plus profond de son for intérieur, un immense et puissant sentiment de joie, une intense félicité, devant tant de pureté, de beauté, de vivescence et de magnificence. Désemparé, en tournant perpétuellement autour de ce centre, en soi, dans le secret de son âme, à partir de son intériorité la plus intime, il cherche comment aborder ce Sacré, dont il ne peut s'approcher qu'avec le plus grand respect, la plus grande joie, dans la prosternation de tout son être devant ce qui dépasse de très très loin tout ce qu'il peut voir, connaître, contempler autour de lui et en chemin, devant tant de puissance et de majesté. Il cherche comment il peut fréquenter ce Sacré, se relier à Lui, pour en être ainsi nourri, à la Source même de la Vie, comment il peut Lui demander aide, grâce, bénédictions et bienfaits, comment il peut Le remercier, L'honorer, Lui rendre grâce. C'est de là que naissent ces ineffables intuitions de contemplation bienheureuse, de vénération et d'adoration, et c'est ainsi qu'il en vient à vouloir donner une forme extérieure par le culte. Malheureusement, bien trop souvent, aujourd'hui encore, dans toutes les religions, les formes extérieures du culte du Sacré (peu importe la forme sous laquelle on cherche à s'En rapprocher, à s'Y relier, pour se nourrir spirituellement) sont conçues par l'intellect terrestre, le mental, par la rumination, le ressassage et les petites arguties intellectuels du cerveau terrestre, qui tourne en rond, tel une bête fauve, dans la cage de sa prison matérielle. Ainsi, chaque être humain essaye vainement, tente désespérément, maladroitement, de se frayer un chemin à travers ces formes pour y ressentir quelque chose, pour y déverser son "éprouvement" intérieur, son intuition. Et c'est ce qui fait que cela sonne faux, que cela manque de vie, de sincérité, d'honnêteté, d'efficience, que cela rate son objectif, son but, comme un coup d'épée dans l'eau. Trop souvent aussi, les gens qui cherchent à rendre un culte au Sacré via ces formes extérieures uniquement n'en ont jamais réellement fait l'expérience intérieure, dans l'isolement et le silence, dans le secret de leur âme, ils ne peuvent donc rien y apporter de vivant, ils ne peuvent rien y atteindre, et en restent à des formes extérieures creuses, sans vie.

C'est pourquoi, je l'ai déjà dit, et je le répète, si l'être humain ne veut pas se rendre coupable d'hypocrisie et ainsi de blasphème devant son Dieu, il vaudrait bien mieux qu'il ne se préoccupe pas du Sacré s'il ne le ressent pas intérieurement de façon vivante en lui-même, comme un jaillissement naturel et spontané à partir de son for intérieur.

Ainsi, donc, prier n'est que le simple fait de chercher à se relier au Sacré, à se reconnecter spirituellement à la Source-Vie, afin d'en être spirituellement nourri. Là encore, je convoque l'image de l'appareil électrique qui, comme tout, a besoin d'énergie pour fonctionner, une énergie de nature électrique, qui ne peut donc fonctionner sans être branché sur une prise de secteur. Lorsque nous nous proposons d'entrer en prière, nous entreprenons de nous recueillir, c'est-à-dire de faire retour sur nous-même, de nous replier sur nous-même, de rejoindre notre propre centre, notre propre noyau, de nature spirituelle, afin d'entrer à nouveau en contact, en relation, à partir de là, avec la Vie Elle-même, Qui ne peut d'ailleurs en cela être atteinte que par le pont, la médiation, l'entreprise du Spirituel en nous. Raison pour laquelle il nous faut d'abord nous recentrer sur nous-mêmes et prendre conscience de nous-mêmes, avant de pouvoir réellement prier. - C'est aussi pour cela, d'ailleurs, que certains se trompent et font la confusion qui consiste à croire que la Source Elle-même Se trouve en nous-mêmes, réside en nous-mêmes, que nous portons du Divin en nous. Ce n'est que le point de départ de cette connexion, de cette relation qui se trouve effectivement en nous-mêmes, c'est pourquoi nous le ressentons en nous-mêmes et, de là, cela jaillit. Mais nous ne portons pas la Source émettrice proprement dite en nous-mêmes. -

Considère, ami(e), que "prier" ne signifie pas (seulement) demander, quémander, mendier. Parce que c'est bien ainsi que cela se présente, la plupart du temps, ce qui induit une dépréciation du Sacré, transformant la relation au Sacré en une sorte de chantage spirituel, affectif, exactement du même ordre que les cultes rendus jadis aux dieux "païens", cultes qui, dans leur version la moins évoluée, prétendaient obtenir la faveur des dieux, l'accomplissement des humains désirs, en leur faisant des cadeaux, des sacrifices. Il n'y a pas là que du faux, car, dans la Création, ce n'est effectivement qu'en donnant que l'on peut recevoir. Mais cela n'est pas entièrement juste non plus. Singulièrement, en langue allemande, "prière" se dit "Gebet", forme correspondant à la deuxième personne du pluriel du présent de l'indicatif "donnez" du verbe "Geben", "donner". Autrement dit, "prier", c'est surtout "se donner". C'est ce qui se pratique dans l'oraison, la prière silencieuse, et qui conduit, par la contemplation et la vénération, à la pure adoration, dans le se donner, se livrer, s'abandonner au courant de force qui émane de la Vie.

Pour donner une autre image encore, pour mieux donner à comprendre le processus à ceux pour qui cela reste quelque peu étranger et qui cherche cependant à explorer cette voie, et à comprendre, nos esprits sont fondamentalement en manque de cette vie dans la Lumière, de cette union au Grand Tout, tels qu'ils les vivaient, même à l'état inconscient, au Paradis, sur leur plan d'origine, dans le Spirituel, avant d'entreprendre leur périple dans l'œuvre de la Matérialité afin de devenir conscient et de goûter enfin à tout cela, mais de manière consciente, accomplie, capable ainsi de le transformer inlassablement et de pouvoir à partir de là être constamment en action, dans la réalisation de l'Être. Finalement, nous sommes un peu comme des téléphones mobiles constamment en quête d'un réseau auquel se connecter, se relier. Prier, c'est un peu comme se connecter au grand Réseau de la Création, dont la Source ultime est la Vie Elle-même, Ce Que les êtres humains appellent "Dieu". - Car il ne faut pas oublier que ce n'est là qu'un mot humain, derrière lequel se cache une bien humaine façon de concevoir les choses de la réalité. - Ce besoin viscéral d'être relié, on l'a au plus profond de nous, et on le voit s'exprimer aujourd'hui de la mauvaise manière, d'une manière qui détourne de l'intérieur, de la reconnexion véritable, du vrai Réseau qui apporte de la vie.

Mais, une fois que c'est fait, une fois que cette reconnexion a eu lieu, c'est un tel déferlement de tendresse, de lumière, de sagesse, de joie, d'amour, de félicité, que l'on ressent en nous, qu'on ne peut que se prosterner humblement dans la poussière et simplement se mettre en état de recevoir humblement. S'approcher de la hauteur, pour s'abreuver à la Source, avec la coupe de son âme. Telle est l'état de prière véritable, dans l'oraison, prière silencieuse débutant finalement par une simple méditation, conduisant au recueillement intérieur, cheminant à partir de là vers la contemplation, de laquelle jaillit à son tour la vénération et l'adoration !

Si tu n'as jamais vécu cela, mon ami(e), je te souhaite de tout mon cœur vivement d'en faire l'expérience. Car le jour où tu auras véritablement vécu cela, où tu l'auras expérimenté et ressenti en toi-même, éprouvé de part en part, eh bien, tu ne douteras plus de l'existence de l'Unique, Origine de tout ce qui est, et tu ne chercheras plus ailleurs ce que tu ne peux trouver que seulement là, dans cette relation intime. C'est là l'explication véritable et unique de la seule faim, à l'origine de toutes les faims. Par la stimulation du corps, par les nombreux plaisirs de la chair, l'être humain recherche seulement l'intensité qui est capable, au travers de son corps, de faire vibrer son esprit, c'est-à-dire son seul véritablement vivant en lui. Car, je le rappelle, ce n'est qu'avec le corps, en tout premier lieu, et de façon beaucoup plus ténu et sensible, que l'esprit est véritablement lié et relié.

Et tout s'éclaire brusquement, de nombreuses choses se comprennent bien différemment et d'autant plus authentiquement qu'elles sont abordées sous l'angle de cet éclairage.

Tel est le cas, par exemple, du premier commandement : "Je suis le Seigneur, ton Dieu ! Tu n'auras pas d'autres dieux devant Ma Face !" Si, maintenant, tu reformules ce commandement de la manière suivante, il te sera beaucoup plus compréhensible, en tout cas pour l'être humain moderne, conscient de lui-même, de sa liberté et de sa responsabilité, et qui s'est affranchi depuis longtemps de son attitude de petit enfant ou d'une quelconque mentalité servile, d'esclave : "Je suis la VIE ! Tu ne placeras rien au-dessus de Moi, car rien d'autre que Moi ne t'apportera autant de vie. Le jour où, pour ton bonheur, tu t'attacheras à autre chose que Moi, tu perdras le centre, tu risqueras d'être malheureux en perdant ce à quoi tu t'accroches, car tout passe, tout périclite et meurt, mais Moi Je ne meurs point, Je suis éternelle, car Je suis la Vie ! En te tournant vers Moi uniquement, tu auras en toi la vie véritable, qui apporte bonheur et joie, la vie éternelle, qui n'est conditionnée par rien, ni soumise à rien, et qui ne passe pas, qui ne passera jamais."

De même, l'injonction corollaire de ne pas faire d'image de Dieu, de ne pas se faire une représentation de Dieu, signifie qu'il est tout simplement impossible de s'En faire une représentation, une image qui soit capable de contenir et de restituer la Réalité de Ce Que Cela Est ! Vouloir L'enfermer dans une représentation, c'est se rendre incapable de S'y relier. L'être humain ne se lie alors qu'à ses représentations de Dieu, mais pas au Dieu véritable.

Du Nadir au Zénith : souffrance, espérance, foi, confiance, abandon et consolation

Dirigeons-nous maintenant vers le chapitre portant sur l'Aide secourable et plongeons tout d'abord dans la vallée obscure de la souffrance et de la détresse, vers le point le plus bas, le Nadir, à partir duquel, seulement, nous pourrons remonter vers le haut, en quête d'espérance et de consolation, vers le Zénith.

Et je mets un "A" majuscule au mot "aide", car il s'agit bien là de quelque chose de fantastique, d'extraordinaire. Saches que, si tu es dans la souffrance, dans la tristesse, le doute ou l'affliction, tu as tout lieu de te réjouir vis-à-vis de cette partie-là de notre chemin, de notre parcours à travers les mondes, sur les merveilleux sentiers de la Sagesse. Si je mets un "A" majuscule au mot "aide", c'est bien parce qu'au départ, à l'origine de cet Aide secourable qui se déploie et s'active joyeusement à travers toute la Création, il y a bien une Intention de nature divine. L'Aide secourable, à l'origine, émane de Dieu, de la Lumière Originelle Qui est la Vie, la Source ultime de tout ce qui est. Elle repose, telle un inestimable don, dans le secret de la Miséricorde Divine, et ce ne sont pas que de vains mots, c'est une réalité vivante, même si, bien souvent, nous ne le voyons pas toujours, même si nous n'en avons bien souvent pas du tout conscience. Et c'est pour cela que nous avons peur, que nous vivons bien trop souvent encore dans l'inquiétude et la crainte, dans le doute et la tourmente, dans la souffrance. - Y compris moi, très chère amie, cher ami, cher co-être humain ! -

Oh, je vais me laisser aller à quelques confidences… Sache que, par le passé (mais finalement comme beaucoup d'êtres humains sur cette Terre), j'ai douloureusement souffert, non seulement humainement, psychiquement, animiquement, mais aussi physiquement, et même surtout spirituellement, la plus terrible souffrance qui soit. Et, dans cette vie-là, j'ai passé le plus clair de mon temps à travailler seulement à m'affranchir de cette souffrance. J'ai aussi passé pratiquement les 40 premières années de ma vie à me révolter contre tout et tout le monde, à m'insurger contre tout ce qui est faux et injuste, à refuser obstinément ce qui pouvait m'arriver de négatif. D'un certain côté, ce potentiel inouï de révolte m'a donné une grande force d'action, quand il s'agit d'agir concrètement pour me défendre. Mais que de tension et d'agression dans cette posture, que d'heures sombres passées à me tourmenter ! ! Je ne le regrette pas, cependant, au vu de là où j'en suis arrivé, malgré tout, aujourd'hui, car de tout cela, de mes propres erreurs, j'ai tellement appris, encore aujourd'hui, à l'instant même où j'écris ces lignes. Pour tout te dire, je suis actuellement en retraite spirituelle dans un magnifique monastère bénédictin, dans un splendide coin de nature, avec pour seul élan de m'absorber dans la contemplation et la louange, avec le désir d'écrire et de poursuivre ce projet de t'apporter, chère sœur, cher frère, le témoignage de ma vision du monde, de partager ce que ma part de sagesse en moi a pu reconnaître, a cru discerner dans la Sage Disposition qui ordonne les mondes, et je pensais pouvoir profiter allègrement de ce temps, avec la joie précieuse pour moi de me promener dans la Nature, de communier avec elle, quand je me suis lamentablement vautré sur le sol, après avoir glissé sur de la glace, masquée par une épaisse couche de neige, au détour d'un chemin. Et me voilà le cul par terre ! Ce qui aurait pu être tout à fait anodin, seulement, et drôle, mais le plus douloureux, ce fut la pierre sur laquelle je tombais, et qui me percuta violemment le dos, au creux des reins. Me voilà donc ramené brutalement à mon humaine condition, à la condition fragile, périssable et mortelle de mon propre corps physique, me voilà ramené à l'humilité, dans cette rude rencontre avec le sol, la terre et l'humus... Oh, ce n'est rien, je le sais bien, comparé à d'autres souffrances, mais beaucoup de choses peuvent se dérouler et se jouer dans ce simple rien, la moindre expérience peut revêtir une grande importance, par les enjeux qui en découlent, que cela implique. Et je veux me servir de cette banale expérience pour illustrer mon propos. Ainsi donc, me voilà stoppé dans ma promenade, la douleur ne s'estompant pas, me voilà obligé de rebrousser chemin, penaud, et de rentrer me reposer, avec une douleur telle que j'ai peine à marcher, que seule la position allongée me soulage, et encore, si je ne bouge pas. Et, tout de suite, évidemment, la grande question qui surgit de mon for intérieur, c'est : "Pourquoi ? Pourquoi moi ? Qu'est-ce que j'ai fait ? Ou pas fait, d'ailleurs ?". En l'occurrence, j'ai peut-être, oui, certes, été trop confiant, manqué de vigilance, ce qui est en quelque sorte aussi quelque part un manque de respect envers la Nature, où différents dangers se dissimulent, car il nous faut demeurer constamment en éveil, en mouvement, nous mouvoir dans une vigilance constante. Et voilà ensuite que mes pensées se brouillent, que mon mental se voile, je reste bloqué sur le fait que je ne peux plus profiter des choses comme je l'entendais, et je m'inquiète tout de suite sur le fait que la douleur ne s'estompe pas, que ça ne passe pas... Est-ce grave ou pas ? Vais-je me rétablir rapidement ? Sera-ce passé demain ? Comment vais-je faire pour la suite du séjour ? Etc. Quelque part, cette expérience (bien insignifiante par rapport à d'autres plus graves et beaucoup plus intenses que vivent malheureusement certains êtres humains) tombe à point nommé, se révèle très instructive pour illustrer ce dont je me proposais de te parler, et me renvoie aussi à mon accident de moto il y a de cela 4 ans... Là, j'étais seul en faute, je m'étais montré totalement inconscient, casse-cou et stupide. A l'enthousiasme d'un moment d'ivresse, succéda un moment de profond dépit, d'impuissance, de vulnérabilité, de souffrance. Me voilà avec un bras cassé et une épaule déboîtée, seul dans les bois… Mais toujours vivant et pas handicapé à vie !... Bref ! Je n'ai pas pour but de te raconter ma vie, ni ces expériences personnelles dans les détails, je m'en sers seulement dans le but d'illustrer ma réflexion.

En effet, la tendance profondément ancrée en nous face aux expériences négatives, désagréables, douloureuses, c'est, d'une part, ce fameux : "Pourquoi ? Pourquoi moi ? Qu'est-ce que j'ai fait pour mériter ça ?", et, d'autre part, le refus qui jaillit instantanément : "NON ! Pas ça !". Nous sommes tous configurés de la même façon, ou presque, cela repose dans notre humanité commune, ici, sur Terre. A la question "Pourquoi ?", certains pourraient d'ailleurs y voir la manifestation du karma, de la Justice Divine, et, quelque part, penser secrètement en eux, sans compassion aucune : "Bien fait ! Tu as ce que tu mérites !", et ce serait faux ! Chaque pensée de cet ordre, même inconsciemment formulée, t'éloigne du Créateur, dont la Volonté, aussi impitoyables que puissent être les lois qui en découlent, n'est véritablement qu'Amour ; Justice et Amour ne sont qu'Un dans la Volonté de Dieu, la Lumière et la Vie ! Et les choses ne sont pas à vrai dire si simples qu'elles puissent être banalement réduites à une question de "karma". S'il y a une chose que j'ai apprise et comprise à mes dépends, c'est bien la suivante : Prends garde ! A chaque fois que l'occasion t'est donnée d'être confronté(e), directement ou indirectement, à la misère et à la souffrance d'autrui, compatis ! Vis cela avec lui, à travers lui, de peur que, pour apprendre malgré tout, cette expérience ne doive venir directement à toi, te toucher directement toi-même, afin d'en faire l'expérience !

Tous nous devrons faire l'expérience, à un moment ou un autre, tôt ou tard, de l'effondrement total de tout ce qui nous soutient, de tout ce à quoi l'on se raccroche désespérément, de tout ce avec quoi on essaye de remplir notre existence et de toutes ces illusions de contrôle et de pouvoir ! Tous devront passer par là, par cette expérience d'abaissement, où nous nous sentons brisés, jetés à terre, mis à genoux, totalement désemparés, démunis et impuissants. C'est ce que j'appelle le Nadir. Et c'est là que tout commence ! !... Car c'est là, vraiment, que nous comprenons enfin que nous ne contrôlons ni ne maîtrisons à vrai dire absolument rien du tout et que nous ne sommes absolument rien du tout dans l'Univers. C'est là que le véritable cheminement vers la Sagesse et l'ascension vers la Lumière Divine peuvent commencer : Lorsque nous déposons les armes et que nous comprenons enfin, dans le dépouillement et le dénuement les plus totaux, ce qu'est l'humilité véritable et authentique, profondément salvatrice ! Sans humilité, nous ne pouvons véritablement recevoir, et c'est le recevoir seul, l'authentique capacité à recevoir humblement, qui nous permet d'accéder à ce qui est le plus grand, le plus puissant et le plus élevé ! La Grâce véritable, qui donne tout, qui peut tout, proprement miraculeuse, ne s'obtient pas à force d'efforts personnels, à la seule force de ses bras, par ses propres moyens, elle ne peut qu'être reçue, lorsque l'on cesse enfin de croire que l'on peut tout par soi-même. Et c'est là seulement aussi que commence le chemin d'espérance, une espérance folle, que nous osions à peine imaginer, car elle débouche sur d'infinies possibilités d'aide et de secours, telles que nous n'aurions jamais pu nous l'imaginer ou le croire. Attèle-toi d'urgence à la tâche, à expérimenter une telle chose, mon ami(e), de peur que, rapidement, sur ton chemin, une telle crevasse ne s'ouvre, béante, en travers de ta route, et ne te précipite dans une fosse, un abîme sans fond, de désolation et de détresse !

Quant au "Pourquoi ?" et au "Pourquoi moi ?", j'y reviens, comme le disent Mathieu Ricard, Alexandre Jollien et Christophe André, dans leur livre "Trois amis en quête de sagesse", il n'a pas de sens, ni de raison d'être. Laisse tomber l'explication simpliste du "karma" ! La vie est trop complexe et foisonnante pour que tu puisses véritablement embrasser d'un seul regard tous les paramètres, facteurs, éléments, qui entrent ici en jeu, qui convergent vers cette expérience, donc laisse tomber cette tentative désespérée d'explication simpliste. Ne cherche même pas, tu serais dans l'erreur et cela ne ferait qu'augmenter ta souffrance ! Pourquoi quelqu'un se retrouve brutalement arraché à la vie ou handicapé à vie à cause d'un accident de voiture, encore en plus à cause d'un tiers ? Pourquoi quelqu'un se retrouve brusquement atteint d'un cancer foudroyant ou d'une sclérose en plaque ? Oui, il y a bien des éléments qui rentrent en jeu, comme nous avons pu le voir précédemment, mais ce n'est pas tout, ce n'est pas aussi simple.

Rends-toi clair le fait que : Parfois la souffrance fond sur nous et nous abat, nous met à genoux ! Et, en apparence, il n'y a pas d'explication, ni de raison, ni de justification, et cela semble profondément injuste, surtout lorsque cela vient par d'autres, qu'on peut accuser ensuite de tous les maux, agonir de toute la responsabilité en la matière, ou bien encore lorsque de terribles maladies touchent des êtres humains visiblement si bons. Non, il n'y pas forcément d'explication totalisante, saisissable par notre cerveau, à la souffrance. En outre, toute souffrance n'est pas uniquement karmique ! Comme je te le disais, sur Terre, nous sommes exposés à l'arbitraire et à l'injustice, les ténèbres, le mal (qui existent réellement...) rôdent, sous différentes formes, veillent et sont partout à l'affût, afin de nuire et de détruire, de blesser et de faire du mal. Toute souffrance est aussi un véritable chemin de croix initiatique, et je ne fais pas en cela l'apologie de la souffrance, je ne veux pas tomber dans le dolorisme malsain, l'auto-flagellation de soi, tels qu'ils ont pu exister et existent sûrement encore dans nombre de religions, notamment dans le christianisme, malheureusement. Non, il n'y a pas à y avoir de "Pourquoi ?" ou de "Pourquoi moi ?", car il n'y a pas forcément de raison simple accessible. Et cela nous ferait d'ailleurs une belle jambe de savoir pourquoi, quand nous sommes ainsi plongés dedans, ou de savoir que nous ne saurons que plus tard seulement, lorsque nous aurons une vue d'ensemble dégagée, rétrospective, sur tout le cheminement de notre existence, car, en ce moment précis, nous sommes dans cette souffrance, sans espoir de secours, apparemment, devant ce Nadir initiatique, ce petit trou de souris, ce chas d'aiguille, au travers duquel nous devons passer. Et rien d'autre que notre esprit, dépouillé de tout ce qui l'encombre, ne pourra passer par ce minuscule interstice. Il est bien plus facile d'ailleurs de faire passer un chameau par le chas d'une aiguille que d'ouvrir en soi une brèche, un minuscule interstice, aussi infime soit-il, par lequel la Lumière puisse s'engouffrer en nous, pour y agir et nous transformer de l'intérieur. Mais, même la plus petite ouverture suffit.

La seule solution, la seule aide que je connaisse, et que j'ai apprise à mes dépends, plusieurs fois, c'est bien l'abandon ! ! ! L'abandon total et entier, le fait de se livrer corps et âme à ce qui nous arrive, ce saut dans le vide que représente l'acte de foi, l'acte de confiance ultime, dans lequel se déploie la liberté illimitée d'une espérance infinie. Car ton secours ne dépend pas que de toi et de tes propres moyens limités ! Quand tu t'abandonnes, tu as accès au potentiel inouï du Grand Tout qui peut alors seulement agir pour toi et à travers toi ! Quand tu t'abandonnes, tu ouvres ton cœur au secours de la Lumière !

Je sais pertinemment que c'est facile à dire, mais pas facile à faire. Si tu aspires réellement à t'élever spirituellement vers les hauteurs lumineuses, vers la Lumière de Dieu Qui est la Vie, tu feras cette expérience, plusieurs fois, sous différentes formes. Et, inlassablement, il te faudra retenir toutes les questions de ton intellect et toute l'insurrection de ton cœur, et t'abandonner, te livrer, te donner. Alors, seulement, la Puissance de l'Ensemble peut agir à travers toi, pour toi, en toi. C'est cela uniquement le miracle de la Toute-Puissance Divine telle qu'Elle peut se manifester suite à un acte de foi authentique.

Il y a une phrase de Jésus avec laquelle j'ai toujours eu du mal et qui dit, en substance (je me permets de reformuler pour en dégager uniquement le sens) :

"Vous avez entendu qu'il a été dit : "œil pour œil, dent pour dent". [Il s'agit de ce qu'on appelle la loi du "talion", qui est déjà un progrès en soi, par rapport à l'impulsion de vengeance et au penchant pour la vendetta, puisque, pour un œil, tu ne prendras pas plus qu'un œil, et de même pour une dent.] Mais moi je vous dis : "Ne t'oppose pas au mal. Quand on te frappe sur la joue gauche, tends encore la droite." [Ou l'inverse… ;)] "

Cela, le Christ le dit à des êtres humains qui ont pour habitude de se révolter contre toute forme de contrainte extérieure, qu'ils ne considèrent pas comme méritée du fait d'un état intérieur. Longtemps, je me suis hérissé intérieurement à l'écoute de cette parole. Maintenant seulement, je l'ai comprise, je crois.

"Ne t'oppose pas au mal !", c'est-à-dire : "Ne t'oppose pas à la souffrance !". En effet, lorsqu'elle te touche, tout refus, toute résistance, amène, en plus de la douleur, de la souffrance, véritablement. La souffrance provient vraiment de l'opposition à ce qui est, à ce qui advient. D'où le nécessaire abandon ! Ce qu'illustre le Christ : "Tends encore l'autre joue !" C'est-à-dire : "Allez, n'aie pas peur, ne retiens rien, livre-toi tout entier, abandonne-toi !". Ce qui ne veut pas dire non plus : "Ne souffre pas !", mais au contraire, laisse toi aller pour un temps à tes émotions, libère la souffrance, ne retiens rien !

Alors, la porte qui conduit à la consolation véritable te sera ouverte, car tu n'opposes plus de résistance, en même temps, en toi, à l'Aide secourable qui se trouve partout, tout autour de toi, car elle a été tissée, dès l'origine même, à travers tout ce qui existe, à travers toute la Création. Et s'il s'agit d'une injustice, à laquelle tu es confronté(e), sois sans inquiétude. Ce lien qui relie victime et bourreau est comme un élastique. Le pardon, c'est se tenir libre soi-même, en se tournant vers la consolation qui vient d'En-Haut, dans la Source de tout Amour, et lâcher son bout de l'élastique. Ce bout reviendra alors, tôt ou tard, en pleine figure de ton agresseur. Tes ennemis sont ainsi livrés à la Justice Divine sans que tu sois toi-même obligé de t'abîmer dans la souffrance, la vengeance, la violence et l'agression. Ou c'est aussi (parabole tirée du bouddhisme, si je me souviens bien) comme un cadeau empoisonné que l'on t'offrirait, mais que tu ne prendrais pas avec toi, et qui, du coup, ne t'appartiendrait pas, mais resterait en possession de celui qui voulait t'en faire le don.

Voilà ce que je pouvais te partager de mon expérience et de ma vision personnelles en la matière ! Je n'ai pas grand-chose d'autre à t'offrir. Je suis moi-même aussi démuni parfois devant ce que je dois vivre. Et je fais comme je peux. On fait tous, chacun à notre niveau, ce qu'on peut, comme on peut. Tout cela, c'est l'apprentissage de la vie sur Terre, d'une vie entière, peut-être, et ça n'est jamais gagné.

Mais, dès que tu dépasses ce Nadir, le point le plus bas que tu puisses atteindre dans la détresse et la souffrance, grâce à l'abandon, la foi et la confiance, qui te reconduisent de nouveau vers le haut, grâce à l'élan que donne le souffle libérateur de l'espérance, tu entrevois la clarté de la consolation qui t'entoure de toutes parts d'une bienfaisante chaleur, d'une infinie bienveillance. Tu peux alors enfin saisir, à chaque fois que tu en auras besoin, la main tendue de l'Aide secourable qui existe à travers toute la Création, intimement tissée dans ses fondements mêmes.

Demandez, ainsi vous sera-t-il donné !

"On récolte ce que l'on sème !", a-t-on l'habitude d'entendre. Or, personnellement, je préfère la formulation suivante : "Ce qu'on sème, on le récoltera au centuple !". Pourquoi ? Tout simplement parce qu'on ne récolte pas toujours uniquement ce qu'on sème. En effet, tu peux être tranquille, en train de cultiver ton propre champ, conformément aux critères de l'agriculture biologique, par exemple, quand, tout à coup, ou bien ton voisin se met asperger son propre champ, ainsi que les alentours, de pesticides chimiques polluants et toxiques, t'envoyant au passage une petite giclée en pleine figure, ou bien tu peux aussi voir des hordes de sauvageons envahir ton champ, le piller et le saccager. Cela illustre tout bonnement le fait qu'ici, sur Terre, contrairement aux différents plans de l'Au-delà (où tu ne peux fréquenter que tes affinités et donc uniquement recevoir ce que tu donnes, émets, envoies), tu es au contraire, ici-bas, exposé(e) à l'arbitraire des autres, et donc aussi également à l'injustice et à l'iniquité, à la bêtise et à la méchanceté (ce qui ne sera pas perdu, d'ailleurs, dans la grande machinerie karmique de l'Univers). Tout simplement parce que la Terre est une école, où tous les niveaux d'évolution sont représentés (en tout cas, au départ, normalement, quelques-uns seulement, sur une marge tout à fait définie et délimitée, sur une tranche donnée, un tronçon de l'échelle uniquement, évoluant autour d'une moyenne) ; et ceux-ci se côtoient et s'importunent mutuellement les uns les autres. Déjà afin que, tels des grains de sable, nous puissions nous polir au contact les uns des autres, en nous frottant les uns contre les autres, mais aussi afin de nous confronter constamment à la différence, à l'Autre, au travers des autres, car, sinon, à l'instar de ce qui se passe dans l'Au-delà, nous sommes irrémédiablement prisonniers de notre propre bulle d'univers, notre petit coin d'espace-temps à nous, tant que nous ne tendons pas la main au dehors, afin de dépasser et de franchir nos propres limites intrinsèques, celles que nous nous sommes fixées par nos représentations et notre capacité à nous relier à l'extérieur. C'est la condition de l'évolution sur le plan physique terrestre, autrement nous serions coincés, nous ne pourrions jamais vraiment évoluer, nous stagnerions bien trop longtemps, à tourner en rond sur la même marche, sur le même barreau de l'échelle, et nous ne pourrions découvrir le chemin vers la Grâce, nous ouvrir à Elle, car Elle est totalement gratuite et dépasse les conditions seules de mérite personnel, Elle ne nécessite qu'une authentique humilité et donc une réelle capacité à s'ouvrir et à recevoir.

Et, de même, à l'expression : "Demandez et vous recevrez !", je préfère la suivante, plus juste et plus complète, dans la nuance : "Demandez, ainsi vous sera-t-il donné !". Cela n'a à vrai dire que peu de choses à voir avec les êtres humains entre eux. La charité et la générosité ne sont pas de mise partout, il faut déjà avoir atteint un certain degré d'évolution, et donc d'humanité, pour être capable d'éprouver de la compassion et tout simplement de la joie à donner, à prendre soin de l'autre. Non, cette phrase désigne avant tout les mécanismes qui se déroulent dans la Création, la façon dont l'être humain doit être conscient qu'il peut et doit se positionner dans la Création, afin de s'y épanouir librement et joyeusement, afin d'y trouver le bonheur. Ainsi est-il avant tout question encore une fois ici de la loi d'action en retour, ou de libre échange, ou encore de l'effet de réciprocité, encore appelée loi du karma, et qui correspond en réalité à la manifestation auto-active du libre-arbitre de l'esprit humain.

En effet, dès que l'esprit humain émet un vouloir particulier, en vibrant dans une vibration particulière, telle une couleur ou une fréquence donnée, du fait de la loi d'attraction des affinités, cela, par résonance, entre en contact, dans la Création, avec la source, la centrale d'énergie de même nature, ainsi qu'avec toutes les formes qui se meuvent dans cette même vibration, couleur, fréquence, que cela soit bon ou mauvais, pur ou impur, spirituel ou matériel, ce vouloir attire à lui de l'énergie de nature correspondante, ainsi que des formes du même genre. Par la concentration, la densification et la cristallisation, cela se répercutera et se manifestera tôt ou tard. Telle est la loi d'action en retour ! Si tu sèmes du chardon, tu récolteras, en bien plus grande quantité, du chardon, et pas du blé. De même, si tu cultives des pensées ou des émotions négatives, tu mets ainsi au monde des formes douées de mobilité et de vitalité, du même genre, qui entreprendrons un périple dans l'Univers, et te ramèneront la même chose, en bien plus grande quantité, du fait de ce qu'elles auront pu butiner dans le Cosmos. Tu cultives ainsi quelque chose dans l'Au-delà. Tu envoies quelque chose dans le monde, tu donnes quelque chose à l'Univers, qui est programmé pour en faire aussi quelque chose, pour te le ramener en bien plus grande proportion, afin que tu en prennes conscience et que tu prennes ainsi conscience de toi-même, de ton activité dans la Création. Car, rien ne se perd, rien ne se crée, tout se transforme ! Et il en va exactement de même pour l'invisible que pour le visible. Ce n'est pas parce que cela n'est pas visible, que cela cesse pour autant d'appartenir à la Création, échappe ainsi à l'emprise de ses lois naturelles, de ses règles du jeu.

Ainsi, donc, émettre un vouloir donné, une intuition particulière, équivaut, dès l'instant de son émergence et de son apparition, même la plus ténue et intime, à une requête émise envers l'Univers, envers la Création, requête qui ne sera pas en reste. Et ainsi que tu demandes, ainsi reçois-tu. C'est-à-dire que tu reçois de la manière dont tu demandes, tu reçois en réalité ce que tu demandes, de la manière dont tu l'as émis.

Telle est l'explication toute simple de ce que certains appellent la loi d'attraction. La pensée positive, la visualisation créatrice (je te recommande d'ailleurs vivement à ce propos l'œuvre de Shakti Gawain, dont les CD audio m'ont énormément aidé ! !), avec le mystérieux secret que certains font miroiter aux yeux de leurs semblables de pouvoir obtenir ce qu'ils veulent, proviennent de cette réalité, de ces processus. Seulement, ce n'est pas aussi simple ! A cela, il y a en réalité plusieurs obstacles. Il ne suffit pas de vouloir intellectuellement de façon forcenée et obstinée, dans cette constriction caractéristique du cerveau, avec l'oblitération mentale qui lui est propre, pour obtenir exactement ce qu'on veut. Cela demande déjà un véritable travail sur soi, afin d'apprendre à se connaître, tout d'abord, et afin de prendre conscience de ce qu'on émet vraiment, avec le plus de force, même souvent totalement inconsciemment, dans l'Univers. Qu'il s'agisse maintenant de ressentis intérieurs, de pensées, de sentiments, d'émotions, etc., peu importe. A quoi bon se faire violence en se forçant à penser positivement si on rayonne intérieurement l'insécurité, la peur, l'angoisse, la souffrance, la malveillance, etc., ou bien si notre penser ou nos comportements empruntent sans cesse toujours les mêmes chemins, selon le même schéma. Car l'essentiel se situe à l'intérieur, et la Création, l'Univers, sagement ordonné(e), ne s'y méprend pas, l'Ordre

Cosmique ne tient surtout compte que de ce qui vibre véritablement en ton for intérieur, et, en cela, il ne se laisse nullement tromper. - Ce n'est pas pour rien que l'on dit à juste titre que le Seigneur scrute le cœur de l'être humain et qu'Il sait ! -

C'est là que la méditation devient indispensable et salutaire ! En effet, méditer, c'est faire retour sur soi, en soi, et, à partir de là, remonter l'échelle du processus tout entier, grimper tout en haut de la montagne, retrouver le cours d'eau jaillissant à ses origines, là où il n'est qu'un petit filet d'eau qui sort de terre. Là, il est facile de lui donner la couleur que l'on veut ou d'en détourner le cours. De même, par le relâchement propre à l'état méditatif, tu vas pouvoir remonter à cette vibration-source qui colore ce qui émane de toi, ce que tu émets dans l'Univers, déjà en en prenant conscience. Ensuite, tu vas pouvoir, beaucoup plus facilement, à ce stade, modifier les choses, et ainsi la nature de l'achèvement final, plus loin dans la matière, plus bas dans la vallée. Cela participe du fait qu'il y a au final bien plus de force, de puissance, d'efficience et d'efficacité dans l'apparente faiblesse, dans la douceur et la tendresse, que dans la force, la volonté de conquérir, de dominer, de contraindre, car ce qui se joue là est extrêmement ténu et délicat, mais d'autant plus puissant, efficient et efficace.

Encore une image pour saisir et comprendre : Il en va exactement comme quand tu te déplaces sur l'eau dans une barque. Ça ne sert à rien, voire, c'est même complètement contre-productif, de donner de grands coups de rame dans l'eau, n'importe comment, frénétiquement. Il sera bien plus efficace de donner un petit coup de rame, bien orienté, de temps en temps.

Donc, tous les gens qui s'obstinent à se faire violence, et à se faire souffrir eux-mêmes, en appliquant toutes sortes de pratiques artificielles et volontaristes, dans tous les sens, telles que pensée positive contrainte, méditation coincée psychorigide, etc., tous ces gens-là se leurrent et se font du mal. Ils sont en souffrance, ils devraient déjà s'occuper de cela, s'atteler à soigner leurs plaies, leurs blessures, guérir leurs souffrances.

Ensuite, eh bien, une fois cela réalisé, ce n'est pas si simple que ça non plus ! Tu ne peux échapper, justement, aux multiples conséquences de tes choix, décisions, actes, pensées, etc., auxquels tu as donné lieu par le passé. Certes, tu peux grandement modifier les choses, par le contre-courant du bon vouloir, qui t'entoure lumineusement et te protège, à l'instar de la couche atmosphérique de la Terre, et qui pourra ainsi grandement atténuer, transformer, voire annihiler les répercussions néfastes, mais tu ne peux pas supprimer tout cela, tu ne peux pas balayer tout cela d'un revers de la main. Pour atteindre l'état dont j'ai parlé, dans la méditation, qui permet, par la conscience, de modifier la nature de ces achèvements en remontant à leur origine même, à leur source ultime, en nous, il faut déjà s'être auparavant suffisamment épuré karmiquement, avoir nettoyé sa robe, c'est-à-dire purifié ses enveloppes, qui enserrent son noyau spirituel. Cela seul permet d'exhumer véritablement le libre-arbitre humain, qui est de nature spirituelle et qui ne repose que dans son noyau le plus intime. C'est pour cette raison que ce n'est pas non plus à la portée de tout le monde d'atteindre d'emblée un certain éveil de la conscience. Cela peut demander du temps, nécessiter encore plusieurs expériences dans la matière, voire plusieurs incarnations. C'est pourquoi la préoccupation principale demeure quand même de faire le bien, car cela allège le cœur et le chemin, avec le temps, considérablement, progressivement, pas à pas.

Demande, ainsi te sera-t-il donné ! Autrement dit, selon la façon dont tu demanderas, ainsi te sera-t-il donné. C'est là ce que la plupart des êtres humains ont coutume d'appeler "prier". Malheureusement, dans bien des cas, il ne s'agit finalement que de marchander, de quémander, de mendier. Le degré zéro, c'est de s'imaginer qu'en accomplissant certains rites précis ou certains rituels, certains gestes, en répétant en boucle certaines paroles, cela aura un quelconque effet. Cela relève de la pensée magique et n'est pas très différemment des pratiques des peuples dits "primitifs" ou "païens", qui s'agenouillaient devant des idoles censées représenter leurs dieux et qui leur faisaient des sacrifices, animaux, voire humains, espérant ainsi obtenir quelque chose en échange. Oui, il faut effectivement donner pour recevoir, ce n'est qu'en donnant qu'on peut recevoir, ce n'est qu'en mettant une pièce dans le distributeur que tu peux espérer obtenir quelque chose, après avoir judicieusement fait ton choix. Mais ce que tu donnes en l'occurrence, c'est ton vouloir intérieur, ta volonté propre, qui ne repose pas dans ton cerveau, ton intellect, ton mental, mais dans ton for intérieur, dans ce que tu ressens véritablement au plus profond de toi, et c'est là qu'il faut avant tout commencer par faire le ménage : Connais-toi toi-même ! Exhortation de la plus haute importance, sans quoi ce qui est inconsciemment émis continuera d'être émis, d'attirer l'identique, et de s'auto-alimenter et -entretenir ainsi lui-même.

Or, si tu pries en cherchant tout d'abord à te relier à l'unique Source de toute grâce et de toute bénédiction, de la bonne manière, et en toute authenticité (non pas dans un but intéressé, ce qui est impossible à ce niveau-là, où il n'y a que ce qui est véritablement vivant qui est pris en considération), et qu'ensuite seulement tu demandes très sincèrement et humblement de l'aide, par rapport à ce qui te chagrine, et qu'en plus tu es capable de modifier ce que tu donnes à l'Univers pour ce faire, eh bien, oui, tu peux être assuré que tu recevras ce que tu as demandé, mais attention, pas forcément exactement sous la forme sous laquelle tu as pu le concevoir au départ. Ne pose jamais de conditions, ni de limitations. Interviennent donc ici deux processus : d'une part, l'effet en retour de ce que tu émets dans l'Univers, processus auto-actif qui se produit constamment, irrémédiablement, qui n'est soumis à l'arbitraire d'aucun être, et, d'autre part, le processus d'aide constamment en éveil et à disposition dans la Création, à travers la guidance spirituelle qui nous entoure de toute part, qui veille sur chacun de nous, comme un parent attentionné sur les premiers pas de son enfant, et qui a cette fois-ci pour origine, oui, l'arbitraire d'un être, uniquement animé par l'amour et la volonté d'aider, quelles que soient les conditions de mérite extérieures. Il faut cependant tout de même être capable de s'ouvrir ensuite à cette aide, afin de la recevoir et de l'accueillir en soi. Mais je vais aborder plus précisément ce sujet lors d'une prochaine étape, dans un chapitre suivant.

Pour l'instant, pratique ! Pratique la méditation, déploie ta conscience, aie une meilleure connaissance de toi-même et de ce qui se déroule véritablement en toi, de ce que tu émets dans l'Univers, car, que tu en aies conscience ou pas, c'est ce que tu demandes véritablement à l'Univers, qui te donne en fonction de cela.

Personnellement, il m'a fallu longtemps pour comprendre ce processus, dans son commencement le plus intime et ténu, qui est le ressort véritable de beaucoup d'événements dans nos vies, pour m'en rendre compte, en prendre conscience, et le modifier en profondeur, car il faut bien sûr aussi compter avec l'inertie des effets précédemment provoqués qui n'en continuent pas moins de se manifester, dont il faut cependant parvenir à faire abstraction et auxquels il ne faut surtout pas réagir.

Et je conclurai sur ça : la plus grande vertu, c'est l'abandon ! Ne pas réagir, ne pas se révolter, mais se livrer, s'abandonner, ce qui ne signifie pas pour autant laisser faire les autres, injustement, cautionner l'injustice, le mal, mais s'abandonner à ce qui est, parce que cela est, tout simplement, en train d'être, et que le refus ne ferait que générer une tension supplémentaire, cause de souffrance. Ne pas réagir, c'est ne pas cautionner la réalité de ce qui est, si cela est mal, injuste, mauvais, douloureux, cesser ainsi d'alimenter le fond de ce qui a pu causer cette perturbation, cette stimulation extérieure, et l'amener à croiser notre route. Se ressaisir, dans la méditation et la prière, pour contacter autre chose, car tu deviens ce que tu contemples, alimenter, nourrir et entretenir autre chose, de plus lumineux, joyeux, positif, en dépit des circonstances extérieures, envers et contre tout, produire et générer autre chose pour vivre autre chose.

Et puis, tout simplement, quand la vie nous met à genoux, eh bien, s'agenouiller et prier, demander de l'aide, avec confiance, comme un petit enfant ! Telle est la voie la plus simple et la plus sûre vers ce qu'il y a de plus élevé, vers l'aide la plus puissante, dont tu n'oserais même pas imaginer pouvoir bénéficier.

Aide secourable, Guidance spirituelle et "Anges-Gardiens"

Je l'ai déjà dit, mais je le répète ici : Même si, conformément à la Volonté Divine, les lois de la Création, à travers l'action desquelles se manifeste la Justice Divine la plus parfaite, la plus intransigeante et la plus impitoyable, sans aucun écart, sans aucune exception, malgré tout, l'Intention véritable, proprement Divine, qui est à l'origine de la Création elle-même et qui s'y manifeste constamment, c'est l'Amour. Et ce n'est pas un vain mot ! L'Amour ! L'Amour de Dieu ! Bonté, bienveillance, miséricorde, compassion, bénédiction, bienfaisance et consolation !

Au-dessus de la créature en souffrance se dresse, presqu'effrayant dans Sa Toute-Puissance, l'Amour Divin absolu : "Pourquoi souffres-tu ? Pourquoi pleures-tu ? Que crains-tu ? Je suis l'Amour ! En Moi est la Vie ! La Vie Eternelle, Qui ne passe point, Qui supplante toute mort, et Qui est capable, Seule, de faire jaillir la Lumière au cœur des ténèbres, la plus aveuglante clarté là où se tapit l'ombre, de faire renaître la vie au cœur du néant et de la mort, de transformer la souffrance en joie rayonnante, la violence en paix, la haine en amour ! Tel est le Secret de l'Amour Divin, tel est Mon Secret, que tu découvriras si tu t'abandonnes et te livres à Moi sans retenue. Tu seras alors élevé(e) au-delà de toute espérance, au-delà de toute mesure !"

Et, en dépit du fait que les lois de la Création, qui sont uniquement l'expression de l'Unique Toute-Puissante Volonté Créatrice de Dieu et de la Justice Divine la plus parfaite, l'Amour a déposé dès l'origine, à travers tout le tissage de la Création, l'Aide secourable, qui est constamment en veille, attentive, et qui se déverse en flots abondants dès que la moindre petite lueur s'élève vers elle depuis les profondeurs mêmes de la Création, au plus profond de la matière la plus dense, flots abondants que seuls le doute, l'absence de foi et de confiance peuvent entraver, car ils agissent alors comme une porte fermée, un gouffre infranchissable, une muraille insurmontable, car chaque esprit humain dispose toujours de son libre-arbitre, de sa libre volonté, c'est-à-dire ici de la liberté de s'ouvrir ou de se fermer. Et cette Aide secourable se manifeste par l'intermédiaire de myriades de créatures, entités et esprits, dont c'est l'unique mission, la seule fonction dans la Création.

Mais commençons par ce qui se trouve le plus proche de nous, tout autour de nous, à chaque instant, pour remonter seulement ensuite, pas à pas, l'immense échelle de cette Aide bienveillante qui descend d'En-Haut.

Nous rencontrons déjà tout autour de nous les entités de la Nature. Il est vrai que leur travail, avant tout, c'est de s'occuper de la Nature, de la formation de tout ce qui en fait partie dans la Matérialité-Grossière la plus dense : tout ce qui relève des quatre éléments, eau, feu, terre, air, ainsi que les règnes minéraux, végétaux et animaux. Mais tu peux aussi, à l'occasion, leur demander leur aide.

Il y a aussi des entités, dans l'Au-delà, qui t'entourent à chaque instant. Elles se saisissent de tout ce qui émane de toi, en guise de formations, émotions, sentiments, paroles, pensées, intuitions ou ressentis intérieurs, lui donnent forme, le lient et le relient au plan correspondant, à la centrale d'énergie en affinité, ce par quoi se forment les égrégores, l'ancrent ou le plantent en cet endroit, et, à partir de là, le cultivent et te permettent ensuite d'en récolter les fruits. Ces entités sont un peu comme les petits jardiniers de l'univers invisible qui nous entoure. Mais je n'en dirai pas plus pour le moment. Sache, simplement, que tu peux aussi leur demander leur aide, en conscience, dans un esprit de collaboration et de coopération, afin de cultiver, par exemple, telle ou telle pensée, jusqu'à sa réalisation concrète.

Et puis, nous avons également ce qu'on a coutume d'appeler les "anges-gardiens". A vrai dire, en l'occurrence, il ne s'agit absolument pas d'anges, proprement dits, c'est impossible. Un ange, s'il devait s'approcher ainsi de toi, ne pourrait en aucun cas t'aider au quotidien devant ce qui constitue ta problématique principale à un moment donné, pour la simple et bonne raison qu'il n'a absolument aucune compétence en ce domaine, aucune compréhension pour cela, tout simplement parce qu'il ne sait pas du tout ce que c'est que d'être un être humain incarné sur Terre. On ne peut pas non plus parler de "guide" à proprement parler, car un "guide" authentique, spirituellement, ne peut que te conduire d'en-haut et vers le haut, mais dans la plus pure impersonnalité, par voie d'irradiations seulement. Non, il nous faut tout d'abord très modestement parler des "aides spirituels", qui nous entourent et nous accompagnent véritablement, au jour le jour, à chaque pas que nous faisons. Nous pouvons percevoir une partie de leur activité dans ce qu'on appelle "notre (bonne) conscience", au sens de la petite voix (en plus de celle, toute intérieure, de notre intuition) qui nous murmure parfois, toujours très discrètement, à l'oreille ce que nous devrions faire ou éviter de faire. Et, afin de pouvoir te comprendre et t'aider de manière réellement efficiente et efficace, à partir de là où tu es, très pédagogiquement, il faut toujours qu'il ne s'agisse que d'un être humain, un esprit humain, autrefois incarné sur Terre, et qui a vécu le même genre de choses que toi, qui est juste un peu plus expérimenté, et qui donc, seul, peut vraiment t'accompagner et t'aider. Je situerais leur existence et leur action dans le domaine astral, plus précisément sur le haut-astral, en relation également avec le cinquième chakra, comme je l'ai déjà dit. Bien évidemment, il n'est animé que par le plus pur amour altruiste, la compassion et la volonté d'aider, et cela l'aide aussi, en lui permettant d'expérimenter encore des choses ici sur Terre, indirectement, sans être pour autant obligé de s'y incarner.

Et, derrière lui, un peu plus haut, exactement de la même façon, il y en a un autre, d'aide spirituel. Et ainsi de suite. C'est ainsi toute une chaîne immense d'aide et de solidarité qui se déploie à travers tout l'Univers, à travers toute la Création, avec l'assurance de pouvoir toujours trouver de l'aide, l'aide dont on a besoin. Des plans de la matière, visibles ou invisibles, En-deçà ou Au-delà, Matérialités Grossière et Fine, jusque dans les plans du Royaume Spirituel, jusqu'aux sommets de la Création, dans le Spirituel-Originel, où se trouvent les Originels-Créés, les Archétypes spirituels parfaits du genre spirituel-humain, et ce sont eux les seuls vrais guides spirituels de l'humanité, qui exercent une puissante force d'attraction sur les différentes vertus ou qualités que le germe d'esprit humain porte potentiellement en lui, lorsqu'il est inconscient, et qu'il développera selon son libre-arbitre, selon le genre propre qu'il se choisira. De là provient l'incroyable force ascensionnelle d'aspiration vers le Haut qui commence à se manifester à l'adolescence, lorsque le corps atteint le degré de maturité, et avec lui la force sexuelle, formant ainsi le pont vers l'esprit incarné en lui, jusque-là retiré comme à l'abri derrière une forteresse.

De même, il y a une multitude d'entités et d'esprits, qui participent au grand cycle des irradiations de la Création, émettant et attirant, donnant et recevant, constituant en quelque sorte des relais dans les rayonnements, en qualité de médiateurs de ce qu'on pourrait désigner comme des unités : principes-vertus-couleurs-sons-formes, vers le haut comme vers le bas. A ces entités bienveillantes appartiennent sans doute celles qui sont parfois prises à tort pour des "anges" par certains voyants. Mais je n'en dirai pas plus pour le moment sur ce sujet.

Les anges, quant à eux, oui, existent bel et bien, dans le Spirituel et jusque dans le Divin, ils sont, en quelque sorte, des intermédiaires, des ponts entre les différents plans de la Création, ils sont les seuls à être équipés de telle sorte qu'ils puissent facilement, contrairement aux autres créatures, plus sédentaires, passer aisément d'un plan à un autre, du haut vers le bas, du bas vers le haut. Ainsi, du haut vers le bas, ils sont les messagers de la Volonté Divine, de la Lumière, tandis que, du bas vers le haut, ils sont les messagers porteurs de nos prières et requêtes. D'ailleurs, s'il était possible, à une époque passée, que certains d'entre eux se manifestent directement à des êtres humains, le gouffre désormais creusé par l'humanité qui s'est depuis allègrement enfoncée elle-même dans un bourbier ténébreux, sur les plans subtils, ne le permet plus. Toute information contraire ne serait qu'impossibilité en infraction avec la perfection des lois divines et ainsi qu'une imposture seulement. De même pour le Fils de Dieu Jésus Lui-même.

Donc, tu vois, à ce bref aperçu seulement, que je n'étofferai pas davantage pour le moment, tu peux constater à quel point l'Aide secourable qui vient de Dieu, de la Lumière, n'est pas un vain mot. Dès que tu peux jeter un coup d'œil de l'autre côté, voir cela, en prendre conscience, tu ne peux que tomber à genoux, en prière, devant tant de bonté et de magnificence, et remercier humblement avec gratitude pour cette Aide secourable toujours prête à agir. Notre but, en tant qu'êtres humains incarnés sur Terre, c'est juste d'apprendre à nous positionner pour laisser la main libre à ces aides, leur permettre d'agir par une bonne attitude, une juste disposition, qui forment les ponts pour leur action efficiente dans les plans plus lourds et denses de la matière. C'est le travail de toute une vie, l'inlassable mission de toute incarnation !

La Sagesse de Dieu et la pédagogie de la Lumière

Beaucoup d'êtres humains sont à la recherche de Dieu et ne semblent pas Le trouver. Ils lancent vers le Ciel leurs prières, leurs suppliques, leurs interrogations pleines de détresse, voire leurs imprécations pleines de défi, mais n'entendent rien, ne perçoivent aucune réponse. Cependant, pour entendre, faut-il déjà être à l'écoute, et faire silence, se retirer dans le silence, extérieur et intérieur. Tu peux certes déjà obtenir une réponse au travers des autres, par des rencontres fortuites en apparence ou de quelconques événements extérieurs, mais aussi en faisant l'expérience de la Présence, dans le silence, comme je l'évoquais précédemment.

Alors, tu entendras, au plus profond de toi, dans ton intuition même, la Voix de la Sagesse, Qui S'exprime aussi en toi, dès que tu y prêtes un tant soit peu attention, parce que tu as en toi le trésor du Spirituel, qui est un peu comme une antenne, faite pour capter ce qui vient d'En-Haut. Or, "Radio-Sagesse" émet et diffuse 24h/24, 7 j/7 ! ! ;) Seulement, l'être humain ne parvient plus à faire suffisamment silence en lui-même pour écouter son intuition, la voix de son esprit, et être alors réceptif à la Voix de Dieu Qui Se fait ainsi entendre. Mais pas comme le tonnerre dans les nuées, à grand renfort de trompettes et d'anges révélateurs, non, simplement, de manière extrêmement ténue, délicate, presqu'imperceptible, d'autant plus discrète qu'Elle est puissante, parce qu'Elle soutient l'Univers lui-même, Elle est la base de l'espace-temps dans lequel tout est intriqué, la toile de fond sur laquelle se déploient les mondes. Cette Voix vient vers toi sous des dehors très modestes, et non pas en grandes pompes. Si tu crois parvenir à une quelconque sorte d'illumination, de vision extatique, de révélation apportée par des anges ou des guides lumineux descendus d'En-Haut, depuis l'Au-delà, dans une clarté mystique, eh bien, tu te trompes lourdement, tu risques d'être bien déçu, car tu peux toujours attendre. Tu cours même le danger d'être ainsi victime de ton imagination, de ta propre auto-illusion, comme c'est le cas de beaucoup d'illuminés des diverses religions ou d'autres sectes, ou bien d'être la proie de saltimbanques de l'Au-delà, qui se feront un plaisir de te manipuler en se servant de ta crédulité et en te jouant le spectacle auquel tu t'attends, te donnant l'apparence illusoire de la grandeur et de la pureté, comme c'est le cas chez ceux qui pratiquent spiritisme, médiumnité ou channeling, sans véritable élévation intérieure. Des tas de prétendus "chercheurs-de-vérité" ne sont que des hypocrites et tombent facilement dans cette chausse-trappe de leur vanité ; ils se fracasseront le crâne au fond de l'abîme, à l'heure de l'ultime réveil. Ce qui est véritablement élevé ne peut plus venir à toi que par le pont du Spirituel en toi, donc par le biais de ce qu'il y a de plus intime et sacré en toi, non pas par des manifestations extérieures dans une matérialité bien trop abandonnée à l'impureté et à l'obscurité à cause des êtres humains eux-mêmes.

C'est l'exercice de toute une vie que d'apprendre à entendre et à comprendre le Langage de Dieu dans la Création, que d'apprendre à écouter sa propre voix intérieure, émanant de sa conscience spirituelle profonde, qui seule est capable de capter la Voix de la Sagesse. Et c'est cependant le but ultime de tout être humain, dans l'accession à la pleine et entière conscience de soi. C'est ce qui fait finalement de l'esprit humain, un être autonome, conscient et responsable, capable d'agir en décidant par lui-même, en son âme et conscience, conformément aux lois de la

Création, cherchant à s'insérer harmonieusement dans le grand chœur de tous les vivants, en apportant la précieuse contribution de son potentiel personnel, sans avoir pour cela besoin de chefs ou de leaders, de guides ou de gourous, c'est-à-dire de quelqu'un qui lui dise quoi et comment croire, penser, dire et faire. Telle est la clé d'accès à l'autonomie spirituelle ! Tous les germes d'esprit incarnés sur Terre devraient d'ores et déjà être parvenus à ce stade, au lieu de quoi beaucoup émergent encore à peine du stade de l'animalité, de l'état d'animal à peine civilisé et sociabilisé, fonctionnant encore avec un extrêmement prégnant instinct grégaire, voire sectaire. C'est d'ailleurs seulement pour ces êtres paresseux en esprit que les sectes sont dangereuses, quelles qu'elles soient, qu'elles soient ainsi reconnues et désignées comme telles par les êtres humains eux-mêmes, ou bien qu'ils s'agissent de n'importe quels groupes humains sectaires, d'ordre religieux, politiques ou autres. Dangereuses, mais sans doute nécessaires pour leur évolution, puisqu'elles correspondent à une expérience qu'ils ont besoin de faire, afin de s'affranchir de la paresse d'esprit qui fait d'eux des moutons de Panurge, des suiveurs dociles, en quête d'un chef de meute, leadeur ou gourou, voire d'un Messie à suivre béatement et bien docilement.

La Voix de la Sagesse S'exprime donc à tout instant, à toute heure du jour et de la nuit, chaque jour, tout le temps, dans le tissu même des mondes et de la Création tout entière, où tout est merveilleusement intriqué. Et ils se trouvent que certains êtres, plus évolués, doués et réceptifs que d'autres, peuvent, mieux que leurs congénères, capter une partie de cette Sagesse et la leur retransmettre sous une forme adaptée, appropriée, accessible et compréhensible. Qu'il s'agisse maintenant d'esprits plus avancés, créés ou évolués, spécialement formés dans le Royaume spirituel au préalable et véritablement envoyés d'En-haut sur un acte de volonté de la Lumière, ou bien qu'il s'agisse d'êtres humains normalement évolués, du bas vers le haut, à partir de l'état de germe d'esprit, et qui sont ainsi parvenus à la pleine floraison de la conscience, ce qui leur a permis de capter une partie de la Vérité. Dans tous les cas, chacun de ces "appelés", en tant qu' "apporteur-de-vérité", fut incarné à une époque donnée, dans un peuple nettement déterminé, ancré dans une région terrestre et implanté dans un contexte historique, politique et social, religieux et culturel, bien particulier, et tout cet ensemble eut bien évidemment également une influence importante sur la formation de ce qu'il put transmettre à chaque fois, adapté ainsi à ses interlocuteurs contemporains avant tout.

Cela, ne l'oublie jamais ! La Sagesse est pédagogue, et, comme tout pédagogue, Elle vient rejoindre Ses élèves, Ses disciples, exactement là où ils se trouvent, là où ils en sont, et pas ailleurs, S'adapte à eux en permanence, à leurs langage, concepts, représentations, et donc utilise toutes les notions qu'ils ont pu forger avec ce langage, cette langue, conformément au contexte dans lequel ils évoluent. De cela, il faut toujours prendre compte lorsqu'il s'agit d'interpréter et de comprendre ces messagers ainsi que leur message, leur enseignement spirituel. Car, oui, tous ces êtres dont je parle ici sont véritablement des messagers de la Sagesse, des "apporteurs-de-vérité", des "appelés", envoyés ou élevés d'En-haut par la Lumière, conformément à Sa Volonté. En font partie non seulement tous les vrais grands prophètes du Judaïsme, de l'Ancien Testament, en commençant par Abraham, en passant par Moïse, surtout, jusqu'à Isaïe, Daniel, Jérémie et les autres…, mais aussi les apôtres et disciples du Christ, le Fils de Dieu Jésus, notamment les quatre évangélistes, ainsi que tous les autres grands fondateurs de religions : Krishna, Zoroastre, Lao-Tseu, Bouddha, Mahomet, etc. De même que bien d'autres encore à leur suite, connus ou moins connus, et jusqu'aux époques les plus récentes. Ainsi, tous, chacun à son niveau, ils apportèrent leur pierre à l'édifice de la Vérité, une petite pièce du grand puzzle ; ils participèrent à la construction de la voûte à la gloire du Très-Haut, dont la clé, qui la supporte et la fait tenir tout entière, est la Vérité, Seule et Unique, Indicible et Inaccessible ; ils construisirent chacun une des marches qui conduisent à la Vérité et à la Sagesse, la Vie éternelle dans la Vérité.

Seulement, le problème, à chaque fois, c'est justement que les êtres humains s'emparèrent de tout cela, de ce message, de cet enseignement spirituel d'une valeur et d'une portée véritablement universelles, qui ne devait être considéré que comme une partie d'un tout plus vaste ; ils y ajoutèrent ensuite plein d'autres éléments, absolument pas de nature spirituelle-universelle, mais de nature purement humaine, matérielle-terrestre, temporelle et contextuelle, d'ordre socio-culturel ; puis ils en firent systématiquement, de cette espèce de gloubi-boulga mêlant confusément spiritualité véritable et scories socio-culturelles, une "religion", c'est-à-dire une forme isolée, totalement figée et psychorigide, souvent sans vie propre, avec un dogme imposé (comme si de ridicules petits êtres humains de cette Terre pouvaient avoir aussi facilement accès à la Vérité, décider de ce qui est juste ou non, de ce qui est vrai ou faux, et l'imposer à leurs congénères, en leur disant quoi croire, comme s'ils en savaient eux-mêmes quelque chose…), dogme assorti de croyances plus ou moins erronées, considérées pourtant comme seules vraies et fondamentales pour l'appartenance à la communauté religieuse, sous peine d'exclusion, avec encore une forme précise du culte rendu au Divin, au Sacré, avec des rites, rituels, cérémonies, gestes, paroles, mantras, litanies, diverses pratiques, tout au long de la vie, etc. Mais, tout cela, tout cet édifice bancal et fragile, péniblement érigé au fil des siècles, qui cherche à s'auto-justifier et à s'auto-entretenir lui-même, qui lutte pour sa propre survie et qui maintient sous son joug nombres d'êtres humains, ce sont uniquement les êtres humains eux-mêmes qui en sont les auteurs, qui l'ont produit et mis en forme, pas les messagers eux-mêmes, encore moins Dieu Lui-même, à Qui on l'attribue pourtant. L'être humain s'est d'ailleurs bien trop souvent formé son propre Dieu à son image, selon ses représentations à lui, et malheur à Lui ou à Ses messagers s'ils ne révèlent pas conformes à ce qu'il a pensé, décrété, dans son étroitesse de vue bornée, qu'il met au-dessus de tout. Il a déjà la pierre dans la main levée, prêt à les lapider. Ceci est un fait objectif, indéniable et irréfutable, il en va ainsi et pas autrement, comme l'histoire le montre et le prouve elle-même ; celui qui ne peut reconnaître cela se tient obstinément dans l'erreur et ne peut être aidé ni secouru, qu'il aille donc au-devant de ce que le destin lui réserve, conformément à sa libre volonté, qui lui sera toujours laissée.

En outre, bien trop souvent, voire, c'est même quasiment une constante, tout "apporteur-de-vérité", grand ou petit, envoyé d'En-haut ou évolué d'en-bas, esprit humain créé ou évolué, ou autre…, a dû affronter les mêmes choses. Les représentants officiels des pouvoirs temporel-terrestre et spirituel-religieux de l'époque, surtout de la religion alors établie, ne purent jamais le considérer que comme un arriviste trouble-fête, un rebelle, révolutionnaire, dissident, subversif, bouleversant leur petit ordre établi, leurs traditions et coutumes, les bousculant dans leurs erreurs ; il représenta donc pour eux à chaque fois une menace, un danger dans l'exercice de leurs fonctions, dans leur statut, qui leur conféraient au regard du peuple une certaine autorité, un certain ascendant, et par là même le pouvoir, mais aussi le confort, l'aisance et les richesses matérielles qui vont avec. Il en fut toujours ainsi. Le messager fut donc systématiquement combattu avec hostilité et poursuivi par la haine de ces gens-là, qui se révélèrent ainsi à chaque fois les ennemis de la Vérité et de Dieu. Ils cherchèrent donc par tous les moyens à se débarrasser de cet inopportun, à le museler, le faire taire et l'éliminer. Exactement comme l'illustre Jésus dans cette parabole du propriétaire de la vigne qui envoie ses serviteurs à ses ouvriers afin de toucher son dû. Son dû, c'est la récolte des fruits, ce que des ouvriers fidèles auraient produit, par un travail sérieux, dans l'expérience vécue, après avoir élaboré en eux et fait ainsi fructifier dans l'action le trésor de la semence spirituelle précédemment reçue.

Quant aux disciples, adeptes et autres suiveurs de ces personnalités, eux-mêmes n'ayant été que des êtres humains, ils ne pouvaient comprendre tout ce que leur maître cherchait à leur enseigner, ce maître auquel ils s'attachèrent parfois beaucoup trop affectivement (et j'en sais quelque chose ! !... ;)) pour pouvoir véritablement le trouver et le suivre spirituellement, maître qui ne laissa d'ailleurs jamais lui-même d'écrits formellement identifiés et attribués, sur lesquels on pourrait aujourd'hui se baser et se reposer avec certitude. Non, ce qui nous reste, comme textes, ce ne sont finalement que des bribes éparses, des morceaux incomplets, provenant de témoignages divers et variés, de la part des êtres humains qui entouraient le maître lui-même, recevaient ses enseignements, dans le meilleur des cas, mais, bien plus souvent, de la part d'autres êtres humains, qui ne firent que rapporter des propos entendus, donc des témoignages indirects, de seconde main, consignés par écrit bien longtemps après. Et ce n'est que par la suite, après des décennies, voire des siècles, que d'autres êtres humains, représentants de cette religion naissante, choisirent arbitrairement certains morceaux, et pas d'autres, et les compilèrent à leur manière, selon leur perspective du moment, conformément à leur entendement limité. A partir de là, ils érigèrent un dogme reflétant à vrai dire leur capacité de compréhension, de représentation et d'interprétation tout à fait subjective, limitée, partielle et partiale.

Il n'y a pas à pinailler là-dessus, ni à ergoter obstinément sur cette réalité objective, c'est un fait historique, désormais prouvé scientifiquement, et qui concerne toutes les religions, qu'il s'agisse du Judaïsme ou du Christianisme avec la Bible, Ancien ou Nouveau Testaments, Evangiles inclus, de l'Islam avec le Coran, ou bien encore du Bouddhisme avec les discours attribués au Bouddha, et ainsi de suite. C'est un fait récurrent inévitable, dont l'accomplissement systématique s'apparenterait presque à une loi, simplement du fait que l'être humain est l'être humain, n'est qu'un être humain, du fait aussi de son incroyable restriction à cause de sa chute dans le péché, sa séparation d'avec le Spirituel par son asservissement volontaire à la matière et corollairement à l'intellect, l'activité du cerveau qui en permet la compréhension, mais qui ne peut s'affranchir de l'emprise terrestre, se mouvoir et s'élever au-delà, vers l'Invisible et le Spirituel.

Maintenant, lorsque de petits êtres humains de cette Terre, perdue dans l'immensité de l'Univers, s'arrogent le droit et le pouvoir de revendiquer tel ou tel texte, Bible, Evangiles ou Coran, comme la seule et unique Toute-Sainte Parole de Dieu, la Seule et

Unique Vérité absolue et irréfutable, il s'agit là uniquement d'un blasphème, d'une arrogance inouïe, une erreur coupable, un mensonge, une hérésie. Tout contrevenant à cette évidence se déclare ainsi lui-même ouvertement ennemi de Dieu et de la Vérité ! Il n'y a pas à discuter, pinailler, ergoter, nul ne peut impunément tenter de nager à contre-courant des flots abondants de la Vérité Elle-même, Qui n'existe que dans la Lumière, en Dieu Lui-même, en tant que "Réalité-Vivante" ou "Vie-Réelle", absolue, éternelle et parfaite.

Ainsi, toute religion, même s'il existe à sa base un authentique et précieux enseignement spirituel venu d'En-haut et voulu par la Lumière, n'est ensuite qu'un produit des êtres humains eux-mêmes, de l'intellect humain limité. Il n'y a donc pas lieu de respecter davantage ce produit de l'erreur humaine que les enseignements spirituels eux-mêmes, qui en sont à l'origine, leurs messagers ou Dieu Lui-même, comme le font pourtant beaucoup d'adeptes, qui mettent ainsi l'erreur au-dessus de la Vérité ! Comprends-tu, mon ami(e), quel est mon intime et irréfragable conviction en la matière : La spiritualité est le don véritable, la Grâce qui vient d'En-Haut, vivante, vraie, pérenne et universelle, tandis que la religion n'est qu'un avatar de cette vitalité spirituelle, un produit purement humain, une condensation intellectuelle, une cristallisation matérielle-terrestre, avec une crispation certaine sur des détails et des erreurs.

Cependant, au cœur des décombres, des ruines à venir du faux édifice de l'orgueil spirituel des êtres humains de cette Terre, cette tour de Babel, que chaque être humain cherche vainement à ériger en lui-même afin d'atteindre Dieu, c'est au cœur de ces bribes, donc, de ces éclats de verre, comme les morceaux d'un immense puzzle, qu'on peut malgré tout trouver encore des grains de vérité, qui révèlent tout de même l'éclat de l'enseignement spirituel à l'origine de la tradition religieuse correspondante. De ces miettes de pain, pain de vérité donné par la Sagesse et miettes répandues, laissées sur Terre, par les êtres humains qui en furent les dépositaires d'alors, nous pouvons cependant apprendre beaucoup de choses qui peuvent nous aider dans notre cheminement vers la Sagesse et la Vérité. Mais celui qui s'imagine n'avoir qu'à adhérer à tout le "package" d'une religion sans avoir aucun effort personnel à fournir par lui-même, sans avoir aucune question à se poser, sans remise en cause, sans recherches, examen et approfondissement personnels, celui-là est loin d'être mûr pour accéder à la Sagesse et à la Vérité, il ne sera jamais qu'un suiveur, un mouton de Panurge, le docile adepte d'une religion purement humaine, et de l'humain.

Ce qui n'empêche pas, malgré tout - Attention ! ! Je ne mets pas tout le monde dans le même panier ! ! ! -, d'être un fervent et sincère croyant, au sein de sa religion, de participer au culte de façon vivante, ainsi qu'aux divers rites et rituels, en y mettant son cœur et son âme, en s'efforçant d'avoir une vie réellement bonne et altruiste, conforme à toutes ces valeurs, tout en étant ouvert au questionnement, à la recherche, et à ce que peuvent aussi apporter les autres traditions religieuses en matière de spiritualité et de sagesse, en matière de vérité. Donc, même si mes paroles sont dures, voire impitoyables, à ce sujet, car je ne me préoccupe que de ce qui est juste ou non-juste, objectivement, cela ne concerne nullement les personnes elles-mêmes, réellement sincères dans leur foi, vivantes dans leurs croyances et leur recherche d'une vie exemplaire, conformément aux préceptes de leur religion, personnes qui se révèlent parfois même comme des modèles à suivre sur le plan purement humain, avec l'immense compassion et l'amour altruiste dont elles témoignent, et qui ne se manifestent pas seulement en belles pensées et paroles, mais en actions concrètes, inlassablement. Seulement, malheureusement, parvenus à un certain point, ces fidèles, aussi sincères, fervents et vivants soient-ils, se heurtent à ce plafond de verre des fausses conceptions, qui, non seulement dans l'Au-delà mais déjà ici-bas, les empêche de progresser encore vers le haut, afin de poursuivre leur évolution, et qui empêche aussi qu'ils reçoivent de manière pleine et entière, et non atténuée, la Grâce qui vient d'En-Haut. A travers mes incisifs propos, je ne m'en prends donc qu'à ceux qui déformèrent, consciemment ou inconsciemment, la véracité originelle de ces messages ou enseignements spirituels, du fait de leur déficience, en s'arrogeant un droit et une autorité en la matière qu'ils n'avaient pas. Des coups, oui, d'une violence toute relative, sont nécessaires pour briser enfin ce plafond de verre et libérer les êtres humains de ce joug ! !

Ces enseignements spirituels, donc, issus de la Sagesse et de la Vérité, transmis par des appelés, envoyés en mission par Lumière, étaient donnés en partage, c'est-à-dire qu'ils devaient devenir une part de nous-mêmes, partie intégrante de nous-mêmes, de notre vie quotidienne, comme le B.A.-BA ou le mode d'emploi de la vie sur Terre, dans la Création, et non donner lieu à une construction intellectuelle artificielle à part, placée derrière une jolie vitrine, en dehors de la vie quotidienne, en dehors de la vie véritable, élaborée par les êtres humains eux-mêmes, donc portant ainsi la marque, dès le départ, de leur imperfection et de leurs faiblesses, quelque chose auquel on essaye vainement de se raccrocher, parfois sans ancrage dans le concret, le réel, un produit de substitution, poussé hors sol, porté comme sur des échasses, sans aucun contact avec la terre, le terrain de la réalité humaine.

Cependant, malgré tout, la Grâce est telle qu'Elle abonde, même à travers et au cœur de toutes ces imperfections et erreurs humaines. Nous ne sommes que des créatures terriblement indigentes, et pourtant la Grâce afflue, flue et abonde... C'est bien cela qui relève du miracle le plus inouï ! !

Enfin, tous ces messages de la Lumière, tous ces enseignements spirituels issus de la Sagesse et de la Vérité, sont en réalité, comme le disait Gandhi, les feuilles d'un même arbre, le filtre de la multiplicité devant l'Unicité, différents aspects de la même Réalité insaisissable en Elle-même, telle qu'Elle, comme des clichés sous divers angles permettant de reconstituer l'image 3D d'un objet, autrement dit encore les différentes pièces d'un même puzzle, les briques élémentaires du même jeu de construction, les pierres d'un même édifice, qui, loin de s'exclure les unes les autres, se complètent et s'assemblent au contraire pour former un tout cohérent et solide. Il n'y a là nul syncrétisme (dont les principales religions établies ne sont d'ailleurs jamais totalement dépourvues, parce qu'elles s'inscrivent toujours dans la continuité poreuse d'une histoire et d'une évolution), mais seulement l'unique et seule Quête de la Vérité, et rien d'autre !

C'est pour cette raison que, très justement d'ailleurs, on observe de plus en plus aujourd'hui des "chercheurs-de-vérité" puiser avec ferveur à diverses religions, aux sources mêmes de la spiritualité, de la Sagesse et de la Vérité, qui transparaissent encore aujourd'hui, malgré tout, à travers les textes "sacrés" de ces enseignements originels.

De cela, je donnerai un panorama, selon ce que j'ai moi-même reconnu, compris, appris, et ce qui me parle, m'intéresse le plus. Libre à toi ensuite de poursuivre plus loin la recherche et l'étude, c'est même de toute façon indispensable pour en faire ton bien propre, que tu peux emmener partout avec toi, et avec lequel tu peux cheminer sûrement, comme avec un fidèle et solide bâton de marche.

Du polythéisme au monothéisme...

Comme tu as pu le constater, chère amie, cher ami, le chemin que nous suivons est fait de hauts et de bas, tantôt il monte vers les hauteurs, tantôt il redescend vers les profondeurs, comme une randonnée à travers les montagnes, exactement à l'image des vicissitudes de l'existence terrestre.

- D'ailleurs, à ce propos, je ne sais pas si tu as déjà vu ce type de labyrinthe qu'on trouve encore dans certaines cathédrales, comme la très belle cathédrale de Chartres, par exemple. Ils sont symboliquement très intéressants ! Outre le fait qu'historiquement, d'un point de vue culturel, ils sont une sorte d'hommage aux architectes bâtisseurs, dont Dédale, père d'Icare, figure grecque de la métis et de la technè, concepteur du labyrinthe dans lequel fut enfermé le Minotaure, est une personnification, ils ont aussi une valeur initiatique et symbolique. Il n'y a en effet qu'un seul et unique chemin à suivre, pour parvenir au but, de l'extérieur vers le centre, autour duquel on passe son temps à tourner, et, en parcourant ce chemin, alors qu'on croit parfois se rapprocher du but, parce qu'on s'en approche effectivement spatialement, il se trouve qu'en fait on s'en éloigne ensuite à nouveau, même si, de nouveau, avec le recul, d'un point de vue plus large et plus élevé, du point de vue de l'ensemble, on s'en rapproche bien, temporellement. Il en va ainsi également de toute quête spirituelle, de tout cheminement vers la Sagesse et la Vérité ! On vit en effet des périodes lumineuses, où l'on perçoit et reçoit d'En-Haut des choses magnifiques, une sensation d'élévation enivrante, comme si le ciel était ouvert au-dessus de nous, et puis, d'autres fois, nous traversons des périodes plus ternes, plus sombres, comme si le ciel était voilé, le soleil, masqué, caché, nous semblons cheminer dans une vallée de larmes, plongée dans l'obscurité, abandonnés, livrés à nous-mêmes, obligés de mettre à l'épreuve de la pratique et de l'expérience vécue ce que nous avons précédemment reçu. Nous ne sommes cependant jamais réellement abandonnés, livrés entièrement à nous-mêmes ! L'Aide secourable veille toujours, elle est toujours présente, un mystère du même ordre que celui de l'Omniprésence Divine, qui ne signifie d'ailleurs nullement que Dieu est présent partout, non, cela n'a rien à voir avec une forme d'immanence païenne, une sorte de contrainte, pour le Créateur, d'être prisonnier de Son Œuvre. Son Esprit Créateur, oui, Source de toutes les lois de la Création, Qui constitue Son éternelle Volonté Créatrice, le Divin Logos, est, Lui, effectivement, présent partout, en tant que Sa Force Sacrée qui régit et anime tout l'ensemble, Souffle Sacré de la Vie répandu à travers les mondes, les mettant constamment en mouvement. Non, le Secret de l'Omniprésence de Dieu repose dans le fait que, oui, en effet, Dieu est "Tout-Présent", c'est-à-dire "Toujours-Présent", "Présent-à-tout", que, de toutes les parties de la Création, même depuis les plus sombres profondeurs, Il peut être recherché, trouvé et atteint, par voie de rayonnement, par le chemin des irradiations, dans la prière réelle et sincère, quand le cœur, l'esprit en nous, se relie au Grand Esprit qui veille, est et agit partout dans la Création, en tant que manifestation de la puissante et aimante Volonté Créatrice de Dieu, la Lumière des mondes et la Vie. Car tout est intriqué dans l'immense matrice de tout le Vivant qui se déploie à partir de la Vie Elle-même. Mais j'abandonne cette courte digression et j'en reviens à cette évolution tout à fait naturelle et voulue du polythéisme vers le monothéisme. -

J'en ai déjà parlé rapidement, succinctement dans mon propos/chapitre sur "Dieu". Reprenons à nouveau le parcours normal de l'évolution naturelle du germe d'esprit humain incarné sur Terre, dans son accession progressive à la conscience de soi.

Par la vigilance, la lutte pour la survie au sein de la Nature, les sens de l'être humain primitif, tendus à l'extrême, se développèrent peu à peu de telle sorte qu'il put alors ensuite percevoir, avec ses yeux subtils, d'une part, les entités de la Nature, qui y agissent constamment, afin de tout ordonner et agencer, en orientant d'abord les énergies sur le plan éthérique, mais également, d'autre part, ces fameux "démons", dont il ne comprit pas forcément dès le départ qu'il ne s'agissait en réalité que des vivantes formations de ses propres intuitions, de ses ressentis intérieurs, formes émanant donc de sa vie spirituelle intime, disposant à ce titre d'une mobilité propre, revêtues ultérieurement des formes de ses pensées, paroles, sentiments, émotions... C'est à ce stade que, tout naturellement, émergent, viennent à expression et prennent forme animisme et chamanisme.

Lorsque, allant toujours de pair avec son niveau d'évolution intérieur, son élévation morale, sa vision se développa et perça encore vers le haut, il put contempler et même, pour certains privilégiés, entrer en contact avec les grandes entités de la Nature et, loin au-dessus d'elles, les grands guides de toutes les entités de la Nature, qui sont aussi les médiateurs des vertus originelles, qu'il considéra donc comme des dieux et déesses, les sources mêmes de ces courants lumineux. Comme d'habitude, au départ, il y a bien une vision réelle, une expérience réelle, avec un culte fondé sur cette réalité, animé par de pures intuitions, prenant des formes naturelles. Mais, à chaque fois, là où la faillite intervient, là où la "chute dans le péché" a lieu, l'être humain se coupe du grand Invisible et du Monde Spirituel, s'enterre dans la matière, se trouve restreint par la limitée capacité d'appréhension, d'intelligence et de compréhension de son intellect, en tant qu'activité de son cerveau, et, tout le vivant véritable, invisible pour les yeux, il ne le voit plus, ne le perçoit plus réellement intérieurement avec sa conscience, ne restent alors que les formes extérieures vides de vie, et le rapport aux "dieux" est alors envisagé de façon anthropomorphique et anthropocentriste, c'est-à-dire que les dieux sont conçus d'humaine manière, comme des superlatifs de l'humain, affligés des mêmes faiblesses et défauts, capables d'agir arbitrairement, mais disposant seulement de l'immortalité et de pouvoirs supranaturels. (Alors que, d'ailleurs, rien de véritablement "supranaturel" n'existe dans la Création tout entière, car la Nature existe partout, même dans les sphères les plus élevées, il n'existe rien d'autre, elle est l'Œuvre de Dieu, porte la marque de Sa Volonté la plus parfaite, ne se meut que dans le cadre des lois les plus parfaites et les plus justes, inamovibles et immuables, comme la science a pu très exactement le reconnaître, et ce que l'être humain ici sur Terre peut contempler n'est qu'un pâle reflet de ce qui existe plus haut, de plus éclatante manière.) C'est donc à ce stade, avec la déchéance et la décadence spirituelles qui frappèrent quasiment tous les peuples de la Terre, polythéistes à un moment ou à un autre de leur histoire, du fait de la réalité de cette évolution conforme aux lois, c'est donc dans ces périodes qu'eurent lieu le pire du pire, la manifestation de l'immoralité, de la débauche, le dévoiement de la force sexuelle, en tant que, au départ, force ascensionnelle vers le haut, de la matière vers le spirituel, avec des pratiques sexuelles douteuses, voire des orgies, puis aussi également des sacrifices, animaux et humains, espérant, par le sang livré ainsi, s'attirer la faveur des dieux, apaiser leur courroux, obtenir des cadeaux ainsi que divers bienfaits. De là naquit aussi une sorte de professionnalisation du "sacré" (si on peut appeler ça ainsi), c'est-à-dire que le rapport aux dieux devint non pas une affaire personnelle, dont l'individu pouvait se préoccuper et s'occuper lui-même, mais l'affaire d'une caste particulière, celle des prêtres, qui, par-là, obtenaient autorité et pouvoir sur leurs congénères, ainsi que les richesses matérielles qui allaient avec. De là proviennent l'hypocrisie, le mensonge et la manipulation, auxquels pas une seule religion ne put échapper et qui existent encore aujourd'hui partout, tout simplement, non pas à cause des religions en elles-mêmes, d'ailleurs, mais à cause de l'être humain lui-même, qui n'est finalement que ce qu'il est.

Et puis, peu à peu, perça l'idée d'un Dieu Unique au-delà de tous les dieux, d'une grande conduite unitaire au-delà de la multiplicité des énergies foisonnantes et des présences, visibles et invisibles, à l'œuvre dans la Création. Cette notion ne fut d'ailleurs pas, contrairement à ce que certaines personnes croient, l'apanage exclusif des trois religions monothéistes du Livre. De même émergea progressivement, bien que très timidement, dans les profondeurs inconscientes de l'âme humaine, telle une petite flamme tremblante et vacillante dans la pénombre, une préoccupation réelle et personnelle pour son propre salut individuel, pour sa propre évolution spirituelle, ce qui devait modifier du même coup la forme extérieure du culte, devant normalement s'orienter vers plus d'individualité et d'intériorité, se manifestant moins par des formes collectives, rites et rituels extérieurs, que par une authentique conversion du cœur, toute personnelle et intérieure, se manifestant seulement ensuite vers l'extérieur, imprégnant alors l'attitude et le comportement. En tout cas, normalement, il aurait dû en aller ainsi, mais ce développement fut rapidement entravé et on observa un rapide repli sur les anciennes façons de faire, un net recul, avec une sorte de régression et de crispation, à nouveau, sur les formes extérieures seulement, et ce, dans toutes les religions. Surtout à l'époque actuelle où l'essentiel est de plus en plus perdu de vue, alors... on se raccroche de plus en plus désespérément, convulsivement, voire agressivement, aux formes extérieures, espérant par-là combler un vide intérieur de plus en plus criant...

Dans cet ordre idée, reprenons donc quelques points essentiels, quelques étapes clés du développement de cette notion de conduite unitaire et de Dieu Unique, au travers de toutes les religions et systèmes de croyance.

Premièrement, nous observons déjà, contre toute attente, l'émergence de cette notion de Dieu Unique en Egypte antique, sous le règne d'Akhénaton. Contrairement à ce que pensent les prétendus spécialistes, il ne s'agissait nullement pour lui de détrôner les multiples dieux du panthéon égyptien, d'en extraire Aton seul, figure solaire, pour en faire le Dieu Unique à vénérer. Non, le culte dont il fut l'initiateur n'avait pour objet que le grand Dieu Unique, au-delà de tous les dieux, qui n'En étaient, eux, que les serviteurs, les intermédiaires, les exécutants dans le monde matériel, et, en tant que Source de la Lumière Originelle, c'est sous les traits extérieurs d'Aton, porteur de la lumière physique naturelle, qu'Il était révéré. Seulement, Akhénaton intervint ainsi dans les petites affaires des prêtres, les reléguant alors à l'arrière-plan, comme les humbles serviteurs qu'ils auraient dû être, ce qu'ils ne voulaient certainement pas devenir, eux qui avaient quasiment le pouvoir temporel entre leurs mains, avec leurs artifices et leurs petites manigances, et profitaient allègrement de leur situation, de façon purement professionnelle (comme ce fut d'ailleurs toujours le cas systématiquement pour la caste des prêtres, serviteurs officiels et très professionnels du "Divin"), pour se maintenir en position d'autorité, ce qui leur conférait également une solide source de subsistance terrestre. Ils cherchèrent donc par tous les moyens à saper sa réputation, ainsi que son autorité, à lutter contre lui, à mettre fin à son règne et à ce culte profondément novateur et révolutionnaire d'une Unique Déité au-delà de la multiplicité des divinités égyptiennes. C'est ainsi que, par exemple, des gravures ou sculptures furent modifiées, falsifiées, pour faire croire qu'il s'était uni avec Néfertiti qui n'était autre que sa fille, alors que cela est faux, ce n'est qu'un vil mensonge. A ce fait très confidentiel, inaccessible à la plupart des êtres humains, on peut constater qu'il y a souvent une bien grande différence entre la réalité de ce qui fut effectivement et ce que l'histoire et les historiens officiels retiennent sur la base d'éléments dont on peut légitimement douter de l'authenticité, du fait de la duplicité de l'être humain, que rien n'empêche de modifier les documents sur lesquels se fondent les historiens ainsi que l'histoire officielle. En outre, il n'y a pas lieu non plus de penser qu'il y ait ici une véritable continuité historique entre cette notion de Dieu Unique portée par Akhénaton et le Dieu Unique des Juifs, notion confortée plus tard par Moïse. Il s'agit seulement d'une réalité qui émerge et surgit parfois, même si elle redisparaît à nouveau. Il n'y a pas lieu non plus de croire à d'obscures initiations au sein de sociétés secrètes millénaires, quand ces choses sont avant tout portées, plus ou moins consciemment, par les âmes au travers de leurs différentes incarnations, sont une manifestation de l'évolution des concepts mûris par l'inconscient collectif.

Deuxièmement, il y eut plus loin, au Moyen-Orient, un jalon essentiel très important dans l'évolution des idées religieuses avec le Zoroastrisme, réforme du Mazdéisme, apportée par le Zoroastre. Là encore, ce fut une profonde révolution dans les conceptions et mentalités. Jusque-là existait comme partout un culte polythéiste, notamment plus ou moins centré autour de la figure solaire de Mithra, assorti parfois de sacrifices animaux (dans le meilleur des cas...), et dont l'accomplissement, là encore, était la prérogative exclusive et la préoccupation toute professionnelle de la caste des prêtres. Zoroastre intervint rudement en affirmant qu'il n'existait en réalité qu'un seul Dieu, Ahura Mazda, régnant au-delà de tout, que les sacrifices ne lui étaient pas agréables, que seule une conduite individuelle juste et vertueuse pouvait trouver grâce à ses yeux, que chacun individuellement devait se préoccuper de son propre salut personnel, rendre compte de ses actes, de peur qu'une impitoyable justice ne lui soit rendue, en tant que conséquence logique de ses œuvres, et cela, non pas en payant des prêtres pour qu'ils fassent des sacrifices, mais en pensant et en agissant de la bonne manière, de façon juste, en n'étant animé que par la préoccupation de faire le bien. De cette époque provient également la notion de "Paradis", mot d'origine iranienne qui signifie "espace clôt" ou "jardin", endroit où se retrouvent les justes après leur mort, qui n'est pas la fin en soi de l'existence. Aux côtés du Dieu Unique, Ahura Mazda, Zoroastre plaçait Spenta Mainyu, l'Esprit Saint, comme Son seul et unique Intermédiaire et Intercesseur, Son Délégué plénipotentiaire, au sein de toute la

Création et auprès de tous les créés, ainsi que les six Amesha Spenta, Ses serviteurs, Esprits Immortels, en tant que personnifications ultimes de Ses pensées, vertus, qualités, qu'on identifia plus tard aux Archanges dans les trois religions monothéistes. Face à eux, il campa la figure antagoniste d'Angra Mainyu, l'Esprit de colère, la Pensée Mauvaise, issue de toute l'ordure tombée dans les profondeurs finement-matérielles du fait de toutes les pensées mauvaises générées par les êtres humains eux-mêmes. Il n'y a donc là qu'un dualisme apparent, puisque la seule Force juste est du côté du bien, le mal n'étant qu'une formation a posteriori, incarnation ultérieure en position d'infériorité. Dans son discours, il parlait également d'une époque finale déterminante, où devait s'accomplir la Justice divine, selon ce que chacun porte réellement en son cœur, avec l'avènement sur Terre d'un personnage messianique, en la figure du "Saoshyant" (sûrement une manifestation de Spenta Mainyu), qui mettrait un terme final au mal et renouvellerait le monde. D'après ces différents éléments, on peut voir que beaucoup de notions que l'on retrouve dans le Judaïsme, puis, plus tard, dans le Christianisme, comme aussi dans l'Islam, proviennent en réalité de là.

J'apporterais encore ici une information nouvelle que peu de gens connaissent, à savoir que le fondateur des monastères tibétains, qui existaient bel et bien avant l'émergence du Bouddhisme, avec leur propre système de croyances et de pratiques, fut un disciple du Zoroastre, Miang-Fong, qui vint en Iran apprendre auprès de lui et s'en retourna dans la région du Tibet pour porter cet enseignement spirituel et fonder des monastères, en tant que sûres citadelles de ce précieux savoir spirituel. Mais cela ne provient pas de sources historiques officielles reconnues. A chacun de se faire sa libre opinion sur le sujet, mon ami(e), comme je te l'ai promis, je te livre sans retenue tout ce que je crois, tout ce dont j'ai l'intime conviction. Et je te donnerai, en temps voulu, la référence solide et sûre sur laquelle tu pourras peut-être toi-même construire ton intime conviction.

Troisièmement, en ce qui concerne le Judaïsme des origines, il faut bien avoir conscience du fait que, justement, ce peuple juif, au départ, faisait également partie des peuples dits "païens", qu'ils vénéraient aussi un panthéon polythéiste de plusieurs dieux, à l'instar des différents peuples qui le cernaient de toutes parts, auxquels ils rendaient un culte également fait de rites sacrificiels, notamment de sacrifices animaux, voire humains (comme dans les cultes de Baal ou de Moloch). Seulement, là aussi émergea l'idée d'un Dieu Unique au-delà de tous ces dieux, les "Elohim" (pluriel de "Eloha"), mentionnés à plusieurs reprises dans l'Ancien Testament, dont l'existence n'est jamais niée, mais qui sont seulement subordonnés au Dieu Unique, en tant que Ses exécutants dans la Nature et la Matérialité, et, encore une fois, comme en témoigne l'un de Ses premiers messagers en la personne d'Abraham, père fondateur des trois religions monothéistes, ce Dieu Unique ne réclame pas de sacrifices animaux, encore moins humains, comme les dieux païens, mais une véritable "circoncision" / conversion du cœur... C'est ce qu'illustre en quelque sorte le fameux épisode du sacrifice d'Isaac, le fils d'Abraham. Par ailleurs, le fait qu'une partie du peuple juif fut déportée à Babylone, où ses initiés durent ainsi entrer en relation avec l'enseignement du Zoroastre, est très fortement probable et contribua certainement à former la base du monothéisme juif, à forger ces notions de Paradis, de Messie, d'Archanges, de révélation de fin des temps, etc. Le couronnement vint enfin avec Moïse, qui libéra le peuple juif du joug égyptien et par lequel se révéla le Dieu Unique, sous le Nom Sacré "Yahveh", forme archaïque du verbe "être", traduite par "Je Suis", mais avec une connotation progressive, comme en anglais, signifiant donc, quelque part, "Je suis en train d'être", autrement dit "Je Suis Celui Qui Est", exprimant ainsi la transcendance absolue du Dieu Unique, au-delà de tout ce qui est. Par son intermédiaire, Dieu révéla Ses dix Commandements, base essentielle du Judaïsme, construit autour de la Torah, la loi juive.

Cependant, et cela constituera mon quatrièmement, on retrouve encore également cette idée de conduite unitaire, cette notion, plus ou moins, d'Unique au-delà du multiple, un peu partout à travers le monde, au fil du temps, dans bien d'autres cultures, traditions et systèmes de croyance. Notamment, par exemple, chez les Amérindiens, où il est question du Grand Manitou, le Grand Esprit, qui règne au-dessus de tous les esprits de la Nature, ou bien encore chez certains philosophes grecs qui parlent du Logos, qui ordonne tout l'Univers. - Comment d'ailleurs ne pas faire le lien entre l'Esprit Saint du Dieu Unique dans le Zoroastrisme, la figure messianique qui lui fut associée, qu'on retrouve également dans le Judaïsme, puis dans le Christianisme, et le Saint Esprit dans la Trinité Chrétienne, le Fils de l'Homme annoncé pour le Jugement Dernier, ce Logos grec ainsi que ce Grand Esprit des Indiens d'Amérique ?!... C'est pour le moins troublant !... -

De même, on retrouve cela dans les religions de l'Inde, Védisme, Brahmanisme et Hindouisme. En effet, beaucoup de gens pensent à tort que la religion hindoue n'est qu'un polythéisme. Certes, il y a pléthore de divinités, toutes plus variées, colorées, les unes que les autres, avec, tout de même, à leur tête une triade fondamentale avec les dieux Brahma, Shiva et Vishnu. Cependant, pour les initiés, toute cette multiplicité n'est que l'expression d'une Unité au-delà de tout, le "Brahman", sorte d'essence-énergie-conscience unitaire dont tout ce qui existe tire son origine, règne naturel, animaux, êtres humains ou même dieux. Le Moola Mantra, par exemple, illustre cela, en tant que magnifique ode à l'Unité qui se cache derrière la multiplicité et qui unit tous les êtres.

Dans le Taoïsme aussi (porté par Lao-Tseu à partir d'un matériau préexistant), il n'y a à l'origine de tout qu'une et une seule énergie fondamentale, le Tao, qui emplit le vide, d'où émerge la matière, et qui est constituée elle-même de deux énergies, non pas antagonistes, mais complémentaires, le Yin et le Yang.

Enfin, cinquièmement et dernièrement, dans le Bouddhisme, c'est du même ordre, bien qu'encore un peu différent, car il n'y a pas là de Dieu Unique à vénérer. En effet, l'éveil de la conscience spirituelle en l'être humain détrôna tous les anciens dieux de l'Inde, l'existence d'une conduite unitaire fut cependant nettement reconnue, mais ne progressa pas davantage vers une claire vision spirituelle, parce que les adeptes s'arrêtèrent sur le seuil du Spirituel et n'allèrent pas plus loin. Là, ils sentirent bien cependant que tous les êtres vivants sur Terre sont nés de et animés par la même énergie vitale et que tous les êtres humains ont une origine commune et sont issus de cette fameuse "Nature de/du Bouddha" (autrement dit le genre "Spirituel"), sur laquelle est centrée le développement de la conscience qui est l'enjeu principal du Bouddhisme, dont découle également la compassion envers tous les êtres, ce qui permet l'affranchissement de la souffrance et la libération du Samsara, le cycle des réincarnations, lorsqu'on atteint l'Eveil.

Voilà le bref panorama d'ensemble que je souhaitais dérouler devant tes yeux, afin de te montrer comment je vis la cohérence de la construction logique de toutes ces notions, conformément aux enseignements spirituels apportés sur Terre, dans la progression de l'histoire ! Ce ne sont que des grandes lignes brossées à grands traits, pour la vue d'ensemble. En ce qui concerne les détails et les précisions, tu trouveras ailleurs des ouvrages érudits qui en parlent bien mieux que moi.

De mon point de vue, il ne s'agit pas là de tout mélanger, de donner lieu à un syncrétisme quelconque, mais de contempler comment tous ces éléments convergent dans la même direction pour construire une juste représentation de la Réalité, qui conduit à son tour à la pure contemplation de l'unique Vérité. J'espère que tu as pu me suivre jusqu'ici, aussi je poursuis la route que je nous ai tracée.

Les errements religieux, du Judaïsme à l'Islam...

Alors, chère amie, cher ami, je ne suis pas à vrai dire un savant spécialiste des religions, et je ne veux pas non plus donner lieu ici à un traité sur les religions, leur histoire et leur évolution ; d'autres, bien plus qualifiés que moi, s'en chargent bien mieux que moi. Je souhaite juste mettre en valeur leur porosité relative et le fait que, selon moi, elles contribuent chacune à élaborer et à transmettre des notions spirituelles faisant partie intégrante d'une vision cohérente de la Réalité, du Grand Tout, de façon universelle. C'est cela mon intention profonde : mettre en évidence cette réalité universelle et fraternelle, qui relie tous les êtres humains entre eux, au-delà de leurs multiples représentations et de leurs différences ; et c'est ce fond unitaire, à exhumer d'urgence, qui doit permettre de surmonter les antagonismes apparents, seulement extérieurs, de s'affranchir aussi des erreurs apportées dans les dogmes religieux par les êtres humains eux-mêmes et de vivre ainsi ensemble, dans l'équilibre harmonieux et incroyablement stimulant de la pluralité et de la diversité. Exactement comme les fleurs des champs nous enivrent de leur beauté, par leurs formes, couleurs et parfums bien différents les uns les autres. La différence est un facteur d'émulation et de mouvement, qui offre une complémentarité et qui permet d'éviter, sur Terre, la stagnation et la régression qui menacent à tout moment, dès que l'on cesse de se maintenir spirituellement en éveil et en mouvement. Ce qui est triste, c'est que, de tout ce vivant reposant dans ces messages d'origine, ces enseignements spirituels issus de la Lumière, et construisant progressivement les marches montant vers le Très-Haut, vers l'éclat de la Vérité, dans la Sagesse, de tout cela, les êtres humains s'emparèrent et firent des "packages" religieux complètement verrouillés et sclérosés.

Et là, mon ami(e), il me faut te faire part très honnêtement et simplement du malaise qui est ici le mien, par rapport à ce que j'envisage d'aborder et de dire dans cette partie. Je souhaite me positionner de façon clairement et irréfragablement polie et profondément respectueuse vis-à-vis de l'Autre, des autres, des êtres humains en général et de tous les croyants en particulier, car on a bien le droit de croire et de penser ce que l'on veut, moi y compris. Cependant, ma démarche, comme tu l'auras compris, qui me pousse à chercher avant tout la Vérité et à partager ma vision du monde, ma conviction intérieure, avec toi, m'oblige à faire preuve d'un certain esprit critique. En effet, comme je te l'ai déjà expliqué, je fais la part des choses, strictement, dans chaque religion, entre le précieux trésor du véritable message, de l'authentique enseignement spirituel qui en est à l'origine, transmis aux êtres humains de la Terre par un "apporteur-de-vérité" envoyé d'En-haut, et ce que des êtres humains en ont malheureusement fait par la suite, en rajoutant tout un fatras d'autres ingrédients purement terrestres et en arrangeant le tout à leur sauce, pour en faire une religion établie. Or, mon respect va avant tout, et au-dessus de tout, à Dieu, à la Lumière et à la Vérité, je ne saurais donc, avec tout le respect que je leur dois en tant qu'êtres humains, placer au-dessus de tout le fruit de ce que je considère comme de simples erreurs de leur part. Dans cette perspective, je me permets donc de faire preuve d'analyse critique quant au contenu, au sujet des dogmes et des croyances, des notions et des idées, ainsi que des pratiques, du point de vue spirituel, avec la connaissance des rapports dans la Création qu'apporte une juste et claire vision d'ensemble du haut vers le bas. - Mais je fais strictement la part des choses entre les idées et les personnes. Comme le disait Aristote : il n'y a de réel que l'individu... - Et, à ce titre, si je dois être tout à fait franc, tout à fait libre de te livrer ce que je crois, ce dont j'ai l'intime conviction, je ne peux rien retenir, car, sinon, tu ne pourrais jamais toi-même en prendre connaissance, accéder à mon plus précieux, afin que cela, peut-être, je l'espère, féconde le tien, dans l'échange. Ainsi donc, même si je vais m'en prendre, ici, au Judaïsme ainsi qu'à l'Islam, ou plutôt à certains aspects de leurs systèmes de croyances et de pratiques, que je juge erronés et faux, au détriment des enseignements d'origine et de leurs messagers eux-mêmes, je voudrais cependant qu'il soit bien clair ici, afin d'éviter toute ambiguïté, confusion ou amalgame, que je ne suis nullement antisémite ni islamophobe, et que je réprouve totalement ce genre d'opinions, ainsi que les attitudes ou les comportements qui pourraient les accompagner. Plus loin, comme tu pourras le constater, je m'en prendrai également au Bouddhisme ainsi que, surtout - et bien plus sévèrement -, au Christianisme. Chacun en prendra donc pour son grade, si je puis me permettre. Mais, toujours, ce qui m'anime, au fond, c'est uniquement la Quête ardente de la Vérité, l'absolue vénération de Dieu et de Dieu Seul, et non pas de ce que des êtres humains de la Terre ont voulu En faire, ainsi que le plus total respect envers les messagers eux-mêmes et leurs enseignements spirituels véritablement à l'origine de ces religions, que je cherche seulement à dépouiller, dans les formes religieuses extérieures purement humaines, des erreurs apportées par les êtres humains eux-mêmes. Ma préoccupation principale - je le répète ! - est uniquement la Quête de la Vérité et de la Sagesse, de la libération et de l'ascension spirituelles, je ne peux prendre d'égards vis-à-vis de ce qui est faux, au risque de me faire ainsi des ennemis. Ces ennemis, au final, ne sont qu'ennemis de Dieu, de la Vérité et des êtres humains, puisque, s'ils étaient de sincères croyants à la foi vivante, d'authentiques êtres humains à la conscience éveillée et développée, ils placeraient uniquement au-dessus de tout Dieu Lui-même, la Vérité, ainsi que sa créature, à savoir, l'être humain en tant qu'individu à part entière, qui, par décret divin, dispose en lui d'un libre-arbitre, d'une libre volonté, et non pas toutes les erreurs disséminées par leurs propres congénères. Tout ce qui s'oppose à cela, entravant, doit être enfin reconnu comme faux, si libération et ascension spirituelles il doit y avoir pour l'espèce humaine. Cela dit, j'espère que tu me comprendras et c'est seulement après t'avoir ainsi franchement averti que j'ose poursuivre. Mais je suppose aussi que, si tu as ce livre entre les mains, ami(e), que tu sois à la base jui.ve.f, chrétien(ne), musulman(e), bouddhiste, hindouiste ou autre, c'est bien que tu cherches toi-même plus loin, que tu ne te contentes pas/plus du contenu formaté des dogmes religieux eux-mêmes, mais que tu te poses des questions auxquelles tu cherches à apporter des réponses, que tu t'es mis(e) en route, en quête de Sagesse et de Vérité, aussi j'ai confiance en ta réelle capacité à faire la part des choses et à saisir véritablement mon intention profonde, tout aussi limitée qu'elle soit dans son expression par les mots que j'utilise peut-être très maladroitement.

Commençons tout d'abord par le Judaïsme. Je ne connais que peu cette religion, si ce n'est au travers de sa tradition orale, la Kabbale, que j'admire beaucoup, dans laquelle j'ai énormément puisé, qui m'a beaucoup inspiré et qui, à la base, n'a absolument rien à voir avec ce qu'en ont fait des êtres humains embourbés dans le mysticisme, l'ésotérisme et l'occultisme. Dans cette tradition religieuse juive, donc, on trouve de très belles choses et de précieuses idées, pour aborder et penser les rapports entre le

Créateur, Sa Création et Sa créature, l'être humain, conçu comme un microcosme reflétant le macrocosme, exactement comme dans le système de représentation de l'énergétique chinoise, mais j'y reviendrai plus tard. Le seul bémol, c'est que, en ce qui concerne la pratique religieuse proprement dite, à mon sens, cette religion n'a pas évolué dans ses formes extérieures, trop centrées sur le rituel à accomplir plutôt que sur le vivant contenu porté par le cœur, comme elle l'aurait dû, si elle avait admis, accueilli, incorporé et assimilé la révélation apportée par Jésus, transmise et répandue par ses apôtres, ses disciples, notamment par les évangélistes, dans ce qui constitue le Nouveau Testament. Et là, je ne fais même pas allusion à la révélation de Jésus en tant que "Fils de Dieu", mais à son discours (relayé par ses disciples) sur la "circoncision" du cœur, l'authentique pratique de la charité et de l'amour du prochain, l'animation des actes et formes extérieures par une véritable vie intérieure. Mais j'y reviendrai plus loin également lorsque je me pencherai sur le Christianisme.

Quant à l'Islam, eh bien, au risque là encore de choquer, sache que, selon moi, d'après mes sources, il ne s'agit pas d'un enseignement spirituel apporté d'En-haut, par un véritable envoyé de la Lumière, un esprit créé, puisque, en l'occurrence, Mahomet n'était lui-même qu'un esprit purement humain, évolué, du bas vers le haut, et que, même s'il fut conduit, guidé, inspiré par la Lumière, il n'y eut pour lui aucune révélation directe par l'intermédiaire d'un Archange comme celle qui lui est faussement attribuée par la tradition. A vrai dire, Mahomet fut autrefois, dans une précédente incarnation, un disciple du Christ Lui-même, Nathaniel, pour être exact, qui souffrit d'ailleurs profondément, à cette occasion, de la puissance terrestre totalement injuste que des êtres humains purent déployer, ici-bas, sur Terre, à l'encontre de Celui Qui était envoyé par Dieu, Qui était l'Amour de Dieu Lui-même. (Ce qui explique d'ailleurs bien des choses dans certaines de ses prises de position et dans certains de ses propos, que ce soit vis-à-vis des Juifs ou de la nature et de l'origine spirituelles de Jésus...) Dans cette autre incarnation, il grandit lui-même, du fait de son cadre familial, à la fois dans le Judaïsme et dans le Christianisme, nourri par ces deux traditions religieuses. Or, il voyait bien les écueils de ces deux religions : d'une part, le Judaïsme figé dans ses formes extérieures, accroché à ses rituels, stoppé dans son évolution, parce qu'il n'accueillit pas la révélation du Christ, sur la prévalence absolue de l'intérieur sur l'extérieur, et, d'autre part, le Christianisme naissant, qui était un petit peu trop centré à son goût (et à raison) sur la Personne du Christ Lui-même, relevant ainsi davantage du culte de la personnalité, reléguant à l'arrière-plan le plus important, à savoir Sa Parole, Son Message, Son Enseignement, reproduisant ainsi aussi, quelque part, les mêmes erreurs dans ses formes extérieures. C'est pourquoi, en plus auprès d'un peuple assez sauvage, fougueux et farouche (Et ce n'est pas péjoratif ni raciste, car il y a là aussi de la noblesse ! - Pas plus, d'ailleurs, non plus, que quand le peuple juif se désigne lui-même dans l'Ancien Testament comme un peuple "à la nuque roide"... -), dont il prit la direction temporelle (ce qu'il ne faut surtout pas oublier !...), il fit de l'Islam une religion de la "soumission" absolue, soumission spirituelle exclusive à Dieu, l'Unique, le Tout-Puissant, soumission temporelle à lui-même ainsi qu'à ses décrets.

Là encore, ce que je dis ici, à prendre comme critique intellectuelle du point de vue des idées, mais également comme critique spirituelle, du point de vue de la Lumière et de la Vérité, du haut vers le bas, n'enlève strictement rien aux richesses de ces deux religions, ni au respect que j'ai pour leurs représentants, croyants et pratiquants, en tant qu'êtres humains, en tant que personnes, car chacun individuellement est bien libre de croire et de penser ce qu'il veut, et est respectable en tout point en tant que personne humaine. Seulement, comme je l'ai déjà évoqué, on ne peut désormais plus, dans une société prétendument "moderne" et civilisée, faire l'impasse sur certaines incohérences, voire sur certaines aberrations, notamment sur certains passages immoraux, voire extrêmement violents, par exemple, que ce soit d'ailleurs dans la Bible, dans l'Ancien Testament, ou dans le Coran. Il n'y a là nul respect pour Dieu ni pour sa créature, l'être humain, encore moins pour la Vérité, dans le fait d'admettre cela, purement et simplement, comme une parole ou un message authentiquement divins, juste sous prétexte que la tradition des êtres humains nous l'a transmis ainsi, sans analyse critique. On ne peut placer au-dessus de Dieu et de la Vérité ce que l'être humain a lui-même pensé, dans sa perspective limitée, et despotiquement imposé comme une vérité absolue intangible, alors que c'est bien loin de l'être. Là, doit véritablement avoir lieu un combat pour la Vérité, pour la liberté spirituelle et la libération intérieure, où seule la plus pure intransigeance peut servir le juste, le bon et le vrai.

Mis à part ces passages violents, qui ne peuvent en aucun cas être accueillis comme l'expression de la parfaite et aimante Volonté de Dieu, il y a certains tabous, interdits ou diktats, qui sont proprement liberticides et mortifères, humainement et spirituellement. Qu'on songe, par exemple, aux interdits alimentaires ! Croit-on réellement que Dieu nous jettera en enfer (je caricature volontairement !...) parce qu'on mange quelque chose qui n'est pas casher ou halal (ce qui implique en plus une torture et une souffrance animales ! !...) ou parce qu'on boit de l'alcool ? Parce qu'on travaille un jour de shabbat, un samedi, surtout si c'est pour rendre service à son prochain, l'aider dans la détresse ? Plus loin, parce qu'on ne se fait pas circoncire, couper le prépuce, ce qui reste une mutilation du corps que la Nature a formé pour nous, et qui n'est qu'une mesure d'hygiène culturelle, courante d'ailleurs jadis, empruntée, comme certaines règles alimentaires, à l'Egypte antique ? Si l'on pousse le raisonnement plus loin, on se rend compte immédiatement de l'ineptie de certaines choses. Mutiler le corps humain, d'une manière ou d'une autre, c'est s'en prendre à la création de Dieu, c'est prétendre vouloir corriger ce qu'Il a conçu, en tant que Créateur, et mieux faire que Lui ! Et concernant l'interdiction de boire de l'alcool, les musulmans savent-ils que, dans beaucoup de choses qu'ils mangent, y compris dans les fruits, d'un point de vue purement chimique, il y a des molécules qui portent une fonction alcool hydroxyde, qui peut donc, sans plus, être considérées comme de l'alcool au sens large (exactement comme le menthol, d'ailleurs, par exemple !) ? Mais il peut aussi s'y trouver des traces d'éthanol... N'est-ce pas plus raisonnable de penser qu'il s'agit là, à la base, comme dans le Bouddhisme, d'une recommandation bienveillante à ne pas s'enivrer au point de perdre la maîtrise de soi et de faire du mal autour de soi ? Quelle est la cohérence, d'ailleurs, dans le fait de se priver d'alcool, mais de fumer du cannabis, ce qui altère tout autant les facultés de conscience et de maîtrise de soi, éveillant et stimulant les bas instincts du corps ? Quant au travail le jour du repos, le Shabbat, eh bien, sais-tu qu'au sens physique du terme, ton corps, chacun de tes organes, de tes muscles, chacune de tes cellules, travaillent à tout instant, et que c'est cela qui te permet de rester en vie ? Arrêter de travailler totalement, c'est signer son arrêt de mort ! ! Où se trouve donc la limite ? N'est-il pas plus judicieux de saisir l'esprit, le sens, plutôt que d'appliquer bêtement la lettre de la loi ? (C'est surtout ça que je reproche aux religions en général !) A fortiori si c'est pour pinailler sans fin sur des détails à n'en plus finir... Et ainsi de suite. Beaucoup de ces préceptes, d'ailleurs, ne sont nullement propres à ces religions, comme j'y ai déjà fait allusion, mais viennent de pratiques socio-culturelles héritées du contexte historique dans lequel elles émergèrent jadis, et n'avaient donc absolument rien à voir avec le noyau spirituel vivant de la religion en question, ce n'était que quelque chose de corollaire introduit ultérieurement par les êtres humains eux-mêmes.

Quant au jeûne du Ramadan, tant qu'à faire, parlons-en aussi ! Selon moi, du point de vue spirituel, ce qui compte, l'essentiel, c'est bien que celui qui entreprend ce jeûne le fasse réellement de lui-même, par lui-même, conformément à son libre-arbitre, à sa libre décision, porté uniquement en cela par une foi véritable et sincère, par la plus pure et absolue vénération de Dieu, contribuant ainsi à dégager une réelle atmosphère de recueillement et d'adoration du Très-Haut, l'Unique Source de toute vie. Là, alors, à condition aussi de ne pas s'empiffrer non plus dès que le soleil est couché, et à condition également, comme pour tout jeûne, de jeûner aussi spirituellement et mentalement vis-à-vis de tout ce qui peut polluer, distraire et détourner du purement-spirituel, là, alors, ça a sa pleine valeur. Et, personnellement, même si je trouve cette pratique extrême, surtout le fait de ne même pas boire d'eau (a fortiori en été par de fortes chaleurs pour un adolescent en période d'examens ou un adulte effectuant un travail physique en plein soleil), ce qui représente en plus un refus vis-à-vis de cette infiniment précieuse bénédiction accordée par le Créateur à travers la Nature, Son Œuvre, je suis quelque peu admiratif et en tout cas profondément respectueux devant le degré d'abnégation, de don de soi, de sacrifice et de maîtrise de soi, à l'instar des ascètes hindous, que cela exige, lorsque c'est réellement vécu comme tel de l'intérieur. Mais je me demande aussi cependant : Est-ce vraiment nécessaire pour prouver sa foi, sa dévotion ? Quel est l'intérêt spirituel par rapport à l'objectif d'évolution de l'esprit humain ? Qu'en retire-t-il véritablement spirituellement ?...

Un autre pilier fondamental de l'Islam, en cela profondément humaniste et admirable, c'est l'exercice de la charité par l'aumône, ce en quoi l'Islam rejoint d'ailleurs un peu le Christianisme.

Mais parlons maintenant du point qui me paraît le plus problématique : le statut de la femme dans ces religions ! Aïe ! Nous touchons là ainsi du doigt un point qui fait mal, très très mal, à notre société comme à ces religions elles-mêmes ! ! Il s'agit en effet d'un écueil spirituel terriblement catastrophique, d'une plaie profonde, qui meurtrit d'ailleurs beaucoup de religions. Et ces trois religions monothéistes du Livre en particulier, Judaïsme, Christianisme et Islam (mais elles ne sont pas non plus les seules...), ne font pas exception, elles qui se représentent d'ailleurs Dieu comme devant être de genre masculin et qui ne reconnurent finalement jamais, quasiment, que des messagers masculins... Ce qui doit nous faire longuement réfléchir ! Finalement, il n'est pas étonnant, au vu de ces nombreuses erreurs colportées par des religions purement humaines, que bien des êtres humains se réfugient dans un athéisme obstiné et militant, beaucoup de femmes modernes notamment, qui ne peuvent que, à juste titre, être prises de nausée et de dégoût pour ces "religions des hommes". Oui, tiens, d'ailleurs, osons franchement nous poser cette question : Pourquoi Dieu serait-Il de genre masculin ? Pourquoi Dieu ne serait-Il pas une femme ?... Et cette question est tout à fait pertinente ! Car cette représentation sexuée est fausse, elle participe de l'anthropomorphisme qui porte lui-même la marque de l'égocentrisme humain et de la limitation de sa capacité de pensée et de représentation. En réalité, Ce Que les êtres humains appellent "Dieu", la Lumière des mondes et la Vie, l'Origine de tout l'Être et la Source de tout ce qui est, n'est ni masculin, ni féminin, et porte cependant en Lui à la fois les deux genres. Ce n'est pas pour rien qu'on retrouve partout cette "Tri-Unité", non seulement avec la fameuse Trinité Chrétienne, Père, Fils et Saint-Esprit, mais aussi dans la Kabbale, avec les trois mères, Aleph, Mem, Shin, jusque dans le Taoïsme, avec le Tao dont procède le Yin et le Yang, et même dans l'Hindouisme avec la triade Brahma, Shiva, Vishnu. Et ainsi de suite. Mais, de ce mystère proprement divin, nous reparlerons plus loin seulement, si tu es d'accord, mon ami(e).

Quant aux messagers de la Lumière, il n'y a pas à s'étonner finalement du fait que ce furent pratiquement tout le temps des hommes. En effet, comme je l'ai déjà dit, la Lumière, la Sagesse Divine, en tant que Pédagogue et Educateur spirituels de l'humanité, s'adapte à son public, à ses élèves. Or, en l'occurrence, tous les peuples en question étaient des peuples machistes, misogynes et phallocrates, où les femmes étaient quasiment réduites en esclavage par les hommes. Comment une messagère aurait-elle pu s'y révéler, s'y faire entendre et écouter, y déambuler librement afin de transmettre son message ? Là encore, il n'est pas étonnant que beaucoup de femmes s'opposent farouchement à ces religions monothéistes machistes et liberticides pour le genre féminin, comme pour le genre humain en général, du fait des erreurs purement humaines auxquelles elles s'accrochent malheureusement convulsivement encore aujourd'hui.

Et je vais encore en choquer sûrement plus d'un en disant cela, mais je me dois de le dire, par égard pour la Vérité et non pas pour les petits êtres humains de cette Terre et leurs représentations étriquées qu'ils placent eux-mêmes au-dessus de tout : Que dire de cette pratique répandue surtout chez les musulmans qui consiste à imposer aux femmes de porter le voile, partiellement ou intégralement, non librement consenti ni désiré ? Pourquoi serait-ce donc à la femme de se cacher aux yeux de l'homme, afin de ne pas susciter sa convoitise, éveiller ses pulsions sexuelles, parce que ce dernier, tel un animal, ne sait pas se maîtriser lui-même ? Moi, je dis : ce serait plutôt à ces hommes de porter sur eux le sac poubelle de la honte ! ! !

Pour finir, en ce qui concerne l'Islam, je terminerai en ajoutant ceci : Lorsque Mahomet, en tant que, à la fois, leadeur religieux et chef temporel d'un peuple (ce qu'il ne faut pas oublier non plus, car c'est ce qui caractérise beaucoup de religions, dans une certaine mesure, sauf le Christianisme, en tout cas, à ses débuts), sentit sa fin approcher, il avait en réalité tout préparé et planifié pour que ce soit son gendre et cousin Ali qui reprenne les rênes du pouvoir, conformément à son enseignement et à sa volonté, parce qu'il était plus proche de lui, de ses propres valeurs, à même de suivre ses directives, disposant pour cela d'une meilleure compréhension spirituelle. Cependant, cela n'empêcha pas malheureusement ce dernier de faire complètement fausse route par la suite à cause de son orgueil spirituel et de sa soif de pouvoir.

Ainsi, à peine Mahomet fut-il décédé, que c'est son général Abou Bakr qui s'empara du pouvoir, afin de maintenir l'ordre, alors qu'il n'avait pas la même finesse de compréhension quant aux choses purement spirituelles. Il rassembla et instrumentalisa ce qui restait comme écrits épars du message, de l'enseignement de Mahomet, provenant de différents auteurs, témoins directs ou indirects, interprétant, déformant et dévoyant ainsi l'ensemble selon ses propres intérêts, l'abîmant dans des considérations bassement matérialistes, juridiques, politiques et guerrières, privant de cette manière les futurs musulmans eux-mêmes du trésor spirituel qu'était l'Islam véritable. - C'est de là que provient notamment l'aberration selon laquelle celui qui meurt pour Allah serait accueilli au Paradis par 72 vierges… - C'est donc pour cette raison que le Coran connu aujourd'hui n'a rien à voir avec l'authentique message original transmis par Mahomet, mais correspond à une interprétation littérale, rigoriste, juridique, législative, voire guerrière, et non pas "mystique", c'est-à-dire spirituelle, de lambeaux épars de textes incertains, n'ayant plus que peu de rapport avec le véritable enseignement spirituel dispensé par Mahomet. - Ne vous leurrez donc pas, musulmans fanatiques, intégristes et extrémistes, si vous mourrez, quelle qu'en soit la raison, en tuant des gens et en détruisant, vous ne monterez jamais au Paradis, mais descendrez plutôt en "enfer", dans les plans les plus sombres de l'Au-delà, où vous souffrirez de la part des autres ce que vous voudriez vous-mêmes leur faire subir, car c'est ainsi qu'on apprend dans cette grande école de maturation qu'est l'Au-delà ! Et, soyez-en bien conscients, en faisant cela, en agissant ainsi, vous insultez le Prophète et vous souillez son message, son enseignement, ainsi que la religion dont vous vous réclamez, l'Islam, qui est à la base autrement plus belle, riche et majestueuse que cela, dans sa dimension spirituelle ! ! -

En outre, c'est de cet unique événement, de cette scission dès l'origine, que découle le schisme entre sunnites et chiites : les sunnites sont au départ les partisans d'Abou Bakr, ils considèrent le Coran comme la Parole de Dieu "incréée" (et donc absolue et indiscutable !...), mais se réfèrent beaucoup à la "Sunna", la "tradition", constituée par les propos, commentaires et actes du Prophète (dont les "hadith"), et ne reconnaissent théoriquement aucun clergé, aucun intermédiaire entre Dieu et les êtres humains ; tandis que les chiites remontent aux partisans d'Ali, ils considèrent le Coran comme l'œuvre humaine de Mahomet (ce qui a finalement le mérite d'être plus modeste et sensé), nécessitant le secours d'une interprétation, et reconnaissent pour cette raison un clergé, constitué d'imams ayant de ce fait un rôle, une autorité et un pouvoir beaucoup plus importants. - A titre personnel, je trouve que les deux partis ont partiellement raison et je retiendrais pour ma part ce qui me semble le plus juste et raisonnable : le Coran n'est qu'œuvre humaine, celle de Mahomet, les commentaires associés sont certes complémentaires, mais tout cela n'a rien d'absolu ; les croyants n'ont pas besoin de gens qui interprètent pour eux les textes, leur imposent quoi penser, dire et faire, et qui se positionneraient ainsi en tant qu'intermédiaires incontournables entre Dieu et les êtres humains. -

Et c'est ainsi, donc, comme pour toute religion, que l'Islam véritable fut déformé et ne fut transmis aux êtres humains qu'un produit de substitution amputé, falsifié et rabougri. Cela est bien triste, surtout au vu des richesses et des beautés que recèle aussi par ailleurs cette tradition spirituelle !... (Par exemple, anecdote personnelle, je me souviens d'une amie de fac qui me fit découvrir le "Jardin des roses" du poète persan Saadi. De mémoire, il y délivre une image concernant l'amour mystique pour Dieu qui m'a profondément bouleversé, parce qu'elle correspond exactement à la Quête de l'Absolu telle que je la vis et la ressens viscéralement au plus profond de moi. En substance, il dit en effet qu'on nous rebat les oreilles du rossignol comme symbole d'amour, mais qu'il n'y a en réalité pas plus beau symbole d'amour que celui du moucheron qui, aussi misérable soit-il, est irrésistiblement attiré par la lumière de la flamme au point d'aller se consumer à son feu pour y perdre la vie et s'y éteindre amoureusement !...)

Ainsi donc, malgré tous les efforts déployés par la Lumière depuis la nuit des temps pour guider l'humanité vers le haut, vers les hauteurs du développement spirituel-humain, de la conscience et de la compassion, de l'empathie et de la coopération, il est affligeant de constater à quel point, partout, les êtres humains s'obstinent dans leurs erreurs, se montrent bien souvent systématiquement hostiles à la Lumière, à la Vérité, à Ses messagers et envoyés, et déforment le précieux trésor spirituel qui leur fut ainsi donné en partage, au prix parfois de grands sacrifices.

Non, vraiment, il est temps de s'affranchir des erreurs du passé, les enfants, si vous souhaitez vraiment faire grandir votre humanité ! Et ces religions (le Christianisme n'échappant pas à la règle, ni à tout ce que je viens d'évoquer) sont coupables elles-mêmes d'avoir entacher d'erreur la Vérité, d'avoir sali la notion sacrée de Dieu et de s'en être pris, de la manière la plus agressive, vile et violente qui soit à ce divin décret, que nul ne devrait enfreindre, qui repose dans le libre-arbitre humain, la liberté individuelle ! Lorsqu'on parle pour la Vérité, on ne peut rien dire d'autre. A fortiori lorsque cela est logique et évident, tu en conviendras, mon ami(e). Et, tout adepte d'une religion que tu sois, si tu es un fervent croyant, vivant en ton for intérieur, si tu veux vraiment respecter les fondateurs de ta religion ainsi que leur authentique message ou enseignement spirituel, issu de la Vérité, si tu places Dieu et la Vérité au-dessus de tout le reste, tu ne pourras que trancher toi-même dans le vif de toutes les erreurs humaines, provenant de leurs mesquines arguties intellectuelles, dont ils ont voulu faire, dans leur arrogante prétention inouïe, des vérités absolues et intangibles.

On peut chercher à respecter les religions et les croyants de tous bords autant qu'on veut, à un moment donné, ça coince, surtout dans notre société actuelle, essentiellement laïque et cosmopolite, et ce qui coince, pour l'harmonieux vivre ensemble, ce n'est jamais le noyau spirituel fondamental sur lequel elles reposent, qui émane toujours de la même Source de l'Unique Vérité et qui est le même partout finalement, portant des valeurs profondément vivantes, universelles, fondamentalement humaines et humanistes, non, ce qui coince, à chaque fois, ce sont toutes les broutilles matérielles-terrestres que les êtres humains ont eux-mêmes rajoutées à ce noyau, parce que, dans leur paresse spirituelle, il leur est plus facile d'observer un rituel ou une règle purement extérieurs (ce qui relève davantage du T.O.C. comme le disait très justement Freud), plutôt que de faire un réel effort spirituel et intérieur sur eux-mêmes, pour se mouvoir véritablement spirituellement, afin de se transformer et de s'élever vers le haut, spirituellement et humainement.

A l'avenir, donc, si l'espèce humaine doit véritablement atteindre le but qu'elle aurait déjà dû atteindre depuis bien longtemps, dans l'expression de l'authentique humanité, elle ne pourra faire l'impasse sur une épuration, un grand ménage au sein de toutes ses conceptions religieuses, afin de libérer les lumineux et rayonnants noyaux spirituels de ces différentes religions, pour qu'ils parviennent enfin à leur pleine, entière et réelle expression, dans leur genre propre, qu'ils éclairent ainsi la nuit de l'âme humaine et qu'ils s'unissent harmonieusement, tel un accord vibrant, empli de louange et de gratitude envers la Lumière Qui nous a fait don de la vie, envers la Vie Elle-même ! !

Bouddhas, Eveil et Bouddhisme

Le Bouddhisme est considéré tantôt comme une religion, tantôt comme une philosophie de vie. Il est vrai qu'il n'a pas pour objet de rendre un culte à une Divinité, comme c'est le cas de ce qu'on entend habituellement sous le terme de "religion". Tout dépend à vrai dire de la façon dont on conçoit cette notion. Si je devais personnellement la définir à partir de sa double étymologie supposée : "relegere" et "religare", qui signifient respectivement, en latin, "relire" et "relier", je dirais que, dans tous les cas, il s'agit d'un système de croyances et de représentations, visant à "relire" le réel, la "cosmo-logique", à interpréter la réalité, à en donner une explication, un sens, et qui "relient" ainsi des individus entre eux autour d'une vision du monde commune, mais dont le but est aussi, par un ensemble de pratiques qui constituent ce qu'on peut désigner comme le "culte", de les "relier" à une autre dimension, immatérielle, invisible, spirituelle, et au-delà à des puissances supérieures, éventuellement, à une ou plusieurs divinités. Or, même si le Bouddhisme n'a pas de dieux, ni de Dieu proprement dits à vénérer, il n'en demeure pas moins qu'il s'agit bien là d'un système de croyances, de représentations, et de pratiques, se manifestant par des formes extérieures qui sont très proches de celles qu'adopte un quelconque culte rendu à une ou plusieurs divinités. En ce sens, et aussi parce qu'il réunit des individus autour d'une vision du monde commune et d'un ensemble de pratiques, on peut le désigner à juste titre comme une "religion". A l'inverse, en revanche, comme la préoccupation principale du Bouddhisme est l'affranchissement de la souffrance et le développement de la conscience, on peut effectivement le considérer comme une approche philosophique de la vie, de même que, plus loin, comme une approche de développement personnel, tant l'analyse de certains mécanismes humains et psychologiques y ait détaillée, fine, pointue et pertinente, notamment par l'exercice de la méditation et de la vision pénétrante. C'est certainement tout cela qui fait d'ailleurs du Bouddhisme une "religion" attrayante pour beaucoup d'occidentaux, non seulement du fait de son exotisme, mais surtout du fait de l'aide précieuse ainsi apportée dans la recherche du bonheur et de la Sagesse, comme on le voit de plus en plus avec la pratique de la méditation dite de "pleine conscience" dans une perspective totalement laïque.

- D'ailleurs, à ce propos, je pense que ce serait une erreur de croire que nous ne sommes ici sur Terre que pour être simplement béatement heureux matériellement, terrestrement. Non, le but de notre existence est bien plus que le simple bonheur matériel-terrestre, il ne faut donc pas vouloir être heureux à tout prix et chercher à fuir toute souffrance de son horizon spirituel, mental, psychique et émotionnel, il n'y a rien de "mal" ou d'anormal à souffrir et à être parfois malheureux, il y a des enjeux qui dépassent ces considérations, et le but du germe d'esprit humain est bien l'épanouissement de sa conscience, ce qui passe par toute une variété d'expériences vécues, toute la gamme des expériences humaines possibles sur Terre, de même que la graine ensemencée en terre est exposée aussi au soleil, à la chaleur, à la pluie, au froid, au gel, ainsi qu'à divers obstacles ou dangers, mais c'est seulement en passant à travers tout cela, au travers de toutes ces épreuves initiatiques, qu'elle peut aussi faire éclater sa gangue, germer, se fortifier, croître, grandir, fleurir et porter du fruit. Sois donc rassuré(e) ! Si tu es malheureu.se.x, si tu passes par des moments d'affliction, de désespoir et de souffrance, sache que ça n'a rien d'anormal, au contraire, c'est tout à fait normal, ça fait partie de l'existence terrestre, et ça n'a rien de "personnel" non plus, de même, ne crois pas un seul instant que, pour autant, tu aies fait quelque chose de "mal" (quel que soit ton karma ! !), que tu sois abandonné(e) tout(e) seul(e) à toi-même, sans espoir, sans secours, et, au final, ce qui t'attend, dans ta croissance spirituelle, a bien plus de valeur que le simple petit bonheur matériel-terrestre ! ! ! Nous sommes ici sur Terre dans une école spirituelle, nous sommes là avant tout pour apprendre, dénouer, nous libérer et croître spirituellement. Mais revenons-en au Bouddhisme. -

Il n'y a pas qu'un seul Bouddhisme, mais trois courants principaux, dont découlent à nouveau de nombreuses variantes : le Bouddhisme des Anciens, dit "Théravada", c'est-à-dire du "Petit Véhicule", le Bouddhisme dit "Mahayana", c'est-à-dire du "Grand Véhicule" et le Bouddhisme tibétain, dit "Vajrayana", c'est-à-dire du "Véhicule de Diamant", qui incorpore au Bouddhisme proprement dit des éléments préexistants, d'origine indienne également. Je ne rentrerai pas dans le détail de ces principaux courants, ni des variantes qui en découlent, tu pourras trouver éventuellement, si cela t'intéresse, toutes les informations dont tu aurais besoin dans des ouvrages spécialisés. Je me contenterai donc ici de n'aborder que certains aspects, parmi les essentiels, les plus fondamentaux, du Bouddhisme en général, afin de les décortiquer, et de faire la part des choses, à la lumière du panorama d'ensemble de l'activité de la Création que j'ai pu dérouler jusqu'ici devant tes yeux.

La postérité n'a d'ailleurs retenu l'existence que d'un seul Bouddha, alors qu'en fait, il y en eut deux, en réalité, Siddharta Bouddha, le premier éveillé, qui ouvrit le chemin, ainsi que

Gautama Bouddha, son petit-fils, qui entretint et élargit encore la voie ainsi tracée. Malheureusement, aujourd'hui, comme pour les autres religions, nous ne disposons pas de textes originaux complets, seulement de compilations ultérieures a posteriori à partir de bribes éparses, de deuxième, voire de troisième main, dans le meilleur des cas.

Mais attaquons-nous maintenant aux notions essentielles autour desquelles s'est construit le Bouddhisme, notamment deux en particulier, qui vont de pair, autour desquelles s'articulent beaucoup de choses, comme tu vas pouvoir le constater d'après ce que je me propose de t'expliquer : le principe du "Non-Moi" et le fameux Eveil.

Le Bouddhisme postule en effet la réalité du "Non-Moi", c'est-à-dire l'inexistence du "Moi", de l'individu, en tant que tel, le fait que se considérer comme une entité distincte séparée des autres n'est en réalité qu'une illusion, puisque tous les êtres vivants, quels qu'ils soient, végétaux, animaux, humains, procèdent du même principe de vie/vacuité/vide, de la même essence vitale, dynamique, qui anime tout ce qui existe, et qui subsiste au-delà de la disparition des formes matérielles. Il s'agit là de ce qu'on désigne comme la "nature de Bouddha". Or, il y a selon moi ici une grosse confusion, un amalgame entre divers niveaux de réalité, à l'origine de cette perception, car il ne s'agit bien ici que d'une perception subjective limitée. En effet, de mon point de vue, tous les êtres vivants disposent d'un noyau individué, individuel, distinct des autres et du reste ; ainsi l'être humain lui-même également dispose d'un "Moi" ou "Je" spirituel nettement déterminé, il s'agit en l'occurrence du germe d'esprit provenant du Spirituel et portant en lui cette même essence spirituelle, la fameuse "nature de Bouddha" véritable, germe d'esprit qui entreprend son périple à travers les champs d'expérimentation de la Matérialité sous une forme inconsciente et qui chemine peu à peu vers la pleine et entière conscience de soi, ce qui va de pair avec l'épanouissement de l'authentique forme humaine. Alors, qui a raison ? Y a-t-il ici une quelconque contradiction ? Eh bien, en réalité, non ! La différence de perception provient uniquement de l'intellect, l'activité du cerveau antérieur, et de sa domination unilatérale sur la perception de la réalité, mental auquel l'être humain, dans sa croissance, s'est malheureusement complètement assujetti, s'en faisant l'esclave docile, se limitant ainsi à la matière dense visible et se plaçant d'emblée sous l'emprise terrestre. En effet, l'intellect, le mental, notre cerveau, se perçoit comme existant en soi, en tant qu'individu, ne serait-ce que parce qu'il habite un corps limité dans l'espace, et se vit donc également comme une entité distincte, séparée de tout le reste et des autres. Or, la réalité énergétique et spirituelle est toute autre, puisque, au contraire, dans la Création, tout est intriqué, intimement lié et relié, interdépendant. Ainsi, dès que, par la méditation (la vraie, non pas celle qui use de l'intellect, du mental, mais celle qui s'en affranchit au profit de l'intuition, du ressenti intérieur, intime et profond), l'être humain développe sa conscience véritable (qui ne réside que dans son noyau spirituel vivant) et qu'il s'affranchit ainsi de l'intellect, du mental, de son cerveau, à la vue courte et étriquée, il émerge de la perception purement matérielle et matérialiste des choses, et s'élève au-dessus de l'emprise terrestre. Naturellement, à ce stade, il sent bien, le ressent intérieurement et le vit profondément en lui-même, que nous sommes tous intimement liés et reliés les uns aux autres, interconnectés, apparentés du fait de notre origine et de notre essence spirituelles communes, et que, même, tout est lié, intriqué, dans la vaste matrice spatio-temporelle de tout ce qui existe, ce vaste champ d'énergie fondamental qui constitue la toile de fond de l'immense Création. Ce qui n'empêche pas, malgré tout, d'avoir un "Moi" spirituel individué, qui, dans sa nature et sa dimension spirituelles, contrairement à l'intellect, ne se vit absolument pas du tout comme séparé, isolé, indépendant, bien au contraire. - Comme je l'ai déjà évoqué, tout cela est propre à un système de représentations provenant d'un esprit humain évolué normalement, du bas vers le haut, qui, dans son évolution naturelle, s'affranchit de certaines limites, parvient au seuil du Spirituel, reconnaît certaines choses, mais partiellement, et ne parvient ainsi pas à reconnaître pleinement ce qui se trouve encore au-delà. Pour cela, il y faut une claire vision d'ensemble, du haut vers le bas, qui ne peut être portée et apportée que par un véritable envoyé de la Lumière, formé et envoyé, du haut vers le bas. -

Mais revenons-en au mental. - D'ailleurs, à ce titre, afin d'éviter toute confusion, là encore, lorsque le terme "esprit" est utilisé, bien souvent, y compris dans le domaine du Bouddhisme et de ce qui s'y rapporte, on ne désigne là en fait que le "mental", l'"intellect", l'activité du cerveau antérieur, matériel-corporel-terrestre, tandis que l' "esprit" véritable, quant à lui, est tout autre, de nature purement spirituelle-éternelle, constituant le noyau vivant de l'être humain, incarné dans un corps terrestre, et c'est de lui seulement qu'émane l'authentique conscience, la seule essence qui perçoit, vit, anime et agit véritablement, au travers de ses différentes enveloppes et par l'intermédiaire de ses différents outils. - Ce que prône donc aussi le Bouddhisme, en la matière, dans la continuité logique de la perspective précédemment abordée du "Non-Moi", c'est la désidentification de l'être humain vis-à-vis de toutes les formes périssables, non seulement le détachement vis-à-vis de tout ce qu'on croit posséder matériellement, et qui ne fait que passer, mais aussi le fait, plus loin, de ne pas s'identifier non plus à ses propres émotions, à ses propres pensées, car ce ne sont aussi que des objets transitoires, certes plus finement-matériels, mais appartenant encore à la matière, disposant par conséquent d'une forme matérielle périssable, ce ne sont que des formes produites par l'esprit humain lui-même, incarné dans la matière sur Terre, qui demeurent à côté de lui, et qui sont destinées à passer également, qui ne subsistent pas. Le mental lui-même, en outre, n'existe pas en soi, en tant que tel, comme une entité distincte séparée, puisqu'il n'est que le fruit de l'activité du cerveau, ce n'est qu'un flux dynamique de pensées, constamment générées, du fait de nombreux stimuli extérieurs, qui influence et se laisse influencer, mais qui n'a pour autant pas de véritable réalité en soi. Et tout cela façonne aussi ta personnalité, passagère et transitoire également, qui n'a donc pas davantage de réalité, qui n'existe pas non plus en soi, si ce n'est comme produit de la foisonnante activité qui se déroule constamment en toi. Chaque schéma de pensée ou de penser agit comme un petit programme indépendant, un élément ou un aspect de ta personnalité. C'est à ce titre-là seulement que le Bouddhisme a tout à fait raison dans ce qui est perçu, à condition de faire la part des choses et de distinguer l'esprit véritable du mental. Seulement, avec la mort terrestre, tu ne t'éteins pas pour autant en tant qu'individu à part entière, tu ne vas pas davantage rejoindre une sorte de gloubi-boulga énergético-spirituel, dans lequel tu devrais te dissoudre, avec la même douce torpeur que tu éprouves lorsque tu te glisses douillettement dans un bain moussant. La différence réside juste dans le fait qu'une fois affranchi(e) de l'emprise terrestre, avec la libération de l'intellect et des limitations matérielles, tu réalises bien que tout est intimement lié et relié, intriqué, interconnecté et interdépendant.

Quant à l'Eveil, c'est quelque chose du même ordre, qui s'inscrit aussi dans la perspective logique de ces différents processus. Mais qu'est-ce donc alors que ce fameux "Eveil", qu'on monte un peu en épingle, dont on fait tout un pataquès, qu'on fait miroiter comme le Saint Graal aux aspirants, dont certains se réclament très hypocritement et faussement ? Eh bien, là encore, la réponse n'est pas compliquée, mais elle n'est pas non plus simpliste ni triviale pour autant, car elle relève d'un ensemble un peu plus complexe qu'on ne le croit de divers éléments rentrant en jeu, exactement comme nous venons de le voir par rapport à ce concept de "Non-Moi". Dans tous les cas, cela commence certainement déjà par l'affranchissement de l'intellect terrestre et de sa perception limitée, lui qui n'est que le fruit de l'activité dynamique du cerveau, qui n'existe pas en soi, qui n'a pas de réalité propre, en tant qu'entité, mais qui n'est que la résultante de l'ensemble des pensées, sentiments, émotions, générés, entretenus, s'auto-influençant réciproquement à chaque instant. Perce alors en l'être humain (notamment grâce à la méditation qui permet de faire silence en soi) son intuition véritable, son ressenti intérieur, le plus profond et le plus intime, l'authentique voix de son esprit en lui, son noyau spirituel vivant, point de départ de l'authentique conscience. Une fois cette limitation de perception dépassée, cette barrière franchie, se fait jour la conscience claire et nette d'une inter-dépendance et d'une inter-connexion absolues, d'ordre énergétique, au sein de tout le Vivant, sur Terre et même au-delà. C'est le degré énergétique de perception de la réalité, avec le net ressenti de cette puissante énergie vitale qui anime tous les êtres vivants sur Terre. Plus loin, l'Eveil spirituel proprement dit, au final, c'est simplement, comme son nom l'indique, l'éveil du germe d'esprit humain, qui émerge peu à peu de son état inconscient, ou non-conscient, et qui évolue à partir de là progressivement vers un état de conscience de lui-même et de son entourage de plus en plus aigu. Or, cela ne se réalise pas non plus brusquement du jour au lendemain, en un seul instant, c'est un processus à long terme, progressif, par étapes. Tu peux très bien atteindre ponctuellement, par la méditation et la prière, certains états de conscience particuliers, sans pour autant baigner constamment dedans. Par ailleurs, cette réelle prise de conscience de l'esprit, au sein de son incarnation sur Terre, ne peut se faire que lorsqu'il s'est auparavant suffisamment dépouillé de tout ce qui pouvait obscurcir, obstruer, assombrir, alourdir ses différentes enveloppes subtiles qu'il porte avec lui, tant qu'il demeure dans les champs d'expérimentation de la Post-Création matérielle, sinon, il ne perçoit la réalité qui l'entoure, même par le biais de son intuition, qu'à travers le filtre diffusant, colorant et déformant des enveloppes subtiles qui enrobent son noyau spirituel, point de départ véritable de la conscience, du ressenti, de la perception et de la vision. Or, beaucoup de ces processus, en réalité, demeurent totalement inconscients à l'être humain incarné sur Terre, c'est-ce qui fait que, parfois, il peut lui sembler avancer d'un bond, avoir tout à coup des éclairs de génie, des fulgurances, des... "prises de conscience"... Parce que cela a germé en lui au cours de ses expériences vécues, du fait de nombreux dénouements "karmiques", et par ses efforts continus, et que, soudain, cela perce jusqu'à la conscience diurne de l'intellect, du cerveau terrestre et s'ancre dans la réalité physique.

Donc, l'Eveil, en réalité, ce n'est pas une si grande affaire que ça, même s'il s'agit à vrai dire de l'unique but véritable et fondamental de l'existence humaine dans la matière, puisqu'une fois que l'être humain s'est éveillé, c'est-à-dire lorsqu'il a détrôné son intellect, son mental, au profit de son intuition, son ressenti intérieur, la voix de son esprit, qu'il a ainsi pris conscience de son esprit incarné en lui, de sa véritable nature, profondément spirituelle, cela n'a pas de cesse, pour lui, dans l'évolution, dans la progression et la croissance de sa conscience, de son aptitude à avoir pleinement conscience de lui-même, de son environnement et des autres. Tout au long de ce cheminement d'évolution, en même temps, a lieu l'épuration de ses différentes enveloppes subtiles qu'il porte avec lui, qui constituent son âme, ce qui, à son tour, réciproquement, améliore sa capacité de perception, il voit toujours plus clair au travers de ce qui n'est qu'un voile et qui est destiné à passer. Il n'y a donc pas lieu de chercher à tout prix à atteindre ce qui ne peut être atteint aussi facilement et directement, de but en blanc. De même, aussi, l'enseignement bouddhiste nous incite à suivre la voie du milieu, entre l'avant-plan, notre vie humaine incarnée, avec notre personnalité, nos conditionnements et attachements, nos pensées, nos émotions, toutes les expériences d'épuration karmique que nous devons traverser, etc., et cet arrière-plan, où l'on peut goûter avec délectation, dans la méditation ou la prière, la conscience de cette connexion et de cette union fusionnelle avec tout le Vivant, avec le Grand Tout et avec la Vie Elle-même, Origine de tout l'Être. Se perdre ou se réfugier dans l'un, constituera obligatoirement un obstacle à l'autre et, dans tous les cas, à la véritable maturation consciente du germe d'esprit. S'il se réfugie dans l'arrière-plan, c'est une fuite de la réalité, il peut se sentir très bien, dans cet état énergétique parfaitement lisse, calme et serein, mais il manquera cependant l'occasion d'expériences vécues extérieures, par lesquelles, seules, il pourrait s'affranchir de certaines erreurs, fautes, "impuretés" ou immaturités intérieures, qui n'en subsisteront pas moins dans ses enveloppes subtiles et qui retiendront son esprit, sur le chemin de son évolution, de son ascension spirituelle et de son affranchissement véritable de la matière, car le but, il ne faut pas l'oublier, c'est aussi, un jour ou l'autre, de quitter les champs d'expérimentation périssables de la Matérialité, au sein de l'Univers, de s'en affranchir définitivement jusqu'au plus petit atome, jusqu'à la plus petite particule, afin de célébrer sa résurrection dans le Spirituel-Eternel. De même, celui qui se perd dans l'existence terrestre, au mépris de la dimension spirituelle de son être, sera balloté d'une expérience à l'autre, de désir en plaisir, d'insatisfaction et déplaisir, et en souffrance, il souffrira en s'attachant vainement à tout ce qui passe, et ne pourra véritablement faire sien, élaborer en lui-même, le fruit, la substantifique moëlle, de ses expériences vécues, afin d'en tirer parti pour le mûrissement de son germe d'esprit. Il faut, oui, cheminer sur la voie du milieu et trouver un juste équilibre entre les deux, entre une présence au monde, le fait d'être *dans* le monde, sans pour autant être *du* monde, comme le conseillait le Christ Jésus à ses disciples. C'est à cela aussi que sert le fait de "sanctifier le jour du repos" : ne pas se laisser submerger par les multiples et toujours renouvelées exigences de l'existence terrestre et des contraintes matérielles, mais s'en extraire et s'en abstraire régulièrement, afin de cultiver la dimension spirituelle, d'en recevoir un nouvel élan, une motivation toujours renouvelée, ainsi qu'une consolation et un secours au cœur de la détresse.

Pour le reste, je me contenterais, mon ami(e), de te renvoyer vers Isabelle Padovani qui en parle très bien dans ses nombreuses vidéos, qui donne de précieuses pistes et explications, pour trouver un juste équilibre dans tout ça. (Même si, par ailleurs, je pense que nous ne partageons pas la même vision du monde, je n'en reconnais pas moins son expertise ainsi que la pertinence et la justesse de ses propos en ce qui concerne ce qui se déroule en nous ainsi que dans le domaine des relations interpersonnelles.)

Le Christianisme

Passons maintenant au Christianisme ! Et là, je serai bien plus à l'aise et prolixe, car, comme tu l'as peut-être déjà compris, fondamentalement, je suis chrétien, de cœur et en principe, concrètement et officiellement catholique (baptisé adulte, par conviction et enchaînement d'événements et de rencontres, en Israël, dans le lac de Tibériade / Génésareth, par 3 prêtres catholiques, dont un père abbé, au cours d'un pèlerinage), mais idéologiquement non-dogmatique, plus proche du Protestantisme ou de l'Orthodoxie pour certains concepts, attaché davantage à la vivante spiritualité plutôt qu'à tout le fatras de la religion elle-même, tout en étant également en même temps ouvert au Bouddhisme, ainsi qu'à plein d'autres traditions ou courants spirituels, du moment qu'ils sont porteurs de vérité. Comme tu l'auras saisi, c'est la seule et unique chose qui m'importe !

Et le Message Christique me semble être un joyau d'une beauté exceptionnelle, trop beau, précieux et universel, pour épargner justement la religion qui s'en réclame, qui en découle, et pour éviter, par un excès d'égards mal placés, de trancher dans le vif de toutes les déformations que les êtres humains ont eux-mêmes fait subir à ce trésor spirituel, du fait de leurs bien fantasques et puériles interprétations.

Je vais donc passer en revue un certain nombre de notions, de concepts clés, propres au Christianisme (ou, en tout cas, à ce qu'il est convenu de désigner ainsi, mais qu'on devrait plutôt appeler, comme on le verra plus loin, le "Paulisme"...), et les passer en même temps au crible impitoyable et intransigeant de la même analyse critique dont j'ai fait preuve jusque-là, afin de faire la part des choses, entre ce qui est vrai et faux, à mon sens, afin de débarrasser les joyaux de toute leur gangue d'immondices accumulées autour d'eux par l'erreur, voire la folie humaine, et afin d'amener aussi à partir de là les notions qui me semblent faire partie intégrante du Tout-Réel, de la Réalité et de la Vérité.

L'Enseignement du Christ, le Message Christique

L'essence même de ce message, de cet enseignement spirituel est très simple et tient en peu de mots : "Dieu est Amour !" (Et ce ne sont pas des conneries bisounoursiques ! ! ! !... Mais une réalité d'une puissance redoutable et terrifiante ! ! !...) et "Aime Dieu, plus que tout, et ton prochain comme toi-même !", autrement dit encore "Aimez-vous les uns les autres !", voire, même, "Aimez vos ennemis !" (Ce qui n'a rien à voir non plus avec la mollesse ou la faiblesse, car la part la plus importante de l'amour véritable est la sévérité, sève de vérité, d'authenticité et d'intégrité ! !). C'est donc bien l'Amour, avec un grand A majuscule, qui est au centre du Message Christique et des évangiles, de même que la compassion envers tous les êtres est centrale dans le Bouddhisme. En cela, Jésus était profondément révolutionnaire, car, dans l'accomplissement concret de cet Amour Universel, loin de toute mollesse façon "peace and love", comme le montre ses coups de gueule, il ne se souciait guère des lois humaines, des règles établies par les êtres humains, de leurs petites traditions mesquines, y compris, et surtout, dans le domaine religieux, au sein d'un Judaïsme devenu très étriqué, ritualisé à l'extrême, sec de cœur, vide de sens, sans chaleur, sans vie et sans âme (ce qui n'est d'ailleurs pas propre au Judaïsme, car c'est le fait de toutes les religions, lorsque le psychorigide mental s'en mêle...).

Or, aujourd'hui encore, nous avons, d'un côté, des gens véritablement habités par la foi en Dieu et par l'amour sincère et charitable du prochain, qui le montrent journellement dans leurs prises de position et dans leurs actes, et, de l'autre, nous avons une puissante organisation matérielle-terrestre, une institution purement humaine, une "Eglise", ou plutôt des églises chrétiennes, catholiques, orthodoxes, protestantes, avec aussi des gens qui n'ont vraiment rien d'engageant quand on les rencontre - je suis désolé de le dire -, parce qu'ils ne respirent pas franchement l'amour chrétien, parce qu'ils ne reflètent pas du tout le message d'amour du Christ... Mais, ça, c'est encore une fois un problème qu'on rencontre dans toutes les religions !

En tout cas, il suffit de relire les évangiles pour être convaincu par la beauté et l'universalité de ce Message d'Amour absolu, sur le plan purement humain, car, même si ce ne sont pas là les propos exacts de Jésus lui-même, écrits et transmis directement à la postérité par lui-même, la vigueur de sa personnalité, de sa parole et de son enseignement n'en transparaît pas moins au travers de ces textes. Jésus lui-même, aujourd'hui comme alors, irait vers les plus démunis, les malades, les marginalisés, les exclus, les SDF, y compris, par exemple, vers la communauté LGBT, vers tous ceux qui sont mis au banc de la société, et, plus que jamais, il prendrait à parti les riches et les puissants de ce monde, qu'ils représentent l'autorité politique ou religieuse, celle-là même, d'ailleurs, de l'église catholique, par exemple, ou bien encore le pouvoir financier, ainsi que tous les magnats de la finance, du CAC 40, de l'armement, de l'industrie agro-alimentaire, de la santé, du lobbying pharmaceutique, les GAFAM, etc., en les exhortant sévèrement quant à la responsabilité qu'ils ont envers le reste de l'humanité et envers l'environnement, la Nature, du fait de leur position, de leur pouvoir, de leur richesse, de leurs moyens, leur rappelant au passage qu'il est plus facile de faire passer un chameau par le chas d'une aiguille que de faire passer un riche (trop accroché à ses richesses matérielles et sans cœur) dans le Royaume de Dieu ! Il ne pourrait être ainsi considéré autrement, aujourd'hui comme jadis, par les pouvoirs en place, que comme un rebelle, subversif et révolutionnaire, l'ennemi à abattre, car tel est bien le pouvoir de l'Esprit, qui souffle où il veut, et qui remet systématiquement en cause tout ce qui est établi dès que cela n'est pas conforme à la Vérité ! !...

De même aussi qu'il a chassé les marchands à l'entrée du temple, de même chaque individu devrait chasser de son for intérieur sa paresse d'esprit, qui l'incite à développer une fâcheuse tendance à négocier, ergoter, pinailler, à chercher de vils compromis, dans sa relation au Spirituel et au Sacré.

Bref ! Les évangiles se suffisent quasiment à eux-mêmes, aujourd'hui encore, et il y a suffisamment de choses qui sont écrites aujourd'hui à ce sujet, dont tu puisses te nourrir et t'inspirer. Je ne saurais par exemple trop te recommander la lecture des écrits de Frédéric Lenoir, dont j'apprécie énormément l'approche humaniste, universaliste, tellement vivante, bienveillante et chaleureuse. (Pour moi, ça, c'est de la vraie philosophie qui aide au quotidien ! !...)

Commenter des passages des évangiles m'emmènerait trop loin, cela suffirait sans doute à remplir un ouvrage en soi, même modeste, et peut-être le ferai-je un jour, mais pas pour l'instant. Pour le moment, je veux juste aller droit à l'essentiel. Passons donc au vif du sujet ! ! ;)

Fils de Dieu

La première notion que je souhaiterais éclaircir est celle de "Fils de Dieu", car elle constitue un écueil pour beaucoup.

Cela dit, attention !, pour moi, l'essentiel, c'est l'application de ce message d'amour au quotidien, concrètement, en soi, dans sa vie, et tout autour de soi, dans sa relation au monde et aux autres, sur le plan purement humain, exactement comme la compassion bouddhiste. C'est une valeur fondamentalement et profondément humaine, humaniste et universelle, essentielle pour le bien commun et le vivre ensemble. Et, toujours à mon humble avis, on n'est pas obligé de croire pour autant que Jésus était "Fils de Dieu", pour mettre en pratique son message d'amour. Ce n'est pas ce qui compte, en réalité, d'un point de vue humain et spirituel, pragmatique et concret. Cela ne doit donc absolument pas constituer un obstacle à l'approche, voire à l'abordage, de ce message, de cet enseignement. Sois en assuré(e), mon ami(e).

Quelque part, je dirais même, en m'inspirant de certaines paroles de Jésus lui-même, en les reprenant ici à mon compte sous une autre forme : "Nul ne peut connaître le Père si ce n'est celui à qui le Fils L'a fait connaître, de même que nul ne peut connaître le Fils si ce n'est celui à qui le Père l'a fait connaître !" Ainsi, cette reconnaissance de Jésus en tant que "Fils de Dieu", cette vivante conviction que Jésus était le Fils de Dieu, donc bien autre chose et bien plus qu'un simple être humain, ne s'acquière pas de façon systématique, automatique, hasardeuse ou triviale, par le simple baptême donné par une quelconque communauté chrétienne, en récitant et en répétant mécaniquement le "Credo" chrétien, c'est au contraire une grâce, c'est véritablement un "accident" de parcours dans l'évolution spirituelle du germe d'esprit humain, une prise de conscience, du fait que, d'un seul coup, par un puissant élan intérieur, il entre en contact et en relation avec cette réalité, qu'il rencontre véritablement ainsi et qu'il peut alors seulement intégrer à sa conviction et à sa vie. Car si cela n'est pas vivant, ancré dans l'expérience vécue, constamment renouvelée, si cela n'est qu'extérieur, que dans les mots, alors ça n'a absolument aucune valeur ! ! ! Et bien des pratiquants, voire des religieux, des officiants et des représentants du Christianisme, qu'ils soient catholiques, orthodoxes ou protestants, sont bien loin de cette vivante conviction !...

Alors, personnellement, oui, je suis convaincu que Jésus était plus qu'un simple être humain et qu'il était bien le "Fils de Dieu". C'est d'ailleurs pour cette raison que Pierre fut nommé "Pierre", parce que sa conviction "Tu es le Christ, le Fils du Dieu vivant !", qui comportait en même temps la confiance en son message, son enseignement, la foi en sa parole et l'élan nécessaire à sa mise en pratique et en application, cette vivante conviction seule pouvait servir de base à l'édifice, "la pierre d'angle", sur laquelle, seule, pouvait s'édifier à son tour l'église chrétienne au sens large, c'est-à-dire l'authentique assemblée des fidèles au Christ et à son message. Non pas Pierre lui-même en tant que personne, comme la tradition humaine l'a faussement interprété, mais sa vivante conviction ardemment exprimée, objectivement et impersonnellement.

Bref !

Qu'en est-il maintenant de cette notion de "Fils de Dieu" ? Elle pose en effet problème à beaucoup, notamment de ceux qui se sentent proches du message d'amour de Jésus, mais qui sont profondément rebutés par cette notion qu'ils ne parviennent pas à saisir, à se représenter et à comprendre. Je vais, chère amie, cher ami, t'exprimer simplement mon point de vue, comme d'habitude, sans chercher à te convaincre, car, depuis le début, je cherche seulement à donner à entendre et à voir ma conviction, dans un souci de la partager, mais sans jamais chercher à polémiquer, argumenter, prouver, convaincre. Il n'appartient qu'à toi de parvenir un jour à une quelconque conviction en la matière, tu dois en être totalement libre, ainsi que le seul acteur véritable.

Il faut bien comprendre que la capacité de compréhension des êtres humains de l'époque était limitée, très candide, enfantine, proche de celle des enfants d'aujourd'hui, et encore. De telles notions ne pouvaient donc parvenir jusqu'à eux, jusqu'à leur possibilité de compréhension, que par le pont de leurs propres représentations, notamment leur vision anthropomorphique de Dieu. Or, c'est bien ça le problème, car, à vrai dire, tout ce qui s'applique à l'être humain ne peut pas s'appliquer à Dieu, et inversement, c'est même le contraire ! Chez les êtres humains, un père et son fils, même s'ils sont parents, sont, restent et demeurent deux personnes totalement distinctes et différentes l'une de l'autre, même si, occasionnellement, ils peuvent avoir une unité d'action. Pour le Divin, en l'occurrence, c'est différent, exactement le contraire : le Père et le Fils sont Un, ce n'est que par l'action et dans la manifestation extérieure auprès des êtres humains qu'Ils paraissent être Deux.

Par "Fils de Dieu", il faut donc entendre, selon moi, "Partie issue de Dieu". Donc un peu de cette Pure Essence Divine, de ce "Quelque Chose" d'Indicible, Qui est la Lumière des mondes et la Vie, l'Origine de tout l'Être. Et Cela ne pourra jamais demeurer pour l'être humain qu'un Mystère Divin, c'est-à-dire quelque chose que l'être humain ne peut pas comprendre, que l'esprit humain ne peut pas même se représenter. Ça ne pourra jamais être rien d'autre qu'une réalité réalisée et acceptée comme telle, prise telle qu'elle est, à un moment ou un autre de l'évolution de l'esprit humain et de sa conscience, par une véritable rencontre spirituelle, toute intérieure, intime et personnelle, avec l'Esprit du Christ. C'est tout.

Quelque chose de plus là-dessus, je ne peux pas te dire. C'est uniquement quelque chose qui se vit intérieurement, puissamment, "viscéralement", mais qui ne s'explique pas, ne se prouve pas. Quelque chose qui se "réalise", c'est-à-dire qu'on prend conscience que c'est ainsi, qu'il en va bien ainsi, que c'est un fait, une réalité, qu'on admet, qu'on prend avec soi, qu'on intègre à sa vision du monde et à son système de représentation, et c'est tout. Il n'y a que les théories issues de l'intellect humain terrestre qui peuvent s'étayer, se bâtir, se décortiquer, s'argumenter et se prouver par un raisonnement logique, purement intellectuel, mais pas la Réalité Vivante, Qui Est, tout simplement, avec Laquelle on entre en présence et dont on fait l'expérience.

Mais, comme je le répète, cette conviction, toute personnelle, propre à chacun individuellement, n'est pas indispensable pour faire le bien, développer son humanité, s'épanouir spirituellement et s'élever vers le haut !

Quant à l'aspect purement théologique, pour finir, j'ai mis longtemps à comprendre quels étaient les obstacles dans les représentations des êtres humains pour saisir et comprendre cette notion, notamment les premiers chrétiens, qui la définirent et la posèrent, une fois pour toute, telle qu'elle est encore aujourd'hui. En effet, pour eux, pendant longtemps, l'âme ne préexistait pas au corps, elle naissait en même temps que lui et venait l'habiter, l'animer, attendant ensuite, au moment de sa mort, la résurrection de la chair au moment du Jugement Dernier, en séjournant pendant ce temps-là au Paradis ou en enfer, ou encore au purgatoire. Tu auras pu constater, d'après le panorama de la Création que je t'ai dressé, que ce n'est pas du tout là ma conviction. Le corps n'est qu'une enveloppe, un instrument, un scaphandre dans la matière, l'écorce la plus externe. L'esprit humain, qui existe lui-même bien longtemps auparavant, y est seulement "incarné". C'est-à-dire, donc, que ce qui fait de l'être humain un être humain proprement dit, ce n'est pas son corps physique de forme humanoïde, le contenant, mais son contenu, à savoir le germe d'esprit incarné en lui, plus ou moins éveillé, conscient, développé, évolué et épanoui. Ainsi, pour Jésus, ne s'agissait-il pas, en l'occurrence, d'un simple germe d'esprit humain, ni même d'un esprit humain, tout court, plus ou moins évolué, ou créé, évolué d'en-bas ou envoyé d'en-haut. Non, vint en l'occurrence à l'incarnation dans le corps terrestre même une partie entière de la Pure Essence de Dieu, qui pénétra alors dans la Création, dans l'Univers, dans la Matérialité, et adopta ainsi un corps de chair et de sang, une enveloppe de matérialité-grossière la plus dense, se plaçant aussi d'emblée sous l'emprise des lois régissant la matière et l'Univers, adoptant donc forme humaine, dans le seul et unique but de nous rejoindre dans notre humanité, jusqu'au point le plus bas de notre profondeur, de notre abîme, afin de pouvoir ensuite à partir de là se manifester pleinement auprès des êtres humains de cette Terre, faire entendre la Voix de Dieu, Son Message d'Amour, afin de leur transmettre ainsi un pur courant issu de la Vérité inaltérée. Ce fut le couronnement de toute l'aide spirituelle qui avait précédé par l'intermédiaire des différents "apporteurs-de-vérité" envoyés par la Lumière, pour l'éducation et l'instruction spirituelles de l'humanité.

Cela a longtemps fait débat au sein des premiers chrétiens qui établirent alors le dogme tel qu'il existe et subsiste encore aujourd'hui en l'état, n'ayant guère évolué malgré les siècles écoulés. Ils se sont d'ailleurs longtemps écharpés les uns les autres à ce sujet : les uns prétendant que Jésus n'était qu'un être humain comme les autres, ni plus ni moins finalement qu'un prophète, ainsi que l'on retenu et intégré les musulmans dans l'Islam, les autres arguant qu'il n'était que Dieu Lui-même (ce qui rendait la crucifixion et la mort sur la croix absolument incompréhensibles, scandaleuses et inacceptables), tandis que le troisième parti, qui l'emporta par la force et la domination terrestre en éliminant peu à peu ses adversaires, imposa finalement le dogme absurde de sa double nature Dieu/humain. Or, ils n'avaient pas à l'époque les connaissances qu'on a aujourd'hui, des idées aussi élaborées. De tout cela, finalement, moi, personnellement, encore une fois, je ne retiens qu'une seule version comme vraie, conforme à ma conviction, à mon ressenti, à ma vision du monde (Mais c'est très personnel, et subjectif, au final ! On adhère ou pas ! !), et c'est la suivante : en Jésus ne s'incarna pas un simple esprit humain, mais une partie entière de la Pure et Vivante Essence de Dieu, rien d'autre. (On est bien d'accord aussi sur le fait que, dans un scaphandre, il ne peut y avoir qu'une seule personne, de même qu'une voiture ne peut [normalement] avoir qu'un seul conducteur ! !) Cette notion de "Fils de Dieu", c'est donc : "Ce en Quoi et par Quoi Dieu, la Lumière, la Vie, l'Eternité, l'Indicible, Qui est en Soi sans forme et sans limite, Se limite un peu Soi-même, prend forme humaine et Se donne à connaître de façon intelligible et perceptible auprès de nous". Autrement dit : un prodigieux miracle !!! C'est bien pour cela d'ailleurs que Jésus disait à juste titre : "Moi et le Père sommes Un !", de même lorsqu'il dit une fois aux pharisiens : "Avant qu'Abraham fut, Je Suis.", reprenant ainsi la forme du verbe "être" utilisée dans le nom "Yahveh" par lequel Dieu Se révéla à Moïse, exprimant ainsi le caractère absolument transcendant de son essence, de sa nature et de son origine, existant déjà bien avant les êtres humains et la Création elle-même.

Et comme l'origine, le point de départ de ce processus d'irradiation, de ce phénomène de l'Incarnation Divine, se situe en Dieu Lui-même, jamais l'esprit humain, encore moins l'être humain incarné sur Terre, voilé par la matière, limité par son intellect, ne pourra le comprendre, le saisir totalement, s'en faire une juste représentation. Comme je le disais, il ne pourra qu'éventuellement, accidentellement, faire une rencontre avec cette réalité et l'admettre ainsi, c'est tout. - Ceux qui se sont un jour retrouvés en présence d'un Fils de Dieu savent de quoi je parle, l'impression d'avoir en face de soi non pas "Quelqu'Un", mais "Quelque Chose", un bouillonnant et irradiant océan de lumière... -

Ce qui, au final, n'est pas indispensable pour reconnaître, comprendre et appliquer le message d'amour du Christ. Ce que je livre ici de ma conviction personnelle et intime ne s'adresse donc qu'à ceux que le sujet intéresse, et je ne crains pas non plus de l'opposer ouvertement aux conceptions, que je juge totalement stupides et erronées, des chrétiens actuels, qu'ils soient catholiques, orthodoxes, protestants ou autres, simples laïques, religieux ou théologiens reconnus, peu importe, aussi sincères et fervents soient-ils par ailleurs, car les conceptions des petits êtres humains de cette Terre ne sont rien face à la Vérité Vivante Qui tient toute la Création.

La "Sainte Vierge" et l'Immaculée Conception

Comme nous venons de le voir, le Fils de Dieu Jésus, qui est une partie issue de Dieu, Son Amour Vivant ayant pris forme humaine, devait, afin de se tenir au milieu des êtres humains pour y transmettre son message, son enseignement spirituel, la Parole de Vérité inaltérée, s'incarner dans la matière, dans un corps terrestre. Or, celui qui pénètre ainsi dans la Création, notamment dans la Post-Création matérielle, dans les champs d'expérimentation de la Matérialité, se place d'emblée sous l'exercice des lois qui les régissent, conformément à la Volonté de Dieu, elles qui ne sont d'ailleurs que l'expression justement de la Volonté Créatrice Divine, de Son Esprit Créateur.

Dans le cadre d'une incarnation normale, se nouent différents fils, sur la base des affinités quant aux nécessités de l'évolution spirituelle (qui concernent le plus souvent des défauts à reconnaître et à transmuter) ou sur la base de liens karmiques, entre les parents, la mère surtout, et l'âme humaine en attente d'une incarnation depuis l'Au-delà. Dans ce cas précis, cela n'était pas possible, cela ne pouvait pas avoir lieu, car il ne pouvait être tissé aucun lien direct entre un être humain, une âme humaine incarnée sur Terre, et le Fils de Dieu lui-même.

Marie de Nazareth, purement humaine, et non "surnaturelle", encore moins "divine", fut guidée de manière à conserver en son for intérieur une pure aspiration vers la Lumière, portant également en elle l'espérance en l'accomplissement des prophéties de son peuple. Au moment voulu, elle reçut la révélation qui est décrite dans la Bible comme l'Annonciation. Cela lui permit de demeurer dans un état de totale pureté de cœur et de totale dévotion envers sa mission, qui lui fut ainsi dévoilée. C'est dans cet état et dans ces circonstances qu'elle rencontra un soldat romain, capitaine sous Auguste, dont elle tomba amoureuse, et réciproquement. Les sentiments qui furent implantés dans ces deux êtres, au moment de leur rencontre, et qui emplirent leurs âmes, étaient voulus, dépassaient complètement leurs simples existences humaines, de façon à ce que leur union physique, lorsqu'elle eut lieu (parce qu'il y eut bien évidemment un rapport sexuel reproducteur !), ne fut pas animée, motivée uniquement par l'instinct sexuel, l'attirance physique ou même le simple sentiment amoureux. Ainsi, des fils purent se tendre, non pas directement entre Marie et son fils Jésus, mais entre Marie et un dispositif spirituel-lumineux qui servit de pont pour l'incarnation de la Lumière Divine. A peu près au milieu de la grossesse eut donc lieu l'incarnation, directement depuis la Lumière. La conception, l'incarnation et la naissance de Jésus, en tant que "Fils de Dieu", furent donc parfaitement pures et immaculées, à tous les niveaux, à tous points de vue, conformément à la Volonté de Dieu, ainsi qu'à toutes les lois de la Création, de l'Univers ou de la Nature, sans qu'il soit nécessaire d'en outrepasser ou d'en bouleverser aucune. Il n'y a en outre nulle souillure, nul péché, nulle impureté dans l'acte sexuel lui-même, qui est parfaitement naturel et voulu de la Volonté Créatrice Divine à l'œuvre dans l'évolution. Toute croyance contraire n'est qu'une croyance, un dogme erroné, une erreur, un mythe, une illusion, un mensonge. Comment pourrait-il en être autrement ? Quel est l'être humain qui oserait se placer devant le flot de la Vérité et tenter de l'endiguer ou d'en détourner le cours ? Quel est l'être humain de cette Terre qui oserait se placer face à l'Univers en cherchant à en infléchir la moindre loi ? Quel est l'individu qui, au final, oserait penser et imposer une pensée qui soit contraire à toute logique naturelle et simple, et qui irait même jusqu'à remettre en cause la Perfection absolue du Créateur, qui réside dans le plus pur et simple naturel-logique ?

Il est conforme à la Volonté de Dieu, en tant que Créateur, que toute âme qui pénètre dans la Matérialité la plus grossière, s'incarne dans un corps physique matériel-terrestre, et que ce corps soit issu du processus normal et naturel de reproduction ayant cours chez les mammifères que sont les êtres humains sur le plan terrestre, suite au rapport sexuel entre un corps mâle et un corps femelle. La science, bien plus que la petite et prétentieuse théologie humaine, issue seulement de l'imagination délirante de l'intellect humain borné, étriqué et restreint, révèle la perfection absolue de la Volonté Créatrice Divine, telle qu'elle se manifeste dans les lois de l'Univers, au travers de leur activité homogène, cohérente et logique. Quelque chose d'autre n'est pas possible ! Petits enfants spirituels-humains, il est temps de grandir, et de voir la Vivante Réalité en face, au lieu de rêver, cela n'enlève absolument rien d'ailleurs au reste. Il est temps que meurent et se dissolvent enfin les représentations totalement erronées des êtres humains dans leurs mesquines et puériles conceptions religieuses. Cela permettra aussi de cesser enfin de prêter le flanc aux critiques ou aux moqueries parfaitement justifiées, devant ce qui est si visiblement et évidemment faux et erroné. Quelque chose d'autre ne pas être dit, surtout face à l'aveuglement combatif de l'intégrisme religieux forcené.

Il y eut donc bien, pour l'Incarnation Divine du Fils de Dieu Jésus, une conception, une incarnation et une naissance parfaitement immaculées, par l'intermédiaire d'une vierge, effectivement, c'est-à-dire une jeune fille dont les organes reproducteurs étaient vierges, n'avaient pas encore servi, sans qu'il soit pour cela nécessaire d'inventer des mythes dénués de toute logique et de toute crédibilité. Et, oui, le père biologique de Jésus fut un soldat romain, comme l'indiquent les traces existant dans certains écrits. Un jour, peut-être, seront exhumées des preuves bien plus probantes à ce sujet. En attendant, il ne reste à l'être humain qu'à faire preuve d'un acte de foi, en témoignant sa confiance en la perfection naturelle et logique de la Volonté Créatrice de Dieu, qui se manifeste ainsi et pas autrement.

Enfin, concernant Marie, elle n'était qu'un être humain comme tant d'autres, certes bénie et comblée de grâce, mais purement humaine. Et elle rencontra aussi de nombreux doutes au sujet de la nature et de la mission de son fils, avec lesquels elle dut lutter et qu'elle dut surmonter. Ce n'est que lorsque ce dernier souffrit sur la croix, qu'elle le reconnut enfin, et qu'elle comprit, qu'elle comprit finalement que sa mission, l'apport de la Parole de Vérité, allait au-delà de considérations purement humaines, maternelles, de victoires ou de défaites sur le plan matériel-terrestre. Ensuite, comme tout être humain, elle dut poursuivre son évolution et s'élever elle-même vers le haut par ses propres moyens, comme tout esprit humain incarné sur Terre.

En revanche, ce qui est vrai, spirituellement, c'est cette image féminine, ce personnage féminin, vers lequel se tournent à vrai dire les cœurs des chrétiens lorsqu'ils prient Marie, la "Sainte Vierge". Il existe bien en effet, en réalité, un être féminin, de nature et d'origine purement-divines, qui peut être désigné comme la "Mère Originelle" ou la "Reine Originelle", et qui est à l'origine de tout le tissage de l'aide secourable qui se déploie à travers toute l'immensité de la Création. Mais cette révélation n'est réservée qu'à ceux qui peuvent, dans le déploiement de leur conscience, entrer en contact avec cette réalité. Que les autres la laissent de côté pour le moment, si elle ne vit pas déjà dans leur cœur, si mes propos à ce sujet ne trouvent pas d'échos dans leur for intérieur. L'intuition humaine de l'existence d'une "Mère Primordiale", la figure de la "Mère-Nature", la "Mère-Terre", n'est pas fausse, n'est pas une erreur, et est tout à fait en rapport avec ce pur Archétype Divin, qui existe par ailleurs réellement, dans le Divin, dans l'Eternité, et dont découlent ensuite vers le bas bien d'autres archétypes, voire tous les autres...

Miracles

De la même façon que les êtres humains croient en des choses totalement impossibles et invraisemblables quant à la naissance et à la mort du Fils de Dieu Jésus, de même croient-ils en des choses impossibles dans sa vie elle-même. En effet, les chrétiens d'aujourd'hui, en tout cas la grande majorité, et officiellement, parce que c'est dans les évangiles et dans le dogme, croient que Jésus aurait accompli certains miracles, comme la transformation de l'eau en vin, la multiplication des pains ou la marche sur l'eau, bref, ce genre de fables auxquels croient les enfants, qu'on raconte également dans les contes, légendes ou mythes païens, mais qui ne siéent guère à des êtres humains matures dignes de ce nom, surtout avec le savoir dont nous disposons aujourd'hui, aussi bien d'ailleurs dans le domaine spirituel que dans le domaine scientifique.

Qu'est-ce donc que le miracle ? Eh bien, c'est le fait qu'on admire ! Pourquoi l'admire-t-on ? Parce qu'on ne le comprend pas, il semble extraordinaire, surnaturel. Et pourquoi ne le comprend-on pas ? Simplement parce que notre capacité de compréhension du moment est limitée. Il n'y a donc là rien de forcément surnaturel. Juste quelque chose qui est étonnant, qui ne semblait pas possible du fait de connaissances limitées. Mais le fait même que cela ait lieu, que cela se produise, montre bien qu'il n'en est rien, que cela est finalement possible. Or, tout ce qui existe, tout ce qui se produit, ne peut se produire que dans le cadre des lois de la Création, qui proviennent de la Volonté Créatrice de Dieu, qui sont l'expression de cette Volonté Créatrice, et rien ne peut se dérouler hors de ce cadre, tout simplement parce que rien n'existe en dehors de ce cadre. Dieu Lui-même ne peut aller là-contre, parce qu'Il est Lui-même la Lumière des mondes et la Vie, Quelque Chose Qui porte en Soi la Perfection Absolue du plus pur Naturel, le Fondement même de toute Logique, l'Origine du "Logos" qui ordonne tout ce qui existe.

Ces éléments sont simplement des motifs narratifs qui ont une autre signification, ils ne sont pas à prendre au pied de la lettre, mais sont à interpréter symboliquement. Jésus, par sa parole, son enseignement, son message, apporte la Vérité, restaure la Vérité, qui fut déjà donnée autrefois aux êtres humains, mais qu'ils mêlèrent fortement à leurs propres interprétations et représentations, dont ils diluèrent ainsi considérablement la concentration en vérité, au point qu'il n'en resta finalement plus rien, autant que dans de l'eau pure. Cette parole, par ailleurs, nourrit l'esprit, relié au corps en l'être humain au niveau du plexus solaire. Être nourri spirituellement donne bien souvent aussi la sensation d'être nourri, rassasié physiquement. Quant à marcher sur l'eau... Je le comprends symboliquement comme le fait que le Fils de Dieu se situe au-dessus de l'agitation du monde, par la paix dans laquelle il se tient, et qu'en tous ces phénomènes de l'Au-delà (associé à l'eau), il se déplace aussi facilement qu'un poisson dans l'eau, aussi facilement qu'on marche sur la terre ferme.

Quant à la résurrection de Lazare, si ce dernier n'était que simplement plongé dans une sorte de coma, si son âme était encore reliée à son corps, il se pouvait que, à l'appel du Fils de Dieu, il réintègre son corps physique terrestre et se réveille de ce qui n'était qu'une mort apparente.

Il y a un délicat équilibre à trouver, concevoir et respecter entre, d'une part, ce que la science nous dit de la Perfection du Créateur, de l'immuabilité parfaite et logique des lois physiques de la Nature qui régissent l'Univers, qui ne sont que l'expression de la parfaite Volonté du Créateur, et, d'autre part, ce qu'elle ne sait pas encore, ce qu'elle n'est pas à même d'expliquer, parce qu'il lui manque le rapport logique du haut vers le bas, de l'invisible vers le visible, et qu'elle reste ainsi coite devant ce qui ne sort pas du cadre naturel (cadre naturel qui ne se cantonne d'ailleurs pas à la simple matière dense physique, mais s'étend au contraire jusque dans le Spirituel et dans le Divin, voire en Dieu Lui-même, en tant que Point de Départ de tout ce qui est), mais qui se déroule juste d'une manière accélérée, avec une vitesse incroyable, sous la pression d'une force insoupçonnée. Les êtres humains ne connaissent pas même le pouvoir qui repose dans la force spirituelle dont ils disposent, qu'ils portent en eux, combien plus encore doivent-ils être étonnés et admiratifs devant ce qui se déroule sous la pression de la Force Divine.

Mais, se focaliser ainsi sur ces détails soi-disant miraculeux, comme des enfants émerveillés devant un spectacle de magie, c'est passer à côté de l'essentiel du Message Christique et de la haute valeur symbolique à laquelle peut donner lieu une interprétation plus spirituelle de ces motifs purement narratifs.

Et, lorsqu'on creuse vraiment, on s'aperçoit qu'au final, toute l'œuvre du Fils de Dieu, qui tient uniquement dans sa parole, son message, son enseignement, demeure incomprise, parce qu'on détourne l'attention et le regard vers ce qui n'est que corollaire et accessoire. Comprenne ensuite qui pourra.

La Cène et la Rédemption par la Parole de Dieu

Peu avant d'être injustement arrêté, accusé, jugé, condamné et assassiné comme un vulgaire bandit (soi-disant afin d'accomplir les écritures...), Jésus, en tant que Fils de Dieu, célébra son dernier repas ici-bas sur Terre avec ses disciples. A cette occasion, il prit le pain, il rendit grâce et le bénit, il le rompit et le donna à ses disciples en leur disant : "Prenez et mangez-en tous, ceci est mon corps, livré pour vous.". De même, à la fin du repas, il prit la coupe contenant le vin, de nouveau il rendit grâce et la bénit, et la donna à ses disciples en leur disant : "Prenez et buvez-en tous, car ceci est la coupe de mon sang, le sang de l'alliance nouvelle et éternelle qui sera versé pour vous et pour la multitude en rémission des péchés. Vous ferez cela, en mémoire de moi.".

Maintenant, place-toi toi-même devant cette scène et ces paroles. Mets-toi à la place des disciples, qui, à l'époque, comme aujourd'hui encore, n'étaient que des êtres humains comme toi et moi. Essaye de ressentir ce qu'ils ont pu ressentir, essaye de comprendre.

Qu'est-ce que cela peut bien signifier ? Ce ne sont là que du pain et du vin ! Pourquoi les désigne-t-il comme son corps et son sang ? Pourquoi nous invite-t-il à manger le premier et à boire le second ? Est-ce une invitation au cannibalisme symbolique ? ? ! !... Au vampirisme ? ? ! !... Oui, il y a bien ici une similitude apparente avec ces sortes de sacrifices pratiqués par les "païens", à l'occasion desquels ils font des offrandes à leurs dieux, en mettant à mort animaux ou humains, espérant ainsi obtenir quelque chose en contrepartie par le sang versé. Est-ce à comprendre de la même façon ? Est-ce quelque chose du même ordre ? Où réside réellement le sacrifice ? Qui se sacrifie vraiment et pour quoi, pour qui ?

A une pensée logique, éclairée et animée de l'intérieur par le simple bon sens de l'intuition la plus naturelle, l'explication semble tellement évidente et triviale, que ça en devient incompréhensible de voir comment les êtres humains ont bavardé là-dessus pendant des siècles, pour parvenir à des ersatz d'explication complètement tirés par les cheveux, déformant non seulement la réalité, mais attaquant de front la Vérité et outrageant Dieu de la manière la plus impardonnable, arrogante et outrecuidante qui soit ! ! !

Jésus, en tant que Fils de Dieu, s'est sacrifié lui-même, en prenant sur lui de venir dans le monde, de s'incarner dans la matière, se faisant en apparence simple être humain parmi les êtres humains, s'abaissant au niveau d'une créature vulnérable, au risque d'être ainsi exposé à l'arbitraire, à l'hostilité, à l'agressivité et à la violence des êtres humains de cette Terre, ce qui ne manqua pas d'arriver, et tout cela uniquement afin d'apporter le message de l'Amour de Dieu, la Parole de Vérité, qu'il était lui-même dans son incarnation. Il ne craignit pas de s'exposer avec vulnérabilité, faiblesse et impuissance, à ce qui était prévisible, et prévu, dès avant sa venue sur Terre et son incarnation, étant donnée l'hostilité fondamentale de la majeure partie des êtres humains envers la Lumière, notamment et surtout de la part de ceux qui, alors comme encore aujourd'hui, détiennent le pouvoir terrestre, qu'il soit d'ordre politique, financier ou religieux, tout cela encore une fois dans le seul but d'apporter ici-bas un rayon de lumière sur cette Terre, envahie peu à peu par l'obscurantisme du dogmatisme mortifère et par les ténèbres malveillantes et malfaisantes.

Jean, dans son évangile (en tout cas, c'est à lui qu'on l'attribue), nous donne la clé de compréhension de ce mystère, car il s'agit bien là d'un mystère divin, quelque chose dont la réalité nous est par essence inaccessible, mais dont nous pouvons éventuellement et accidentellement faire l'expérience, dans une certaine mesure, quand nous sommes en sa présence, quand nous y sommes confrontés. En effet, ne commence-t-il par son évangile par : "Au commencement était le Verbe, et le Verbe était auprès de Dieu, car le Verbe était Dieu." ? !... Plus loin : "le Verbe s'est fait chair, il a habité parmi nous"...

Remettons donc les choses à leur juste place. Au centre, le plus important, l'essentiel, le fondamental, c'est la Parole de Dieu, la Parole de Vérité, le Divin Logos, qui a pris sur lui de se séparer de son origine, de descendre ici-bas sous une forme humaine, se faisant chair en s'incarnant dans la matière, afin de montrer le chemin qui conduit de nouveau vers le haut, vers la Lumière Spirituelle, vers l'épanouissement de l'authentique humanité, grâce au message de l'Amour de Dieu, qui affranchit des dogmes rigides et mortifères, réveille l'humain proprement dit en l'être humain, libère le spirituel de l'emprise de la matière, affranchit de l'agression et de la violence par la compassion et l'empathie, réorientant l'aspiration et l'élan vers ce qui apporte véritablement la vie qui ne passe point. Les paroles de Jésus sont donc à prendre au sens symbolique. Celui qui se nourrit spirituellement du Message du Christ, de la Parole de Vérité, accueille véritablement dans sa vie, dans son âme, dans son cœur, le Christ lui-même, qui est cette même Parole de Dieu incarnée dans la matière ; il se nourrit alors véritablement, spirituellement et symboliquement, de sa chair et de son sang, en quelque sorte, en en faisant une part vivante et constitutive de lui-même, puisque, encore une fois, Jésus était la Parole de Dieu faite chair et sang ; l'être humain se nourrit ainsi véritablement de ce qui fait le corps, la substantifique moëlle, de l'Incarnation Divine en Jésus, à savoir le salutaire apport sur Terre, parmi les êtres humains, de la Parole de Vérité, du message de l'Amour de Dieu.

Or, sur Terre, l'âme et le corps (ou plus exactement l'esprit humain entouré de ses différentes enveloppes subtiles et le corps) sont un, ils ne peuvent être dissociés l'un de l'autre. Il se trouve donc que l'un peut entraîner l'autre dans l'action. Ainsi, par cet acte symbolique, constamment renouvelé, lorsqu'il est véritablement vécu intérieurement, spirituellement, dans une foi authentique, l'âme humaine cherche à s'élever vers les hauteurs, vers la Lumière, afin de capter un peu de la Divine Sagesse, pour s'en nourrir, afin de se nourrir spirituellement à la Source de la Vérité qui offre la vie éternelle, purement-spirituelle, qui ne passe point, puisqu'elle affranchit de l'emprise terrestre. Symboliquement, spirituellement, l'esprit humain chemine sur les sentiers de la montagne de l'ascension spirituelle, s'élevant vers le sommet, apportant avec lui et présentant humblement la coupe de sa réceptivité intuitive, afin de la remplir, de s'abreuver et de se nourrir ainsi à la Source même des eaux de la Vie qui descendent d'en-haut.

Il n'y a donc pas, comme le pensent à tort les catholiques, de "transsubstantiation", c'est-à-dire de véritable transformation magique et surnaturelle de la substance matérielle du pain et du vin en corps et sang du Christ. De même qu'il n'y a pas forcément "consubstantiation", comme le pensent plus raisonnablement certains protestants, c'est-à-dire que, conjointement au pain et au vin, l'âme humaine peut recevoir de façon systématique un peu du corps et du sang du Christ.

Le corps du Christ n'était finalement qu'un corps physique terrestre, de matérialité-grossière la plus dense, comme le tien et le mien, en rien extraordinaire, en rien surnaturel, en rien divin, puisqu'il n'était que l'enveloppe de chair et de sang permettant au Fils de Dieu de s'approcher des êtres humains et se rendre ainsi intelligible auprès d'eux, directement, sur le plan terrestre.

Si c'était aussi simple, les chrétiens, à force de participer à la messe et à l'eucharistie, à force de manger ce pain et de boire ce vin, auraient dû depuis le temps devenir bien meilleurs en leur cœur qu'ils ne sont en réalité, s'il s'agissait vraiment effectivement directement de la Parole de Dieu elle-même.

La Cène n'est donc qu'un acte symbolique, constituant pour les chrétiens un rite fondamental de leur culte, c'est-à-dire de l'aspiration concrétisée, ayant pris forme, à se reconnecter à la Divine Source de la Lumière. L'enjeu essentiel repose cependant dans la compréhension, l'assimilation et l'accomplissement, par l'action concrète, du Message d'Amour du Christ, tel qu'il repose dans les évangiles. C'est là que se situent le salut et la rédemption ! Là et là uniquement ! ! ! Dans l'exercice de l'Amour de Dieu au quotidien, dans l'existence terrestre, très concrètement et pragmatiquement, en dépit de toutes les difficultés, injustices, obstacles et souffrances ! ! ! ! Parce que, tout simplement, par l'exercice de l'Amour véritable, peu à peu, les chaînes karmiques qui enserrent l'esprit humain se desserrent, se rompent et se dissolvent autour de lui, lui permettant de s'élever à son tour au sein de la matière, jusqu'à s'en affranchir définitivement, en ressuscitant à la vie éternelle, c'est-à-dire en ressurgissant, en tant qu'esprit humain pleinement conscient, dans le Spirituel-Eternel, qui ne passe pas, où nulle décomposition n'est à craindre.

Ce rite chrétien central est donc tout à fait valable, du moment qu'on ne le prend pas pour ce qu'il n'est pas. Si tu es sincèrement chrétien de cœur, que cela ne t'afflige pas en te donnant l'impression de te retirer le ressenti de la Présence réelle de Dieu, car la Présence, je te l'ai déjà dit, est déjà là, partout, discrète, ténue, dans le silence, elle constitue la base même du tissage de la grande toile de fond de l'Univers, saisissable à tout instant et en tout lieu, par toute créature.

Par la Cène, le chrétien réel, de cœur, spirituel (qu'il soit baptisé et reconnu comme tel ou pas par une quelconque communauté religieuse purement humaine terrestre), renouvelle son engagement à suivre l'enseignement du Christ, à accueillir en son cœur le Message de l'Amour de Dieu, à s'en nourrir, et donc à accueillir ainsi au final un peu du Christ lui-même, de son esprit, dans sa vie, dans son âme, dans son cœur, comme une part de lui-même, puisque le Christ Jésus était lui-même la Parole de Dieu faite chair et sang. S'il est véritablement ouvert spirituellement, il recevra effectivement d'en-haut un peu de la Force sacrée qui flue à chaque instant à travers tous les mondes, le renouvelant ainsi spirituellement, lui redonnant de l'énergie, de la motivation et de l'élan pour son existence terrestre, pour la mise en pratique et l'application concrète de l'enseignement spirituel de Jésus.

Prétendre et soutenir le contraire, à savoir que le Divin lui-même, par une consécration "magique" opérée par de petits êtres humains de cette Terre, intronisés dans ces charges par leurs propres congénères, serait obligé de descendre habiter ce pain et ce vin, pour être ensuite ingéré par des êtres humains plus ou moins purs de cœur, ou pour être ensuite exposé ostensiblement, vénéré et adoré comme une manifestation divine, tel un fétiche, à l'instar du culte des idoles chez les "païens", serait une erreur, voire, pire, un blasphème et une hérésie. Et je me fiche, mon ami(e), que des siècles de théologie prétendent autre chose et veuillent, avec condescendance, me démontrer le contraire, surtout, en plus, à partir de textes purement humains, transmis par des êtres humains, et encore, pas par des témoins directs, et bien des siècles après les événements seulement. Il me semble avoir la logique pour moi, voilà ce qui forge ma conviction la plus inébranlable ; au risque de paraître moi-même prétentieux, je ne peux pas dire autre chose...

La Trinité de Dieu

Passons maintenant à un autre élément du dogme chrétien qui, comme la notion de "Fils de Dieu", constitue un véritable écueil pour beaucoup de personnes. Et si tu en fais partie, mon ami(e), sache qu'il n'y a pas de souci par rapport à ça. En effet, ce qui compte, c'est bien de développer notre humanité, tous autant que nous sommes, de nous monter véritablement humains, en cultivant compassion et empathie, patience, bienveillance et tolérance, charité, miséricorde et solidarité, tout en développant toujours davantage vers le haut et en épanouissant pleinement notre conscience spirituelle personnelle. Que tu croies à certaines choses ou pas, cela importe peu au regard de l'essentiel pour le vivre ensemble harmonieux. Il vaut bien mieux ne pas croire à certaines choses, si on n'en a pas l'intime conviction personnelle, plutôt que d'y adhérer stupidement ; il vaut bien mieux se garder toute possibilité d'évolution libre de toute entrave, plutôt que de croire à des choses erronées, d'adhérer à des erreurs ; il vaut bien mieux ne croire en rien et faire le bien autour de soi, plutôt que de croire ce qui serait parfaitement juste et vrai, mais sans pour autant faire le bien, voire, pire, tout en faisant très contradictoirement le mal ! ! ! Je te livre simplement ma conviction personnelle quant à ces choses. Libre à toi, ensuite, de l'examiner et de voir si cela sonne juste d'après toi, selon ce que tu ressens intérieurement ; libre à toi de l'admettre et de le comprendre, de le prendre avec toi, ou de le rejeter, d'y adhérer ou de laisser tout simplement la question en suspens.

En effet, il y a de quoi, pour être tout à fait franc, capituler devant cette notion de "Trinité" d'un Seul Dieu Unique, parce que, au final, comme je le disais précédemment, il s'agit là, véritablement, d'un mystère divin, dont la nature et l'origine reposent dans l'Essence même de Dieu, inaccessible à toute créature, quelle qu'elle soit, aussi élevée soit-elle, car, à ce stade, toute forme de vie en ces hauteurs ne peut pas même être conçue clairement par l'esprit humain, mais seulement contemplée intuitivement, tout cela n'est plus pour lui que lumière, clarté aveuglante, splendeur éblouissante, mouvement incessant, chaleur et rayonnements. C'est seulement de la part de ceux qui se tinrent en présence d'un tel mystère, qui en furent les témoins directs, que d'autres peuvent en recevoir un quelconque témoignage, et éventuellement l'intégrer à leur vision du monde, à leur système de représentation, s'ils le ressentent vraiment, clairement ainsi, de l'intérieur, si un écho allant dans ce sens se laisse percevoir depuis leur intuition la plus profonde. Aussi n'est-ce pas grave si tu capitules momentanément, temporairement, devant cet autre mystère divin ; cela ne doit pas constituer une inquiétude, encore moins un poids ni une entrave, dans le cadre de ton ascension spirituelle personnelle.

Qu'est-ce donc alors que cette "Trinité" ? Cette "Tri-Unité" d'un Dieu Unique, se manifestant pourtant en trois personnes apparemment distinctes ? Est-ce à dire, comme certains ont pu le croire, qu'il y aurait en quelque sorte quelque chose comme trois Dieux, trois Divinités distinctes ? A l'instar de la triade Brahma, Shiva, Vishnou ? Ce contre quoi, d'ailleurs, Mahomet érigea dans l'Islam le dogme de l'Unité Absolue de Dieu, en tant que Seul Tout-Puissant...

Eh bien, comme je te le disais déjà pour la notion de "Fils de Dieu", il s'agit exactement du contraire. Sur Terre, un père et ses fils, même si ses fils sont issus de lui, de sa chair et de son sang (d'ailleurs, bien plus intimement issus de leur mère, et il ne s'agit là finalement que d'un bagage génétique et d'un corps physique terrestre), ils demeurent trois personnes, trois individus totalement distinct(e)s. Parce que, aussi, n'en déplaise aux bouddhistes, chaque esprit humain est en soi une entité parfaitement distincte, un individu à part entière. Tout au plus peuvent-ils avoir occasionnellement une unité d'action. Or, en ce qui concerne le Divin, c'est exactement le contraire. Seul est Dieu, Unique, la Lumière des mondes et la Vie, l'Origine de tout l'être et la Source ultime de tout ce qui est, sans forme et sans limite. Ce n'est que par la manifestation et dans l'action qu'Il devient triple. Mais le Fils et le Saint-Esprit font partie intégrante du Père, de Dieu Lui-même, font Un avec le Père, c'est-à-dire sont le Père Lui-même. Le premier, celui qui est appelé le "Fils", n'est autre que la manifestation de l'Amour de Dieu, Il est issu de l'Amour de Dieu, Il est l'Amour de Dieu fait personne ; tandis que le second, celui qui est appelé le "Saint-Esprit", n'est autre que la manifestation de Sa Sainte Volonté Créatrice, Il est issu de la Volonté de Dieu, Il est la Volonté de Dieu faite personne, à l'origine de la Création elle-même et dont sont issus toutes les lois de la Création (les lois physiques de la Nature), qui traversent tout ce qui existe, telles des cordons nerveux, tenant, nourrissant, maintenant et entretenant tout l'ensemble. Voilà la raison pour laquelle Jésus disait que les péchés contre le Saint Esprit ne pouvaient pas être purement et simplement pardonnés, parce qu'Il est la personnification de la Justice Divine, conformément à laquelle l'être humain doit récolter ce qu'il sème, au travers de ses multiples incarnations, activité dont découlent son karma, son destin. Amour et Justice sont ainsi les deux faces de l'activité du Créateur dans Sa Création, auprès de Ses créatures, les deux étant parfaitement à égalité et équilibrés l'un dans l'autre. Comme les deux bras par lequel le Créateur a façonné tout ce qui existe et se manifeste directement auprès de toutes Ses créatures, quelles qu'elles soient.

Et là, forcément, cela doit te rappeler quelque chose, cela doit immanquablement te faire penser à l'équilibre des polarités négative et positive dans le neutre, à la dualité Yin / Yang dans l'unicité du Tao, à l'image de cette fameuse triade Brahma, Shiva et Vishnou, dont l'un est le destructeur, tandis que l'autre est le conservateur, conformément au cycle naturel de naissance et de mort, de même encore qu'aux trois mères de l'alphabet hébreux, Aleph, Mem, Shin. C'est là aussi, oui, que se trouve l'origine véritable et la raison d'être des deux genres féminin et masculin, l'un passif, l'autre actif, au sens large, d'égales valeur et importance, aussi bien l'un que l'autre, parfaitement équilibrés au départ. Et, comme on l'apprend dans ces différentes sources de vérité et de sagesse spirituelles, c'est de ce déséquilibre originel, entre ces deux polarités, qu'est né le mouvement initial circulaire, créateur et formateur, de la Création. Sans cette séparation originelle, engendrant attraction/fusion et répulsion/séparation, rien n'aurait pu prendre forme ni se manifester. Ainsi que la science elle-même est apte à le reconnaître dans l'activité des lois de la physique fondamentale, dans l'activité des forces fondamentales de la matière. Et cela, à l'origine, provient de la Nature même de la Lumière Originelle, Qui porte en Elle la Vie, et Qui est Elle-même la Vie. C'est le circuit de base du grand cycle des irradiations de la Création.

Enfin, si on veut exprimer les choses trivialement, simplement, on pourrait dire en quelque sorte qu'au départ, à l'origine, Seul est Dieu le Père, l'Unique. Lorsqu'Il Se fit créateur, engendra la Création et créa toutes les créatures qui s'y trouvent, comme fruit de l'activité de Ses irradiations, en tant que Lumière Originelle, sortit de Lui Son Esprit Créateur, Sa Volonté Créatrice ayant pris forme. Enfin, lorsqu'il devint nécessaire d'intervenir directement auprès des êtres humains de cette Terre, les derniers de leur genre, dans le dernier des cercles de la Création, afin de guérir la blessure infligée au Spirituel-Humain, incapable de réintégrer son origine, mais s'égarant, se perdant et se gâchant dans la matérialité, afin aussi de boucler à nouveau le grand cycle des irradiations, pour le retour vers le haut, Dieu envoya une autre Partie de Lui-même, Son Amour Vivant, en Jésus de Nazareth.

Les chrétiens parlent beaucoup du Fils, de Jésus, mais connaissent finalement peu le Saint-Esprit. C'est pourtant lui le Promis, dont parle Jésus lui-même pour la fin des temps, le fameux "Jugement Dernier", comme le Paraclet, le Défenseur, qui rendra justice, l'Esprit de Vérité qui nous conduit dans toute la Vérité...

Messie, Christ et Fils de l'Homme

Poursuivons dans la continuité logique et intéressons-nous désormais à cette figure juive du Messie, dans l'Ancien Testament, dont la transcription grecque donne le mot "Christ", figure encore associée au "Fils de l'Homme". Et là, peut-être commences-tu déjà à voir poindre quelque chose avec ton intuition, à percevoir déjà plus ou moins là où je veux en venir ?... Là encore, je vais considérablement remettre en cause et bouleverser les dogmes établis. Je t'avoue honnêtement que j'y prends un certain plaisir, c'est assez jouissif. Mais ce n'est pas non plus gratuit, il ne s'agit pas de provoquer un bouleversement par pure provocation, seulement de rétablir ce qui est juste et vrai, au milieu de la confusion abondement créée et entretenue à travers les siècles par les êtres humains eux-mêmes, incapables de reconnaître l'évidence, parce que leur pensée est obnubilée par leur propre interprétation des choses, captive de certaines représentations, incapable de considérer les choses autrement, de distinguer les différences entre certains éléments fondamentalement distincts.

Mais reprenons les choses par le début. Dans l'Ancien Testament émerge avec le temps une figure messianique, noble et royale, salvatrice. "Messie" en hébreu signifie "Oint", par référence au rite de sanctification ayant cours chez les juifs, qui consistait à enduire d'une huile "sainte", parfumée de différentes essences de plantes, par exemple, le roi devant être sanctifié, c'est-à-dire "rendu saint", arraché à la chose profane, pour être consacré à la chose sacrée, justement, devenant en quelque sorte un intermédiaire entre Dieu et les êtres humains. L'huile sainte représente le Souffle, l'Esprit de Dieu reposant sur toute chose, et pénétrant sûrement les cœurs, même les plus durs, de même que l'huile pénètre la pierre. Or, peu à peu, des révélations données par divers prophètes, au cours de leurs visions célestes, se dégage l'image, la figure d'un être supérieur venu d'en-haut, envoyé d'en-haut, par Dieu Lui-même, comme son ultime représentant plénipotentiaire, l'ultime intercesseur et intermédiaire entre Dieu et les êtres humains. Cette figure peut tout à fait être rapprochée de celle du Saoshyant annoncé par le Zoroastre pour la fin des temps, car on suppose même qu'elle proviendrait en réalité de là, comme j'y ai déjà fait allusion. On peut également y voir là l'accomplissement de cette prophétie qui existe chez les musulmans, qui attendent également pour la fin des temps la venue d'une sorte de sauveur, de personnage proprement messianique, dans le Mahdi, sorte de représentant d'Allah et de guide suprême. Et donc, l'équivalent du mot hébreu "Messie", c'est le mot grec "Christ". Tel est donc le Christ tant attendu !...

Maintenant, qu'en est-il de l'expression "Fils de l'Homme" ? Là encore, il faut retourner en arrière. Souvent, au départ, c'est ainsi que les êtres supérieurs s'adressent à chaque prophète et l'appellent, dans ses propres visions mystiques : "fils d'homme", c'est-à-dire "fils d'un être humain", "descendant des êtres humains", "enfant de la Terre". (Sachant d'ailleurs à ce titre que, d'après la Bible, tous les êtres humains sont fils et descendants d'Adam, dont le prénom, en hébreux, a la même racine que le mot désignant la "terre", raison pour laquelle, dans certaines traductions, on l'appelle le "Glébeux".) Plus tard, l'utilisation de cette expression s'inverse. Elle sert à désigner ce personnage supérieur et lumineux descendu du ciel, visiblement envoyé par Dieu Lui-même, se présentant comme son interlocuteur, intercesseur et intermédiaire privilégié auprès des êtres humains, véritablement "oint" par l'Esprit de Dieu, habité et animé par lui, tout simplement parce qu'il se présente sous une forme humaine, il ressemble à un "fils d'homme"... Toujours il s'agit d'une figure rayonnante, glorieuse, impérieuse et royale, victorieuse, rendant justice, écrasant le mal, régnant avec miséricorde. Et, dans ces visions, les prophètes désignent effectivement ce personnage comme un "fils d'homme", c'est-à-dire comme ayant une apparence humaine, l'apparence d'un être humain, sans pour autant être tout à fait sûrs qu'il ne s'agisse vraiment que d'un être humain. C'est ce personnage royal que les juifs attendaient comme le Messie, le Christ, le Fils de l'Homme, devant régner avec amour et justice, ici-bas, sur Terre, non seulement sur le petit peuple élu, mais aussi sur l'ensemble du genre humain, pour le conduire à la paix.

Cependant, peu à peu, dans les écritures, se dessina une autre figure, qui n'avait rien à voir avec la première. Il y est décrit un personnage venant également d'en-haut, envoyé vraisemblablement par Dieu Lui-même, comme un ultime messager de vérité, plus grand que les prophètes qui le précédèrent, mais venant sous des dehors humbles, et non pas en grande pompe, non reconnu par les êtres humains, et ainsi rejeté, bafoué, méprisé, souffrant et finalement mis à mort.

Jésus lui-même admonesta bien souvent ses propres disciples parce qu'ils ne faisaient pas la distinction entre ces deux figures, qu'ils ne voyaient pas les différences pourtant évidentes et criantes entre ces deux personnages messianiques, et qu'ils attendaient de lui plus que ce qu'il était venu accomplir, tant ils étaient pressés de voir se réaliser les prophéties sur la fin des temps, la manifestation de la Gloire de Dieu et le règne de paix éternel. Il se rendit compte du fait que, malgré toute leur bonne volonté, trop attachés affectivement à sa personne, bouleversés par tout ce qu'ils avaient vécu à ses côtés, ils ne pouvaient pas penser à quelqu'un d'autre, ils ne pouvaient finalement pas le comprendre. Il le dit lui-même comme en témoignent les évangiles : "J'aurais encore beaucoup de choses à vous dire, mais pour l'instant vous n'avez pas la force de les porter." (Jean 16, 12), autrement dit "de les comprendre", "de les prendre avec". Et c'est là qu'il commença à les préparer à ce qui adviendrait seulement plus tard, longtemps après, en leur parlant du Fils de l'Homme, qui viendra seulement à la fin des temps, pour l'ultime clôture de tous les cycles, accomplissant le Jugement Dernier, l'Esprit de Vérité seul à même de les conduire dans toute la Vérité...

Il s'agit donc bien de deux figures différentes, de deux personnages distincts, correspondant à deux événements certes liés entre eux, participant tous deux de l'œuvre de rédemption entreprise par la Lumière au bénéfice des êtres humains, mais qui ne sont pas exactement un seul et même accomplissement.

L'envoi du Fils de Dieu sur Terre n'était pas prévu dès le départ, ce n'est que pour éviter un engourdissement trop important, afin de rattraper une chute spirituelle trop vertigineuse, pouvant entraîner une dangereuse séparation, définitive, entre le genre spirituel-humain post-évolué dans la matière et la Lumière, qu'il fut envoyé en mission de détresse et de secours, pour le salut de quelques-uns, issu directement de Dieu, vivante manifestation personnifiée de l'Amour de Dieu.

Le Fils de l'Homme, lui, fait un avec le Saint-Esprit, l'Esprit de Dieu, la Volonté Créatrice de Dieu, dont découlent les lois de la Création en tant que manifestation de l'activité de la Justice Divine à travers les mondes. Annoncé depuis l'aube des temps, sur Terre, comme le guide ultime de la dernière période d'évolution de l'humanité, amenant la récolte des fruits, rendant justice, permettant la séparation du bon grain et de l'ivraie, provoquant la séparation définitive entre ceux qui s'enfoncent vers le bas, liés à la matière, avec laquelle ils seront entraînés dans la décomposition de toute matérialité formée, et ceux qui cherchent à s'élever vers le haut, les grains de semence d'esprit qui cherchent à donner du fruit, c'est-à-dire à faire s'épanouir leur conscience et leur humanité, dans le déploiement de leur esprit.

- D'ailleurs, à ce sujet, tu pourrais très logiquement et tout à fait légitimement te demander : Mais enfin, pourquoi sur Terre ? Pourquoi la Terre a-t-elle autant d'importance quand on voit, quand on ne peut seulement qu'imaginer et pressentir l'immensité de l'univers, qui n'est peut-être qu'un univers parmi d'autres ? Quelle importance l'humanité terrestre pourrait-elle bien revêtir dans tout ça, face à tout ça ? Et tu aurais tout à fait raison de te poser une telle question. La réponse est simple. Tout d'abord, il faut bien avoir à l'esprit que ce n'est pas parce que quelque chose est en réalité infime, rare, que c'est pour autant insignifiant, au contraire, ce qui est rare n'en est que d'autant plus précieux. La Vie - heureusement - n'est pas comme nous, les êtres humains, Elle attache de l'importance à toutes les formes de vie, quelles qu'elles soient, même considérés comme les plus insignifiantes par certains. Par ailleurs, comme je l'ai déjà dit précédemment, si la Terre revêt une telle importance, c'est parce que, de tous les corps cosmiques de matérialité-grossière, elle fut la première à accueillir en son sein des germes d'esprit pour leur évolution. C'est la raison pour laquelle beaucoup d'événements d'une importance capitale pour toute la Création s'y concentrent. Et pourquoi cela a-t-il une si grande importance, finalement ? Outre ce que je viens déjà de dire, c'est aussi afin de boucler correctement et sainement le grand cycle d'évolution des germes d'esprit humains dans la matière ainsi que celui des irradiations. Le fait que le Spirituel-Humain post-évolué se perde dans la matière, sans en ressurgir consciemment, c'est comme une blessure qui s'épanche et qui suppure, qui affaiblit l'organisme tout entier. La Lumière est le cœur de cet organisme immense qu'est la Création, Elle est la Vie à l'origine de tout le Vivant. Voilà pourquoi ces accomplissements sacrés devaient avoir lieu sur Terre ! Leurs effets se répercuteront ensuite sur toutes les autres parties du grand Univers, sur tous les autres mondes de la Matérialité-Grossière ayant accueilli en leur sein des germes d'esprit humains. -

Jamais, donc, Jésus ne s'est désigné lui-même comme le Fils de l'Homme qu'il annonçait pour cette ultime période. Toute tradition prétendant le contraire est fausse. Quant aux écrits des évangélistes, ils étaient eux-mêmes tellement focalisés sur la personne de Jésus qu'ils ne pouvaient saisir autre chose, admettre l'existence d'une autre personne. Ils étaient tellement pressés aussi que s'accomplissent les prophéties dans lesquelles ils avaient grandi, dans lesquelles ils avaient été éduqués et élevés, au sujet de la venue du Messie, qui délivrerait les êtres humains et règnerait sur eux, qu'ils ne pouvaient pas même envisager une autre façon de considérer les choses. Judas, par exemple, dont le niveau de compréhension était purement matériel-terrestre, ne comprenant pas la dimension purement spirituelle de la mission de Jésus, croyait fermement qu'il était ce Messie tant attendu par les juifs, qui libérerait le peuple juif de la domination romaine et règnerait terrestrement sur eux. Ce à quoi Jésus opposa toujours : "Rendez à César ce qui est à César, et à Dieu ce qui est à Dieu." (c'est-à-dire "Séparez bien, respectez, observez et accomplissez bien scrupuleusement, d'une part, ce qui relève du terrestre, qui fait partie des nécessités de votre incarnation, et, d'autre part, ce qui relève du spirituel, qui n'appartient pas à ce monde."), ainsi que, surtout : "Mon royaume n'est pas de ce monde.".

Ainsi, y a-t-il bien, comment certains l'ont déjà très justement pressenti et pensé depuis bien longtemps, deux personnes distinctes, qui descendent de Dieu : le Fils de Dieu Jésus, qui est l'Amour de Dieu, "Dieu Sauveur", et le Fils de l'Homme Imanuel, qui est la Volonté et la Justice de Dieu, l'Esprit Saint, "Dieu avec nous", l'éternel intermédiaire, intercesseur et délégué plénipotentiaire de Dieu, destiné à régner sur les mondes, simplement du fait qu'en tant qu'Esprit Créateur, c'est bien de lui que tout procède, que tout fut initialement issu et formé au commencement. ("L'Esprit de Dieu planait au-dessus des eaux...")

Ainsi aussi est-il tout à fait compréhensible, d'une certaine manière, qu'une partie du peuple juif d'alors n'ait pas reconnu Jésus comme le Messie qu'ils attendaient, parce qu'ils attendaient à vrai dire un autre personnage, celui qui vient dans la gloire pour régner sur les peuples.

Et de même que le Père et le Fils et le Saint-Esprit sont Un, de même Jésus et Imanuel sont Un, Jésus étant et demeurant uniquement même dans l'incarnation "Fils de Dieu", Imanuel étant aussi "Fils de Dieu", mais le Fils de Dieu consacré aux hommes, aux êtres humains, donc le "Fils de l'Homme", le "Fils de Dieu donné aux hommes". Il est bien celui qui est annoncé pour la fin des temps, le fameux "Jugement Dernier", la grande récolte dans le cadre de la clôture de tous les cycles, et c'est bien lui aussi le personnage central de l'Apocalypse de Jean, celui dont une épée sort de la bouche, parce qu'il est la Justice de Dieu et l'Esprit de Vérité, et que c'est contre Sa Parole que l'humanité elle-même se juge, auto-activement, objectivement et très impersonnellement.

Maintenant, si ce domaine t'intéresse, tu peux procéder toi-même à des recherches, relire des passages de la Bible, de l'Ancien comme du Nouveau Testament, des évangiles, et voir si cela te parle ainsi davantage, considéré sous cet angle, si les mots, les textes n'acquièrent pas ainsi davantage de compréhensibilité et de logique, si tu ne trouves pas ainsi de meilleures réponses à davantage de questions.

Passion, crucifixion, mort sur la croix : sacrifice ou assassinat ?

Pour moi, l'aspect le plus problématique, l'écueil, le point d'achoppement du christianisme, c'est celui de la mort de Jésus, et la façon malsaine et morbide dont elle a été considérée au regard de la façon dont ça s'est réellement déroulé, parce que, visiblement, les êtres humains, qui ne comprennent rien à rien, ont tout déformé, interprété depuis leurs vues subjectives étroitement limitées, déformant ainsi la réalité des faits, et faisant d'une erreur, qui constitue en vérité une hérésie et un blasphème, l'élément central et fondamental des dogmes chrétiens en général.

En effet, les chrétiens (la plupart, en tout cas) croient que Jésus, le Fils de Dieu, est venu sur Terre pour être sacrifié comme un vulgaire animal, à Dieu son propre "Père", afin de prendre sur lui tous les péchés des petits êtres humains de cette Terre et de les racheter ainsi, sans qu'ils aient encore besoin de s'affranchir eux-mêmes de leurs propres fautes ou erreurs, de contribuer d'une quelconque façon à leur propre ascension spirituelle, pourvu qu'ils reconnaissent l'une ou l'autre des églises chrétiennes, se fassent baptiser, fassent ce qu'on leur dit, adhèrent aux dogmes, observent les rites, contribuent docilement à enrichir ces églises et ne se posent pas plus de questions que ça ! Voilà, brutalement exposée, mais clairement mise à nue, l'essence même de la doctrine principale et essentielle de ce qu'on appelle aujourd'hui le "christianisme", mais qu'on devrait plutôt appeler le "paulisme".

En effet, qui n'a jamais senti son poil se hérisser ni son intuition profonde s'insurger devant ce qui est si visiblement et évidemment faux et injuste ? !... Tout être humain digne de ce nom, doué d'un minimum de bon sens, de ce sens de la justice quasiment inné que l'Esprit de Dieu a implanté en chacun de nous, dans la nature même de notre esprit, ne peut que s'inscrire en faux face à cette doctrine et la rejeter comme fausse, erronée, non-juste. Comment un innocent pourrait-t-il payer pour les crimes des autres ? ! Comment un innocent pourrait-t-il être chargé des péchés des autres, qui plus est les racheter ? ! Un juge humain accepterait-t-il, sur Terre, de condamner quelqu'un à mort pour des crimes commis par d'autres personnes ? Non, évidemment, personne ne trouverait ça juste, tout le monde s'insurgerait contre cette idée. Mais ça ne dérange pas certains d'oser attendre une telle chose de la part de Dieu ! Est-ce donc à dire que l'outrecuidante et misérable petite créature humaine place sa propre justice au-dessus de celle de Dieu ? ! ? !... Quelle aberration ! Quel orgueil ! Quelle ignominie ! Si cela t'interpelle aussi, alors entends, mon ami(e), ce que j'ai à te dire à ce sujet, car c'est à toi seul(e) que cela s'adresse.

Malgré les nombreux prophètes et "apporteurs-de-vérité" (initiateurs de religions) envoyés par la Lumière, l'humanité se séparait progressivement du Spirituel, de la Lumière et de Dieu, et s'enfonçait pas à pas dans les ténèbres qu'elle avait elle-même créées du fait de toutes les productions, formations mises au monde sur les plans plus subtils de la Matérialité. Si rien n'avait été fait, tout aurait été perdu au moment où devait venir le Fils de l'Homme. La pourriture aurait gagné toute la semence spirituelle, et il n'y aurait plus rien eu à sauver au moment de la récolte des fruits. Il fallait donc intervenir. Le Fils de Dieu Jésus vint donc pour tenter, par l'annonce de la pure Vérité inaltérée, étant la Parole même de Dieu, d'enrayer cette épouvantable chute du spirituel-humain vers le bas, dans les profondeurs obscures de la matière. Cela impliquait nécessairement l'incarnation dans la matière, mais également ainsi l'exposition et la vulnérabilité face à ceux qui détenaient le pouvoir terrestre, qu'il soit d'ordre politique ou religieux. C'est pour cette raison que les rois-mages furent envoyés auprès de lui, ils auraient dû le protéger, le soutenir et le défendre par leur richesse et leur puissance terrestres. Mais ils ne reconnurent, ne comprirent, ni n'accomplirent leur mission, et s'en retournèrent après lui avoir seulement rendu hommage et laissé quelques cadeaux. C'était donc tout à fait prévisible et même prévu que Jésus soit dès lors confronté à l'hostilité des êtres humains, fouaillés par les ténèbres, et qu'ils cherchent à le museler, à le faire taire, à le "mettre hors d'état de nuire", à le supprimer et à l'éliminer, comme toute institution terrestre fermement établie chercherait encore aujourd'hui à le faire vis-à-vis de l'individu qui menacerait, à l'aide de la Vérité elle-même, les fondements, les piliers de son existence. Sa mort sur la croix fut donc, oui, envisagée dès le départ comme possible. Mais Jésus ne recula pas devant l'hostilité des êtres humains, qui ne provient finalement que de leur ignorance, de même que l'agression et la violence ne proviennent que de la peur. Il prit sur lui l'éventualité de cette fin funeste. C'est pour cela qu'il pria ardemment, dans le jardin de Gethsémani, peu avant son arrestation, afin que ce calice de douleur, si possible, soit éloigné de lui, lui soit évité. Mais ce n'était pas possible. Par ailleurs, fuir aurait semé le doute et anéanti son œuvre tout entière. Dès ce moment, cependant, son esprit, son noyau divin, commença à se séparer de son corps, afin de ne pas en ressentir pleinement toutes les souffrances, qui n'allaient pas manquer de survenir.

Pourquoi, d'ailleurs, en sommes-nous arrivés là ? Eh bien, je t'ai donné toutes les pièces du puzzle pour comprendre, il n'y a plus qu'à les assembler. Jésus vint uniquement en mission de sauvetage spirituel d'urgence, apporter un message spirituel, afin de délivrer spirituellement les êtres humains du joug intérieur qui les asservissait, spirituellement. Il ne venait pas en grande pompe pour délivrer, à l'aide de sa divine toute-puissance naïvement conçue, terrestrement manifestée, le peuple juif de la domination romaine, et régner sur tout le monde dans la paix. C'est bien ce que Judas ne comprit pas, borné qu'il était par son intellect limité. Lui, il rêvait de gloire et de victoire, de richesse et de puissance terrestres uniquement. Non pas de servir pour délivrer spirituellement. Il se mit en relation avec des groupuscules révolutionnaires, fomentant rébellion, révolte et actions dissidentes contre les romains. C'est par ce pont-là que put se décharger toute la haine et le désir de destruction que les pharisiens, les prêtres, les représentants temporels de la religion d'alors, gênés dans leurs affaires par la prédication de Jésus, relégués à l'arrière-plan, maintes fois remis à leur place par Jésus lui-même devant le peuple qui l'écoutait et le suivait, c'est par ce biais uniquement, donc, qu'ils purent faire valoir leur droit auprès de la justice romaine, en présentant Jésus comme un malfaiteur, un adversaire de César, un vulgaire rebelle, car, sur le plan purement religieux, ils ne pouvaient rien faire contre lui, le peuple suivait Jésus, se fiait davantage à ses paroles plutôt qu'à celles des prêtres, et les romains n'en avaient strictement rien à faire de leurs histoires de dogmes, de croyances, de rites, de religion. Par contre, s'il était avéré que Jésus était en quelque sorte un "terroriste", affilié d'une manière ou d'une autre, à des groupes rebelles, s'opposant à la dictature romaine, il pouvait alors être légitimement dénoncé comme tel, traîné devant la justice romaine, jugé et condamné pour cela. Voilà ce qui se produisit vraiment ! C'est pour cette raison uniquement que Jésus fut assassiné, comme un vulgaire voyou, comme un méprisable bandit. Et malgré toute sa puissance divine, comme il avait pris sur lui de venir dans le monde en en respectant les règles, autrement dit en se soumettant à la Volonté de son Père et en l'accomplissant, une fois son corps cloué à la croix et durablement meurtri, il ne pouvait que mourir. Mourir physiquement parlant seulement, évidemment, sur le plan terrestre.

Or, on a fait de cet événement autre chose que ce qu'il était en vérité. Pourquoi ? Je n'en sais à vrai dire rien du tout. Cela me semble tout à fait incompréhensible, tellement me semble évidente l'explication que je te donne, dont je suis intimement convaincu.

Et le problème, ensuite, c'est que le père du christianisme naissant, le premier grand guide de la religion chrétienne, ne fut autre que celui qu'on appelle "Saint Paul", Saul de Tarse, pharisien à la base, luttant au départ avec acharnement contre les disciples de Jésus, auquel Jésus se révéla finalement lui-même, spirituellement, peu après sa mort terrestre, luttant ensuite avec la même virulence pour les chrétiens et contre les pharisiens. En effet, il était imbibé de sa propre tradition religieuse, dans laquelle il fut élevé, instruit et initié, il était donc mentalement conditionné par elle. Il transposa alors dans le Christianisme, avec la figure de Jésus, ce motif mythique du sacrifice expiatoire du bouc émissaire, pratiqué dans les temples juifs, offert en sacrifice à Dieu, afin d'effacer les fautes, les péchés des êtres humains, et afin de se réconcilier ainsi la Divinité, exactement comme le faisait les peuples païens, sacrifiant animaux, voire humains, à leurs dieux, afin d'obtenir leur faveur. Le Christianisme (ou plutôt le "paulisme") est donc essentiellement bâti sur un rite purement païen ! Donc sur ce qui devrait être considéré comme une hérésie ! Ainsi, chaque chrétien qui confesse cette aberration qu'est le fait de croire que la mort sur la croix de Jésus était voulue comme sacrifice expiatoire offert à Dieu, son propre "Père", afin de racheter les péchés des êtres humains, de sorte qu'ils puissent ainsi, après leur baptême chrétien, et sans effort personnel, trotter stupidement vers le Royaume de Dieu, est dans l'erreur ! La vérité à ce sujet n'est pas différente. On détourna ainsi la mission du Christ de sa véritable signification, on accorda davantage d'importance à sa personne ainsi qu'aux événements corollaires de son existence terrestre, plutôt qu'à la mise en pratique concrète de son enseignement spirituel, son message d'amour, seule chose en mesure d'apporter le salut et la rédemption. En prenant conscience de cette réalité, tu ne peux qu'être horrifié(e) en constatant qu'en réalité, essentiellement, dans le principe, au niveau du système de croyance et des idées, toutes les églises chrétiennes et les chrétiens du monde entier se trompent et marchent de travers. (Bien évidemment, mis à part ce qui relève de la foi pure, de l'adoration de Dieu et de la mise en pratique de la charité chrétienne ! Mais du point de vue du dogme, ils sont dans l'erreur, s'ils croient cela, s'ils adhèrent à cette idée ! !)

Voilà, c'est aussi simple et trivial que ça, il n'y a là aucun mystère, aucun secret, c'est évident !

Et tout ce que je viens de dire n'enlève rien à la valeur exemplaire de l'entière dévotion de Jésus à sa mission, la façon dont il s'est donné corps et âme, allant jusqu'à se sacrifier lui-même, afin de pouvoir apporter la Vérité, combattre spirituellement pour elle, afin, plutôt que de régner terrestrement, de servir spirituellement en manifestant l'Amour de Dieu, qui se penche, tend la main aux plus faibles, protège et console, guéris et sauve, fait renaître à la vie nouvelle, la purement spirituelle, au-delà de toute souffrance et de toute mort.

Tout cela remet aussi la souffrance à sa juste place. A cause de ces erreurs, on a fait du Christianisme une religion de la souffrance et du dolorisme, où la créature doit s'estimer reconnaissante et comblée de grâce alors qu'elle se tord de douleur dans la souffrance. Quelle ineptie ! Quelle pauvre vision de Dieu cette conception malheureuse ne véhicule-t-elle pas ? ! Nulle douleur, nulle souffrance, nul sacrifice ne sont voulus de Dieu, la Vie, qui ne veut que voir les créatures issues de sa solaire irradiation prendre forme, se développer, se déployer, s'épanouir et atteindre le bonheur, vivre dans la joie et la félicité, la plus belle forme de gratitude et de remerciement qui puisse exister. Par contre, oui, la souffrance ici-bas, dans la matière, sur Terre, ne peut être évitée, mais (- et je suis bien placé pour savoir que cela n'est pas facile ! ! ! !-) il ne faut pas s'y arrêter, ni se raidir, se tendre, s'y opposer, y résister, car cela ne ferait qu'empirer et bloquerait également toute possibilité d'aide secourable. Là, nous pouvons prendre exemple sur le Christ Jésus qui ne craignit pas de s'offrir entièrement, qui s'abaissa, s'anéantit presque, sans offrir de résistance, sans rancune, en pardonnant encore, pour, victorieux, s'arracher ensuite à la matière, ressusciter dans l'autre monde, spirituellement, là où plus aucun mal, plus aucune souffrance ne sont à craindre, ne pouvaient l'atteindre. Ne pas voir l'injustice, ni la malveillance, ni la violence, mais passer outre, porter le regard bien plus haut, et porter le Message de l'Amour.

Cette réalité éclaire également d'un nouveau jour les cas de stigmatisation "miraculeuse" qui ont pu être observés à travers les siècles. En effet, les stigmatisés réels, dont les souffrances n'étaient pas provoquées par le fanatisme religieux et l'autosuggestion, furent tout simplement jadis incarnés à l'époque de Jésus, se moquèrent de lui, lorsqu'il souffrit sur la croix, ou furent même responsables de certaines de ses souffrances, de ses blessures sur la croix ; comme l'un des larrons crucifiés avec lui, par exemple.

Enfin, pour terminer, je voudrais préciser une chose : certains disent à juste titre que ce sont des juifs qui ne voulurent pas reconnaître Jésus comme le Christ, le Messie, et qui l'assassinèrent, en le clouant à la croix, ils justifient ainsi une forme d'antisémitisme latent, à peine exprimé, qui ose à peine dire son nom, courant chez certains chrétiens, et ce depuis longtemps. En soi, objectivement, ce n'est pas faux, c'est vrai, d'une certaine manière, partiellement, mais ce n'est pas non plus toute la vérité, toute la réalité, car ce sont bien des juifs qui voulurent sa mort, qui firent pression pour qu'il soit crucifié, même si ce ne sont en réalité que des soldats romains qui, obéissant aux ordres, se chargèrent de l'exécution. Cependant, cette information n'est à vrai dire pas vraiment pertinente, elle ne porte pas sur le paramètre pertinent en l'occurrence. En effet, Jésus lui-même était juif aussi (par sa mère), ses disciples étaient juifs, beaucoup le suivaient parmi le peuple juif. Ce ne sont que les représentants officiels de la religion de l'époque, croyant détenir la Vérité, disposant d'une certaine influence et d'un certain pouvoir sur le plan terrestre, qui cherchèrent à perdre Jésus, à le supprimer. C'est ça qu'il faut voir, qu'il faut considérer, ça et ça uniquement ! Et il en irait exactement de même aujourd'hui, sous une autre forme ! ! !

La résurrection, Pentecôte, l'épanchement de l'Esprit Saint, et l'Ascension

Peu après, Jésus ressuscitait d'entre les morts, soi-disant... En réalité, certains de ses disciples vinrent récupérer son corps terrestre, le corps matériel-grossier, purement physique, qui lui servit pour son incarnation ici-bas, sur Terre ; ils le déplacèrent et l'enterrèrent à un autre endroit, afin que sa dépouille charnelle soit protégée et préservée, de toute profanation comme de toute vénération exagérée. Peut-être aura-t-on la chance de découvrir un jour ce lieu ?... Qui sait ?... Ce n'est en tout cas pas entre nos mains.

Jésus n'est donc pas charnellement ressuscité, quelque chose de cet ordre est tout à fait impossible, contraire aux lois physiques naturelles, et donc contraire à la Volonté de Dieu, puisque les deux ne font qu'un. Pour quelle autre raison, sinon, chacun de ses proches, qui fut confronté à lui après sa mort, ne le reconnut-il pas ? Si ce n'est, tout simplement, trivialement, parce qu'il ne s'agissait pas de son corps physique terrestre, mais de son "âme", c'est-à-dire de son noyau divin entouré de ses différentes enveloppes subtiles.

Tout le reste n'est que légende ! Crédule et puérile affabulation pour nourrir la légende de "Jésus-Christ"...

Et cette manifestation de Jésus auprès de ses disciples ne fut possible que quelques jours durant, après sa séparation d'avec le corps physique terrestre, tant qu'il y était encore lié cependant, et séjournait ainsi sur le plan terrestre (sur le plan du bas-astral, plus exactement, premier plan subtil de séjour durable d'âmes désincarnées, bâti à l'image du plan terrestre, puisqu'il en est à vrai dire le prototype, précédant le modèle éthérique).

Puis vint le jour de Pentecôte, le jour de l'épanchement du Saint-Esprit, qui a lieu tous les ans, à la fin du mois de mai. C'est le jour du déversement de la Force de Dieu à travers tous les plans de la Création, afin d'entretenir l'œuvre tout entière du Créateur, la renouvelant pour un nouvel élan, un nouveau cycle. Le Créateur Lui-même renouvelle ainsi perpétuellement Son alliance avec Son œuvre, Sa Création, afin qu'elle perdure, qu'elle soit ainsi entretenue, nourrie, abreuvée et renouvelée par Sa Force Sacrée. Ce n'est qu'à cette occasion particulière, pour laquelle toutes les portes sont ouvertes, en quelque sorte, d'un plan à l'autre, que Jésus pouvait s'en retourner définitivement afin de réintégrer le secret de son origine. D'où la possibilité seulement par la suite de son ascension, son retour vers le Divin. D'où également ce que vécurent ses disciples réunis ce jour-là, qui reçurent ainsi à cette occasion leur flamme de disciple, cette petite émanation, en quelque sorte, de l'Esprit Saint, leur permettant d'être toujours et en tout lieu reliés à la Source, à la Sagesse Divine, d'en recevoir la Connaissance et le Savoir spirituels, mais également un peu de la Divine Force d'action, ce qui leur était indispensable afin d'accomplir la mission pour laquelle le Christ les envoya à travers le monde.

Croix Glorieuse et croix chrétienne

La croix chrétienne n'est donc en fait, finalement, que le type même de croix, tout à fait banal, sur lequel étaient crucifiés et ainsi torturés, puis mis à mort, les malfrats de l'époque. Elle n'a rien, en soi, de sacré, ne mérite en soi aucune vénération, puisqu'elle n'est le symbole que de la mise à mort de Jésus, parce que la Vérité qu'il annonçait dérangeait les représentants de la religion de l'époque, bouleversant les dogmes, l'application stupide de règles, de rites, sans âme, sans cœur, sans vie. Certes, c'est un symbole tout à fait sérieux de ce devant quoi il ne renonça pas lui-même, afin d'apporter malgré tout le message de l'Amour de Dieu, mais ce n'est que ça.

A l'opposé, nous avons la "Croix Glorieuse" ou "Croix de Gloire", à branches égales, rayonnantes par elle-même. Cette croix-ci, oui, est le symbole de la Vérité Vivante, est la manifestation visible de la Vérité, la Réalité Vivante, la Vie Réelle, autrement dit "Dieu". Et c'est bien cette croix qu'on voyait émaner de Jésus, en tant que "Porteur de la Vérité", en tant que Part de la Vérité Elle-même, en sa qualité de Fils de Dieu, phénomène d'irradiation de la Lumière Divine visible seulement aux véritables voyants purs de cœur. D'où la représentation d'un "nimbe crucifère" autour de sa tête... Egalement pour ses disciples, qui, lors de la fête de Pentecôte, reçurent une sorte d'émanation de l'Esprit Créateur, les mettant en relation, en connexion avec la Vérité Vivante, la Force de Dieu.

Or, ce symbole réellement sacré de la croix à branches égales était connu bien avant Jésus lui-même, on en trouve des traces ici ou là, dans diverses civilisations, que ce soit chez les celtes, chez les mazdéistes, ou autres...

Voilà l'explication, encore une fois toute simple, de cette distinction fondamentale !

Apocalypse, Révélation, Jugement Dernier et Règne de Mille Ans

Ce n'est pas pour rien que le livre de l'Apocalypse (signifiant "Révélation"), attribué à un certain "Jean", est considéré comme le livre aux sept sceaux, le livre sept fois scellé, le chiffre sept étant considéré comme l'expression du Divin, du Sacré, de la Volonté Sainte de Dieu. En effet, combien de fois, au cours des siècles, des êtres humains n'ont-ils pas cherché en vain à comprendre et à interpréter ce texte, voire à essayer de tirer, de déformer ce qui y est décrit pour le faire coller à leurs interprétations, ainsi qu'aux événements contemporains de leur époque, dont ils étaient eux-mêmes les témoins ? !... Et quels ravages n'ont pas faits parfois ces interprétations alambiquées, imprégnées de fanatisme religieux ? !... Or, tout cela était faux, bien évidemment. A l'inverse, bien des croyants chrétiens sincères, qui croient sincèrement à ce qui est dit dans les évangiles, et cherchent réellement à mettre en pratique le message d'amour du Christ au cœur de leur vie, sont gênés vis-à-vis de ce texte, un brin trop "apocalyptique" (c'est le cas de le dire ! ;)) à leur goût, trop souvent récupéré par des prédicateurs illuminés ou des sectes millénaristes, fin-du-mondistes. Pourtant, ce texte est bien intégré au Nouveau Testament, dans le canon des églises chrétiennes, annonçant, selon elles, le retour en gloire de Jésus-Christ pour la fin du monde, le Jugement Dernier et le Règne de Mille Ans. Comment concilier ces points de vue, ces intuitions contradictoires ? C'est bien la question que certains chrétiens se posent, eu égard à la réalité du monde moderne dans lequel nous évoluons. Eh bien, je vais te livrer quelques considérations parmi la mienne conviction qui, à mon sens, permettent d'expliquer et de comprendre cette fameuse "Révélation", sans verser pour autant dans le fanatisme religieux.

Premièrement, qui est l'auteur de ce texte ? On l'attribue à un certain Jean : s'agit-il donc de Jean le Baptiste ou de Jean l'Evangéliste ? Dans les deux cas, les scientifiques, historiens et archéologues qui se sont penchés sur la question trouvent des incohérences, il n'aurait pu être écrit par aucun des deux, et n'aurait même été écrit que longtemps après les événements, après la mort des derniers témoins de la venue du Christ sur Terre. Pourtant, le personnage principal de ce texte, qui vit cette révélation sur les temps derniers, comme une expérience mystique, est bien appelé Jean, et semble bien avoir connu Jésus de son vivant sur Terre. Comment comprendre et concilier cette apparente contradiction ? Eh bien, tout simplement, grâce à la connaissance sur la nature essentiellement spirituelle des événements qui se déroulent dans la Création.

L'expérience vécue, telle qu'elle est rapportée, est bien celle de Jean le Baptiste, mais après sa mort terrestre, lorsque son esprit se sépara de son corps, quitta la matière et remonta dans les plans spirituels de la Création, ceux que l'on désigne comme le "Paradis" des post-évolués. L'île de Patmos sur laquelle son esprit est enlevé, élevé, n'est donc pas une des îles grecques de la mer Egée, mais un plan existant réellement, se situant dans le Royaume Spirituel, plus exactement à la limite entre le Spirituel-Originel, patrie des archétypes spirituels, et le Spirituel tout court proprement dit, dont le dernier plan est le plan d'origine des germes d'esprit humains qui peuplent les champs d'expérimentation de la Matérialité pour leur évolution. C'est donc là qu'il fit l'expérience purement spirituelle de cette vision concernant l'important accomplissement à venir. En même temps, sur Terre, un des disciples du Christ, doué véritablement d'une authentique et pure capacité de voyance, transmit cette révélation à ses semblables en la consignant par écrit. Lors de cette transmission, comme plus tard lors de la propagation et de la traduction de ce texte à travers les siècles, des erreurs purent fort bien se loger ici ou là, déformant certains éléments devenus incohérents avec la vision d'ensemble.

Deuxièmement, cela me conduit à considérer surtout ce texte comme une révélation d'événements essentiellement spirituels, c'est-à-dire se déroulant sur d'autres plans de la Création, voire à travers toute la Création elle-même, conçus aussi bien souvent de façon symbolique, imagée, parce que seule cette façon de s'exprimer enfantine et imagée pouvait être comprise des êtres humains de l'époque. Il n'y a donc pas lieu d'attendre purement et simplement l'accomplissement exactement tels quels des événements qui y sont décrits. Symbolique, signifie qu'on transmet à la compréhension intellectuelle limitée à notre perception de la matière la possibilité d'une appréhension, d'une compréhension, de processus, phénomènes, événements de nature spirituelle, ou subtile, énergétique, se déroulant sur tout un tas d'autres plans, sous diverses formes, normalement inaccessibles à la pensée terrestre, l'image correspondant au sens du processus dans ses grandes lignes. Tout, alors, devient beaucoup plus facilement compréhensible.

Troisièmement, l'élément central de cette révélation, c'est quand même ce fameux "Jugement Dernier", qui hante les esprits depuis fort longtemps, depuis des siècles, étend son ombre sur le monde chrétien, comme une terrible menace, une épée de Damoclès, dont la pression se fait désagréablement sentir. Or, en réalité, il ne s'agit là que d'un processus, d'un événement tout à fait naturel et compréhensible. En effet, j'ai déjà expliqué que, contrairement à ce que croient beaucoup d'êtres humains en ces choses à l'heure actuelle, la possibilité d'évolution d'une âme humaine dans les plans de la matière n'est pas illimitée, avec de toute façon comme perspective ultime l'affranchissement de la matière et la remontée vers le Paradis. Ce n'est malheureusement pas aussi simple ! Chaque germe d'esprit est, pour son évolution, plongé dans la matière, dans un univers donné. Il peut y expérimenter et y évoluer à sa guise, à travers ses multiples plans finement- et grossièrement-matériels, dont j'ai déjà donné une image d'ensemble précédemment. Seulement, quelque part, toujours, il reste "prisonnier" de l'univers dans lequel il fut plongé à l'origine pour son évolution. Ce n'est que lorsque son esprit a atteint la pleine et entière conscience de soi et s'est affranchi de toute dette karmique, de tout lien ou fil du destin, quel qu'il soit, le liant, l'attachant encore à un quelconque plan, aussi subtil soit-il, de la matière, ce n'est qu'alors qu'il peut véritablement se délivrer, s'affranchir, se libérer complètement et définitivement de toute matière, et ressurgir enfin dans le Spirituel-Eternel qui n'est pas soumis aux changements, qui ne passe point. Il ressuscite alors véritablement à la vie éternelle, réintègre le secret de son origine sous une forme pleinement consciente, apte à s'intégrer dans le Grand Tout et à coopérer activement à son développement. Tant qu'il reste attaché, lié à la matière, il court le risque d'être entraîné avec l'univers dans lequel il se trouve, même si c'est sur les plans les plus subtils de la Matérialité-Fine, et d'être ainsi précipité dans la décomposition de toute matière formée, de cet univers et de tous les plans matériels qui le composent. C'est exactement ce que la science a reconnu aujourd'hui dans une certaine mesure seulement avec les trous noirs… Notre univers lui-même serait issu d'un immense trou noir… Il ne serait d'ailleurs pas le seul ! Il en existerait d'autres. Et les sept églises de l'Apocalypse seraient vraisemblablement, en réalité, sept univers distincts, ayant reçu à l'origine en leur sein des germes d'esprit pour leur évolution. Or, de la même façon qu'un champ a besoin un jour ou l'autre d'être mis en jachère, si l'on veut vraiment reconstituer les forces nutritives de son sol, de même la matière, qui n'est que le fruit d'une post-formation passagère, éphémère, comme champ d'expérimentation et d'évolution, est destinée à passer, dans ses formes, à se décomposer, se désassembler, pour revenir à l'état de briques élémentaires et parcourir un nouveau cycle. Il y a donc bien un moment où, pour tous les esprits humains d'une partie du grand Univers de la Matérialité dans son ensemble, doit intervenir une ultime décision, qui conduit finalement soit à l'ascension hors de la matière et à la résurgence définitive dans le Spirituel, soit à l'attachement à la matière et à la précipitation dans la décomposition. Le sort de ces derniers est alors terrible, car la personnalité spirituellement acquise dans la prise de conscience, la formation et l'évolution du germe d'esprit, est à ce point attaquée, corrodée par cet événement, ce processus tout à fait naturel, qu'elle finit par se dissoudre, par se désintégrer, disparaître. La semence spirituelle est alors de nouveau libérée vers son plan d'origine, le Spirituel, qui se tient bien au-dessus de la matière, mais pas sous une forme consciente accomplie, au contraire, à nouveau sous la forme d'un germe d'esprit inconscient, qui devra plus tard entreprendre un nouveau périple à travers les champs de la Matérialité, afin d'y développer sa conscience. Rien ni personne n'est véritablement anéanti, ce qui est impossible dans l'absolu, car rien ne se perd, rien ne se crée, tout se transforme, c'est la loi fondamentale en sciences de conservation de l'énergie. Cependant, c'est une perte de temps qui peut se compter en millions d'années ! ! Voilà qui fait de ce fameux "Jugement Dernier" un événement tout à fait naturel et pourtant d'une gravité tout à fait sérieuse, à ne pas prendre à la légère. C'est d'ailleurs quelque chose que l'on retrouve quasiment dans toutes les religions et les systèmes de croyance, bien évidement dans les trois principales religions monothéistes du Livre, le Judaïsme, le Christianisme et l'Islam, mais aussi dans la mythologie nordique, par exemple, avec le Ragnarök, jusque dans l'Hindouisme, en passant par le Zoroastrisme, comme on l'a vu, événement toujours conçu quelque part comme un passage obligé, comportant une certaine part de nécessaire destruction, mais en vue d'un renouvellement, du recommencement d'un nouveau cycle. C'est donc dans ce cadre que s'inscrit la révélation qui est faite à Jean.

Quatrièmement, ce fameux "Jugement Dernier" débouche sur une période de paix désignée comme le "Règne de Mille Ans". Et ces deux événements tournent autour d'une même figure centrale, celle du Saoshyant dans le Zoroastrisme et du Messie / Christ / Fils de l'Homme dans le Judaïsme et le Christianisme. On retrouve ainsi également ce personnage dans l'Apocalypse de Jean. Le Fils de l'Homme vient d'en-haut, sur les nuées, pour accomplir le Jugement Dernier, rendre justice, séparer le bon grain de l'ivraie. En réalité, là encore, le processus est on ne peut plus simple et naturel, parfaitement objectif et auto-actif. Comme je l'expliquais précédemment, le Fils de l'Homme émane lui aussi de Dieu, il fait un avec l'Esprit Saint, la Volonté Créatrice de Dieu, dont émergea, naquit, jaillit la Création au commencement. De même, il descend jusque dans les profondeurs les plus abyssales de celle-ci, jusque dans la matière, auprès des êtres humains, afin de clore tous les cycles et de provoquer la récolte des fruits, en vue de la libération définitive de toute faute, de tout péché, de toute matière, pour le retour à l'origine des esprits humains. Il clôt tous les cycles, par son être même. En effet, étant lui-même la Volonté Créatrice de Dieu faite personne, la Justice Divine personnifiée (d'où l'épée qui lui sort de la bouche ! !...), il porte en lui la Force Divine qui déclenche auto-activement et très naturellement tous ces processus, sans avoir besoin d'intervenir personnellement de façon arbitraire (comme c'est pourtant très naïvement décrit dans beaucoup de ces représentations afin d'être compris par des êtres humains à la capacité de compréhension encore naïve et enfantine), mais simplement par son être même, son existence. Il en va exactement comme si l'on provoquait une accélération de la croissance et de la floraison des plantes dans une serre chaude. D'où la résurrection de tout ce qui est mort, et non pas de tous les morts, autrement dit la revivification de tout ce à quoi l'être humain a donné naissance, pour la reconnaissance, la prise de conscience et le dénouement définitif, en bien comme en mal. Cela, au final, n'a pour unique but que d'aider les esprits humains à s'affranchir définitivement, réellement, de la matière. Par ailleurs, fondamentalement, l'esprit humain ne peut vraiment s'affranchir de la matière, en franchir l'ultime limite vers le haut, si une main plus forte ne lui est pas tendue d'en-haut, qui lui permette de se dépasser complètement lui-même, de se surpasser et de dépasser ainsi ses propres limites intrinsèques de simple esprit humain. En ce sens, je crois vraiment de tout cœur à la surpuissance absolue de la Grâce divine qui se penche, dans Son infinie Miséricorde, et qui nous permet de tout dépasser, surmonter, de survivre, de revivre, de renaître des cendres de nos souffrances et de nos morts, de ressusciter hors de ce monde, pour une vie consciente éternelle. C'est là la part la plus importante de la véritable Alliance conclue dès l'origine et pour toujours entre le Créateur et Sa créature.

Certaines prophéties, comme l'Apocalypse de Jean, parlent donc de la venue de ce mystérieux personnage, cette figure mystique et mythique, véritablement envoyé par Dieu, manifestant Sa Volonté, comme Son intermédiaire, intercesseur et délégué plénipotentiaire. Et, comme il est à l'origine de la Création, en tant que Volonté Créatrice de Dieu, et qu'il est aussi le promoteur de la dernière période d'évolution de toute l'humanité, en tant que personnification de la Justice de Dieu, bouclant tous les cycles, il est considéré comme le Premier et le Dernier, l'Alpha et l'Oméga.

Sous sa conduite, directement, ici, sur Terre, doit s'édifier théoriquement, d'après ces sources, un règne de paix, où règnent véritablement la justice et l'équité, où le pouvoir terrestre échoit dès lors entre de bonnes mains, pour le bien de tous. D'où cette image d'une "Jérusalem" céleste, la "Ville aux rues d'or", qui descend du ciel, sur Terre, bâtie sur le chiffre douze. Un modèle idéal d'organisation spirituelle destiné à être réalisé dans le matériel, pour qu'enfin, ici-bas, sur Terre, tout soit fait réellement pour le bien et l'évolution bienheureuse des êtres humains. ("Que Ta Volonté soit faite, sur la Terre comme au Ciel...")

C'est en tout cas ce qui est promis, à de multiples occasions, et nous en sommes évidemment bien loin. Nous pouvons légitimement nous interroger sur le fait que cela soit vraiment réaliste, vraisemblable, plausible et réalisable. Je pense cependant que nous ne sommes à vrai dire pas qualifiés pour en dire quoi que ce soit, pas capables de mesurer tout ce qui se déroule hors de la portée de notre pensée. Ce qui est certain, tout le monde le dit, en témoigne, c'est qu'il y a bien une remarquable augmentation du niveau vibratoire de la matière, du niveau des énergies, et cette montée énergétique provoque de plus en plus d'événements, depuis les plus intérieurs, jusqu'aux plus concrets et extérieurs, bouleversant tout sur son passage, provoquant des dénouements karmiques à la chaîne, obligeant nos systèmes énergétiques et nos corps eux-mêmes à se transformer et à s'adapter. Et cela se répercute aussi bien à l'échelle de l'individu que du monde, de la société que de la Nature, dans tous les domaines spirituels, religieux, politiques, économiques, financiers, scientifiques, médicaux, sanitaires, etc. Ça, personne, désormais, ne peut le nier, car nous sommes mis nez à nez avec cette évidence, ne serait-ce aussi que par ce bouleversement climatique global. L'humanité effarée peut désormais constater clairement, comme sous la lumière crue et presque aveuglante d'un éclair dans le ciel assombri d'une moite nuit d'été, à quel point, d'une part, le modèle de société purement matérialiste qu'elle a conçu est faux, inique, malsain, morbide et mortifère, et à quel point elle a tout bousillé ici sur Terre, dans la Nature. Ah, elle est bien loin, l'image défunte de la fierté de l'homme face à son illusion de toute-puissance, avec sa science et son progrès ! !...

Tout cela fouaille l'inconscient collectif ainsi que l'âme de chaque être humain sur cette Terre, et ça explique aussi tout ce que l'on voit autour de soi, jusqu'à l'étourdissement, jusqu'au dégoût. C'est le signe que, oui, effectivement, vraisemblablement, lentement mais sûrement, quelque chose de cet ordre approche inévitablement...

Voilà, je ne rentrerai pas dans le détail pour le moment, voici donc tout ce que je voulais te dire, pouvais te dire sur ce sujet, espérant que cela réponde éventuellement mieux à certaines de tes questions, espérant surtout que cela permette au Christianisme de se dépouiller, de se débarrasser enfin définitivement des erreurs qui le déforment, le parasitent et le polluent, qui en troublent la vraie nature ainsi que les précieuses valeurs ! Poursuivons donc notre chemin !

Les Ténèbres, l'Enfer et le Diable

Dans le tableau d'ensemble de la Création, de l'activité qui s'y déroule, conformément aux lois qui ne sont que l'expression de la Volonté Créatrice Divine, et dans le cadre de l'immense œuvre de secours spirituel à destination des germes d'esprit humains incarnés dans la matière, tu peux encore peut-être te demander où et comment se situent des notions telles que celles-ci : l'Enfer, les Ténèbres et le Diable, car ce sont des notions que l'on retrouve à vrai dire un peu partout, pas seulement dans la religion chrétienne, mais aussi dans d'autres religions et systèmes de croyance. Comme beaucoup d'autres êtres humains, tu as sûrement l'intuition de l'existence d'une certaine réalité à ce sujet, tout en étant rebuté(e) par les images d'Epinal qui traversent les représentations humaines en la matière depuis des siècles, et qui ont construit avec le temps un tableau infernal, reposant sur la crédulité, fait d'imagination débridée suscitant la peur et la terreur chez certains, facilement manipulables ainsi (comme toujours, pour cela, la peur est un excellent levier ! !... ;)), tandis que d'autres n'ont que rires et sourires méprisants pour ce qu'ils considèrent, peut-être à juste titre dans une certaine mesure, comme des affabulations délirantes ou des superstitions "de bonne femme". Or, comme pour d'autres notions, sur lesquelles je me suis exprimé précédemment, la réalité, ce qui est juste, en l'occurrence, comme souvent, se situe à mi-chemin entre les représentations extrêmes des êtres humains.

Il y a tout d'abord un point essentiel capital que je souhaite éclaircir. C'est un fait que, dans la Création, comme tu devais déjà le savoir, comme tu as pu le constater, et comme je l'ai rappelé à différents endroits, il y a un antagonisme fondamental entre deux énergies de types différents, deux polarités complémentaires et opposées, dualité fondamentale sur laquelle est bâtie la Création tout entière, car le mouvement circulaire à l'origine de tous les cercles de la Création repose sur cette dualité entre deux polarités, certes opposées, mais surtout complémentaires, donc ayant au final toutes deux une valeur constructive à long terme : d'une part la polarité Yin / féminine / négative / passive / réceptrice / dispensatrice / conservatrice / fusionnante et d'autre part la polarité Yang / masculine / positive / active / émettrice / attractrice / destructrice / séparante. Or, beaucoup de gens, notamment versés dans l'ésotérisme, l'occultisme, la "magie", wiccans et autres, pensent à tort que la dualité entre le Bien et le Mal est du même ordre que cette dualité fondamentale qui a somme toute bâti la Création tout entière. Eh bien, selon moi, là encore, non, il ne s'agit pas du tout de la même chose. Oui, dans la Nature, nous voyons bien à l'œuvre ces deux forces opposées, mais complémentaires, qui font toutes deux œuvre utile, qui sont toutes deux indispensables à la mise en mouvement de tout ce qui existe, de toute forme de vie, quelle qu'elle soit, sans quoi la paresse, l'engourdissement et la stagnation auraient vite fait de se manifester, conduisant inévitablement à l'immobilisme, et donc à la mort, puis à la décomposition, puisque rien, ici-bas, dans la matière, n'est éternel, mais que tout, au contraire, n'est que passager, éphémère, transitoire et périssable. Cependant, l'antagonisme entre le Bien et le Mal n'est pas du même ordre, il ne relève pas d'une nécessité pour l'évolution, ni de la même complémentarité, il n'y a pas à l'origine deux forces fondamentales, une bonne et une mauvaise, d'égales valeur et importance, de même qu'il n'y a pas non plus deux puissances divines, une bonne et une mauvaise, Dieu et le Diable. Il n'y a qu'un Seul Dieu, la Vie, et donc une seule et unique Force dont tout ce qui existe tire sa propre vitalité pour la subsistance. Et la Vie Elle-même ne se situe que du côté du Bien, puisqu'Elle ne vise, dans toute Son activité, qu'à offrir à toute forme de vie issue de Ses irradiations lumineuses, aussi infime soit-elle, une possibilité d'existence, de développement et d'épanouissement. Le Mal, quant à lui, n'est que le ver rongeur dans le fruit, qui ne cherche qu'à perdre ces possibilités de vie, d'existence et de développement, agissant toujours de manière destructrice, à long terme, c'est-à-dire au-delà de la seule et unique existence terrestre, tandis que le Bien, lui, n'agit que de manière constructive, promotrice, à long terme, à l'échelle de l'existence tout entière d'une forme de vie, et non seulement dans le cadre restreint et limité d'une seule incarnation terrestre. Je fais cette distinction car, parfois, ce qui peut apparaître comme "mal" à court terme, dans le cadre d'une seule incarnation, se révèle être en réalité la seule chose "bien" à long terme, au-delà de la seule incarnation terrestre, à l'échelle de l'existence tout entière du germe de vie. Sois donc rassuré(e), mon ami(e), il n'y a aucune crainte à avoir d'emblée vis-à-vis du fait de soulever un peu le voile qui enveloppe ce sujet, ces notions. Le Mal n'existe pas en soi à l'origine, il ne provient lui-même que de la Vie, ne tire sa force, son énergie que de Là, comme toute autre créature, demeure tout à fait dépendant de la Vie Elle-même, donc de Dieu, et ne se construit que par rapport à Ça, par antagonisme, dans l'adversité et l'opposition, alors que la Vie Elle-même, Dieu, Est, en toute éternité, et cet "Êtreté" tient Tout ! Le Mal est une déviation du courant principal de la Force, émanant de la Vie, une déformation du cours normal des choses, un mensonge, une illusion, une ignorance, une erreur, une ombre. Il n'a pas lieu d'être, n'a aucune légitimité à l'existence, n'est destiné, à long terme, qu'à l'éradication, n'existe pas dès l'origine, mais n'est apparu qu'ensuite, comme un accident de parcours. Mais, afin de te donner véritablement à comprendre ce qu'il en est, il me faut rentrer dans le détail, en parler plus explicitement, décrire plus précisément certains événements, au risque d'encourir ainsi la condescendance, le mépris et la moquerie des ignorants en la matière, mais cela m'importe peu, car ils ne savent rien en réalité, notamment de ces choses qui, oui, effectivement, se déroulent hors de la portée du parcours normal d'un être humain, au-delà de sa capacité de perception, et donc qu'il ne peut se représenter. Et c'est bien mieux ainsi, pour lui, au final, plutôt que d'en savoir quelque chose, car, pour en savoir quelque chose, il faudrait y avoir été confronté, et, cela, je ne le souhaite à aucun esprit humain, car je ne suis pas sûr qu'il ait en soi, dans sa foi et sa fidélité envers la Lumière, la Vie, Origine de toute Force, suffisamment d'affermissement pour surmonter une telle épreuve, en venir à bout.

Alors, maintenant, commençons par le commencement. Quelle est donc cette figure antagoniste, opposée à Dieu dans l'imaginaire humain, l'inconscient collectif, qu'on présente sous des dehors différents selon les désignations employées, depuis Lucifer, l'Archange déchu, jusqu'au Diable, incarnation de tout mal, voire du Mal absolu, en passant par Satan, l'Adversaire ? Mettons tout de suite de côté les représentations infernales issues d'une imagination débridée, qui ne proviennent que de la fascination malsaine pour l'horreur que l'être humain porte en lui, sûrement pour conjurer ainsi sa peur, sa frayeur naturelle devant ce qui le dépasse, ce qu'il ne connaît pas. Il y a, me semble-t-il, dans le Zoroastrisme, une notion fort intéressante : Angra Mainyu, l'Esprit de Colère, du Mal (également appelé Ahriman), n'existait pas en soi au départ, à l'origine de la Création, mais ne s'est formé qu'ensuite, à partir des pensées mauvaises des êtres humains. Ce qui est intéressant, dans cette vision des choses, c'est que ce serait l'être humain lui-même, du fait de son libre-arbitre, qu'il conserve toujours, qui serait responsable de son existence, de son apparition. Mais cette figure est ici conçue comme une incarnation du Mal lui-même à son apogée, une personnification de tout le mal généré par les êtres humains eux-mêmes. Or, il n'est en fait pas l'aboutissement ultime du Mal en tant que son incarnation, mais son origine elle-même, son point de départ, en tant que "Pensée fausse", "Pensée erronée", ainsi que certaines traditions le décrivent très justement. Car il n'existe pas en soi, mais ne fait que détourner ce qui existe dans une mauvaise direction, sur une mauvaise voie.

Je pencherais plutôt, personnellement, pour l'image de l'Archange déchu, Lucifer, le "Porteur-de-lumière". Envoyé au départ dans la Post-Création matérielle, à sa direction, afin de superviser l'évolution des germes d'esprit humain, afin de les guider dans leur prise de conscience et leur épanouissement, tel un jardinier bienveillant, afin aussi d'illuminer l'intelligence humaine, l'intellect, qui n'est autre que l'activité du cerveau, la nécessaire capacité d'appréhension, de compréhension et d'activation dans le genre terrestre plus dense de la matière, en tant que "porteur" ou "apporteur-de-la-connaissance", tout cela afin que l'esprit humain puisse transposer dans la matière la plus dense son aspiration spirituelle. Seulement, cela ne se déroula pas exactement comme c'était prévu au départ, comme tu peux aisément t'en rendre compte aujourd'hui.

Que se passa-t-il donc ? Pourquoi donc faillit-il à sa mission ? Car, après tout, si Lucifer était un Archange, il était donc une entité au service de la Volonté Divine, et qui plus est une des plus élevées, entité ne disposant donc pas d'un libre-arbitre, ne devant donc pas pouvoir exercer une quelconque libre volonté et agir par elle-même, de son propre chef. Eh bien, je pense qu'il y a là plusieurs facteurs qui rentrent en jeu. Certes, si c'est bien d'un Archange dont il s'agit, son origine essentielle remonte donc au Divin (et non pas directement à Dieu Lui-même), qui existe en toute éternité dans la proximité de Dieu. Seulement, d'être ainsi envoyé jusque dans la Matérialité, c'est-à-dire en dehors du domaine de l'Eternité Divine, dans les profondeurs abyssales de la Création, provoqua certainement un éloignement et ainsi un refroidissement. D' "entité", il devint peut-être "esprit", disposant d'un libre-arbitre, une libre volonté, tout en conservant pourtant son essence d'origine purement divine, car jamais rien d'autre que ce qui repose dans l'essence d'origine ne peut se développer. Il devint donc ainsi un esprit divin, l'esprit le plus fort de toute la Post-Création matérielle, avec, en plus, entre ses mains, symboliquement, la Sainte Lance, autrement dit la souveraineté dans la conduite des mondes. C'est aussi pour cette raison qu'il est désigné, dans les évangiles, par Jésus lui-même, puis plus tard dans l'Apocalypse, comme le "Prince de ce monde", c'est-à-dire celui qui détient le pouvoir sur la destinée du monde terrestre.

Mais qu'est-ce donc qui le fit tomber ainsi ? Eh bien, il y a plusieurs éléments de réponse, par-ci, par-là, qui me semblent tout à fait justes et appropriés. Tout d'abord, peut-être, le fait qu'il éprouva de l'étonnement, une certaine interrogation, du doute, en voyant toute l'aide qui était déployée pour une créature aussi faible que le germe d'esprit humain. Peut-être, du fait de son éloignement, du refroidissement de son mouvement interne, de sa condensation en "esprit" doué d'une volonté personnelle, en conçut-il de la jalousie ? On dit en effet que les anges rebelles se montrèrent jaloux de l'attention particulière que Dieu accorda à l'être humain, sa créature, en dépit de sa faiblesse, de son imperfection et de sa médiocrité. Et puis, peut-être aussi éprouva-t-il tout simplement de l'orgueil devant ce qui naissait sous ses doigts, sous son action, de voir ce que l'être humain devenait progressivement capable de faire grâce à l'illumination de son intellect, son intelligence purement terrestre ? Peut-être voulut-il ainsi, de serviteur, devenir lui-même le Maître, et n'en faire qu'à sa tête ? - Devant le disque solaire, il s'interposa, déploya ses ailes, afin de se faire adorer lui-même comme un dieu... - Or, une telle activation du libre-arbitre, au point de faire littéralement ce qu'on veut, dans le mépris le plus total vis-à-vis des lois de la Création, qui la tiennent fermement dans tous les autres plans, et qui révèlent la parfaite Volonté Créatrice de Dieu, cela n'est possible que dans la matière. D'où, sûrement, l'enfouissement dans la Matérialité. Lucifer sombra ainsi, parce qu'il se sépara (je rappelle ici que, selon moi, fondamentalement, le péché réside dans la séparation...) de la Lumière, de la Volonté-Amour du Créateur, qu'il ne voulut pas être le jardinier aimant, bienveillant et secourable prenant également soin des pousses les plus faibles, qu'il conçut de l'orgueil et voulut ainsi devenir lui-même le Maître de la Post-Création matérielle, ce qui lui était possible, parce qu'il en avait le pouvoir, du fait de son origine divine. Seulement, aspect essentiel qu'il faut garder à l'esprit, Lucifer lui-même est en dehors de la Matérialité, il n'appartient pas à la matière, n'y étant pas incarné. Il peut donc certes tenter l'être humain, mais jamais l'obliger ni le contraindre à quoi que ce soit, parce qu'il n'en a pas la force vis-à-vis de l'esprit humain qui est incarné dans la matière, qui y est solidement campé, surtout si ce dernier se tourne sincèrement vers la Lumière. C'est ainsi que, comme on le voit dans divers récits naïfs en apparence, puisque symboliquement conçus, de façon imagée, Lucifer devint le Tentateur, celui qui tente, qui instille et distille le doute, surtout, et infléchit peu à peu les orientations et décisions vers le bas, faisant tout pencher vers la matière, car c'est là aussi seulement que l'être humain peut, pour un temps seulement, n'en faire qu'à sa tête en apparence, se prenant lui-même également pour un dieu, semblable à Dieu Lui-même, s'enorgueillissant de son intelligence purement terrestre, de sa science, de son progrès, de son pouvoir et de sa puissance, cherchant par-dessus tout à amasser les richesses terrestres et à jouir égoïstement de ce monde. Il est singulier, d'ailleurs, de voir que, dans notre monde actuel, systématiquement, quasiment, le pouvoir terrestre n'échoit qu'à ceux qui ne sont pas suffisamment mûrs spirituellement, matures humainement et ainsi désintéressés afin de l'exercer uniquement pour le bien commun, ceux qui n'ont qu'une conscience spirituelle "bébé", manquant d'empathie et de compassion sur le plan humain, n'agissant que dans des vues égoïstes, matérialistes, à court terme. Voilà la raison également de la faillite du genre humain ! Voilà l'explication du matérialisme dont nous pouvons aujourd'hui clairement voir la nature des fruits !

Lucifer n'agit donc pas comme un éducateur bienveillant des consciences humaines, mais littéralement comme un loup dans une bergerie, cherchant, par mépris, jalousie, à perdre cette créature si faible, si facile à corrompre ; il instaura donc le faux principe, celui de la tentation et de la vie effrénée sans limite, qui ne cherche qu'à perdre les plus faibles, tandis que les plus forts, spirituellement, au contraire, malgré leurs erreurs et leurs chutes, n'y trouvent là qu'une possibilité de renforcement de leur volonté intérieure. Et nous constatons que la société actuelle est elle-même fondée sur ces principes de tentation, de mensonge et d'illusion quant au bonheur purement matériel-terrestre, résidant dans la possession et la jouissance effrénée des éphémères biens de ce monde, et que le système sur lequel elle est fondée recherche perpétuellement en tout individu la faille qui peut le perdre, le faire vaciller et tomber, pour après le faire s'écrouler sous le poids du malheur. La politique elle-même, les politiques eux-mêmes, ainsi que ceux qui régissent le monde de l'argent, de la finance, du pouvoir politique, de la puissance terrestre et des richesses matérielles, sont exactement à l'image de leur Maître ; qu'ils le reconnaissent consciemment ou non comme tel, ils n'en demeurent pas moins les serviteurs assidus et zélés, parce qu'ils ont dit "oui" à la tentation du Prince de ce monde et des richesses matérielles-terrestres, et qu'ils n'en sont ainsi devenus que les esclaves, les exécutants, les serviteurs dociles et serviles, à l'instar exactement de ces entreprises qui ont pris leur essor et de ces fortunes qui ont prospéré en profitant du nazisme. Il n'est d'ailleurs pas besoin pour cela d'inventer une quelconque théorie du complot d'un nouvel ordre mondial ou autre, quand cela réside simplement dans les chaînes d'esclave de l'intellect et de la matière que l'être humain s'est forgées lui-même, sous l'emprise de cette tentation. L'apparence tout à fait justement ressentie par beaucoup d'êtres humains d'une cohérence, d'une homogénéité et d'une convergence vers un seul et unique but, fondamentalement destructeur, ne provient pas d'une quelconque secte ou société secrète organisée, composée de quelques êtres humains qui dirigeraient le monde et qui sauraient ce qu'ils font, mais de l'inévitable conséquence de l'asservissement volontaire à l'intellect et à la matière, ainsi que de la pression exercée, essentiellement inconsciemment, par les égrégores de l'Au-delà sur ceux qui font le poids, qui peuvent faire pencher la balance, ici-bas, sur Terre, de par leur statut, leur position et leur pouvoir terrestres. Ce qui est bien tragique, c'est qu'en réalité, non, ils ne savent pas ce qu'ils font ! Ils voient juste leur intérêt personnel, de façon très égoïste, à court terme, ne considérant que la matière dense visible, n'ayant aucune conscience des lois de la Création, du karma dont ils se chargent ainsi, n'éprouvant aucune compassion ou empathie envers leurs prochains, qu'ils ne considèrent d'ailleurs pas comme leurs prochains, mais comme des "lointains", déshumanisés, des pions, des objets. Voilà la triste réalité !

Toutes les horreurs auxquelles cela peut ensuite donner naissance, ne sont cependant, malheureusement, qu'à imputer aux êtres humains eux-mêmes, qui, sous l'emprise de ce faux principe, dévoyant tout en le faisant dévier vers le bas, vers la matière uniquement, sous l'influence tentatrice (qui commence toujours par instiller et distiller insidieusement le doute…), se laissèrent complètement aller à vivre sans limite, sans contrainte, avec une frénésie effrénée, développant les pires penchants qui soient, et pas seulement les penchants pour les plaisirs de ce monde, non, mais les penchants qui consistent à jouir du mal que l'on peut faire aux autres êtres vivants, de toutes les manières possibles et imaginables. Ces âmes humaines peuplent des plans subtils de la Matérialité Fine ou Grossière où elles vivent avec leur stricte affinité, elles peuvent ainsi donner libre cours à leurs penchants, lâcher la bride à leurs impulsions, elles subissent ainsi des autres exactement ce qu'elles cherchent obstinément à leur faire subir. C'est ça, l'Enfer ! Et ce n'est pas une vue de l'esprit (du mental) pour cultiver une image d'Epinal dont le but serait d'influencer les êtres crédules et faibles, dans le but de mieux les manipuler, car cela se réalise vraiment sur ces plans plus sombres de la Matérialité. Le but est tout simplement le fait que, peu à peu, puisse naître une étincelle, même timide, de conscience de soi, un sentiment de dégoût de soi et d'indignité, laissant peu à peu émerger l'aspiration à s'arracher à cet environnement impur et corrompu, à se transformer et à s'élever vers le haut. Du fait que ces plans sont impurs, plus sombres, ils sont aussi plus denses. Voilà, finalement, ce que sont les Ténèbres et l'Enfer ! Ces plans de l'Au-delà livrés aux esprits humains déchus de leur propre humanité. Car s'ils avaient ne serait-ce qu'un brin d'humanité véritable, ils ressentiraient un minimum d'empathie vis-à-vis des autres et ne chercheraient pas ainsi à leur nuire, à leur faire du mal par tous les moyens, de toutes les façons possibles et impossibles, imaginables et inimaginables.

L'Enfer, ce sont simplement les plans de l'Au-delà sur lesquels séjournent les âmes qui se livrent à ce genre d'expérimentation, d'expériences vécues, dont l'évolution, malheureusement, passe par là. Et, si elles ne se réveillent pas à temps, un jour, le moment venu, elles seront entraînées avec les plans matériels dans la décomposition de toute matière formée, y subiront la dissolution de leur personnalité acquise, et ainsi de la forme prise par leur germe d'esprit, lequel sera ainsi à nouveau libéré sous une forme inconsciente, nécessitant encore une ultérieure plongée dans la Matérialité, afin de prendre conscience, de se développer et de s'épanouir, peut-être, en tant qu'esprit humain à part entière. Les Ténèbres, quant à elles, ne devraient avoir rien d'effrayant en elles-mêmes, ce sont juste les esprits humains déchus, tombés sous l'emprise du Mal, ainsi aussi que toutes leurs productions et formations dans le grand Invisible, non seulement leurs formes-pensées qui se rassemblent en égrégores, mais également surtout les formations de leur vouloir intuitif, produisant les ainsi dénommés "démons", disposant d'une mobilité propre.

Et tout cela charrie d'incroyables flots d'énergie négative et malfaisante également vers les êtres humains incarnés sur Terre, dès que, par leur état d'âme, leur penser, l'orientation de leur volonté intérieure, ils se branchent sur ces centrales d'énergie, ces plans de l'Au-delà, avec lesquels ils entrent ainsi en contact, s'exposant au déferlement de leurs énergies, tendant la main à toutes ces âmes également. Elles peuvent alors trouver quelque part un point d'accroche et parvenir à l'incarnation sur Terre. Voilà qui explique la dégringolade dans le niveau spirituel moyen de l'humanité terrestre ! Beaucoup d'êtres humains devraient mûrir dans des plans de l'Au-delà plus sombres, où ils seraient ainsi privés de la possibilité de nuire à d'autres êtres humains plus évolués, plus lumineux. C'est ainsi que les êtres humains de la Terre, par l'activité malsaine de leur libre-arbitre, le déchaînement sans contrôle de leurs pulsions et penchants, défoncèrent les limites naturelles posées au départ pour l'évolution des germes d'esprit rattachés à la Terre et firent littéralement entrer les loups dans la bergerie, tendant en grande majorité la main vers le bas, au lieu de vers le haut, ouvrant ainsi toutes grandes les portes de l'Enfer, l'accès du monde aux Ténèbres et au Mal.

La conséquence, on peut aujourd'hui la contempler sans plus aucun doute.

La partie du grand Univers Matériel dans laquelle se trouvent les êtres humains avec leur Terre est ainsi la dernière partie dans laquelle la Lumière puisse encore cependant prendre pied, du fait du niveau spirituel d'une partie de l'humanité seulement, tout en étant malgré tout déjà envahie en partie aussi par les Ténèbres. Dernière forteresse de la Lumière en terrain hostile, conquis par le Mal. Voilà pourquoi beaucoup d'événements spirituels d'une importance capitale se déroulent ici sur Terre !

Or, tout cela prend fin, progressivement, lentement, mais sûrement !

En effet, comme cela est décrit aussi dans l'Apocalypse de Jean, un personnage est envoyé d'En-Haut pour enchaîner Lucifer, le vaincre, le botter hors du monde, l'exclure du monde matériel, le déposséder de son pouvoir sur la direction des mondes, le mettre hors d'état de nuire. Ce personnage n'est cependant pas l'Archange Michael, l'archétype du combattant de Dieu parmi les Archanges, qui ne peut pas déployer davantage de puissance que Lucifer lui-même, s'il s'agit bien d'un Archange, puisqu'il provient de la même origine, possède la même essence, dispose du même pouvoir. C'est au Fils de l'Homme, l'Esprit de Vérité, la Volonté Créatrice de Dieu, qu'incombe cette tâche. Lui seul peut lui arracher la Sainte Lance de la conduite des mondes, du pouvoir sur le plan matériel-terrestre, afin de mettre un terme à ce principe de tentation qui enfonce toujours plus vers le bas, afin de manifester et de réaliser concrètement la mise en pratique de l'Amour miséricordieux et secourable, mais sévère et juste, qui tend la main pour secourir, élever, délivrer, libérer et sauver.

Quant à la bête dont il est question dans ce texte, c'est bien simple, il s'agit de l'intellect humain développé à outrance, la domination illimitée de l'intelligence terrestre qui asservit l'esprit humain à la seule matière dense visible. C'est certes une belle bête, d'une redoutable puissance et d'une réelle efficacité, mais limitée au champ de la matière, qui ne peut que nuire lorsqu'elle n'est pas maitrisée, domptée, orientée par l'intuition, par l'aspiration spirituelle de l'être humain, par sa conscience.

Et cette Guerre Sainte, ce véritable Djihad, se déroule effectivement sur les plans subtils de l'Au-delà, du Grand Invisible, dans le refoulement et l'écrasement de tout ce qui est impur, sombre, obscur, ténébreux et mauvais, par la pression de la Lumière qui s'intensifie de plus en plus. Ce combat, oui, a lieu également en chaque individu ; chaque être humain doit le réaliser en lui-même, dans son âme, entre ses sombres penchants et ses lumineuses aspirations. Cependant, sur le plan terrestre, l'antagonisme est rarement aussi marqué, tout être humain portant en lui un mélange complexe de parts d'ombre et de lumière.

Voilà qui peut donner à comprendre simplement et sainement certaines réalités dont l'humanité a toujours eu plus ou moins consciemment le pressentiment, mais sans jamais rien en savoir exactement, et qui peut ainsi mettre fin du même coup à l'obscurantisme qui règne encore dans les imaginations de certains, rebutant les êtres humains dignes de ce nom, dont la conscience se déploie et dont la pensée critique ne peut se satisfaire d'histoires pour enfants !

Comme tu as pu le constater, chère amie, cher ami, après une montée vers les hauteurs du domaine spirituel, religieux, métaphysique, nous avons entamé une brusque descente vers les profondeurs, dont nous n'allons explorer, rassure-toi, qu'une toute petite partie, cette part en tout cas qu'il peut être utile de connaître.

Ces profondeurs, comme ces hauteurs, même si elles ne sont pas pleinement accessibles à l'esprit humain, puisque, par nature, par essence même, hors de sa portée, il n'en demeure pas moins qu'il est important d'en avoir connaissance, d'en avoir au moins une vague idée, afin de mieux mesurer ce qui se passe lorsque l'on tend la main à ce qui s'y trouve, au-delà de nos propres limites, que ce soit vers le haut ou vers le bas. A vrai dire, il ne peut y avoir de sagesse véritable, s'il n'y a pas un minimum de savoir, c'est-à-dire de connaissance réelle de ce qui est, de ce qui existe, de la Réalité. C'est seulement grâce à ces connaissances, animées et éclairées, enrichies par l'expérience vécue, que peut naître le discernement qui conduit, avec sagesse, à prendre les décisions qui s'imposent dans chaque situation, en toute connaissance de cause, en mesurant très précisément les conséquences que pourront avoir nos choix, ce à quoi cela nous engage, sur tous les plans et à tous les niveaux, la responsabilité qui reposera ainsi sur nous. C'est pour cette raison qu'en ce domaine, la connaissance des rapports qui relient la créature limitée avec le Grand Tout est indispensable ! Il lui faut accueillir humblement ce qu'elle ne pourrait parvenir à savoir autrement que par l'intermédiaire de plus avancés, de plus évolués, de plus forts et de plus doués qu'elle, et le mettre assidument et inlassablement en pratique. Or, oui, dans cette perspective, l'être humain ne doit jamais oublier qu'il est limité, qu'il n'a accès qu'à une part limitée de la grande Réalité - et encore, il ne la voit qu'à travers une lorgnette colorée !... -, qu'il y a tout un tas de choses qui le dépassent complètement, et il doit éviter de se fermer des portes, de s'interdire ainsi des aides, en promulguant des jugements sur ce qu'il ne peut comprendre, sur ce qui lui est inaccessible et le dépasse de très loin ; son intuition, sa conscience, si elle est éveillée, doit cependant pouvoir le guider intérieurement en cela. Quant à ses limitations, elles lui sont intrinsèques, propres à sa nature ; tout comme l'être humain sur Terre ne peut voir qu'une petite partie (visible) du spectre de la lumière blanche, de même ne peut-il avoir accès qu'à une petite partie de ce qui existe, de la grande et immensément vaste Réalité, celle qui correspond à son parcours d'esprit humain. Plus loin, vers le haut comme vers le bas, son entendement, qu'il soit spirituel ou a fortiori intellectuel, ne peut pas aller. Et qu'il ne sache rien de bien d'autres choses ne les empêche pas pour autant d'exister depuis la nuit des temps tout à fait indépendamment de lui et de l'assentiment de son intelligence limitée.

Maintenant, tu vas sûrement te demander pourquoi, dans le même titre, je rassemble "culte" d'une part, terme plutôt en rapport avec des religions au demeurant tout à fait reconnues et établies, et "magie" et "sorcellerie" d'autre part, pratiques reléguées dans le domaine incertain et obscur de l'ésotérisme et de l'occultisme, des croyances et superstitions. Tout simplement parce qu'il y a, en effet, des similitudes entre les deux, des éléments et processus communs aux deux, d'une certaine manière, comme la symbolique, par exemple, articulation essentielle, comme nous allons le voir, dans ces phénomènes.

Tout culte, quel qu'il soit, à quelque pratique spirituelle ou religieuse qu'il appartienne, connue, inconnue ou non reconnue, vise à donner une forme extérieure à une aspiration spirituelle intérieure. Son but est bien, par un ensemble de formes extérieures terrestrement visibles, de relier l'être humain à ce qui lui est invisible, à ce qui le dépasse, à ce qui lui est à vrai dire en soi inaccessible, et qui constitue son "au-delà", qu'il s'agisse maintenant de simples énergies, de présences invisibles réelles, d'entités diverses, comme les entités de la Nature, les "démons" ou les âmes des défunts, de multiples divinités ou même du Dieu Unique. C'est ce qui lui permet ensuite de dialoguer, échanger, commercer avec ces énergies et ces êtres par l'intermédiaire de tout un tas de formes extérieures tout à fait déterminées sur le plan matériel-terrestre. Il s'efforce donc ainsi de rendre visible l'invisible, de rendre accessible à sa compréhension, dans une certaine mesure, grâce à la symbolique, ce qui, autrement, serait inaccessible à son intellect limité qui ne connaît et ne comprend que la matière la plus dense.

Or, ces formes extérieures peuvent être conçues de deux manières différentes, emprunter deux voies différentes dans leur élaboration : soit de l'intérieur vers l'extérieur, de l'intuition vers l'intellect, du haut vers le bas, soit l'inverse. Et, lorsque ces formes sont véritablement conçues par l'intuition, la voix de l'esprit, autrement dit la conscience spirituelle profonde, prenant ensuite seulement une forme extérieure correspondante grâce à l'humble et réceptive coopération de l'intellect terrestre, et qu'elles résultent donc ainsi d'un cheminement logique et naturel s'écoulant du haut vers le bas, l'élan intuitif peut s'y déverser, s'y développer et s'y épanouir plus facilement, afin de s'élever vers le haut ; tandis que, comme c'est malheureusement majoritairement le cas aujourd'hui, lorsque ces formes ne sont préconçues que par l'intellect, le mental, activité du cerveau antérieur ne se mouvant que dans les étroites limites du matériel-terrestre visible et tangible, autrement dit de l'extérieur vers l'intérieur, c'est-à-dire avant tout en premier lieu sur le plan matériel-terrestre, du bas vers le haut, il est difficile à l'intuition d'y trouver ensuite sa place a posteriori, dans des formes parfois trop rigides pour l'accueillir et lui permettre de s'y déployer. C'est la raison pour laquelle beaucoup d'individus à l'heure actuelle ont du mal à vivre le culte établi par leur religion, trouvent la liturgie lourde et inappropriée, ont du mal à y faire vivre leur intuition, à y déverser véritablement leur dévotion et à faire s'élever, à partir de là, leur aspiration vers le haut ; cela est subi, non pas vécu intérieurement. Les formes extérieures doivent absolument être conçues de l'intérieur vers l'extérieur, par l'intuition en premier lieu et en priorité, l'intellect y donnant seulement ensuite une expression extérieure, une forme terrestre visible correspondante. La forme ne doit être qu'une conséquence du fond, et non pas précéder ce dernier, comme aujourd'hui, obligeant les participants au culte à s'y adapter et à chercher péniblement quelque chose de vivant à y déverser pour l'animer. Or, oui, si cela doit être réellement vivant, vécu de l'intérieur, spirituellement, il y faut aussi davantage de sobriété, de retenue et de discrétion, davantage de silence ! ! ! C'est bien ce qui manque à beaucoup de ces salamalecs qui ne sont finalement pas bien différents de ces phénomènes de groupes, tels que spectacles, concerts, danses et autres, capables de susciter une exaltation tout émotionnelle seulement, n'allant pas plus loin que les phénomènes se déroulant dans le domaine astral/émotionnel, sur le plan du bas-astral, voire même dans le meilleur des cas sur celui du haut-astral. Alors que, quand les formes extérieures du culte sont conçues par l'intuition, du haut vers le bas, elles sont capables de toucher, d'éveiller et de mobiliser à leur tour l'intuition et donc l'esprit ; quelles que soient les manifestations extérieures, elles seront véritablement animées de l'intérieur, puisqu'elles prendront véritablement racine dans le spirituel. En cela, bien des révolutions sont nécessaires dans la façon dont les cultes des diverses religions sont conçus.

En outre, la symbolique en est un élément indispensable, puisque, par des images, elle parle à l'intuition, exactement comme la poésie. Elle rend ainsi accessible, dans une certaine mesure, à la compréhension intellectuelle terrestre, ce qui devrait pourtant lui échapper, puisque se déroulant sur d'autres plans plus subtils, y compris dans la Matérialité-Fine, dont l'intellect ne sait à vrai dire rien, jusqu'au Spirituel lui-même. C'est sous forme d'images que l'on peut se représenter un tant soit peu ce qui se déroule en des hauteurs inaccessibles, inconcevables à l'esprit humain. Les symboles rendent une partie de ces processus, de ces réalités profondément spirituelles. C'est comme s'ils tiraient véritablement des fils du haut vers le bas, reliant entre eux des plans qui, sans cela, ne pourraient jamais trouver de point de jonction ou de liaison, de communication. Par le biais de ces fils, des énergies circulent, en bas à l'image de ce qui est en haut. Ce qui est en bas est bien ainsi à l'image de ce qui se déroule en haut, sous une autre forme. Ce qui est réalité tangible en des plans plus élevés, ne peut être conçu plus bas qu'en principe, en idée, en concept. Voilà tout le sens et toute la richesse de la symbolique, très succinctement ébauchés ! Les symboles sont un peu comme des relais dans le tissage des énergies à travers les plans de la Création, des portes ouvertes d'un plan à l'autre, ce qui explique la possible communication entre eux ainsi que bien des phénomènes. La signature énergétique d'un symbole est directement en relation avec ce qu'il symbolise. Ainsi un symbole, sur le plan matériel-terrestre le plus dense, peut-il tout d'abord activer des énergies sur le plan éthérique, mobiliser ensuite d'autres courants dans l'astral, puis dans le mental, et ainsi de suite, de proche en proche, vers le haut, remontant le long des fils du grand tissage des énergies qui traverse toute la Création du haut vers le bas, jusqu'aux points d'origine de ces énergies, en passant par tous les relais intermédiaires, entités et esprits. Telle est la puissance réelle des symboles ! Et encore, ici, je ne parle que des symboles qui portent en eux une véritable valeur et signification spirituelle, eux seuls permettent de remonter le cours jusque dans le Spirituel, voire plus loin, pas les autres. Les symboles plus terrestrement conçus par les êtres humains n'ont à vrai dire accès qu'à des centrales d'énergie, des égrégores, dans l'Au-delà, dans les plans subtils les plus proches de l'être humain de la Terre, c'est-à-dire dans les plans plus fins de la Matérialité-Grossière, dont on ne s'éloigne guère ici en réalité. Dans le meilleur des cas jusqu'aux plans du haut-astral, voire du mental, mais la plupart du temps cela échoue dans les plans du bas-astral, vaste champ d'épandage et d'incubation de toutes les émanations émotionnelles de l'humanité, ce qui explique que cela puisse être trouble et impur.

Cependant, en ce qui concerne les symboles ayant une véritable valeur spirituelle, qui descendent véritablement d'en-haut, parce qu'ils furent, oui, donnés jadis d'en-haut par des aides et des guides à l'humanité grandissante, ce sont vraiment des clés d'accès à ces énergies qui descendent d'en-haut, depuis les hauteurs purement-spirituelles de la Création. Ce n'est pas pour rien que beaucoup d'enseignements dans les traditions spirituelles, ésotériques, occultes, kabbalistiques, ayant quelque réelle valeur de sagesse et de vérité, n'étaient transmis qu'à une poignée d' "initiés", sous forme de symboles, en images, notamment au cours de cérémonies qu'on appelle des "mystères". Il ne s'agit pas en effet d'une simple instruction intellectuelle de connaissances acquises, ce qui n'aurait aucune valeur vivante en soi, mais d'offrir à des âmes plus mûres, plus élevées l'accès à de véritables connaissances spirituelles supérieures. Or, comme ces dernières échappent à la capacité de compréhension très prosaïque de l'intellect terrestre, qui ne se meut avec aisance que dans ce qui relève du domaine de la matière la plus dense, elles ne peuvent être véritablement saisies, comme tout ce qui est véritablement vivant, d'ailleurs, qu'en images, de façon symbolique, grâce à une forme de langage, d'ailleurs, très proche de celui de la poésie, qui s'adresse davantage à nos émotions, à notre intuition, à notre ressentir et éprouver, sans forme et sans limite fixes, mais mouvant, vivant, changeant, protéiforme, tout ce que le langage figée de l'intellect ne peut pas embrasser d'un seul regard. Car, oui, un symbole est toujours conçu comme quelque chose de vastement englobant, il a un point d'origine, qui existe réellement, sous une forme donnée, mais inaccessible, correspond à une énergie, une fonction, un principe, une valeur donnés, et se manifeste ensuite sous une multiplicité de formes, en traversant chaque plan de la Création, pouvant être à son tour interprété, même ici sur le plan terrestre, de différentes manières, dans différents domaines, à différents niveaux, à divers degrés. Voilà pour te donner une rapide et petite idée de l'immense trésor du domaine de la symbolique ! D'où tous les symboles qui traversent l'humanité depuis ses origines : non seulement les symboles spirituels, religieux, mais également l'écriture humaine terrestre, avec ses différents alphabets, notamment égyptien, hébreux, par exemple, ainsi que même tous les symboles de l'ésotérisme, de l'occultisme, de l'astrologie, de la cartomancie, etc., jusqu'aux nombres eux-mêmes, avec la numérologie ! Tout est lié, tout est dans tout, tout est intriqué, chaque microcosme est à l'image du macrocosme, ce qui est en bas est à l'image de ce qui est en haut. Voilà ce qui autorise et légitime parfaitement le fait de faire du lien entre des choses en apparence (en apparence seulement) distinctes et différentes ! Mais j'en reparlerai plus loin, progressivement seulement, pas à pas, car ça fait beaucoup de choses à dire en une seule fois, et je rencontre là une difficulté : il me faut percevoir l'ensemble, tout ce qui se dévide à partir d'un point, ce à quoi c'est relié, isoler une partie seulement de ces processus, la tenir bien fermement devant moi en image, faire vibrer ma faculté intuitive, afin de parvenir à trouver le cheminement à emprunter en images ainsi que les mots pour l'exprimer, dans le but de te le rendre à peu près compréhensible. J'espère vraiment que je suis assez clair, et que tu parviens à saisir un peu tout cela, au moins en partie intuitivement. Je suis désolé si, malgré mes efforts, cela n'est pas plus clair pour toi.

Il me fallait donc ici parler de la symbolique et de la puissance des symboles, parce que cela participe du culte dans toutes les pratiques spirituelles ou religieuses.

Maintenant, pénétrons un peu plus dans tous ces processus, et tu vas très rapidement faire le lien entre le culte et tout ce qui relève de la magie, de la sorcellerie.

Le but fondamental et principal du culte est, grâce à tout un tas d'outils, d'ingrédients que nous allons passer rapidement en revue, d'attirer, de mobiliser, d'accumuler et de concentrer des énergies sur différents plans, afin d'en vaincre la gravitation, la densité et l'emprise, afin de pouvoir s'élever vers le haut, à la rencontre d'énergies supérieures, qui descendent d'en-haut, depuis d'autres plans plus subtils, légers, lumineux. Exactement, d'ailleurs - et c'est là que réside la relation que je fais entre les deux domaines - de la même manière que la magie, la sorcellerie cherchent à faire de même, mais dans le but surtout d'obtenir du pouvoir, d'obtenir un pouvoir sur les êtres, sur la matière, sur les événements, bien souvent à mauvais escient, à l'encontre du libre-arbitre des individus, avec la préoccupation d'intérêts bassement matériels, voire, carrément, avec l'intention ferme et avérée de nuire, de faire du mal, de blesser ou même de tuer. (Il va sans dire, évidemment - mais ça va mieux tout de même en le disant -, que les gens qui pratiquent de telles choses s'enlisent dans l'impureté, l'obscurité, les ténèbres, et qu'aucun de leurs méfaits, aussi minime et subtil soit-il, ne passera inaperçu ni ne restera impuni dans la grande Machinerie Cosmique de la Création : tout ce qu'ils auront ainsi semé, ils le récolteront au centuple, au point que cela les enfoncera dans les profondeurs de telle sorte qu'ils pourraient bien ne plus jamais pouvoir s'en échapper à temps avant la grande décomposition de tous les plans matériels formés.)

Passons maintenant en revue tous ces ingrédients, ces éléments.

Il y a d'abord l'espace-temps, le lieu et le moment. Avoir un lieu consacré à ça exclusivement va permettre d'y accumuler des énergies et de les y retrouver à chaque fois, ce qui permet de ne pas avoir à tout reprendre systématiquement depuis le début, mais de continuer à construire sur ce qui a été fait précédemment. J'ai déjà parlé notamment de ces points cosmo-telluriques, où les énergies cosmiques, essentiellement de nature purement-spirituelle (fondamentale pour les êtres humains), viennent féconder la Terre, en s'unissant à des points de jonction et de concentration particuliers des énergies telluriques terrestres. Ces endroits sont vraiment des lieux singuliers, où, par les énergies, il semble que les différents plans subtils sont enfoncés, reliés, communiquent entre eux comme par l'intermédiaire de portes, de ponts. C'est bien pour cela que, depuis la nuit des temps, les peuples humains y ont pratiqué leurs différentes cérémonies à caractère spirituel, religieux, au sens large. De même, il y a le temps. Et là, c'est un panorama trop vaste pour en parler, car il y a des cycles, non seulement l'année, avec ses saisons et ses mois, ce qui correspond au cycle soli-lunaire, au découpage de notre calendrier en année, mois, semaines, mais il y a également bien d'autres cycles encore, comme celui des planètes, du soleil, voire des cycles spirituels dont l'humanité a à peine conscience. Cela va même jusqu'au jour et à l'heure près...

Ensuite, eh bien, c'est simple, par l'ensemble des actions, des gestes, des paroles précises, répétées et répétées sans cesse, en général en groupe, par des "prières" à voix haute, des chants, de la musique, des sons, en utilisant éventuellement de l'encens, différents objets ainsi même que des pierres, minéraux et cristaux, tout un tas d'énergies vont être mobilisées, non seulement sur le plan éthérique, mais également sur les plans de l'astral, du bas-astral jusqu'au haut-astral, et même jusqu'au plan mental. Des formes également sont produites : émotions (jaillissant du corps de manière spontanée en réaction à des stimuli extérieurs), sentiments (impressions émotionnelles provoquées par le jeu des pensées, notamment avec la collaboration là aussi du corps lui-même), paroles, pensées... Sans compter également toutes les âmes humaines désincarnées de l'Au-delà qui vivent dans ces plans, qui sont encore rattachées, accrochées à tout cela, et qui interviennent également, y mettent leurs propres énergies, afin de renforcer le tout. Il y a aussi, surtout, ces "démons" ou "entités" qui ne sont autres que les formes du vouloir intuitif, acte de volition de l'intuition spirituelle de l'être humain, pourvu ainsi dès sa naissance, sa formation, d'un noyau animateur provenant cette essence dont proviennent les entités de la Nature, dont l'esprit humain s'enveloppe lui-même en descendant vers le bas. Or, comme son vouloir spirituel provient de son esprit, à sa formation, il traverse cette enveloppe et en reçoit une mobilité propre. Cela n'a cependant rien à voir avec l'âme des animaux, qui n'est pas juste une forme en soi, mais qui est réellement une âme vivante et sensible, indépendante. Alors que ces formes ne sont que dépendantes de leurs auteurs ou des gens qui, par des intuitions similaires, les entretiennent. Bref ! Maintenant que tu as tous les éléments du tableau sous les yeux, tu commences peut-être à frissonner quelque peu, car tu t'aperçois sans doute désormais que notre indépendance d'individus libres, doués de libre-arbitre, peut être fortement mise à mal par tout ce gloubi-boulga énergétique et subtil, se déroulant sur d'autres plans invisibles pour nous en général, mais ne nous en influençant pas moins à ces occasions. Ainsi peux-tu constater facilement, maintenant, grâce à cette vue d'ensemble, que toute la puissance dont disposent beaucoup de religions, avec leurs cultes, ou de prétendus magiciens et sorciers (même si, à la base, un sorcier est plutôt un "sourcier", et donc à rapprocher de la radiesthésie, énergétique, géobiologie), toute cette illusion de pouvoir, donc, qui n'en influence pas moins des masses entières, ne provient que d'égrégores de l'Au-delà, où se rassemble tout et n'importe quoi, sans qu'en cela il n'existe pour autant la plus infime part de sagesse ou de vérité réelle, le plus petit pouvoir véritable, encore moins une authentique, véritable et vivante liaison avec le Spirituel. Ne parlons même pas du Divin, tellement les êtres humains sont en cela risibles et pitoyables, tellement ils ont déjà de chemin à parcourir avant de reconnaître et de réaliser pleinement leur "spiritualité/humanité".

Voilà la raison pour laquelle je ne saurais trop te recommander que de t'exercer au recueillement dans la solitude et le silence ! Car bien des choses que ressentent des êtres humains qui iraient par exemple à l'église le dimanche, à la synagogue le samedi ou à la mosquée le vendredi, ne relèvent en fait que de l'émotionnel, de processus se situant sur le bas-, voire le haut-astral, pas très éloignés en cela à vrai dire des sentiments d'exaltation et d'euphorie ressentis lorsque l'on participe à un spectacle vivant, à une pièce de théâtre ou à un concert ; les ficelles sont les mêmes. D'ailleurs, oui, à ce propos, les artistes eux-mêmes ne sont finalement, quelque part, tout bien considéré, que des médiums, des canaux, des intermédiaires pour tout un tas de choses dans l'invisible, qu'ils ne sont là que pour capter, rassembler, synthétiser, reformer, transmettre et véhiculer, exactement comme les prêtres, et cela les dépasse et va au-delà de leur petite personne, comme beaucoup d'artistes le ressentent et le vivent eux-mêmes, plus ou moins consciemment.

Une dernière chose sur ce sujet : Oui, magie et sorcellerie existent et sont réels, et ils ont réellement et effectivement un impact, des effets, sur les personnes et les événements. Heureusement, ils sont rares ceux qui possèdent un véritable pouvoir en la matière, mais d'autant plus dangereux. Si tu n'y crois pas, eh bien, je te souhaite très sincèrement, ami(e), de ne jamais rien vivre ou expérimenter qui remette en cause ta croyance, ta vision du monde à ce sujet ! Car cela voudra dire que tu seras passé(e) tout au long de ta vie durant bien à côté de ça, et c'est le meilleur que je te souhaite. Mais reste tout de même prudent et vigilant ! Car il y a de plus en plus de gens qui, aujourd'hui, n'ayant pas conscience de où réside leur pouvoir personnel dans leur vie et de comment l'exhumer, l'exercer, se livrent sans scrupule à ce genre de choses, sans savoir à quel point ils s'enlisent ainsi dans un véritable bourbier, un marécage putride, qui les engloutira et les étouffera, sur les plans subtils de l'Au-delà, comme dans un sable mouvant, sans compter tout le mal qu'ils auront perpétré ainsi et dont ils devront assumer toutes les conséquences, jusqu'à la plus petite et la dernière, avant de pouvoir songer seulement à s'élever afin de s'affranchir de la matière. Oui, la magie noire existe, elle utilise les mêmes ficelles que les cultes établis par les religions, avec le même secours de courants d'énergies de l'Au-delà, de centrales d'énergie ou égrégores, dans lesquels s'ébattent non seulement les différentes formations du vouloir humain, mais également des âmes humaines prisonnières de ces plans. Avec le temps, comme pour le reste, cela se rassemble, se concentre, se condense et précipite dans la matière la plus dense, que ce soit en influençant directement des êtres humains qui n'en ont pas du tout conscience, au point de les empêcher de voir ce qu'ils ont devant les yeux ou d'agir contre leur gré, à leur insu, mais en provoquant aussi directement des événements plus ou moins fâcheux. Mais je n'en dirais pas plus, il n'y a pas lieu d'en dire plus, sois en seulement conscient, demeure vigilant, préoccupe-toi sincèrement de te ressourcer, recentrer, recueillir régulièrement, et, en te branchant sur des centrales d'énergie lumineuses, tu seras éloigné(e), protégé(e), préservé(e) de tout cela, avec une puissance de combat face à ces hordes dix fois, cent fois, mille fois supérieure, car tu n'agiras jamais seul en combattant ainsi en pensée et en intuition.

Je me propose ici, mon ami(e), de te faire part de ma vision des choses quant à ces disciplines qui relèvent de ce qu'on appelle la "divination", ou plutôt la "devination", c'est-à-dire, non pas la capacité à rentrer en contact avec le Divin à la manière du spiritisme, ce qui fait plutôt l'objet du culte, mais la faculté de "deviner" des choses qui, normalement, devraient échapper à nos possibilités d'investigation et de connaissance, qu'il s'agisse maintenant de choses lointaines dans l'espace ou dans le temps, dans le passé, le présent (mais ailleurs géographiquement) ou l'avenir.

Il est singulier, d'ailleurs, de constater les attitudes totalement antagonistes et parfois extrêmes qui sont réservées à ces pratiques : d'un côté, une adulation sans borne, naïve, crédule, parfois insensée, irréfléchie, inconséquente et dangereuse, dans la dépendance et la véritable addiction que cela peut engendrer, avec l'incapacité corollaire de prendre la moindre décision par soi-même, ce qui va à l'encontre du but de l'esprit humain dans son incarnation terrestre, qui est bien de développer indépendance, autonomie et responsabilité, et, de l'autre côté, une défiance, une méfiance, une condescendance, un mépris, vis-à-vis de ce qu'on considère à tort comme des croyances totalement insoutenables, d'obscures superstitions moyenâgeuses. Là encore, comme partout, il y a un juste milieu.

Tout d'abord, comme ces disciplines appartiennent en grande partie à un domaine impalpable, invisible, immatériel, qui, par essence, par nature même, échappe au domaine d'expertise de la science, qui ne se consacre qu'à et ne connaît que la matière dense visible (la Matérialité-Grossière la plus grossière), il est bien évident qu'elle ne peut absolument rien en dire, dans un sens comme dans un autre. Là, si l'on est honnête intellectuellement, on ne peut décemment pas dire le contraire : la science est impuissante à réfuter comme à prouver d'ailleurs aussi la véracité, l'effectivité de telles pratiques. Ainsi, comme rien ne peut être démontré objectivement, factuellement, scientifiquement (ce qui, d'ailleurs, même en science, n'est en aucun cas évident, ne revêt jamais un caractère d'absolu indiscutable), comme rien ne peut donc être unanimement reconnu sans conteste sur la base d'un consensus large, c'est à chacun de s'y avancer prudemment s'il désire en savoir quelque chose. Il appartient en effet à chaque individu de faire preuve d'analyse critique, d'écouter son intuition, la voix de sa conscience, et de se déterminer à tout instant en son âme et conscience uniquement, conformément à son libre-arbitre. Cependant, malgré toutes ces incertitudes, à partir du tableau d'ensemble de la Création et de l'activité qui s'y déroule, que je m'efforce de te dépeindre depuis le début de cet ouvrage, conformément à mon intime conviction, nous pouvons tirer, donc, quelques fils logiques qui nous permettent de raisonner et de comprendre, en nous appuyant toujours sur le simple fait que, même si quelque chose échappe au domaine d'expertise de la science, parce que cela se situe au-dessus et au-delà de la matière dense visible, cela n'en appartient pas moins à la Création dans son ensemble, cela fait encore partie de la Nature, obéit également aux lois divines, cosmiques, universelles, naturelles, physiques - peu importe comment on les nomme -, qui traversent tout ce qui existe et régissent l'immensité des mondes visibles et invisibles.

Le premier danger qu'il faut mentionner ne se trouve pas du côté du praticien, du consulté, que d'aucuns taxeraient sans plus de charlatans - et c'est vrai qu'il en existe aussi, mais comme en bien d'autres domaines, où il y a pourtant des études, formations, certifications et diplômes officiels reconnus -, mais du côté du consultant ! ! ! C'est en effet terrifiant de voir à quel point beaucoup d'entre eux sont, allons, n'ayons pas peur de le dire, des chiffes molles dénuées de toute volonté personnelle, de toute capacité de jugement et de discernement personnels. Si un consultant s'imagine qu'il peut se pointer de manière totalement passive en s'attendant à ce qu'on lui livre des informations auxquelles il n'aurait plus qu'à se conformer avec une confiance aveugle et sans effort personnel, eh bien, il se trompe, il se fourre le doigt dans l'œil, et plus loin encore. La part la plus importante du travail lui revient. Ce qu'il recevra comme informations ne sera jamais que partiel et incomplet, ce sera à lui de faire tout le boulot de l'interpréter correctement en fonction de ce qu'il est, de sa personnalité, de son vécu, de son système de valeurs et de croyances, de sa situation personnelle, de ce qui l'amène à poser des questions, en fonction des problèmes qu'il vient soumettre au consulté. Dans l'idéal, un astrologue ou un voyant, un cartomancien ou autre, éventuellement avec l'aide de la radiesthésie, ne peut qu'entrevoir des tendances, des grandes lignes, des orientations, des directions, car ce n'est qu'un coup d'œil sur un ensemble d'énergies incroyablement vivant, mouvant, vastement foisonnant, en changement constant ; c'est au consultant ensuite, à partir de cela, de faire le lien avec sa situation, avec ce qui l'amène, avec ses préoccupations, pour choisir la stratégie à adopter, afin de, à partir de là où il est, en prenant conscience de ce à quoi il est confronté ainsi que des éléments qu'il a en main, aller là où il veut. Déjà rien que ça, c'est un aspect énorme de ce domaine qui passe complètement à la trappe et qui est pourtant d'une importance cruciale si cela doit avoir quelque utilité, quelque effet positif concret.

En ce qui concerne la possibilité de voir l'avenir, cela n'a rien d'extraordinaire, de surnaturel ni d'impossible. La science passe son temps à le faire, dans son propre domaine (la matière dense visible) et dans ses propres limites à elle, bien sûr, mais c'est bien ce qu'elle fait. Si je prends une pierre et que je la lance, en connaissant certains paramètres, notamment la vitesse initiale que je lui donne au départ, ainsi que la valeur de l'accélération de pesanteur à cet endroit, je peux prévoir avec précision quelle va être sa trajectoire, où elle va se trouver à chaque instant et où elle va atterrir. Il en va exactement de même concernant la destinée humaine, avec ce qu'on appelle les lois "karmiques", qui ne sont rien d'autres que la résultante de l'activité des lois de la Création (attraction des affinités et action en retour) vis-à-vis de toutes les œuvres que l'être humain met au monde dans l'Univers matériel. Bien évidemment, l'exemple que je donne est un cas simple, voire simpliste, où il n'y a qu'un objet d'étude, que très peu de facteurs à prendre en compte, à isoler, de paramètres à connaître, il va sans dire que, pour un individu, c'est beaucoup plus complexe, car il y a une quasi infinités de paramètres à prendre en compte, dont certains le relient à d'autres individus ou même à des groupes, et donc à bien d'autres destins. Il est possible, cependant, de saisir des images des possibles qui reposent au-dessus de sa tête et qui se profilent à l'horizon, sur son chemin. Seulement, chaque être humain, quel qu'il soit, aussi pris à la nasse que soit son esprit par tout un tas de choses, dispose toujours, à chaque instant, de son libre-arbitre, il peut donc à tout instant changer de chemin, ce qui engendre en même temps un bouleversement de tous les possibles qui faisaient partie de son horizon. C'est exactement comme le fait de changer un aiguillage lorsqu'on se déplace en train. En outre, cet ensemble de choix possibles qui coexistent dans la tête d'un individu, sans qu'on puisse savoir à l'avance pour quoi il va se déterminer, tant qu'il n'a pas arrêté lui-même de décision, ressemble un peu à ce qui se passe au niveau de l'infiniment petit en mécanique quantique : le fait qu'une particule soit dans un état qui est en réalité une combinaison linéaire de plusieurs états différents en même temps, et que ce n'est que lorsqu'on procède à une mesure (ce en quoi l'opérateur influe d'ailleurs sur le résultat…), qu'il y a "réduction du paquet d'onde", c'est-à-dire que la particule en question va se déterminer pour un état donné uniquement, et se "matérialiser", en quelque sorte, se localiser. Ceci explique cela ! La prévision de l'avenir est de ce simple fait extrêmement difficile, ce n'est pas une science exacte infaillible, il peut y avoir des erreurs, des inexactitudes, du simple fait qu'un changement de décision est toujours possible. Cependant, lorsque le consulté est véritablement doué et que les informations qu'il transmet sont fiables, savoir ce qui risque de se pointer sur le chemin que nous parcourons, nous fait au final une belle jambe, si ce ne sont pas des informations que nous pouvons utiliser concrètement, afin, par exemple, de mieux cerner, dans une situation complexe, comme je le disais, la stratégie optimale nous permettant, à partir de là où l'on est, face à notre situation présente, d'aller là où l'on veut. Sinon, en définitive, c'est futile et inutile ! !

Quant au phénomène de voyance ou de divination proprement dit, il a toujours existé, y compris au sein du peuple hébreux et parmi les prophètes de l'Ancien Testament, de façon tout à fait naturelle.

Ça n'a absolument rien de diabolique ni de satanique ! Les chrétiens qui professent stupidement, aveuglément et fanatiquement ce genre d'idées ou de jugements débiles devraient relire leur Bible : y figure par exemple un épisode singulier, où, encore une fois, le peuple juif, se désignant lui-même comme un peuple à la nuque "roide", s'éloigne de Dieu Yahvé, Qui fait alors appel à une "devineresse" païenne, non-juive, mais "craignant Dieu", c'est-à-dire réceptive à la religion monothéiste juive, afin de rappeler à Lui Son peuple élu égaré...

Chez le peuple hébreux lui-même existaient d'ailleurs différentes méthodes de divination : l'Ourim et le Thoummim ; d'une part, deux pierres qui servaient à répondre par oui ou par non à une question fermée et, d'autre part, l'interprétation des reflets de la lumière sur les douze pierres du pectoral porté par le grand prêtre.

Chaque peuple a ses voyants, parmi lesquels il y a bien évidemment aussi des charlatans, des imposteurs, ou bien trivialement des gens faiblement doués, incompétents (en général, plus on est incompétent, insuffisant, plus on est arrogant et prétentieux, alors que plus on est doué, plus on est humble et modeste, dans ce domaine bien plus que dans d'autres !...). Ils sont, pour les authentiquement doués parmi eux, un peu comme des sentinelles postées tout en haut de points d'observation élevés, capables de voir un peu plus loin sur le chemin et de conseiller ainsi, en prévenant des dangers, en permettant une réorientation, un changement de direction, grâce au gouvernail dont nous disposons toujours pour cela, loin de tout déterminisme affligeant, loin de tout fatalisme désespérant. Seulement, en ce qui concerne la voyance pure, il faut se méfier.

L'acuité de la vision réelle n'est pas la même chez tous les voyants. Plus la personne est évoluée humainement et spirituellement, plus elle se situe intérieurement haut à vrai dire sur les plans de l'Au-delà, donc de l'évolution et de la vie réelles dans sa dimension spirituelle-intemporelle, plus elle est à même d'englober de choses, concepts, notions, parts de réalité dans sa perspective. Au contraire, moins quelqu'un est évolué spirituellement, plus il se trouve à un bas niveau dans la vraie vie invisible de l'Au-delà, plus sa vision sera en réalité restreinte et étriquée ; plein de dimensions, d'aspects, de possibilités, de subtilités d'interprétation lui échapperont totalement. En outre, il serait utile de savoir ce que voit exactement le voyant, avec quels yeux, sur quels plans : Est-ce qu'il s'agit de la Matérialité-Fine, où les choses se déroulent sous une forme purement symbolique, comme dans les rêves ? Ou bien d'un des quelconques plans subtils de la Matérialité-Grossière : mental, astral, éthérique ?... Et que voit-il, par ailleurs ? Est-il lui-même apte à faire le tri au sein des multiples et vivaces formations ("démons" et "entités" en tant que formations du vouloir intuitif, formes-pensées, paroles, sentiments / émotions, ...), qui peuplent l'Au-delà, le grand Invisible, en tant que foisonnantes et exubérantes manifestations de la vie intérieure des êtres humains ? A-t-il accès également à tous les possibles qui planent au-dessus d'un individu, tant qu'il n'a pas arrêté de choix, de décision quant à certaines situations complexes de sa vie ? Et ainsi de suite... Enfin, voilà seulement une ébauche des nombreux facteurs et paramètres qui rentrent en jeu, ce qui montre, mon ami(e), que, même si, à mon sens, le phénomène en soi est tout à fait plausible, possible, effectif, respectable et digne d'intérêt, il est bien loin de se prêter à des affirmations toutes faites, à des assertions empruntes d'une prétention infondée à la certitude absolue. De vision d'une autre nature, je précise, il n'est pas question ici. Toute vision échappant à l'emprise terrestre, en dehors de la Matérialité, donc intrinsèquement spirituelle, échappe totalement aux êtres humains, est depuis longtemps fermée à l'humanité dans son ensemble. Tout au plus peut-il y avoir parfois une fugitive, mais réelle vision de ce qui relève du domaine des entités de la Nature. C'est tout.

Passons maintenant à l'astrologie ! Il y aurait beaucoup à dire et à écrire sur le sujet, trop. Aussi ne vais-je pas ici rentrer dans les détails, cela pourrait faire l'objet d'un livre à part. Commençons tout de suite par une nette distinction : par "astrologie", la plupart des gens s'imagine que l'on parle de ce qu'ils croient connaître comme tel, avec ces fameux horoscopes qu'on voit fleurir partout, dans les magazines comme à la radio. Qu'il soit bien clair, tout de suite, que ça, ce n'est pas de l'astrologie, mais de l'horoscopie populaire extrêmement superficielle et qui n'a que peu de valeur, voire aucune ! L'astrologie véritable est tout à fait digne de respect et d'intérêt, sa pratique nécessite par ailleurs une grande culture dans tous les domaines, quasiment, scientifique, philosophique, psychologique, sociologique, politique, historique, etc. Mais reprenons les choses point par point.

L'astrologie postule l'existence d'une influence des astres, des planètes, des étoiles sur la personnalité et le destin des êtres humains, voire des peuples et de l'humanité tout entière. Ce que nient surtout les astronomes au sein de la communauté scientifique, on ne sait d'ailleurs pas sur quelle base scientifique. Pourquoi la dimension immatérielle, invisible, impalpable (il pourrait s'agir par exemple de "matière noire"...) d'un corps céleste ne pourrait pas avoir d'influence sur la dimension de même nature d'un être vivant, dans les limites de son champ d'action ? Exactement comme sa part matérielle a un effet gravitationnel certain sur la matière qui l'entoure, pour ce qui relève du domaine purement matériel-terrestre, de la matière dense physique. Mais, de tout cela, comme ils ne s'intéressent qu'à la matière dense visible, finalement, ils n'en savent rien et ne peuvent strictement rien en dire. Cela, ils devraient pourtant le reconnaître humblement s'ils étaient véritablement honnêtes intellectuellement et s'ils raisonnaient correctement.

Maintenant, il y en a aussi qui se croient intelligents en avançant certains arguments pour dénigrer l'astrologie tropicale, telle qu'elle est pratiquée en Occident (et c'est celle que je connais, dont je parle, que je trouve la plus complète). En effet, disent-ils, premièrement, l'astrologie en est restée au Moyen-Âge, puisqu'elle place encore la Terre au centre du cosmos !... En réalité, c'est risible, ces gens-là sont ridicules, ils révèlent ainsi seulement leur ignorance et leur irréflexion. L'astrologie étudie bien l'influence des astres sur les êtres humains, qui se trouvent... sur Terre, et non pas sur le Soleil ! ! !... C'est bien pour cette raison qu'en astrologie classique, on se place dans un système géocentrique, car on étudie le mouvement apparent des "planètes" (au sens large d' "astres errants") dans le ciel observé depuis la Terre. Deuxièmement, poursuivent-ils, et à juste titre, si les astres doivent avoir une influence sur nous, pourquoi pas en priorité les planètes, plutôt que les étoiles qui constituent les constellations du zodiaque, qui se trouvent à des années-lumière de nous ? D'ailleurs, en réalité, si l'on suit la course apparente du Soleil le long du plan de l'écliptique, il ne traverse pas douze constellations, mais quelque chose comme une quinzaine, je crois, qui, en plus, ne correspondent pas à des secteurs d'égale importance dans le ciel, sans oublier ce fameux décalage entre le zodiaque tropicale, calée sur les saisons et le point vernal, 0° du Bélier, correspondant à l'équinoxe de printemps, et les véritables constellations du zodiaque sidéral. Eh bien, là encore, ces lambeaux d'information régurgités à la volée, même s'ils ne sont pas faux dans l'absolu, au contraire, révèlent seulement l'ignorance.

Prenons un exemple simple. Ce qui fait les saisons, la différence entre l'été et l'hiver, ce n'est pas, fondamentalement, la distance entre la Terre et le Soleil, le fait que la Terre (qui parcourt une ellipse) soit plus ou moins proche du Soleil, mais l'inclinaison de l'axe de rotation de la Terre, et donc, par conséquent, l'angle sous lequel les rayons du Soleil parviennent à la surface de la Terre : plus ils sont proches de la verticale à angle droit, plus il fera chaud. De même, ce qui sera déterminant dans l'influence d'une planète, ce sera bien l'angle sous lequel ses rayons nous parviennent ici sur Terre. Et ce qui compte en l'occurrence, c'est bien le zodiaque tropical ! Ce qui est décisif, oui, ce ne sont pas les constellations constituées d'étoiles qui se trouvent à des années-lumière de nous, mais bien le zodiaque tropical, qui n'est autre qu'un modèle arbitraire, abstrait, fictif, virtuel, conceptuel (comme on en utilise aussi en science afin de rendre compte de la réalité, dans une certaine mesure au moins), uniquement créé pour mesurer ces angles, découpage spatio-temporel qui est en rapport avec le cycle soli-lunaire (d'où les douze mois de l'année) et qui délimite douze secteurs égaux, douze portions d'égale importance, qui furent nommés jadis, il y a longtemps, en fonction des constellations qui y apparaissaient à l'époque. Ce décalage, par ailleurs, est connu depuis longtemps des astrologues. En fait, ce zodiaque tropical, en rapport avec les saisons, est lié au cycle des énergies telluriques, à ce que j'appellerais le cycle de Proserpine / Perséphone, en relation avec les équinoxes et les solstices, au risque d'anticiper ici sur ce dont je ne parlerai en détail, peut-être, qu'un peu plus loin, voire dans un autre ouvrage. C'est comme si ce zodiaque tropical se trouvait autour de la Terre, sous forme d'une matrice énergétique, que les rayons des planètes traversent avant de nous parvenir. Comme la lumière du soleil traverse des vitraux et se colore ainsi, de même ces irradiations des astres se teintent de ce champ d'énergie qui enserre la Terre, et prennent donc à chaque fois la tonalité du signe en question, comme au travers d'une fenêtre. Mais je ne veux pas aller plus loin, ni trop vite pour l'instant, aussi vais-je en rester là pour le moment.

Il ne faut d'ailleurs pas penser qu'il n'y a qu'une astrologie, au contraire, même pour l'astrologie occidentale zodiacale, il y a de nombreuses écoles, qui jonglent avec ces différents éléments (référentiel héliocentrique, décalage entre zodiaque sidéral et zodiaque tropical...), et qui jouent sur différentes approches ou bien sur différents objets d'étude (astrologies conditionaliste, psychologique, humaniste, karmique, mondiale, médicale, etc.). La part prédictive de l'astrologie n'est de plus qu'un aspect parmi d'autres, la part la plus importante, selon moi, et fondamentalement essentielle, c'est bien la connaissance de soi et le travail sur soi, sur tous les plans et à tous les niveaux, psychologique, relationnel, spirituel... Bref !

Voilà, en tout cas, pour quelques éléments concrets concernant les arguments assénés parfois par ceux qui se prennent pour des détracteurs qu'il faudrait prendre au sérieux, mais qui montrent juste qu'ils ignorent à vrai dire de quoi ils parlent, qu'ils ne connaissent pas du tout ce qu'ils critiquent, qu'ils confondent tout ! !... Comme c'est souvent le cas en bien des domaines, vu le manque d'honnêteté intellectuelle qui sévit sur la planète partout parmi les êtres humains, même parmi les gens qu'il faudrait prendre au sérieux, du fait de leurs études, diplômes, formations et statuts...

Mais revenons-en aux principes fondamentaux de l'astrologie. Alors, donc, en principe, en théorie et en pratique, les astres, quels qu'ils soient, émettent, oui, de l'énergie, des irradiations, des rayonnements, à travers les différents plans de la Matérialité-Grossière, notamment dans l' "astral", comme son nom l'indique. Et cela n'est pas sans effet sur tous ces plans, même sur le plan mental ; cela impacte effectivement nos états d'âme généraux, nos humeurs, nos pensées, nos émotions, etc. Et les courants engendrés par les rayonnements des astres influencent également les événements, notamment les retours karmiques qui planent dans le grand Invisible, au-dessus et autour de chaque individu, voire de chaque groupe humain. Par leurs interactions, croisements, aspects, effets, ils constituent seulement les canaux dans lesquels des charges karmiques en suspension vont précipiter pour s'accomplir de manière plus efficiente et efficace, par condensation, densification, cristallisation, matérialisation. Ainsi, sans nier la valeur des prédictions ou prévisions astrologiques, nous ne sommes pas non plus (comme certains astrologues novices, débutants, ignorants pourraient vouloir le faire croire, en se gonflant d'importance) soumis à un déterminisme astrologique absolu. Tout cela, comme le reste, comme ce que je disais précédemment à ce propos, ce ne sont que des tendances générales et des possibilités. Chaque individu, même s'il ne peut compter sans les inévitables conséquences logiques de ses choix, décisions, actions passés, dispose à tout instant constamment de son libre-arbitre. Et, oui, c'est dans l'astral surtout que débute cette activité qui a donc avant tout déjà une influence conditionnante sur nos "états d'âme", c'est-à-dire nos états émotionnels dans l'astral.

Par ailleurs, avec l'évolution des mentalités, des idées, des connaissances, l'astrologie et les astrologues ne cessent d'évoluer et d'intégrer de nouvelles informations. Evidemment, tout cela n'aura jamais le caractère absolu et indubitable d'une science dure comme les mathématiques pures, mais ce n'en est pas pour autant purement et simplement n'importe quoi, il y a quelque chose, effectivement, mais, comme tout le vivant, eh bien, c'est incroyablement "vivant", foisonnant, bouillonnant, protéiforme, changeant, et tout cela est bien difficile à cerner d'un seul regard avec le seul intellect terrestre.

Qu'on pense donc déjà à ce fameux thème astral ou cette fameuse carte du ciel qu'on élabore pour chaque individu au moment de sa naissance (à partir non seulement de sa date, mais aussi de son heure et de son lieu de naissance, précisément) : il y a un grand nombre de paramètres à interpréter. Il y a en effet les positions de chaque planète au sens large d'astre mobile dans le ciel (étoile Soleil, satellite Lune, planètes proprement dites, planètes naines, astéroïdes, points virtuels, etc.) par rapport aux signes, par rapport aux maisons (secteurs délimités dans le ciel de naissance, correspondant aux différents domaines de la vie, l'ascendant étant le point qui se lève à l'est, le descendant celui qui se lève à l'ouest, le milieu du ciel celui au zénith, le fond du ciel au nadir…), ainsi que tous les aspects que font ces éléments entre eux. Ensuite, un bon astrologue ne peut faire l'impasse sur une bonne dose d'intuition réelle et efficace afin de savoir comment interpréter tout cet ensemble de symboles intriqués, en prenant en compte le consultant, sa personnalité, son niveau d'évolution spirituelle, son éducation, son conditionnement, là où il en est dans la vie, sa situation, les circonstances par rapport auxquelles il vient consulter. Là intervient en plus un vrai travail de voyance, afin de se mettre réellement sur la même longueur d'onde que le consultant. Je dis bien "longueur d'onde" intentionnellement, car il s'agit vraiment de ça !

Intervient effectivement ici un élément de la plus cruciale importance : l'interprétation de la symbolique, ce qui constitue sans doute l'exercice le plus difficile. A ce propos, je souhaiterais donner deux exemples afin d'illustrer cette profonde difficulté dans la juste interprétation des images que peut percevoir un voyant ou un astrologue, images qui proviennent au départ de symboles vastement englobants, ayant une multitude de correspondances et de possibilités d'interprétation, de signification. Car le monde de la symbolique en général, comme de l'astrologie en particulier, manipule des symboles correspondant à des archétypes absolus dont nous ne verrons à vrai dire jamais la couleur ici-bas ; ils n'existent de façon parfaitement et absolument pure que dans les hauteurs les plus élevées, se manifestent en prenant forme à chaque plan qu'ils traversent, sous forme d'énergie-information-principe, et de là donnent toute la palette des variations dans la multitude de ce qui existe.

Mon premier cas de figure concerne Nostradamus qui aurait prédit à sa reine que son roi allait mourir, tué par un sanglier, dans une cage dorée. Par la suite, à l'automne, un jour de chasse ensoleillé, le roi se retrouva dans une clairière entourée d'arbres au soleil couchant, pouvant ainsi faire office de cage dorée, et se fit charger par un sanglier. Il n'y succomba pas pour autant, contre toute attente. Ce ne fut que plus tard, au cours d'un tournoi, qu'il périt : alors qu'il portait une armure dorée, il fut terrassé par un adversaire qui arborait le sanglier comme emblème.

Deuxième exemple issu de mon expérience personnelle… Au cours de vacances en camping, notre petite famille sympathisa avec une autre. Ma mère, astrologue, travailla sur le thème natal du monsieur. Elle y vit la mort de celui-ci, quelque chose en rapport avec son travail, comme un accident de travail, advenant sur son lieu de travail. Or, elle savait bien, comme tous ceux qui apprennent sérieusement, qu'il ne faut pas voir la mort à toutes les sauces dans un thème, qu'il faut bien se garder d'une interprétation littérale, au pied de la lettre, au sens propre, qu'il y a tous un tas de changements et de bouleversements autres, qui peuvent être considérés comme de petites morts symboliques. Elle incita malgré tout sa femme à reprendre une formation de comptable (elle avait arrêté de travailler pour s'occuper de ses enfants) et incita de même ce monsieur à se réconcilier avec sa famille, avec laquelle il s'était brouillé. Or, un été, plusieurs années après, alors qu'ils étaient en vacances en camping, ce monsieur fut brutalement frappé par la foudre ! Il travaillait en fait sur les lignes à haute tension des chemin de fer (notion de travail et d'électricité) et se trouvait alors en vacances dans un camping grâce au comité d'entreprise SNCF, si je me souviens bien (notion de lieu rattaché au travail)…

Enfin, avant de parler de la radiesthésie, je souhaiterais aborder rapidement le cas de la cartomancie, avec, par exemple, le fameux tarot de Marseille. Singulière structure et histoire, d'ailleurs, que celles de ce tarot, constitué de 22 lames, de même que l'alphabet hébreux est constitué de 22 lettres (réparties en 3+7+12…), ayant toutes valeur de symboles. L'explication du processus me permettra en fait d'anticiper sur le phénomène de la radiesthésie.

Tout, dans l'Univers, dans la Création, est à la fois concept, principe, information, énergie et forme tangible, sur quelque plan que cela se situe. C'est ce qu'on retrouve en science avec la dualité onde-corpuscule : tout onde peut se comporter, dans certaines circonstances, comme un corpuscule, et inversement tout objet peut être associé à une longueur d'onde. Autrement dit, finalement, on retrouve là ce que nous dit la Kabbale, à savoir qu'il y a identité, équivalence vibratoire entre le signifiant et le signifié, entre l'objet et son nom, sa désignation, qu'une personne ne s'appelle pas seulement par son nom, mais qu'elle est son nom. Ainsi, aussi, une question, dans l'Univers, correspond à une requête, comme n'importe quelle intention, c'est de l'information, de l'énergie, elle a sa propre longueur d'onde, vibration, énergie. Elle entrera ainsi immédiatement en résonance avec la réponse correspondante.

C'est en tout cas ce qui se produit, selon moi, dans ces méthodes de divination où le consultant, pour obtenir une réponse à une question nettement déterminée, pioche au hasard un objet, une carte, une rune, ou autre. Son système énergétique vibre dans le sens de la question, rentre ainsi en résonance avec la réponse, et son inconscient le poussera à choisir les éléments correspondants, les symboles parlants.

Quand on a étudié la mécanique quantique, il est facile de ne plus voir autour de soi des objets apparemment distincts et isolés, solides et tangibles, mais des informations vastement intriquées.

Terminons enfin par la radiesthésie ! Et je vais seulement me concentrer sur le cas le plus simple et le plus couramment utilisé, afin d'illustrer à partir de là ce que je veux dire sur le sujet : le pendule. Le principe est simple : en interpréter les mouvements afin d'obtenir des réponses à des questions.

Et là, tout de suite, tordons le cou aux idées reçues, aux erreurs issues de l'ignorance humaine en la matière, largement répandues dans bon nombre de cercles qui s'intéressent à ces choses, même les plus sérieux. Tout commence dans cette ambiance dite "fin de siècle", à la fin du 19ème siècle, avec cet engouement exubérant se propageant un peu partout, notamment dans les cercles aisés, y compris chez les intellectuels également, ainsi que chez les artistes, pour des pratiques comme le spiritisme, la médiumnité, les tables tournantes ou ouija, pour l'hypnose, et tout un tas de choses du même ordre, notamment la radiesthésie également, avec, surtout, l'utilisation du pendule. Or, à l'époque, les gens ne disposaient pas des connaissances que nous avons aujourd'hui, qu'elles soient d'ordre scientifique ou spirituelle, ou, pour être plus exact, de l'ordre de ce qui se déroule dans l'Au-delà, le grand Invisible, notamment au niveau énergétique. Ne sachant donc pas expliquer ces mouvements du pendule, par ignorance du phénomène réelle, les gens pensaient alors que c'étaient les "esprits" de l'Au-delà, avec lesquels ils communiquaient ainsi, qui faisaient bouger le pendule, par le truchement de leur corps. Cela supposerait par ailleurs que ces derniers, une fois mort et affranchi de la matière la plus dense, aient une connaissance illimitée sur tout, ce qui est totalement faux, puisque, lorsqu'un être humain décède, et que son âme se sépare de son corps, il se retrouve sur le plan de l'Au-delà qui correspond à son degré de maturité et, tant qu'il n'entame pas une réelle ascension spirituelle vers le haut, il n'en sait à vrai dire pas plus que de son vivant, il sait juste que la mort terrestre n'est pas la fin en soi de son être, de son existence.

C'est la raison pour laquelle certains, à tort, du fait de leur ignorance totale en la matière, se méfie de, méprise, dénigre, diabolise l'utilisation du pendule, en le mettant sur le même plan que le spiritisme, avec ces jeux malsains que sont les tables tournantes ou ouija. Et ce n'est pas absolument faux, mais dans une certaine mesure seulement. Et ce "dans une certaine mesure seulement" relève d'une nuance que seul peut faire celui qui est véritablement initié en la matière, qui dispose en propre d'un savoir réel, et non seulement imaginé et régurgité à partir de livres, d'aussi bonne qualité soient-ils, sur les phénomènes réels qui se déroulent alors dans l'Au-delà comme dans l'En-deçà. Leur mise en garde n'est pas tout à fait déplacée. En effet, il est un fait important à connaître lorsqu'on entreprend ce genre de distractions malsaines : vouloir communiquer avec des êtres de l'Au-delà, des âmes humaines désincarnées, qui ne disposent donc plus d'un corps physique terrestre, par l'intermédiaire de la matière dense physique terrestre est une terrible erreur et constitue un véritable danger. Seuls les âmes encore liées à la Terre d'une quelconque manière, et donc plus sombres, impures, enchaînées par de quelconques penchants ou par des fautes les liant à des individus ou à des lieux ici-bas, dans le plan physique terrestre, en l'occurrence celles qui peuplent encore les plans du bas-astral, qui n'est qu'un plan de transition entre le plan physique terrestre et l'Au-delà, un plan intermédiaire, de séjour normalement passager, ressemblant encore au plan physique terrestre, mais appartenant déjà au grand Invisible, seules ces âmes peuvent déployer une force et une énergie suffisantes, suffisamment concentrées, éventuellement en puisant dans les énergies vitales des personnes présentes, pour s'approcher d'un objet terrestre et exercer sur celui-ci une action afin de le déplacer. Oui, seules les âmes impures, les plus sombres, voire les plus mauvaises, sont encore suffisamment proches de la matière la plus dense pour pourvoir la mettre en mouvement, la faire bouger. Dans le cas où une âme plus lumineuse s'approcherait, elle devrait automatiquement céder du terrain afin de ne pas être souillée, si une âme plus sombre intervenait, qui peut déployer davantage d'énergie vis-à-vis du terrestre, puisqu'en étant plus proche. Mais le ressort de ce phénomène, de ce processus, ce n'est pas l'objet matériel en soi ! Tu ne risques pas d'être ainsi exposé à ce genre de choses en utilisant un mug le matin pour boire ton café. Non, ce qui est fondamental ici, c'est l'intention ! ! C'est l'intention de communiquer avec des esprits de l'Au-delà et d'en obtenir des réponses, par l'intermédiaire d'un objet matériel, qui ouvre la porte à ce genre de choses. Cette perspective seule, dans le cerveau des gens et leurs représentations, ouvrent une brèche et une voie larges et immenses où tout cela peut s'engouffrer et se décharger sans limite et sans retenue sur les insensés, les imprudents, qui se sont librement pourtant adonnés à ce genre de choses. Utiliser le pendule dans ce genre d'optique, avec cette mentalité, peut ouvrir également la voie à ce genre d'abus et d'erreurs, et exposer ainsi l'utilisateur ignorant à des dangers qu'il ne peut imaginer et mesurer.

L'utilisation du pendule en soi n'a cependant rien à voir avec ce genre de phénomènes. Je vais tenter de l'expliquer simplement, tel qu'il se déroule réellement. Lorsque quelqu'un pose une question, il vibre, comme je l'ai déjà dit, dans le sens de cette question. L'énergie ainsi émise rentrera automatiquement en résonnance avec la réponse dans l'Univers, puisque tout est lié, intriqué, notamment sur le plan du grand tissage des énergies qu'est le plan éthérique. Son système énergétique captera ainsi la réponse, vibrera dans cette fréquence. Cela (lorsque l'on est bien entendu suffisamment détendu, relâché et quand on est parvenu à faire le vide mentalement) agira directement sur le système nerveux de l'organisme physique, du corps terrestre, et impactera par conséquent aussi le système musculaire. Ce sont donc les mouvements réflexes inconscients du corps qui feront bouger le pendule, et rien d'autre, encore moins un obscur esprit de l'Au-delà, comme certains le croient et le craignent encore très naïvement. Il en va exactement de même, par exemple, avec la baguette de sourcier. Bien entendu, tout ce travail, n'importe qui ne peut pas le faire n'importe comment. Cela réclame, comme je l'ai dit, un grand état de relâchement, en même temps tonique et responsif, ainsi que la capacité à faire réellement le vide mentalement, de manière à ne pas être influencé, que la réponse ne soit pas faussée. Dès que la plus petite perturbation, en particulier affective, se manifeste, cela fausse les résultats. Par ailleurs, il faut également prendre garde à poser la question correctement, précisément. C'est là qu'on voit que, dans l'Univers, les mots ont une signification, un sens précis. Agissent également les représentations et croyances de celui qui pose des questions. Ce n'est donc pas non plus un moyen d'accéder à un savoir absolu sur tout, puisque des erreurs d'interprétation peuvent s'y glisser et fausser les résultats, lorsque la capacité de compréhension du radiesthésiste est limitée dans ses conceptions, dans sa capacité à concevoir la réalité, à l'appréhender dans son ensemble ; il ne pourra qu'échouer lamentablement face à des choses qui le dépassent, surtout s'il n'a pas pour cela l'humilité, la réceptivité et la pureté de cœur nécessaires et de toute façon indispensables à ce genre d'exploration. Or, malheureusement, les gens qui s'y adonnent le plus, ne relèvent pas de cette catégorie.

En outre, je rajouterais que ces mouvements réflexes, amplifiés ou manifestés en fonction du praticien et de sa sensibilité, au travers de différents outils, comme le pendule, la baguette de sourcier, ou autres, sont exactement de même nature que les tests musculaires utilisés en kinésiologie.

Enfin, ce danger existe aussi, sans le truchement d'aucun objet matériel, ne serait-ce que lorsqu'on s'absorbe dans un état méditatif avec comme intention de rentrer en contact avec d'autres plans et d'autres êtres dans l'Invisible. L'intention est la clé ! Et, comme disait ma prof de qi gong : "L'énergie va là où va la pensée.". La porte est alors ouverte et, consciemment ou inconsciemment, l'être humain qui s'expose ainsi est insidieusement enrobé de courants sombres, d'êtres impurs, qui le tirent vers le bas, qui restreignent petit à petit sa capacité de compréhension réelle, tout en lui faisant miroiter des choses qui n'ont que l'apparence de l'élévation, de la clarté. C'est ce qui arrive à tous ces fondus de l'Au-delà, qui sont soi-disant en communication avec des esprits lumineux, élevés, des maîtres ascensionnés, et autres imposteurs et bavards de l'Au-delà, qui se font passer pour des maîtres, alors qu'ils ne sont même pas des élèves dignes de ce nom. Par ailleurs, toutes les communications de ce genre (comme il y en a tant dans ce domaine) n'ont aucune valeur, sont remplies d'erreurs, même si s'y dissimulent parfois des grains de vérité, que seul l'initié réel, en toute humilité, peut distinguer, car chaque tentative artificielle et forcenée de pénétrer dans ce monde invisible bouleverse les capacités naturelles de perception de la personne qui s'y adonne, elle sera ainsi totalement incapable de reconnaître ce qui est réel et ce qui ne l'est pas, de distinguer l'un de l'autre, surtout si, en cela, son imagination est excitée par sa vanité, elle ne pourra pas non plus, sans un savoir solide en la matière, faire la différence entre la vraie vie de l'Au-delà et ce royaume d'ombres et de chimères, peuplé des formations des êtres humains eux-mêmes, avec toutes leurs imaginations, pensées, sentiments, etc.

Encore une dernière chose… On peut donc, sachant désormais cela, se livrer à l'utilisation du pendule sans peur et sans crainte, tant que l'intention, comme pour la méditation, est tournée vers l'intérieur, vers l'intuition qui se manifeste là où l'esprit est relié au corps dans l'âme, au niveau du plexus solaire, qui influe sur tout le système nerveux, et qui agit aussi comme une antenne en ces choses. En revanche, autant certaines personnes sont très naturellement douées pour cela, autant d'autres ne le sont pas du tout. - Je crois pour ma part faire partie de la deuxième catégorie. - En effet, il faut ne pas être trop sensible, influençable et perturbable par les énergies subtiles, suffisamment ancré et recentré sur soi, pour pratiquer de telles choses. Quand le corps lui-même est une antenne, quand on a une sensibilité quasi médiale, c'est plus difficile, aussi n'est-ce pas forcément utile non plus d'utiliser un quelconque outil intermédiaire, la perception peut être plus directe, consciente. Chez d'autres personnes, cependant, c'est quasiment inné ! Et, oui, comme cela fonctionne sur la base de conventions mentales qui doivent être nettement établies entre le mental et le corps, il peut y avoir des personnes dont les ancêtres pratiquaient ce genre de choses, elles ont donc, déjà, potentiellement, dans leur bagage informationnel, que cela se situe sur le plan éthérique ou sur le plan physique, la mémoire de ces pratiques, des conventions préétablies, prêtes à l'emploi.

Dans tous les cas, et ce sera ma conclusion sur ce sujet, il est un fait objectif indubitable et incontournable qu'il y a des personnes naturellement douées pour tout cela, appelées à cela, qui nageront dans ces domaines comme des poissons dans l'eau. Quant à ceux pour qui ce n'est pas le cas, s'ils tentent de forcer les choses par un entraînement artificiel, ils n'iront au devant que d'ennuis, voire de dangers, sans parler des erreurs abondamment répandues, car à aucun moment ils ne disposeront de la protection et de la qualité de perception qu'offre un développement sain et naturel.

Alors, chère amie, cher ami, je pense arriver au bout (en tout cas pour le moment au moins) de ce que j'avais à te dire, de ce que j'avais à cœur de partager avec toi, qui constitue mon "plus-précieux", mon intime conviction, ma vision très personnelle du monde, la façon dont je vois et vis les choses. Je suis tout à fait conscient du fait que tu peux ne pas être d'accord avec tout, je l'admets sans problème, mais, comme je le dis et le répète depuis le début, mon intention, c'est de me livrer spontanément, de te donner librement à voir ce qui fait ma façon d'expérimenter le monde, sans quoi tu ne pourrais, toi, y avoir librement accès, en vue, éventuellement, d'y piocher des connaissances, d'y puiser ce qui fait écho en toi et est susceptible de te nourrir ainsi, tel un viatique, sur un de ces sentiers conduisant à la Sagesse, sur lequel tu chemines actuellement.

Il me faut donc, pour finir, te révéler quelle est ma source principale. J'ai fait quelques références, ici ou là, quant à différents sujets, aspects, mais je ne t'ai pas encore parlé de la source fondamentale à laquelle j'ai abondamment puisé. Cette vision du monde que j'ai souhaité partager avec toi n'est pas exclusivement mon propre, mon personnel. Même si elle est considérablement retravaillée, transformée, digérée, intégrée, assimilée, régurgitée sous une forme personnelle, adaptée, en fonction de mon interprétation subjective et de mes propres expériences vécues, à la base, ce n'est pas la mienne, elle n'est pas le fruit original de ma pensée. Je vais donc te dire enfin où j'ai puisé le fondement même de cette grande vue d'ensemble de la Création que j'ai tenté de dérouler devant tes yeux. Mais, là, il va me falloir procéder à quelques explications, mises en garde et avertissements préalables, afin de bien faire la part des choses, de m'assurer que mon intention première est bien comprise, qu'on ne me colle pas des étiquettes qui ne me correspondent pas.

Tout ce que je sais donc dans ce domaine, je l'ai puisé dans l'œuvre "Dans la Lumière de la Vérité", "Message du Graal", de "Abd-ru-shin" (ou "Abdruschin"). En réalité, la vision d'ensemble du monde et de la vie que j'ai déposée dans cet ouvrage, et qui constitue mon plus précieux trésor, le fruit de toute une vie d'expériences et d'efforts, est avant tout basée sur celle qui est développée dans cette œuvre, même si je suis allé puiser à d'autres sources, en faisant une synthèse adaptée à notre époque et à notre mentalité actuelle, à partir de mes expériences vécues personnelles.

Et là, tout de suite, immédiatement, avant d'aller plus loin, il me faut te mettre en garde ! Autour du Message du Graal se sont constitués avec le temps, non pas un "mouvement", mais des mouvements, issus de multiples scissions, qui présentent malheureusement des caractéristiques plus ou moins sectaires. Cela va de quelque chose de ni plus ni moins sectaire que, par exemple, l'église catholique, à l'échelle d'une communauté paroissiale, par exemple, à des groupuscules qui relèvent vraiment de la secte proprement dite, au sens péjoratif, négatif du terme, et qui sont dangereux, à différents niveaux, que ce soit spirituellement, humainement, psychologiquement ou matériellement.

En gros, en fait, si jamais tu t'aventures à faire des recherches sur Internet, par exemple, tu te rendras compte que tout ce qui tourne autour du Message du Graal, pratiquement, n'est qu'un tourbillon d'eaux croupies, un marécage putride et nauséabond, une terre désolée envahie par les ténèbres, avec un mélange répugnant jusqu'au dégoût de bêtise, de sectarisme, de culte de la personnalité, de fanatisme, d'intégrisme, de délires d'illuminés, de combats d'egos, de querelles de chapelle, etc. Enfin, bref ! Ça n'est ni plus ni moins pire que l'église chrétienne à ses débuts, sans doute, ou ce qu'on peut voir par ailleurs au sein d'autres regroupements humains.

Et, exactement de la même façon, il y a un contraste effrayant, effarant, un gouffre apparemment infranchissable, insurmontable, entre le noyau spirituel, le message, l'enseignement lui-même, d'une part, sur lequel ils sont fondés, sur lequel ils s'appuient, et ces regroupements humains eux-mêmes, d'autre part, ainsi que les adeptes qui s'en réclament. Exactement de la même façon que beaucoup de catholiques (désolé, je prends cet exemple, mais je pourrais très bien en choisir un autre, parmi d'autres religions) ne respirent pas franchement l'amour chrétien, font preuve d'une attitude et d'un comportement qui sont à l'exact opposé du message d'amour de Jésus tel qu'il repose dans les évangiles, de même les adeptes du Message du Graal dans leur ensemble, a priori (Bien sûr, je ne mets pas tout le monde dans le même panier, là comme partout, il y a de tout, et il y a aussi des gens très bien, de belles exceptions, et heureusement !...), ne correspondent pas forcément systématiquement à la sagesse, à la richesse et à la valeur spirituelles très éminentes qui reposent dans le Message du Graal.

Les Ténèbres règnent ! Justement là où devrait jaillir la source d'une réelle vie spirituelle, toujours renouvelée, perpétuellement créative, novatrice, rénovatrice, constructive et constructrice, là où devraient précisément fleurir les plus beaux fruits de la spiritualité et de l'humanité, dans l'Amour véritable, eh bien, non, ce ne sont que disharmonie, dissensions, aberrations, erreurs, illusions, errements, déformations, fausses voies, défiance, animosité, agressivité, voire violence. Il semble que les Ténèbres elles-mêmes s'efforcent systématiquement d'envahir, de recouvrir, d'obscurcir, d'obstruer, de voiler, de masquer, de cacher et d'étouffer complètement tout ce qui pourrait offrir aux êtres humains la véritable Sagesse, la vraie vie spirituelle dans la Lumière et la Vérité, dans l'Amour, la paix et la joie.

Et c'est pour cette raison aussi que cela me pose problème de citer ainsi clairement et explicitement ma source principale : je n'ai pas envie d'être assimilé à ou rapproché un tant soit peu de tout ça, de tout ce "merdier" ! - Tu me pardonneras, je l'espère, cette expression vulgaire, mais significative ! - Je n'ai aucune commune mesure avec tout ça ! ! Je chemine seul, et mon but ultime, ma seule et unique intention ici est de donner mon plus précieux, de partager avec toi ce que j'ai reçu. C'est pour cette raison que je ne m'adresse qu'à toi en tant qu'individu. A personne d'autre. A toi seul qui chemines, comme moi, peut-être plus ou moins laborieusement sur un de ces nombreux sentiers de la Sagesse, toi qui cherches et examines. Car toi seul tu dois trouver. Il n'est pas bon que toute vérité, aussi bonne soit-elle dans l'absolu, tombe entre les mains d'êtres humains qui ne seraient pas mûrs pour l'accueillir, l'interpréter correctement et la mettre en pratique avec sagesse. Avec leur horizon et leur niveau de compréhension spirituels limités, ils ne pourraient que déformer encore ce qui, pourtant, est intrinsèquement juste et vrai, comme ce fut le cas ici. Je ne m'adresse pas non plus aux groupes, aux foules, aux institutions, aux communautés, aux états, mais seulement à l'individu lui-même. Car c'est à lui seul qu'il appartient de travailler sur lui-même pour se changer lui-même, et changer ainsi le monde !

Je n'ai donc rien à voir avec tout ça, je suis totalement libre et indépendant, je n'ai pas l'intention de fonder un quelconque mouvement, encore moins une secte - bah, beurk, quelle horreur ! -, et je veux rester absolument parfaitement libre et indépendant.

Et je suis aussi profondément attristé et affligé de devoir faire objectivement ce constat que, précisément autour du Message du Graal, foisonne et bouillonne tout ce merdier putride. C'est désolant et désespérant ! Parce qu'au final, cela laisse penser que, malgré tout le mal que la Lumière peut se donner pour éduquer, élever et aider les êtres humains, ces derniers sont tellement immatures spirituellement, tellement faibles et stupides, enclins à sombrer dans toutes les tentations, notamment celle de l'arrogance, de la prétention et de la vanité, à choir dans toutes les crevasses des errements humains, qu'il semble que rien d'autre ne puisse être fait en définitive que d'abandonner chaque individu à lui-même et à son propre sort. Toutes les aides, toutes les clés, toutes les pièces du grand puzzle de la Vérité sont là ; à lui de faire le travail !

C'est bien pour cela que vouloir à tout prix fonder des religions, églises, mouvements, communautés, regroupements (ce dont l'être humain a fondamentalement besoin, certes, je l'admets, afin de ne pas rester seul dans son coin, afin de pouvoir retrouver ses semblables, partager des affinités, dans un élan commun vers l'idéal, dans le but de construire quelque chose concrètement ici-bas, sur Terre) me semble pourtant être une erreur récurrente. Parce qu'alors les êtres humains se focalisent sur ce qui semble le plus facile pour eux, c'est-à-dire sur tout ce qui est extérieur, sur tout le matériel-terrestre visible et tangible, avec leurs rassemblements, leurs salamalecs divers et variés, etc., au lieu de travailler à eux-mêmes, sur eux-mêmes, afin de se transformer véritablement eux-mêmes en profondeur. Cela, finalement, le plus important, ils le mettent toujours de côté. Et il est singulier de voir que ce sont précisément les gens qui se préoccupent bien moins du spirituel et qui sont plus dans le concret, qui se préoccupent réellement surtout de l'humain et qui sont le plus proche de ce travail sur soi, de ce qu'il est possible de faire ici et maintenant très pragmatiquement et concrètement. Bref !

Moi, ce que je veux, c'est arracher cet ouvrage à ceux qui s'en réclament, et qui s'en servent de masque ou de bouclier, de justification pour leurs erreurs, voire leur folie, eux qui l'ont si peu compris, si mal interprété, et autant détourné, si peu mis en pratique, qu'ils n'en sont certainement pas de vivants exemples représentatifs, afin de le redonner à tous, à tous les êtres humains qui peuvent et doivent pouvoir y avoir librement accès, sans s'imaginer un seul instant devoir pour cela intégrer un quelconque groupe, sans se sentir mal à l'aise en sentant la pression de doigts crochus sur leurs épaules, qui voudraient les entraîner et les perdre, gaspiller leurs élans sincères, dans de quelconques errements humains, dans de quelconques regroupements humains plus ou moins sectaires. De la même façon qu'aujourd'hui on peut s'abreuver à différentes sources spirituelles de sagesse et de vérité, lire la Bible, les Evangiles, le Coran, la Torah, le Livre des morts tibétain, les discours du Bouddha, s'intéresser à la philosophie, à la Kabbale, à la théosophie, l'anthroposophie, l'hindouisme, le taoïsme, etc., sans pour autant se convertir, intégrer durablement un groupe, une religion, un mouvement, mais en demeurant parfaitement libre et indépendant, en ne retenant, dans ce qui a été puisé, que ce qui fait écho en soi et nourrit, de même chacun doit pouvoir aujourd'hui librement puiser dans les trésors spirituels que recèle le Message du Graal, car beaucoup de questions jusqu'ici irrésolues y trouvent de bien meilleures réponses.

Maintenant, je vais te présenter un peu plus précisément cet ouvrage, son auteur, ainsi que leur histoire. Je resterai volontairement succinct et écrirai peut-être plus tard éventuellement un ouvrage spécifique pour en parler plus en détail.

Commençons par l'auteur. Abdruschin (orthographe originale) ou Abd-ru-shin (orthographe postérieure, plus moderne et récente), de son vrai nom Oskar Ernst Bernhardt, est né en Allemagne le 18 avril 1875, de parents protestants. Issu d'un milieu qu'on pourrait qualifier de "bourgeois", il fit des études et devint commerçant. Il fit ensuite tout un tas d'expériences vécues de tous ordres, depuis le mariage jusqu'au divorce en passant par la paternité, eut tout un tas d'aventures à travers le monde, des Etats-Unis au Japon, en passant par l'Inde, le Moyen-Orient, l'Afrique et l'Europe, devint écrivain et commença progressivement à en vivre. Pendant la première guerre mondiale, en tant que ressortissant allemand présent sur le sol anglais, à cause d'un concours de circonstances, il fut interné provisoirement dans un camp sur l'île de Man. C'est là, sans doute, qu'il se retira en lui-même, fit le point sur son expérience du monde et de l'humanité. De retour en Allemagne, après la guerre, il y rencontra sa nouvelle femme, Maria, qui pratiquait les soins énergétiques et qui avait déjà trois enfants d'un précédent mari mort pendant la première guerre : Irmgard, Alexander et Maria-Elisabeth. C'est donc à cette époque qu'il commença à publier ses premiers exposés sous le pseudonyme orientalisant de "Abdruschin". Il ne faut pas oublier que nous sommes encore à l'époque dans cet atmosphère "fin de siècle", avec cet engouement puissant pour l'Asie et l'Orient, pour l'occultisme et l'ésotérisme, où l'on cherche, comme Héléna Blavatsky et les théosophes, à concilier les sagesses d'occident et d'orient, notamment le Christianisme, le Bouddhisme, l'Hindouisme, etc., toutes ces traditions spirituelles étant conçues (très justement, selon moi) comme émanant d'une Source unique, comme différents aspects complémentaires de la même unique Vérité. Cette impulsion me semble prendre une forme cohérente, logique et aboutie dans l'œuvre de Abd-ru-shin. En 1926, puis à nouveau en 1931, il rassembla ses exposés et les publia sous forme d'un livre intitulé "Dans la Lumière de la Vérité", avec le sous-titre mystérieux et interpellant "Message du Graal". En outre, du fait de sa proximité, des personnes douées de clairvoyance et guidées d'En-Haut purent contempler et transmettre les précieux récits de la vie des différents "apporteurs-de-vérité" que furent : Zoroastre, Lao-Tseu, Bouddha, Mahomet, Moïse, Jésus et bien d'autres encore.

Venons-en maintenant au fait, à ce que les adeptes cachent, dissimulent, pensant là qu'il s'agit d'un secret qu'il faudrait garder secret, justement, laissant à chacun la liberté, voire le devoir de le reconnaître par lui-même. Abd-ru-shin se présenta lui-même comme étant le Fils de l'Homme annoncé par Jésus. Oui, c'est un peu fort de café, et alors ? !... Comme je le disais pour la notion de "Fils de Dieu" concernant Jésus, c'est la même chose pour cette notion de "Fils de l'Homme" concernant Abd-ru-shin. Qu'est-ce que ça peut faire, en réalité, que l'on y adhère ou pas, qu'on le reconnaisse ainsi à travers son œuvre ou pas, qu'on y croit ou pas ? Ce qui compte, c'est bien ce qu'il apporte dans son œuvre. Et cela représente déjà, comme les évangiles, un travail tellement immense pour nous, les êtres humains, que nous avons de quoi faire pour notre vie entière, et même toutes les autres, sans nous préoccuper de détails corollaires. Exactement comme pour Jésus, en tant que Fils de Dieu, avec les évangiles, de même pour Abd-ru-shin, en tant que Fils de l'Homme, avec le Message du Graal, il appartient à chacun de voir en lui-même si quelque chose fait écho en lui, si sa voix intérieure lui murmure quelque chose dans ce sens, s'il peut parvenir ici à une quelconque conviction intérieure, totalement libre et vivante, à partir de sa parole, et basée sur une prise de conscience personnelle, voire une expérience vécue individuelle. Finalement, de toute façon, cela ne change rien à la qualité de la mise en pratique des vérités qui reposent dans ce message. De même qu'on peut adhérer au message d'amour de Jésus-Christ tel qu'il transparaît dans les évangiles sans pour autant reconnaître ou croire que Jésus était le Fils de Dieu, sans pour autant devenir chrétien, intégrer une église, de même peut-on reconnaître l'éminente valeur spirituelle du Message du Graal, sans pour autant reconnaître ou croire que Abd-ru-shin était le Fils de l'Homme, sans pour autant adhérer à un quelconque mouvement ou regroupement humain qui s'en réclamerait.

Et mon intention, c'est bien que ce "secret" ne soit plus un obstacle à une libre profession de foi, comme les premiers chrétiens n'ont pas craint de le faire, ni non plus à l'étude sérieuse et objective, pragmatique et concrète du Message du Graal. Bien des penseurs, des philosophes, des théologiens, des chercheurs dans les domaines spirituel, ésotérique, occulte, de développement personnel ou de la conscience, pourraient y trouver des réponses à bien des questions, des solutions toutes simples à bien des problèmes, avec en plus le caractère d'évidence frappant de ce qui est vrai, à mon sens. Il y a en effet, par exemple, des moines catholiques qui connaissent fort bien cet ouvrage, qui en reconnaissent objectivement la valeur, sans problème, même si, évidemment, ça les fait sourire que l'auteur se présente lui-même comme le Fils de l'Homme. Cependant, comme pour Jésus, la caution, la preuve ultime, ne se trouve-t-elle pas dans la Parole elle-même ? !... Si l'esprit est éveillé en l'être humain, il se pourrait qu'il entende la voix de sa conscience spirituelle profonde en son for intérieur, dans son intuition, le pousser, par un acte de foi, à croire. Sur le chemin de cette foi naissante, il prend peu à peu confiance en faisant l'expérience vécue, multiplement renouvelée, de la véracité de cette Parole, c'est-à-dire de cet enseignement spirituel, pour finalement finir par en acquérir quelque conviction intérieure.

Cela, cependant, n'est pas non plus indispensable ! Combien n'y a-t-il pas d'athées qui, bien plus que certains chrétiens, vivent en leur cœur et mettent en pratique dans leur vie, très concrètement, le message d'amour du Christ, sans pour autant croire que Jésus était le Fils de Dieu ! Combien, à l'inverse, n'y a-t-il pas de soi-disant chrétiens qui ressassent et rabâchent mécaniquement que Jésus était le Fils de Dieu, sans pour autant que cela déteigne sur eux, imprègne leur vie, les pousse à mettre en pratique son message d'amour, de bienveillance, de charité et d'altruisme ! ! Il en va exactement de même avec les adeptes du Message du Graal. Personnellement, eu égard à mon expérience, - je suis désolé de le dire - il y en a bien peu qui trouvent grâce à mes yeux...

Maintenant, mon ami(e), tu vas peut-être me demander : "Mais, et toi ? Qu'est-ce que tu crois ?" Eh bien, je t'avouerais très honnêtement que je serais bien en peine de répondre à cette question. Oui, après avoir traversé de multiples crises de foi, après avoir tout plaqué, tout remis en cause depuis le début, pour tout reconstruire, et tout remettre à l'épreuve de la pratique, en me confrontant par ailleurs aux contenus des diverses religions, systèmes de croyance et de pensée, aux autres visions du monde véhiculées par différentes traditions spirituelles, en mettant également tout à l'épreuve de l'expérience vécue, je me dois de reconnaître que, dans cette confrontation, c'est toujours le Message du Graal qui l'emporte, en définitive, à plate couture et sans l'ombre d'un doute, c'est bien lui qui a construit la vision du monde qui est la mienne aujourd'hui, même si elle s'est abreuvée à bien d'autres sources, nourrie de bien d'autres sagesses, construite et élaborée au fil du temps à travers mon expérience vécue, telle que je te la restitue aujourd'hui. Cependant, oui, si je dois être tout à fait franc et honnête avec toi - et c'est bien mon intention dans cet ouvrage -, je dois t'avouer que j'ai des doutes, que j'ai encore des doutes. D'ailleurs, ces doutes ne surgissent jamais quand je lis ou étudie le Message du Graal en lui-même, ce qui fait naître immanquablement en moi la confiance et l'adhésion à ses paroles, la conviction que ce qu'il dit est vrai, surtout dans la confrontation. Le doute ne surgit à vrai dire que lorsque je vois ce que les êtres humains en ont fait, avec leur culte de la personnalité, leur besoin compulsif de se trouver, d'aduler et de suivre un guide, leur fanatisme spirituel ou religieux, leur sectarisme, leur psychorigidité dans la compréhension et l'interprétation, comme dans la mise en pratique, etc., bref, tout ce qui fait leur conditionnement bien ancré en eux. J'ai pourtant vécu en sa présence, dans ma dernière incarnation terrestre, au plus proche, quasiment comme son fils adoptif, mais, à l'instar des disciples de Jésus, je pense que j'étais trop attaché affectivement à la personne et que ce que j'ai vécu était trop fort, trop intense spirituellement, trop violent affectivement, émotionnellement, pour que je parvienne déjà en cette vie à suffisamment de recul pour en juger en toute objectivité. C'est un peu comme quand tu viens d'avoir un accident : tu te relèves et tu te demandes ce qui vient de t'arriver, tu réalises à peine et il te faut un moment pour retrouver tes "esprits", comme on dit, et comprendre ce qui vient de se produire. Il me faudra toute cette vie peut-être, voire d'autres encore (honnêtement, je ne l'espère pas, pas sur cette Terre, en tout cas), afin d'écluser ce trop-plein dans mon vécu personnel, afin d'apaiser tout ça, de prendre du recul, de la hauteur et de pouvoir en juger plus sereinement. Seulement, en dépit de tous les doutes, cela ne m'empêche pas d'y revenir. Et c'est à chaque fois en me confrontant à d'autres visions du monde, comme je te le disais, que, toujours, j'en suis revenu à celle que je me suis construite à partir du Message.

Il me semble en outre que règnent autour du Message du Graal de tels égrégores en pensée sur le plan mental que les personnes qui pourraient aborder librement et objectivement cet ouvrage, rentrent mentalement en contact avec ces égrégores et, soit se laissent influencer par une interprétation beaucoup trop partiale, unilatérale et psychorigide à mon sens, à contre-courant de l'intention même de cet ouvrage, de son auteur, soit, percevant cela, en sont profondément rebutées, à juste titre, comme avec les cathos par rapport aux évangiles, et ont tout de suite la saine impulsion de fuir tout cela, de s'en tenir éloignées. Or, je voudrais vraiment que chacun puisse accéder à ces richesses qui nous sont données ici, sans avoir à faire une course de saut d'obstacles, à franchir péniblement le marécage, les sables mouvants, que seule l'insuffisance et l'erreur humaines ont produits, et dont elles seules sont responsables, ont entouré le Message, le rendant ainsi méconnaissable et inaccessible. Ainsi le phare qui devait briller dans la nuit est-il devenu un sabbat de sorcières et un repère de brigands !

Quant au Graal, eh bien, tu dois logiquement te demander ce qu'il en est, ce que c'est, comment cela est à comprendre ici. Ne t'occupe surtout pas d'ailleurs en l'occurrence de ce que d'aucuns disent du Message du Graal sans l'avoir lu, mais plonge-toi au contraire dans l'étude de l'œuvre elle-même, et tu pourras en juger par toi-même. Relis aussi, à ce sujet, le texte de l'Apocalypse de Jean. Pour faire vite, le Graal, c'est cette "source des eaux de la vie" qui est décrite dans cette révélation, qui se trouve au sommet de la Création, vers laquelle afflue, dans laquelle se concentre et de laquelle jaillit la Force du Créateur, répandue chaque année pour l'entretien de la Création tout entière, de tous les mondes. Et elle est bien associée, dans ce livre, à la figure du Fils de l'Homme, qui en est l'ultime gardien et intermédiaire, l'Esprit de Vérité dont une épée (l'épée de la Parole de Vérité) sort de la bouche... La Cène, d'ailleurs, est en réalité un acte spirituel lié à cette réalité du Graal. Mais cela n'a rien de terrestre.

Dans l'Apocalypse de Jean, il est par ailleurs décrit comment, ici, sur Terre, doit naître un ordre harmonieux, qui soit, sur le plan terrestre, la juste transposition de l'ordre spirituel qui règne dans le Royaume éternel de Dieu. C'est la fameuse Jérusalem céleste, la ville aux rues d'or, qui peut être interprétée, en quelque sorte, comme une allégorie de cette réalité descendant d'en-haut.

Abd-ru-shin, face à la montée du nazisme, quitta l'Allemagne et partit s'installer dans le Tyrol autrichien, une belle région (c'est d'ailleurs là que je suis né !). Se constitua alors autour de lui une petite communauté faite de gens qui avaient reconnu, dans le Message du Graal, la Parole de Vérité qu'ils cherchaient et, dans son auteur, le Fils de l'Homme annoncé par Jésus. Abd-ru-shin continua à écrire, à enseigner, en tenant des conférences à partir de ses exposés écrits et, cherchant sûrement en cela à accomplir, tout comme Jésus, les écritures et les prophéties à son sujet, accepta de réunir autour de lui des personnes, considérées du point de vue spirituel comme des "appelés", c'est-à-dire des pré-natalement appelés et choisis, préparés spirituellement au préalable, plus hautement doués, afin de, mieux que les autres, pouvoir comprendre, correctement interpréter, intégrer, assimiler, mettre en pratique, de façon exemplaire, chacun avec sa personnalité, sa particularité, dans son domaine, les vérités présentes dans le Message du Graal. Il faut d'ailleurs savoir à ce sujet que ce qui se passait là, était tout à fait le contraire de ce que l'on voit dans les sectes : Abd-ru-shin était propriétaire des lieux et payait pour tout, pour la construction des logements et des bâtiments, l'entretien des voies d'accès, les différents autres aménagements, pour la création d'une école, pour la création de postes tels que celui d'institutrice, de dentiste, etc. Il rencontra par ailleurs bien des ennuis, notamment avec les moines catholiques du monastère à proximité, qui lui firent un procès pour avoir porté atteinte au dogme de l'immaculée conception et de l'éternel virginité de Marie, la mère de Jésus, en affirmant que Jésus avait dû être physiquement engendré, conformément aux lois naturelles édictées par le Créateur.

Bref ! Tout cela finit par aller à vau-l'eau ! De son vivant, Abd-ru-shin lui-même, dont certains abusèrent de la gentillesse et de la générosité, et qui fut en cela largement exploité, qualifia cette petite communauté de "nid de vipères", d'après des témoins, ce qui ne m'étonne pas. Que pouvait-on donc escompter d'autre, de plus ou de mieux, une fois qu'il ne fut plus là ? !......

Puis, en 1938, eut lieu l'Anschluss. Les nazis envahirent le plateau du Vomperberg sur lequel s'était établie cette petite communauté. Les locaux furent réquisitionnés, les gens, chassés, et Abd-ru-shin fut arrêté et emprisonné. Ce fut un laborieux combat pour le faire libérer. Il était en effet accusé d'être "juif" (alors que ce n'était pas le cas, et ce avec preuves à l'appui sur plusieurs générations), accusé également de diriger un mouvement pouvant potentiellement porter atteinte à l'ordre nazi. Mais il fut fort heureusement libéré, puis, malheureusement, assigné à résidence, régulièrement interrogé par la Gestapo. Il aurait sûrement pu finir par être déporté, comme bien d'autres, en camp de concentration. Cependant, il décéda le 6 décembre 1941, laissant ses proches dans le désarroi le plus total.

C'est ainsi que, après la guerre, espérant ainsi poursuivre son œuvre, ils décidèrent de fonder le "Mouvement du Graal", ce qui eut au moins le mérite de permettre de continuer à publier et à diffuser le Message du Graal. Ils refusèrent cependant le statut de "religion", car Abd-ru-shin avait expressément écrit, dès le début de son livre, qu'il n'était pas là pour fonder une nouvelle religion. Seulement, pourtant, tous les ingrédients étaient là : un prophète, un message, l'équivalent d'un baptême, des éléments de culte… ; et, très paradoxalement, cela aurait peut-être été finalement plus profitable, à l'image des premiers chrétiens envoyés par Jésus à travers le monde, baptisant au Nom du Père, du Fils et du Saint Esprit… Mais, bien évidemment, étant donné que les êtres humains ne sont que ce qu'ils sont, malgré les meilleures et les plus sincères intentions du monde, cela n'en dériva pas moins vers quelque chose de plus ou moins sectaire. Oh, au départ, pas plus que l'église catholique, par exemple ! Mais sectaire tout de même ! Les êtres humains s'attachèrent davantage aux personnes, aux lieux, aux regroupements, communautés, aux éléments extérieurs de culte, plutôt qu'à l'essence même du Message, à l'intégration, assimilation et mise en pratique de son contenu. De là jaillirent aussi différentes scissions. Tout d'abord entre le mouvement originel basé en Autriche et une branche qui s'installa au Brésil. Puis à nouveau entre le mouvement général officiel et la personne qui hérita des lieux... A cela s'ajoutèrent d'innombrables autres séditions, avec la formation d'autres groupes, voire groupuscules plus ou moins sectaires et dangereux. En tout cela se déchargèrent et se déchaînèrent culte de la personnalité, fanatisme, sectarisme, intégrisme, intolérance, combats d'egos, querelles de clochers, disputes métaphysiques et théologiques, etc. Un vaste champ d'épandage fleurant davantage le fumier que le parfum des fleurs des champs ! Ce qui, surtout, fit polémique, ce fut le fait que l'actuelle édition du Message du Graal n'est pas identique à l'originale. Pour moi, c'est un faux débat. Parce que, comme on le voit quand on se penche avec précision dans l'étude de son œuvre, de son évolution, on constate que toujours, cela changea, que ce soit au niveau du contenu, sur de petits passages, ou au niveau de la forme, de l'ordre des exposés. Je suis convaincu, pour ma part, que, à la fin de sa vie, effectivement, l'auteur lui-même retravailla son œuvre, comme certains témoignages le rapportent de sa période d'assignation à résidence, mais, peut-être, il n'eut pas le temps d'aller jusqu'au bout de son travail et de le finaliser. Ses proches furent sûrement décontenancés, tentèrent de publier cela au mieux, en suivant les directives peut-être seulement partielles, incomplètes, de l'auteur, mais en aucun cas ne cherchèrent à déformer ou à falsifier l'œuvre en elle-même, dans un but de manipulation ou d'obscur complot (la réalité est souvent beaucoup plus triviale et révèle juste les insuffisances de l'humain ! !...), œuvre qui, en substance, quelle qu'en soit la forme, reste exactement la même quant au contenu essentiel. Or, pendant ce temps-là, pendant que ces gens se querellent là-dessus, que font-ils véritablement pour travailler sur eux-mêmes, s'améliorer, intégrer l'œuvre dont ils se réclament, et s'en montrer dignes en la mettant en pratique ? !... Rien ! Leur attitude hostile et leur comportement rien moins qu'agressif sont d'ailleurs bien peu engageants et incitent plutôt à la prudence, à les éviter, voire à les fuir, et avec raison. Ils sont inutiles, ils ne font que s'agiter dans les bas-fonds, remuer obstinément ce qui est déjà trouble en soi, en décomposition, sûrement en cela au service de l'obscurité qui les enserre sans qu'ils en soient eux-mêmes conscients. Il ne faut pas perdre le moindre quantum d'énergie ni de temps avec eux, il est tout à fait impossible, de toute façon, de dialoguer sainement avec eux, de leur faire entendre raison.

Bref ! Tout cela fait pitié ! Jusqu'au dégoût ! Le Message du Graal est autrement plus digne d'intérêt que tout ce merdier (pardon !) ne le laisse imaginer, malheureusement.

Voilà donc quelle était ma source principale ! Pour moi, la Source ! Et te voilà, mon ami(e), devant encore tout un champ d'exploration qui devrait stimuler incroyablement ton envie d'en savoir plus, ton aspiration à davantage de connaissances, de savoir, de sagesse et de vérité. Ne te laisse pas déconcerter par les êtres humains et leurs errements ! Pardonne-leur, car, oui, véritablement, ils ne savent pas ce qu'ils font ! Mais toi, consacre-toi sérieusement à l'étude de cette œuvre magnifique, d'une beauté splendide, se dressant au milieu de l'actuelle confusion, dans une clarté aveuglante, une splendeur éclatante, une sérénité intransigeante ! T'attend un travail sans fin, dont toute ton évolution d'esprit humain ne pourra jamais voir le bout, la fin, un travail plein de vie, de vitalité, de lumière, de créativité et de joie ! ! Et, sur cette base seulement, à l'avenir, peut-être, nous pourrons ensemble aller un peu plus loin...

Et voilà, ami(e), nous arrivons à la fin de notre périple. Et, comme tu peux le remarquer, malgré l'immense parcours que nous avons suivi à travers les mondes, nous nous retrouvons... exactement là où nous étions au départ, là d'où nous sommes partis ! ! ! Comme si nous n'avions même pas voyagé, comme si nous n'avions pas bougé d'un pouce ! Car, oui, toi, comme moi, nous ne nous retrouvons finalement qu'exactement là où nous sommes, là, ici et maintenant.

Et tout ce que nous avons pu voir, tout ce que j'ai pu te raconter, que tu y aies perçu quelque chose faisant écho en toi ou pas, que tu aies été d'accord ou pas, que tu y aies trouvé quelque valeur de sagesse et de vérité ou pas, eh bien, tout cela, au final, nous fait une belle jambe ! ! ! De savoir tout ça, finalement, qu'est-ce que ça nous apporte ? Quelle valeur cela a-t-il vraiment si ça ne nous permet pas d'avancer, d'évoluer, de nous transformer, de nous améliorer, de progresser davantage, de quelques pas au moins, vers l'idéal que nous poursuivons, en donnant un sens à notre vie, à ce que nous vivons, de trouver davantage de bonheur et de joie dans ce que nous devons expérimenter ici-bas ? Est-ce que ça nous aide à mieux faire face aux difficultés ? Est-ce que ça nous aide à devenir de meilleurs êtres humains ? A vivre davantage dans l'amour et l'harmonie, avec compassion et empathie, dans la charité, la bienveillance, la coopération et la contribution ? Comment puis-je d'ailleurs apporter ma propre contribution à ce monde, à cette société, coopérer à l'ensemble ? Eh bien, comme les fleurs des champs, en te gorgeant suffisamment d'eau et de lumière, pour faire exploser la gangue qui t'enserre et te révéler ainsi dans ta particularité, avec ta forme, ta couleur, ton parfum.

Oui, toutes ces questions, nous sommes en droit de nous les poser, elles sont la preuve d'une vraie sagesse, car tout le savoir du monde, aussi vrai et exacte soit-il, n'est rien si nous ne sommes pas capables de le mettre en pratique avec sagesse et amour, et d'avancer, de nous élever vers le haut ! !

Garde-toi, par ailleurs, de m'idéaliser, parce que je te dis tout cela, sur la base de ce que j'ai voulu partager ici avec toi, te transmettre. J'y ai mis le meilleur de moi-même, mon plus précieux, que j'ai ici fixé par écrit et figé dans le temps, dont je ne suis finalement moi-même qu'un heureux bénéficiaire, un dépositaire, un transmetteur, mais que je ne possède pas en propre. Je te rassure, il m'arrive encore de traverser de douloureux moments de doute, de désespérance, je me bats aussi contre mes propres imperfections, défauts, faiblesses, je lutte en ce monde pour m'y frayer un chemin, y trouver ma place, m'y implanter tout de même, et à partir de là œuvrer, créer, apporter ma contribution. Il m'arrive encore bien des fois aussi de désespérer des autres, et de moi-même, devant la difficulté de relationner harmonieusement avec les autres, avec mon prochain. Il m'arrive aussi encore de m'agacer, de pester, de m'énerver, de rager, de colérer, envers et contre tous… Rien n'est jamais acquis ! Tout est toujours remis en cause ici-bas ! C'est un combat permanent pour tout le monde !

Et maintenant, qu'est-ce que tout cela va bien pouvoir changer ? Surtout dans le monde dans lequel nous vivons. Eh bien, je ne sais pas, je n'en sais pas plus que toi, moi aussi, je m'accroche, je m'efforce de maintenir un cap.

Et peut-être est-ce bien de ça que relève la Sagesse véritable ? !... Car, la Vérité, c'est quelque chose de bien trop absolu, inaccessible en soi pour nous. Nos conceptions évoluent. Notre appréhension de la Réalité évolue. Si je devais réécrire cet ouvrage, l'écrirais-je de la même manière ? Trouverais-je les mots, d'autres mots ? Qu'en serait-il dans cinq ans, dans dix ans ? Aurais-je changé mon point de vue sur ceci ou cela ?... Bien des fois, je me suis d'ailleurs demandé : Ai-je bien dit tout ce que je voulais dire comme je le voulais ? Ai-je trouvé les bons mots ? N'ai-je pas oublié quelque chose ?... Et puis, au final : Ai-je raison ? Est-ce juste, est-ce vrai ?... Qui peut dire ?... Le doute aussi fait partie de l'accession à la Sagesse, de l'acquisition de la sagesse...

Tu vois, nous pourrions simplement terminer ainsi et nous quitter sur cela : la sagesse, c'est bien de savoir qu'en réalité, finalement, nous ne savons rien ! Nous sommes à la fois porteurs de tout et sans rien, en mouvement, en voyage, en partance et en itinérance à travers les mondes...

Bonne route, ami(e), bon courage dans ton propre périple sur les sentiers de la Sagesse qui traversent l'Univers ! Peut-être nos chemins se croiseront-ils à nouveau ?... Dans tous les cas : Que la paix soit avec toi !

Imprimé à la demande par www.lulu.com

Dépôt légal : Juillet 2018

DLE-20180726-49000

Milton Keynes UK
Ingram Content Group UK Ltd.
UKHW020642010823
426141UK00015B/531